Beiträge zur Geschichte und Lehre der Reformierten Kirche

Herausgegeben von Hannelore Erhart, Walter Kreck,
Gottfried W. Locher und Jürgen Moltmann

XXXI. Band
Klaus Sturm
Die Theologie Peter Martyr Vermiglis
während seines ersten Aufenthalts
in Straßburg 1542-1547

Neukirchener Verlag

Klaus Sturm

Die Theologie
Peter Martyr Vermiglis
während
seines ersten Aufenthalts
in Straßburg 1542-1547

Ein Reformkatholik unter den Vätern
der reformierten Kirche

Neukirchener Verlag

Die vorliegende Arbeit wurde im Frühjahr 1969 von der Evangelisch-Theologischen Fakultät der Rheinischen Friedrich-Wilhelms-Universität Bonn als Dissertation angenommen.

Gedruckt mit Unterstützung der Deutschen Forschungsgemeinschaft

Umschlaggestaltung: Kurt Wolff, Kaiserswerth
Satz und Druck: F. L. Wagener, Lemgo
Buchbinderische Verarbeitung: Klemme & Bleimund, Bielefeld
Printed in Germany — ISBN 3 7887 0283 4

Dr. Fritz Bubenzer
und
Carl Lampe
gewidmet

Vorwort

Mit der Veröffentlichung dieser Arbeit schließe ich meine mehrjährige Beschäftigung mit der Theologie Vermiglis vorläufig ab, um anderen Aufgaben nachzukommen. Es wäre verlockend gewesen, die Wandlungen seiner Theologie weiterzuverfolgen. Da er später durch die theologischen Auseinandersetzungen, die ihm aufgezwungen wurden, reichlich Veranlassung fand, sein Verhältnis zum Katholizismus deutlicher zu klären, wäre insbesondere weiter zu erforschen gewesen, in welcher Weise und aufgrund welcher Kriterien er die Abgrenzung von reformiertem und katholischem Verständnis des Christentums vollzog oder ob Vermigli gar einen dritten Weg gefunden und durchgehalten hat. Ebenso reizvoll wäre eine Untersuchung seiner theologischen Beziehungen zu Valdes und dem neapolitanischen Freundeskreis sowie anderer Einflüsse auf die Ausbildung seiner theologischen Überzeugungen vor der Emigration gewesen.

Daß die Arbeit so wie sie nun ist zustandegekommen ist, daran haben so viele freundliche Menschen in unterschiedlicher Weise Anteil genommen, daß sie nicht vollzählig erwähnt werden können.

Vor allen danke ich meinem verehrten theologischen Lehrer und väterlichen Freund Herrn Professor D. D. Ernst Bizer, dessen Verdienste um diese Arbeit nicht leicht ermessen werden können. Durch seine Anregung habe ich Vermigli erst kennengelernt und mich verlocken lassen, einem wenig bearbeiteten Gebiet der Reformationsgeschichte meine Aufmerksamkeit zuzuwenden. Seit meiner Bonner Studienzeit habe ich Herrn Professor Bizer einen unermeßlichen Schatz an Freundschaftserweisen, Ermutigung, Rat und Trost, Ermahnungen zu Fleiß und Gewissenhaftigkeit, Anregungen vielerlei Art, Hilfe und Unterstützung in mancherlei Gestalt zu verdanken. Ohne diese Zuwendungen an Glück, zu denen auch Frau Bizer Beträchtliches beigetragen hat, wäre alles, was seitdem geschehen ist, gewiß sehr viel anders geworden. Herr Professor Bizer hat mir das Interesse für die Reformationsgeschichte geweckt und zum ersten Mal mich gelehrt, Luther zu schätzen und zu verstehen. Sein Mitarbeiter zu sein, bedeutete, Zugang zu seiner Gelehrtenstube zu haben und an allen Phasen des Schaffensprozesses teilzunehmen, bei der Entstehung seiner Bücher, bei der Vorbereitung seiner Vorlesungen, beim Beschreiben kleiner Blätter in minuziösen Schriftzügen etwa mit Entwürfen zu unge-

wöhnlichen Lösungen dogmatischer oder historischer Fundamental-
probleme.

Ferner danke ich meinen Kolleginnen Susi Hausammann und Christa
Seelbach, daß sie während der gemeinsamen Arbeit mit Herrn Professor
Bizer immer wieder Zeit gefunden haben, theologische Ideen und Fragen
mit mir durchzudenken und zu erörtern und daß sie bei der Entstehung
dieser Abhandlung die mühevolle Lektüre von Entwürfen und ihre unver-
brämte Kritik nicht verweigert haben. Mit ihrem nie versiegenden Temperament und ihrer Begeisterungsfähigkeit zum theologischen Gespräch
hat Frau Hausammann unser Denkvermögen stets neu entfacht und
provoziert. Auch den Studenten, die unseren Seminaren und außerplan-
mäßigen Arbeitskreisen ihre unverhofften Fragen und Entdeckungen beigesteuert haben, sei herzlich gedankt.

Herr Professor Dr. J. F. Gerhard Goeters danke ich für freundliche
Ratschläge und Auskünfte. Er hat die Arbeit sehr erleichtert, indem er mir
alte Drucke von Vermiglis Werken aus seiner Bibliothek großzügig
überlassen hat.

Ich danke Herrn Professor Dr. D. Hubert Jedin und Frau Professor Dr.
Luise Abramowski für ihre Bereitschaft, die Arbeit zur Beantragung eines
Druckkostenzuschusses zu begutachten, und für ihre Verbesserungsvor-
schläge und Hinweise, die leider nicht vollständig berücksichtig werden
konnten. Frau Professor Abramowski verdanke ich darüber hinaus Ermutigung und freundschaftliche Fürsorge.

Nicht zuletzt verdienen die Beamten der Zentralbibliothek und des
Staatsarchivs in Zürich, insbesondere Herr Dr. Bodmer und Herr Dr.
Helfenstein, des Musée historique de la Réformation und der Biblio-
thèque Publique et Universitaire in Genf, insbesondere Frau Pfister, der
Archives et Bibliothèque de la Ville de Strasbourg, insbesondere Herr
Ph. Dollinger, und der Universitätsbibliothek in Bonn, vorzüglich Herr
Professor Dr. Otto Wenig, meinen herzlichen Dank für ihre Unterstüt-
zung, die oftmals das Maß dessen, wozu sie verpflichtet gewesen wären,
weit überstieg.

In Zürich gaben mir Herr Professor D. Fritz Blanke und Herr Professor
Dr. Joachim Staedtke an ihrer Kenntnis der Orte und Sachen teil. In Genf
standen mir die Herren Alain Dufour und Peter Fraenkel als geübte
Archivisten und kundige Historiker bei. Herr Professor D. D. Valdo Vinay
in Rom übermittelte mir brieflich hilfreiche Kenntnisse. Ihnen allen danke
ich herzlich.

Ich danke der Studienstiftung des deutschen Volkes für die Finanzierung der ersten Archivreise nach Zürich, der Deutschen Forschungsgemeinschaft und dem Rektor der Rheinischen Friedrich-Wilhelms-Universität in Bonn für die Gewährung eines Druckkostenzuschusses.

Das Reformierte Theologenhaus in Zürich hat bei meinen Aufenthalten in Zürich auch an dieser Arbeit Verdienste erworben.

Ich danke dem Verlag für die spontane Annahme und die Sorgfalt bei der Drucklegung und den Herausgebern, besonders Herrn Professor D. Walter Kreck, für die Aufnahme in die Reihe »Beiträge zur Geschichte und Lehre der Reformierten Kirche«.

Das Buch ist zwei um eine Generation älteren Freunden gewidmet, die mit beglückender Aufmerksamkeit meinen Weg vom ersten Tage meines Studiums an begleitet, mit einem unverdienten Vorschuß an Vertrauen mir die Treue gehalten und auch materielle Unterstützung in schwierigen Zeiten freigebig gewährt haben.

Bonn, den 16. Februar 1971   Klaus Sturm

Inhalt

Vorbemerkung

Um die Darstellung möglichst lesbar zu halten, bin ich mit wörtlichen Anführungen sparsam. Beim Referat von Martyrs Schriften gebe ich seine Gedanken gewöhnlich in freier Satzbildung sinngemäß wieder, doch folge ich seinen Formulierungen möglichst genau. Soweit auf die lateinischen Begriffe und die originale Diktion verzichtet werden kann, übersetze ich die in die Darstellung aufgenommenen Zitate. Die Belege sowie weiter ausgeführte Beweise und Diskussionen findet man in der Regel in den Anmerkungen.

Bei den lateinischen Zitaten schreibe ich die Abkürzungen aus. Die Rechtschreibung wird behutsam modernisiert, insbesondere werden eindeutig konsonantisch verwendetes u als v geschrieben und vokalisch verwendetes j als i. Die Zeichensetzung gleiche ich der heute gebräuchlichen an, soweit solche Korrekturen das Verständnis erleichtern.

Der Fundort der Zitate aus Martyrs Schriften wird nach Seite und Zeile angegeben. Die Zeilenzählung ist in den Vorlagen nicht markiert. Da man bei Foliobänden ein Zitat schwer findet, wenn nur auf die Seite hingewiesen wird, möchte ich auf die Zeilenangabe trotzdem nicht verzichten. Ich lese daher die Zeilen mit einer Schablone ab, wobei geringe Ungenauigkeiten nicht zu vermeiden sind. Beim Verweis auf mehrere nacheinander folgende Zeilen verwende ich zur Vereinfachung das Zeichen »ff.«, wenn entweder die Gedankenentwicklung sich nicht scharf abgrenzen läßt oder das Ende des Satzes oder Sinnabschnitts leicht erkannt werden kann.

Titel, die in der Bibliographie aufgeführt sind, werden bei der Zitation verkürzt angezeigt. Bei Martyrs »Loci communes« weist die hinzugefügte Jahreszahl auf die Auflage hin. Wenn die Loci ohne Ergänzung eines genauen Titels zitiert werden, ist die Auslegung des Apostolikums gemeint, dabei werden Seite, Paragraph und Zeile der Fundstelle festgehalten.

Beim Nachweis der gedruckten Schriften Martyrs wurden die Bestände der Zentralbibliothek in Zürich, der Bibliothèque Publique et Universitaire sowie des Musée historique de la Réformation in Genf, des British Museum, der Universitätsbibliothek Bonn und der Bibliothek von Professor Goeters berücksichtigt. Zur leichten Identifizierung der meist unveröffentlichten Briefe Martyrs ergänze ich die Angabe über Adresse und Datum durch die Zitierung des Briefanfangs.

Die Titel der seltener zitierten Literatur werden in den Anmerkungen dargeboten. Wird ein solches Werk in demselben Kapitel mehrmals benutzt, wird der Titel nur beim erstenmal vollständig wiedergegeben. Danach wird durch die Formel »vgl. Anm. . . .« hinter der Kennzeichnung des Titels in Kurzform angegeben, wo der vollständige Titel verzeichnet ist.

Einleitung

I. Peter Martyr Vermiglis erster Aufenthalt in Straßburg (1542 - 1547)[1]

Am 21. Juli 1542 setzte die römische Inquisition die Congregatio Sancti Officii ein[2]. Sogleich demonstrierte sie ihre Wirksamkeit vor Martyrs Augen, indem sie den Vikar von San-Frediano zu Lucca einem Ketzerprozeß unterzog[3]. Martyr war Prior von San-Frediano. Der Vikar wurde ins Gefängnis geworfen. Einflußreiche Leute aus Lucca befreiten ihn gewaltsam und verhalfen ihm zur Flucht. Unglücklicherweise brach er sich unterwegs ein Bein, so daß er gefaßt und nach Rom entführt wurde[4]. Das Ereignis gab der Rechtgläubigkeit der Lucenser und ihrem kirchlichen Gehorsam kein gutes Zeugnis. Andere Vorfälle in Lucca kamen hinzu, für die Martyr insofern die Verantwortung angelastet werden konnte, als er seinen Einfluß nicht geltend gemacht hatte, um sie zu verhindern. Lucca stand neben einigen anderen Städten seit langem in dem Verdacht, die Aus-

---

[1] Bei diesem Kapitel mag immer die Darstellung von Carl *Schmidt* verglichen werden. Ich weise auf sie im einzelnen nur hin, wo ich keine anderen Quellen habe und wo es nicht leicht ersichtlich ist, an welcher Stelle ein erwähntes Datum bei Schmidt zu suchen ist; denn oft habe ich zwar die Quellen eingesehen, kann aber vom Leser nur erwarten, daß er sich zur Kontrolle oder Ergänzung auf Grund der Biographie von Schmidt informiert, weil die Quellen schwer zugänglich sind. Schmidt geht mit den Quellen nicht ganz so kritisch um, wie wir es gewohnt sind. Seine Schilderung ist natürlich von den Interessen des Verfassers gefärbt. Daher erscheinen in meiner Wiedergabe dieselben Ereignisse manchmal in ein wenig anderer Beleuchtung. Andererseits ist seine Darstellung reicher und anschaulicher als meine knappe Skizze. Da man das Buch von Schmidt heute nicht mehr überall findet, hielt ich es für geboten, über Martyrs Tätigkeit in Straßburg zur Zeit, da seine Schriften verfaßt wurden, deren Analyse mein Interesse gilt, kurz zu informieren.
Vermigli wird von den deutschen Reformatoren meistens nach seinem Klosternamen »Peter Martyr« genannt, so daß »Martyr« als Familienname erscheint. Ich folge diesem Brauch, der sich in Übereinstimmung mit den zeitgenössischen Dokumenten auch in der Literatur über Vermigli erhalten hat, obgleich man ihn korrekt mit seinem Familiennamen »Vermigli« bezeichnen müßte. Zur Erklärung des Namens vgl. *McNair*, S. 51 ff.
[2] Durch die Bulle: Licet ab initio. Vgl. Gottfried *Buschbell*, Reformation und Inquisition in Italien um die Mitte des XVI. Jahrhunderts, Paderborn, MDCCCCX (1910), S. 19. MAGNUM BULLARIUM ROMANUM, a beato Leone Magno usque ad S.D.N. Benedictum XIII., opus absolutissimum, Laertii CHERUBINI, . . ., editio novissima, . . . tomus primus, a b. Leone Magno, ad Paulum IV., Luxemburgi, MDCCXXVII (1727), S. 762 f.
[3] Die Datierung des Vorfalls ist in der Überlieferung nicht ganz einheitlich. Vgl. dazu *McNair*, S. 257 f.
[4] *Simler*, Oratio, Loci 1587, b 6vo, 22 ff. Vgl. *McNair*, S. 243 f.; 257–259.

breitung der Lutherischen Häresie zu begünstigen[5]. Kardinal Guidiccioni
ersuchte in mehreren Briefen im Juni und Juli 1542 von Rom aus den Se-
nat von Lucca, gegen Neuerer einzuschreiten[6]. Anzeigen über den Abfall
von der katholischen Orthodoxie gingen in Rom und beim Protektor des
Augustinerordens ein[7]. Doch wurde bei alledem Martyrs Name niemals
erwähnt[8]. Nur die Gerüchte hefteten sich an Martyr, es sei vor allem seine
Schuld, daß die Bischofsstadt im Irrtum verharre. Selbst in Lucca wurden
ihm Vorhaltungen gemacht, er könne durch seine Predigten und sein Ansehen diesem Unglück abhelfen. Auch die Mönche des Augustinerklosters
murrten, das Kloster gerate in schlechten Ruf, drei Worte von der Kanzel
würden genügen, den Schandfleck abzuwischen. Die Gerüchte drangen bis
zum Vorsteher und den Oberen des Ordens und wurden sogar in Rom verbreitet. Martyr sah voraus, daß ihm von irgendwoher, vom Papst, dem Se-
nat in Lucca oder vom Augustinerorden die Ausübung des Predigtamtes
verboten und er zudem bestraft werden würde[9]. Er kannte das Verhalten
der kirchlichen Vorgesetzten[10], wie sie auf theologischen Ernst reagieren,
wenn er zur Kritik an der Kirche führt. War er doch in Neapel nur durch
eine Appellation an den Papst und mit der Hilfe einflußreicher Freunde
unter den Kardinälen: Herkules Gonzaga, Caspar Contarini, Reginald Pole,
Pietro Bembo, Friderico Fregosio vom Interdikt befreit worden[11]. War
er doch wegen seiner Strenge als Ordensvisitator erst vor einem Jahr nach
Lucca gleichsam strafversetzt worden[12]. Martyr ließ sich nach solchen Er-

---

[5] Vgl. dazu die gründliche Darstellung von *McNair*, S. 240 ff.
[6] *McNair*, S. 247 ff.
[7] *McNair*, S. 245; 260 f.
[8] *McNair*, S. 254 f.: »But the really significant thing about all the correspondence,
minutes, and resolutions concerning Lucca during June and July 1542 is that mention of Peter Martyr's name in writing is studiously avoided. . . . The major reason
for the studied avoidance of any mention of Martyr's name by friend and enemy
alike was simply his moral and intellectual eminence. The Prior of S. Frediano was
not only *benemeritus* but also *dignissimus*. His standing with the Contarini party
was unchanged. His reputation as a scholar, preacher, and man of piety remained
untarnished. His public image as a churchman of wise moderation, and (ironically
enough) an energetic reformer who might be counted on to stamp out heresy by
his preaching, was still undimmed.« Vgl. S. 261.
[9] Brief: Universis Ecclesiae Lucensis, Argentorati octavo calendas Ianuarias MDXLIII,
Loci 1587, 1072, 39 ff.
[10] Brief: Universis Ecclesiae Lucensis, Argentorati octavo calendas Ianuarias MDXLIII,
Loci 1587, 1072, 58 f.
[11] *Simler*, Oratio, Loci 1587, b 6, 27 ff.
[12] *Simler*, Oratio, Loci 1587, b 6, 38 ff. Martyr beurteilte seine Lage in Lucca ebenso wie
Simler. Er schreibt, während des Jahres in Lucca habe er nur Ärger und Feindselig-
keiten schlucken müssen; was ihm widerfahren sei, sei zwar nicht das schlimmste
Unglück gewesen, aber doch dessen Vorankündigung. Brief: Universis Ecclesiae Lucensis, Argentorati octavo calendas Ianuarias MDXLIII, Loci 1587, 1072, 59 ff. Daß

fahrungen von den Gerüchten und ihren Folgen, die er fürchtete, schrecken, sah ferner keine Möglichkeit zu einer sinnvollen Tätigkeit in Lucca und beschloß daher, zu fliehen[13]. Simler behauptet, Martyr sei in Rom heimlich angeklagt worden. Ein Konvent der Augustiner, bei dem Martyr Feinde zu fürchten gehabt habe, habe ihn nach Genua geladen, um ihn zur Rechenschaft zu ziehen[14]. Davon weiß Martyr in seinem eigenen Brief nichts. Vielmehr muß er sich gegen den Vorwurf seiner Gemeinde in Lucca wehren, er habe nicht abgewartet, bis die Bedrängnis über ihn hereingebrochen sei[15]. Vielleicht wurde ihm inoffiziell bekannt, daß er mit der Einleitung eines Verfahrens zu rechnen habe[16]. Erst in einem auf den 14. September in Rom datierten Brief ersuchen die Inquisitoren den Herzog von Florenz, Martyr »möglichst ehrenhaft und vorsichtig« festzunehmen[17]. Martyr war Mitte September schon in Zürich. Anscheinend reagierten die Inquisitoren erst, nachdem bekanntgeworden war, daß Martyr sich von Lucca nach Florenz abgesetzt hatte. Auf einen förmlichen Prozeß hat er es offenbar nicht ankommen lassen. Gerade dieser Tadel, er sei vielleicht zu leicht-

das 1541 in Cremona versammelte Generalkapitel Martyr aus Mißgunst und in der Absicht, ihn fallen zu sehen, zum Prior von S. Frediano in Lucca wählte, läßt sich nicht dokumentarisch beweisen. Es ist verständlich, daß solche Intrigen nicht in den Kapitularakten festgehalten wurden. Die bekannten skandalösen Zustände in der Kaufmanns- und Bankiersstadt Lucca, allgemeine Sittenlosigkeit, häufige Aufstände, Zerstrittenheit der kirchlichen Parteien, eine außergewöhnliche Frömmigkeit unter den Laien, die auf ihre Unabhängigkeit von der römischen Hierarchie bedacht waren und in dem Verdacht standen, von der Lutherischen Häresie infiziert zu sein, mußten normalerweise einen eifrigen Reformer wie Martyr zu Fall bringen. Zudem konnten Feinde Martyrs auf den angestammten Haß der Lucenser gegen die Florentiner rechnen. McNair meint allerdings, Martyr sei im Hinblick auf das skandalöse Ansehen der Kongregation von S. Frediano gewählt worden, weil er ein bewährter Reformer war. Er muß dann aber Martyrs eigene Diagnose seiner Lage als Ausdruck seines Verfolgungswahns ansehen. *McNair*, S. 207.

13 Brief: Universis Ecclesiae Lucensis, Argentorati octavo calendas Ianuarias MDXLIII, Loci 1587, 1072, 47 ff.

14 *Simler*, Oratio, Loci 1587, b 6ᵛᵒ, 28 ff. Simlers Nachricht ist sehr zweifelhaft. Die Protokolle enthalten keine Notiz von einem in Genua abgehaltenen Kapitel und einer Vorladung Martyrs. Vgl. *McNair*, S. 265 f. Es ist vor allem kaum erklärlich, warum Martyr bei seinen ausführlichen Darlegungen über die Umstände und Motive seiner Flucht diese Vorladung, die eine wesentliche Verschärfung seiner Lage bedeutete, verschwiegen haben sollte, wenn er sie erhalten hätte.

15 Brief: Universis Ecclesiae Lucensis, Argentorati octavo calendas Ianuarias MDXLIII, Loci 1587, 1072, 50 f.

16 Brief: Universis Ecclesiae Lucensis, Argentorati octavo calendas Ianuarias MDXLIII, Loci 1587, 1073, 17 ff. Die Formulierung: »... imminentis oppressionis certior factus . . .« gibt Anlaß zu der Vermutung, daß ihm irgendwelche Nachrichten zugetragen wurden. *McNair*, S. 256, entnimmt einer englischen Übersetzung des Briefes, Martyr sei von Rom usw. benachrichtigt worden. Die lateinische Übersetzung ist aber wohl so zu verstehen: »Mir gelangte zur Kenntnis, daß mir von Rom usw. Gewaltanwendung drohe.« Vgl. die parallele Formulierung 1072, 45 f.

17 Brief vom 14. September 1542, in: Archivio di Stato, Florence: Archivio Mediceo, filza 3717, vgl. *McNair*, S. XXI.

fertig geflohen, hat ihn gegenüber seiner zurückgelassenen Gemeinde noch lange angefochten[18].

Martyr war kein streitbarer Theologe[19]. Auch später räumte er schon im November 1547, als der »geharnischte« Reichstag gerade erst begonnen hatte, in Straßburg das Feld, indem er einen Ruf nach England annahm[20]. Bucer folgte ihm erst im April 1549[21]. Freilich wäre Martyr als Ausländer und ehemaliger Prior bei der Einnahme Straßburgs durch die Truppen Karls V. persönlich gefährdeter als andere gewesen. Ebenso bei seinem zweiten Aufenthalt in Straßburg überließ er den Lutheranern die Straßburger Kirche, als der Streit mit ihnen heftig wurde[22]. Nicht Martyr reichte den Bürgern von Lucca das Abendmahl in beider Gestalt, sondern ein Vikar seines Klosters, Fra Girolamo da Pluvio[23]. Er selbst feierte es erst auf der Flucht in Pisa im Kreise einiger vornehmer Freunde nach »christlichem Ritus«[24]. Er ist ein feinsinniger, empfindsamer Mann, Streit und Kampf liegen ihm nicht. Wo er nicht unangefochten sagen und durchführen kann, was er als gewissenhafter Theologe als richtig und notwendig erkannt hat, sieht er keine Möglichkeit zu wirken mehr[25]. Er schätzt das fromme, gebildete, freundliche Gespräch, wie er es in der Erinnerung an seine Ankunft in Zürich und seine Begegnung mit Bullinger, Bibliander,

---

[18] Aus diesem Grunde wirkt seine Argumentation in dem Traktat: De fuga in persecutione – wahrscheinlich auch ein Brief nach Lucca – oft gequält und wie ein Beweis gegen das eigene schlechte Gewissen. Loci 1587, 1073 ff. *Jedin*, Vermigli, Sp. 717: »Als sich nach Gründung der röm. Inquisition die Maßstäbe bedeutend verschärften, wich V. der zu erwartenden Vorladung aus . . .«

[19] Von Pastor kommentiert seine Flucht mit der Bemerkung: »Nie ein Mann von besonderem Mut, entschloß er sich gleichfalls zu fliehen.« Ludwig *von Pastor*, Geschichte Papst Pauls III. (1534–1549), in: Geschichte der Päpste seit dem Ausgang des Mittelalters, 5. Band, Freiburg, 1909, S. 707. Bei seiner Flucht aus London im Herbst 1553 verhielt er sich äußerst vorsichtig. Aus Furcht, bei der Ankunft in Flandern ergriffen und der Inquisition überstellt zu werden, hielt er sich zwei Wochen versteckt, um sein Reiseziel und die Zeit seiner Abfahrt geheimzuhalten. Brief von Julius Santerenziano an Johann von Ulm, datiert in Straßburg am 20. November 1553, in: ORIGINAL LETTERS, hrsg. v. Parker Society durch Hastings ROBINSON, Cambridge, 1846, S. 365–374. *McNair* spricht von Martyrs »angeborener Vorsicht«, auf Grund deren sein Verhalten in Italien so lange unverdächtig blieb. S. 239.

[20] *Schmidt*, S. 73.

[21] *Schmidt*, S. 103. Vgl. Timotheus Wilhelm *Röhrich*, Geschichte der Reformation im Elsass und besonders in Straßburg, 2. Teil, Straßburg, 1832, S. 208.

[22] *Schmidt*, S. 181 ff.

[23] *Schmidt*, S. 35. *McNair*, S. 243 f. Erst ein Geschichtsschreiber aus dem 17. Jahrhundert, Beverini, behauptet, Martyr habe in Lucca das Abendmahl »impio Calvinianorum ritu« gefeiert. Bartolomeo *Beverini*, Annalium ab origine Lucensis urbis volumen quartum, p. 346; vgl. *McNair*, S. 218.

[24] *Simler*, Oratio, Loci 1587, b 6vo, 45.

[25] Brief: Universis Ecclesiae Lucensis, Argentorati octavo calendas Ianuarias MDXLIII, Loci 1587, 1073,4 ff.

Gualther und Pellican preist[26]. Martyr sagt später einmal selbst von sich: »Ich war immer eine sanfte Natur und habe Frieden und Ruhe außerordentlich geliebt.« Er kann Unterschiede in der Lehre dulden, wie er es Marbach gegenüber tat. Aber er erträgt es nicht, wenn man ihm verbieten will, wozu er sich als theologischer Lehrer verpflichtet weiß, nämlich öffentlich zu lehren, was er als wahr erkannt hat; es sei denn auf Grund des Wortes Gottes offenkundig falsch, was er glaubt[27].

Vor seiner Abreise übergab er den wertvollsten Teil seiner Bibliothek dem Lucenser Patrizier Christophoro Prenta, der ihm die Bücher später nach Deutschland besorgen ließ. Den Rest vermachte er dem Augustiner-Kollegium. Nachdem er auch im Kollegium geordnet hatte, was er konnte, verließ er heimlich mit drei Begleitern, unter ihnen Iulio Terentiano, der zeitlebens sein Sekretär und Assistent in allen Dingen war, vor dem 12. August 1542[28] das Kollegium und die Stadt. Martyr hatte vorsorglich einige Jahre hindurch, als er schon an das Exil dachte, ein wenig Geld gespart[29]. Sie reisten zuerst nach Pisa, von dort nach Florenz. Über Bologna, Ferrara, Verona, schließlich über die Rätischen Alpen gelangten sie Mitte September 1542 nach Zürich[30]. Martyr hat sich schweren Herzens entschlossen, Italien zu verlassen und seine ehrenvolle Stellung mit einer ungewissen und entbehrungsreichen Zukunft zu vertauschen. Er betrachtet seine Flucht als »mortificatio« seiner selbst[31] und schreibt unterwegs, er sei mit

[26] Oratio quam Tiguri primam habuit, Loci 1587, 1063, 13 ff. Vgl. Bullingers Urteil über Martyr. Bald nach Martyrs Tod schrieb er an Zanchi, um ihn als Nachfolger zu gewinnen: »Requirimus vero talem modis omnibus virum, qualis fuit Martyr noster, hominem laboriosum, pacificum, benignum, non negligentem, contentiosum et rixosum, qui pacem inter fratres alat, non discordiam serat.« Brief: Heinrich Bullinger an Hieronymus Zanchi, Tiguri 16. Decemb. 1562, gedruckt in: Hieronymus *Zanchi*, Opera theologica. Bd. VIII, Genf MDCXVIIII (1619), S. 126. Ähnlich charakterisiert ihn auch *Schlosser*, S. 5: »Der edle Vermigli war das Bild eines wahren Christen, nur nicht in einer streitenden Kirche und unter dem tobenden Lärm gemeiner und wüthender Menschen, die ohne Männer, wie Calvin und Beza gegen sich zu haben, neue Verwirrungen und neuen Aberglauben an die Stelle des alten, den sie bestritten, gesetzt hätten; er war ein Freund des Friedens und bot willig dazu seine Hand; er drängte sich nie zum Herrschen, und allgemein als der gelehrteste Mann seiner Kirche anerkannt, suchte er nie eine Gelegenheit, sich wichtig oder unentbehrlich zu machen; versöhnlich, voll Liebe und Demut, war er nur dann streng und unerbittlich, fest gegen jede Lockung, unerschrocken in drohender Gefahr und unter dem Toben der Gegner, wenn es wesentliche Lehren galt; dagegen nachgiebig und willig übereinzukommen, wenn ein anderer Ausdruck schon seine Gegner befriedigen konnte, oder wenn ein unwesentlicher Punkt bestritten ward.«

[27] Brief: Amico cuidam, Argentinae 26. Junii 1554, Loci 1587, 1093, 36 f.; 41 ff.

[28] Archivio di Stato, Lucca: Archivio dei Notari, 2477 [Contracts of Ser Pietro Tucci, 1542], fol. 192 B. Vgl. *McNair*, S. 270.

[29] *Simler*, Oratio, Loci 1587, b 6vo, 53 f.

[30] *Simler*, Oratio, Loci 1587, b 6vo, 38 ff.; *Schmidt*, S. 47.

[31] Brief: Universis Ecclesiae Lucensis, Argentorati octavo calendas Ianuarias MDXLIII, Loci 1587, 1073, 14.

Christus am Kreuz[32]. Auch später noch hat er es als eine schwer zu ertragende Entbehrung empfunden, auf den vertrauten Umgang mit Menschen des eigenen Volkes verzichten zu müssen und statt dessen arm und unbekannt in einem fremden Land zu leben, wo man die Sprache der Leute nicht versteht, wo man immerzu jemanden um Dinge, die man braucht, bitten muß, wo man meistens nicht anerkannt, nicht selten sogar abgelehnt und ungern aufgenommen wird, wo man dauernd beträchtliche Unannehmlichkeiten auszustehen hat wegen des Klimas und der veränderten Lebens- und Ernährungsweise[33]. Als er zum Prediger der italienischen Gemeinde in Genf berufen werden sollte, bekennt er: »Ich möchte sehr gerne endlich einmal wieder meinen Italienern zu Diensten sein. Ich bin nämlich nicht aus Erz und habe nicht eisernes Fleisch.«[34] Zwei Tage blieben die Flüchtlinge in Zürich, dann brachen sie mit einem Empfehlungsschreiben von Bullinger an Myconius nach Basel auf, weil sich keine Möglichkeit zu bleiben bot[35]. Die Zürcher hatten an ihrer Schule keine Stelle frei[36]. Der kurze Aufenthalt in Zürich blieb Martyr in angenehmer Erinnerung. Er mußte sich von der Stadt und den freundlichen neuen Freunden schmerzlich losreißen[37]. Bis zum 17. Oktober blieb er mit seinen drei jungen Gefährten in Basel, wo er vergeblich auf eine Anstellung wartete[38]. Während ihn in Zürich die Liebenswürdigkeit der Theologen beglückte, lobt er in Basel die schöne Lage, das angenehme Klima der Stadt, die Gesittung der Leute und die Unterkunft[39]. Er wohnte im Augustiner-Kollegium. Er wolle nicht gerade sagen, schreibt er an Bullinger, daß er von der Gemeinde und den Gelehrten, dem Theologen Myconius und dem Juristen Bonifacius Amerbach, nicht sehr wohlwollend aufgenommen worden sei[40]. Man spürt aus seinen Briefen die verhaltene Unzufriedenheit. Er bescheinigt Myconius seine eiferige Bemühung um sie und Amerbach seine Freigebigkeit. Was Myconius für sie tat, erfährt man nicht, außer daß er bei Bucer anfragte, ob sie in Straßburg unterkommen könnten. Es scheint so, als habe man die Ankömmlinge alsbald wieder loswerden wollen und

---

[32] Brief: Honoreuoli Fratelli, Data a Fieso, ali XXIIII di Agosto MDXLII, *McNair*, S. 288.
[33] De fuga, Loci 1587, 1077, 2 ff.
[34] Brief: Ioanni Calvino, Argentinae, 8. Martii 1555, Loci 1587, 1095, 59 f.
[35] Oratio quam Tiguri primam habuit, Loci 1587, 1063, 21 f.; Brief: Henrico Bullingerio, Basileae III. nonas octobres MDXLII, Ms.
[36] *Simler*, Oratio, Loci, 1587, b 6ᵛᵒ, 62 f.
[37] Oratio quam Tiguri primam habuit, Loci 1587, 1063, 21.
[38] Brief: Universis Ecclesiae Lucensis, Argentorati octavo calendas Ianuarias MDXLIII, Loci 1587, 1071, 15.
[39] Brief: Henrico Bullingerio, Basileae III. nonas octobres MDXLII, Ms.
[40] Brief: Henrico Bullingerio, Argentorati XIIII. calendas Ianuarias MDXLII, Ms.

als habe Martyr diese Lage als kränkend empfunden[41]. Martyr schreibt es der Empfehlung Bullingers zu, die man hier sehr wichtig nehme, daß man sich so emsig um ihn und seine Begleiter kümmere[42]. Er klagt, daß man sie ganz im Ungewissen lasse, ob sie bleiben könnten[43]. »Sie hatten selbst reichlich genug Professoren (wie sie sagten), aber an Hörern (in der Tat) großen Mangel...«[44]. Daher erscheine an ihrer Arbeit hier wenig gelegen[45]. Es werde ihnen bei der Armut ihres Exulantentums keine Möglichkeit geboten, ihren Lebensunterhalt zu verdienen[46]. Martyr konnte es nicht ertragen, in Armut und Mangel zu leben und ohne irgendeine ehrenhafte Arbeit zu sein. Er mochte sich auch nicht damit abfinden, eine andere Tätigkeit aufzunehmen als die ihm eigene, nämlich das Wort Gottes auszulegen. Besorgt fragte er sich, was Gott mit ihm vorhabe. Bei sich selbst bedauerte er oft, daß er nicht von Zürich nach Genf aufgebrochen sei, wohin Bernhardino Occhino am Tage vor ihrer Ankunft in Zürich gereist und wo er untergekommen war[47]. In dieser Lage sahen er und seine Freunde sich genötigt, Basel zu verlassen und nach Straßburg zu gehen, wohin Bucer sie durch einen Brief berufen hatte[48]. Schon vor dem 5. Oktober hatte Myconius an Bucer geschrieben, ob er den vier Flüchtlingen eine Anstellung verschaffen könne[49]. Es ist nichts darüber bekannt, daß bleibende Verbindungen mit den Baslern geknüpft wurden. Dagegen korrespondiert Martyr seit dem zweitägigen Aufenthalt in Zürich mit Bullinger.

Am 2. November 1541 war Wolfgang Capito in Straßburg an der Pest gestorben[50]. Da die Straßburger Paul Fagius nicht als Nachfolger Capitos hatten gewinnen können – er wollte in Schwaben bleiben –, fanden sie in

---

[41] Florimond de Raemond schreibt, man habe ihn in Zürich und Basel verdächtigt, ein verkappter päpstlicher Agent zu sein. Der große Prediger habe sich in diese Städte einschleichen wollen, um dann Verrat zu üben und die Seelen zu verführen. Vgl. Florimond *de Raemond*, L'Histoire de la naissance progrez et décadence de l'hérésie de ce siècle, Livre troisième, Rouen, MDCXXXXVII (1647), Kap. 5, S. 293. Vgl. *Schmidt*, S. 47. Dieses Urteil ist sehr fragwürdig. Aber die in den Jahren nach 1542 besonders aktive römische Inquisition bediente sich der Methode, durch Spitzel Predigten abhören und Theologen überwachen zu lassen. Daher war es nicht abwegig, solchen Verrat zu befürchten. Doch scheint de Raemond mehr daran zu denken, der glänzende und erfolgreiche Prediger hätte die Rekatholisierung bewirken können. Vgl. *Buschbell*, vgl. Anm. 2, S. 44 ff.; 239 ff. u. ö.

[42] A.a.O. vgl. Anm. 39.

[43] A.a.O. vgl. Anm. 39.

[44] A.a.O. vgl. Anm. 40.

[45] A.a.O. vgl. Anm. 39.

[46] A.a.O. vgl. Anm. 40.

[47] Brief: Universis Ecclesiae Lucensis, Argentorati octavo calendas Ianuarias MDXLIII, Loci 1587, 1071,17 ff.

[48] A.a.O. vgl. Anm. 40.

[49] A.a.O. vgl. Anm. 39.

[50] *Schmidt*, S. 50.

Martyr den theologischen Lehrer für ihre Schule, nach dem sie suchten[51]. Martyr übernahm die Vorlesungen über das Alte Testament mit einem Jahrgehalt von hundert Gulden. Er wurde zunächst für ein Jahr angestellt[52]. Damit war er sehr zufrieden[53]. Ihm wurde die Auslegung der Propheten übertragen, gemeint sind die Bücher der zwölf kleinen Propheten[54]. Da die meisten Schüler Hebräisch konnten, legte er seiner lateinischen Vorlesung den hebräischen Text zugrunde. Er entlastete auf diese Weise Bucer, der vor seiner Ankunft täglich eine Vorlesung gehalten hatte. Bucers neutestamentliche Vorlesung, die er jetzt im wöchentlichen Wechsel mit der Martyrs hielt, besuchte Martyr[55].

Bucer nahm die italienischen Theologen fürs erste in sein eigenes Haus auf. Siebzehn Tage blieben sie dort. Das Leben in Bucers Haus findet Martyr bemerkenswert genug, darüber ausführlich nach Lucca zu berichten. Er habe dort wunderbare Beispiele der Frömmigkeit kennengelernt, in der Lehre wie im Leben. Sein Haus gleiche einer Herberge, so gastfreundlich sei er gegen Fremde, die um des Evangeliums und Christi willen gezwungen seien, ihre Heimat zu verlassen. Er stehe der Familie in rechter Weise vor, so daß Martyr während der ganzen Zeit nichts Anstößiges wahrgenommen habe, sondern allenthalben Anlaß zur Erbauung erblickt habe. Seine Mahlzeiten trügen weder Verschwendung noch Geiz zur Schau, sondern gediegene Sparsamkeit. Bei den Speisen mache er keinen Unterschied nach den Tagen, sondern esse ohne abergläubische Scheu, was aufgetragen werde, und danke Gott für die Wohltaten. – Man sieht,

---

[51] *Schmidt*, S. 57. *Röhrich*, vgl. Anm. 21, S. 33.

[52] *Schmidt*, S. 50.

[53] »mihi honestum confecerit [Bucerus] stipendium«. Brief: Henrico Bullingerio, Argentorati XIIII calendas Ianuarias MDXLII, Ms.

[54] A.a.O. vgl. Anm. 53. Vgl. Brief: Universis Ecclesiae Lucensis, Argentorati octavo calendas Ianuarias MDXLIII, Loci 1587, 1072, 1. In diesem Brief vom 25. Dezember 1542 schreibt er, er wolle bald mit dem letzten Kapitel des Buches Amos anfangen. Nach Simlers Bericht soll er mit der Auslegung der Klagelieder Jeremias begonnen haben und danach über die kleinen Propheten gelesen haben. *Simler*, Oratio, Loci 1587, c, 12 f. *Schmidt*, S. 57 f., läßt ihn mit der Exegese der Genesis anfangen, danach Vorlesungen über Exodus, Leviticus, kleine Propheten, Klagelieder in dieser Reihenfolge halten. Er gibt für seine Abweichung von Martyrs eigener Aussage im Brief an Bullinger einerseits und von Simler andererseits keine Gründe und auch keine Quellen an, obwohl er beide Dokumente kennt. Es ist nicht ausgeschlossen, daß er sich auf Nachrichten stützt, die er in den Straßburger Archiven fand. McLelland hält sich einfach an die Angaben von Simler. *McLelland*, S. 12. Im Proömium der Vorlesung über die Klagelieder weist Martyr auf die vorher gehaltene Vorlesung über die Bücher der zwölf Propheten hin. In Lamentationes, S. 4, 22 f. Damit ist Simlers Darstellung widerlegt. Es gibt keinen Grund, daran zu zweifeln, daß Martyr, wie er in dem erwähnten Brief schreibt, mit der Auslegung der Bücher der kleinen Propheten begann.

[55] A.a.O. vgl. Anm. 47, Loci 1587, 1072, 5 ff. Vgl. *Schmidt*, S. 57.

wie sehr Martyr noch im katholischen Brauchtum befangen war, so daß
ihm das Leben in Bucers Haus als wunderbare evangelische Freiheit erschien. – Vor und nach der Mahlzeit lese Bucer aus der Heiligen Schrift vor,
um Stoff für fromme und erhabene Gespräche zu bieten. Er, Martyr, sei
stets reich belehrt vom Tisch aufgestanden, weil er immer etwas gehört
habe, was er so sorgfältig noch nie erwogen habe oder wovon er noch nicht
so fest überzeugt worden sei. Bucer habe er dauernd beschäftigt gesehen
immerzu mit Predigen, mit der Verwaltung der Kirche, damit die Pfarrer
die ihnen anvertrauten Seelen aus Gottes Wort leiteten und durch ehr-
bare Beispiele festigten, mit Schulvisitationen, damit alles, was im Unter-
richt getrieben werde, zur Förderung des Evangeliums und zum Nutzen
der Kirche beitrage, mit Ermahnungen, durch die er beständig den Magistrat zur christlichen Frömmigkeit auffordere und ermuntere; fast täglich
besuche er das Rathaus. Da er den ganzen Tag dieser Tätigkeit nachgehe,
widme er die Nacht den eigenen Studien und dem Gebet. »Ich bin (damit
ich sage, wie es wirklich ist) nie nachts aufgewacht, daß ich ihn nicht wachen fand. Dann bereitet er sich darauf vor, was er den Tag über sagen
wird, dann gewinnt er im Gebet die Kraft für die Taten des Tages. Seht,
liebe Brüder, in unserer Zeit gibt es auf der Erde, besser in der Kirche
Christi, wahrhaft heilige Bischöfe.«[56] Martin Bucer erscheint Martyr als
der vorbildliche evangelische Bischof. Die Schilderung kennzeichnet Martyrs Frömmigkeit. Man erkennt hier den neuen Geschmack[57], den er mit
vielen teilt, die Vorstellung, die er sich von dem erstrebten Zustand der
Kirche macht und das Ziel seiner religiösen Begeisterung. Er rühmt an
Bucer die Vollkommenheit, die er wohl selbst zu gewinnen trachtet. In
Zürich und besonders in Straßburg fand er verwirklicht, was er vielleicht
im Kloster vergeblich gesucht hatte, die intime Gemeinschaft, die sich
selbst zu erhabener christlicher Bildung und Sittlichkeit erbaut und mit
ihrer so erlangten christlichen kulturellen Potenz auf die Gesellschaft ord-
nend und bildend ausgreift. Die Welt soll an der Kirche genesen, indem
diese sie mit ihrer geistigen, sittlichen Kraft und ihrem religiösen Ernst
und Elan tränkt und sie so auf die Kirche hin orientiert, daß alles zu ihrer

---

[56] A.a.O. vgl. Anm. 47, Loci 1587, 1071, 28 ff.
[57] Fast alle Züge, die Martyr an Bucer preist, entsprechen dem neuen Bischofsideal, das
die Bischofsspiegel des 16. Jahrhunderts darstellen. Der Bischof soll Seelsorger sein,
der Hirte seiner Herde. Vgl. für Martyr Loci 1587, 437, 41, 37 ff. Vgl. Hubert *Jedin*,
Das Bischofsideal der Katholischen Reformation, Eine Studie über die Bischofsspiegel
vornehmlich des 16. Jahrhunderts, in: Sacramentum ordinis, hrsg. v. O. Kuss und
E. Puzik (Breslau 1942), S. 200–256, jetzt erschienen in: Hubert Jedin, Kirche des
Glaubens – Kirche der Geschichte, Ausgewählte Aufsätze und Vorträge, Bd. II: Konzil und Kirchenreform, Freiburg / Basel / Wien, 1966, S. 75–117.

Förderung dient. Bis in den Sprachgebrauch ist diese Skizze für das »moderne« Selbstverständnis der Kirche bezeichnend. Martyr ist mit seinem vehementen Interesse an der Erneuerung der Kirche in der Welt mitsamt den Konturen seiner Utopie der erneuerten Kirche ein Ahn sowohl des modernen Reformkatholizismus wie der vielleicht wirksamsten Strömung des Protestantismus, die im Pietismus ihre charakteristische historische Ausprägung fand.

Auch Bucer scheint seinerseits von dem neuen Theologen beeindruckt zu sein. Am 28. Oktober 1542 schreibt er an Calvin: »Ein Mann aus Italien ist angekommen, ein hervorragender Kenner des Griechischen, Hebräischen und Lateinischen, in der Schrift wunderbar bewandert, vierundvierzig Jahre, von ernsten Sitten und scharfem Urteil. Petrus Martyr heißt er ... Wir haben uns hier angestrengt, daß diese Leute bei dem großen Reichtum unserer Kirche nicht Hunger leiden.«[58] Bucer schickte Melanchthon einen Trostbrief, den Martyr ihm geschrieben hatte. Melanchthon schreibt Martyr daraufhin einen freundlichen Brief, in dem er seinen Scharfsinn, seine Bildung und seine Frömmigkeit lobt und ihm seine Freundschaft anträgt[59]. Nähere Bekanntschaft mit Calvin und Melanchthon hat Martyr zunächst nicht gefunden. Er scheint sich überhaupt in den ersten Jahren ganz seiner Dozententätigkeit hingegeben zu haben und keine persönlichen Verbindungen außerhalb Straßburgs aufgenommen zu haben. Richard Hilles, ein wohlhabender Engländer in Straßburg, der ihn in der ersten Zeit unterstützte, wurde sein vertrauter Freund[60]. 1545 heiratete Martyr Catharina Dammartin, eine frühere Nonne. Sie war aus Metz, vermutlich wegen der Religion, nach Straßburg gekommen. Nach achtjähriger Ehe starb sie in Oxford kinderlos. Sie wurde von den Oxforder Bürgern wegen ihre Wohltätigkeit verehrt[61].

Es ist sehr wenig darüber bekannt, wie Martyr seine Jahre in Straßburg zubrachte. Simler weiß fast nichts von dem, was Martyrs Tage in dieser Zeit erfüllte. Auch Schmidt, der in den Straßburger Archiven gesucht hat, berichtet nichts Genaues, was Martyr tat, wie er lebte und wie es ihm er-

---

[58] Brief: Martin Bucer à Jean Calvin, à Genève, De Strasbourg, 28. octobre 1542, gedruckt in: CORRESPONDANCE DES RÉFORMATEURS dans les pays de langue française, recueillie et publiée par A.-L. *Herminjard*, Tome 8., Genève, Bale, Lyon, Paris, 1893, Nr. 1172, S. 169 f.

[59] Brief: Melanchthon Petro Martyri, Bonnae 14. Julii 1543, gedruckt in: CORPUS REFORMATORUM, edidit Carolus Gottlieb *Bretschneider*, Halle 1838, Vol. V, No. 2726, Sp. 143 f. Der Brief Martyrs an Bucer ist mir unbekannt geblieben. Vgl. *Schmidt*, S. 49.

[60] Brief: Henrico Bullingero, Argentorati, XIIII calendas Ianuarias MDXLII, Ms; vgl. *Schmidt*, S. 48.

[61] *Simler*, Oratio, Loci 1587, c^{vo}, 23 ff. *Schmidt*, S. 71. *McLelland*, S. 15.

ging. Was man bisher von seiner Korrespondenz gefunden hat, ist wenig. Martyr hat mehr Briefe geschrieben, als erhalten und bekannt sind. Doch wird sein Briefwechsel in den Straßburger Jahren beschränkt gewesen sein. Bullinger ist bis 1546 neben der Gemeinde in Lucca und Martin Bucer der einzige Empfänger erhaltener Briefe, 1547 schreibt Martyr auch an Dryander. Wem sollte er auch schreiben? Da er Deutsch nicht verstand und da er Straßburg während der fünf Jahre seines Aufenthaltes, wie es scheint, nicht verließ, konnte er nicht weitverzweigte Verbindungen anknüpfen, wie es sonst üblich war. Seine italienischen Freunde konnten leicht Verdacht auf sich ziehen, wenn sie Briefe mit ihm tauschten. Seit 1545 war es in Lucca ausdrücklich verboten, Briefe von Martyr anzunehmen und seine Schriften zu besitzen[62]. Es könnte wohl auch sein, daß er absichtlich distinguierte Zurückhaltung bei seiner Korrespondenz bewahrte. Auch später wechselt er nicht mit aller Welt Briefe.

Als theologischer Lehrer gewann er in Straßburg hohes Ansehen. Neben den Vorlesungen hielt er rhetorische Übungen und leitete Disputationen. Seinen Redeübungen legte er die Tusculanae Disputationes Ciceros zugrunde. Die Thesen der Disputationen nahm er aus den Büchern: Genesis, Exodus, Leviticus[63]. Eine Konzentration auf eine klare reformatorische Theologie läßt sich den Thesen nicht abspüren. Er nimmt eine bunte Fülle von theologischen, ethischen, philosophischen, geschichtlichen, politischen Themen zum Gegenstand, alles, worüber man an Hand der biblischen Geschichten nachdenken kann. Martyr selbst war schon zwei Monate nach seiner Ankunft von der ihm gezollten Hochschätzung und dem Erfolg seiner Vorlesungen überzeugt und beeindruckt[64]. Schon im März oder April 1544 wurde er auf Bucers Vorschlag in das Kapitel von St. Thomä gewählt. Kurz vorher hatte der Schulvorstand auf Betreiben Bucers die Erhöhung seines Gehalts beantragt. 1545 wurde er Custos des Stifts. Der Magistrat hatte ihm schon vorher das Bürgerrecht verliehen. Am 13. April 1544 dankt Martyr Bucer in einem Brief: »dir habe ich Alles

---

[62] Archivo storico italiano, B. 10, Documenti, S. 165, zitiert nach *Schmidt*, S. 159.
[63] Vgl. *Schmidt*, S. 60 f.
[64] Brief: Universis Ecclesiae Lucensis, Argentorati octavo calendas Ianuarias MDXLIII, Loci 1587, 1072, 9 f.: »Porro non possum verbis explicare, quam gratus et charus sim omnibus, et quam toti scholae satisfaciam.« Der Bericht über Martyrs Lehrtätigkeit, auf den *Schmidt*, S. 61, sich bezieht, existiert nicht. Das Dokument vom 19. Juni 1544 ist zwar noch im Straßburger Thomasarchiv vorhanden, es enthält aber nicht einen Bericht der Schulvisitatoren an den Schulvorstand, wie Schmidt meinte, sondern Berichte der Professoren über Justus Velsius. Was auf S. 156b unter der Überschrift »D. Petrus Martyr« steht, ist Martyrs Urteil über Velsius, nicht aber eine Beurteilung Martyrs. Auf das irrtümliche Verständnis Schmidts hat mich der Direktor der Straßburger Bibliothek, Herr Ph. Dollinger, aufmerksam gemacht.

zu verdanken; du hast mich mit den Meinen zuerst aufs Liebevollste in deinem Hause beherbergt; du hast mir einen hinreichenden Gehalt verschafft und selbst dafür gesorgt, daß er vermehrt wurde; du hast mich in das Collegium von S. Thomä aufnehmen lassen und mir eine schöne bequeme Wohnung zugewiesen. Was ich von äußeren Vorteilen habe, verdanke ich, zunächst Gott, deiner wohlwollenden Freundlichkeit.«[65]

Martyr ist Mitabsender eines Briefes der Straßburger Pfarrer an die Pfarrer von Neuchâtel vom 29. Dezember 1544. Er enthält den befürwortenden Rat, eine Zensur der Pfarrer untereinander, verbunden mit Verhören über Leben und Amtsführung, durchzuführen. Die Straßburger hatten dieses Verfahren schon bei der Synode von 1533 zur Bekämpfung des Schwärmertums angewandt[66]. Man kann annehmen, daß Martyr dieser speziellen Ausprägung der brüderlichen Ermahnung mit theologischer Neigung zustimmt, da er ähnliche Gedanken auch in seiner Auslegung des Apostolikums formuliert[67]. Wieweit er aber an der Abfassung dieses Schreibens unmittelbar beteiligt ist, läßt sich nicht erkennen. Der Brief ist sehr zurückhaltend mit Anweisungen zur Durchführung der Zensur. Es wird immer wieder hervorgehoben, es sei darauf zu achten, daß man sich wirklich gegenseitig helfe, Fehler zu erkennen, zu beseitigen und zu vermeiden, zur eigenen Erbauung und zur Erbauung der Kirche. Die Zensur soll als ein Dienst christlicher Liebe und aufrichtiger Freundschaft gehandhabt werden. Dabei müsse man sich auf jede Weise hüten, auf diesem Weg eine Scheidung zwischen Laien und Klerikern in der Gemeinde herbeizuführen. Es sei daran festzuhalten, daß die gegenseitige Ermahnung eine Aufgabe der ganzen Gemeinde an der ganzen Gemeinde sei, daß sie nur insofern unter den Pfarrern besonders zu üben sei, als sie ein Vorbild für das Volk darstellen sollen. Diese Konzentration auf das theologisch Grundsätzliche und die Mahnung zur Behutsamkeit bei der Anwendung könnte Martyrs Beitrag sein, der den Brief nach Hedio an zweiter Stelle unterschreibt. Bucer trägt in einem Postskript konkrete Anweisungen für die Durchführung nach[68].

---

[65] Zitiert nach *Schmidt*, S. 62. Einen Originalauszug bietet *Röhrich*, S. 62, Anm. 53. Er datiert den Brief auf den 12. April 1544. Das Autograph befindet sich im Thomasarchiv Straßburg, N° 40 Carton 21, 1–2; vgl. Bibliographie, S. 34. Zum ganzen Abschnitt vgl. *Schmidt*, S. 61 f.

[66] Vgl. Franz *Lau* und Ernst *Bizer*, Reformationsgeschichte Deutschlands bis 1555, in: Die Kirche in ihrer Geschichte, Bd. 3, Lieferung K, Göttingen 1964, S. 78.

[67] Loci 1587, 438, 42, 11 ff.

[68] Brief: Les pasteurs de Strasbourg aux pasteurs de Neuchâtel. De Strasbourg, 29. décembre 1544, gedruckt in: CORRESPONDANCE DES RÉFORMATEURS dans les pays de langue française, recueillie et publiée par A.-L. *Herminjard*, Tome 9, 1543–1544, Genève, Bale, Lyon, Paris, 1897, Nr. 1429, S. 436 ff.

Im Frühjahr 1545 kam ein Abgeordneter französischer Gemeinden in die Schweiz, nach Straßburg und Sachsen, um Gutachten über die Frage einzuholen, ob evangelische Christen am katholischen Kultus teilnehmen dürften. Er erhielt Gutachten von Calvin, Melanchthon, Bucer und Peter Martyr[69]. Die Stellungnahmen Melanchthons und Bucers waren Martyr bei der Abfassung seines Ratschlages bekannt. Er billigt sie und begnügt sich mit kurzen Ergänzungen, die, wie er für seine bei Streitfragen stets vermittelnde Haltung bezeichnend sagt, ihnen nichts hinzufügen, sondern sie nur auslegen sollen. Wer seine Kinder in päpstlichen Kirchen taufen läßt oder in ihnen an Gebeten teilnimmt, an Vesper und Matutin, hat die Pflicht, weil dabei immer die Toten angerufen werden und für die Gestorbenen Fürsprache gehalten wird, darin Christi Anordnungen so zu ergreifen, daß er sich gegen die Fehler verwahrt, nicht nur bei sich im Herzen, sondern daß er es auch offen ausspricht, wenn sich dazu eine Gelegenheit bietet. Er soll sich besonders den Schwachen erklären, die er an seinem Verhalten Anstoß nehmen sieht. An Gebeten und an der Taufe in katholischen Kirchen können evangelische Christen also unter bestimmten Vorbehalten, die sich auf abergläubische und der Schrift nicht gemäße Gebräuche beziehen, teilnehmen. Der völlig entweihten Messe der Päpstlichen dürfen evangelische Christen nicht beiwohnen. Dazu besteht auch keine Notwendigkeit, denn »wir können überall Sakramente empfangen und Gott Lob darbringen.« Zuletzt sollen sie zusehen, daß sie irgendeine heilige Zusammenkunft haben, wenn die Brüder in der babylonischen Gefangenschaft zerstreut sind[70].

Im Jahr 1544 war noch einmal der Streit der Zürcher mit Luther über das Abendmahl ausgebrochen. Auf Bullingers Rat hatte Rudolf Gualther eine Gesamtausgabe von Zwinglis Schriften veranstaltet, um an ihnen selbst zu beweisen, daß Zwingli nicht ketzerisch gelehrt habe, wie Luther immer wieder behaupte. Luther schrieb darauf sein »Kurzes Bekenntnis vom heiligen Sakrament wider die Schwärmer«, das im September 1544 erschien. Die Zürcher blieben eine scharfe Erwiderung nicht schuldig. Ihre Schrift: »Wahrhaffte Bekanntnusz der dieneren der kirchen zu Zürych . . .« wurde anfangs 1545 gedruckt, im März erschien die lateinische Überset-

---

[69] Vgl. *Schmidt*, S. 53. Über das Problem des Nikodemismus unter den italienischen »Reformierten« vgl. Delio *Cantimori*, Italienische Haeretiker der Spätrenaissance, deutsch von Werner Kaegi, Basel, 1949, S. 63; 125 f.

[70] Martyrs Gutachten wird mit denen Melanchthons, Bucers und Calvins abgedruckt in: CORPUS REFORMATORUM, Vol. XXXIV, Ioannis *Calvini* opera quae supersunt omnia, ediderunt Guilielmus *Baum*, Eduardus *Cunitz*, Eduardus *Reuss*, Theologi Argentoratenses, Vol. VI, Brunsvigae, 1867, Sp. 627 f.

zung von Rudolf Gualther[71]. In diesem Streit wurde Martyr zum erstenmal
genötigt, zur Abendmahlskontroverse Stellung zu nehmen. Bei seiner Anstellung in Straßburg hatte man nur eine allgemeine Erklärung von ihm
verlangt, die Schrift nach der »analogia fidei« auszulegen und notfalls in
öffentlicher Disputation zu verteidigen, was er lehre[72]. Von Bucers Versuchen, den Gegensatz zwischen Lutheranern und Zwinglianern durch
ausgleichende Formulierungen zu überwinden, hatte er sich bald abgesetzt,
als er merkte, daß seine Worte von vielen so verstanden wurden, als wolle
er irgendeine grobe leibliche Gegenwart Christi im Abendmahl annehmen[73]. Diese Unterscheidung gegenüber Bucers Aussagen zur Abendmahlslehre wurde wohl erst 1549 bei Martyrs Oxforder Disputation über
das Abendmahl deutlich, an der Bucer einiges auszusetzen fand[74].

Bullinger forderte Martyr in zwei Briefen auf, sich zu der in Frage stehenden Lehre und dem Stand der Auseinandersetzung zu äußern, erhielt
aber keine Antwort. Die Briefe waren nicht angekommen, wie Martyr
versichert. Bullinger zeigte sich indessen über Martyrs Verhalten befrem-
det. Durch einen jungen Mann, der früher in Straßburg studiert hatte und
jetzt von Zürich dorthin zurückkehrte, ließ er seine Verwunderung mit-
teilen, er wisse nicht, ob er ihn zu seinen Feinden oder zu seinen Freunden
rechnen solle. Die Verstimmung war anscheinend ernsthaft. Jedenfalls
reagierte Martyr betroffen. Theodosius Trebellius, der sich in Basel auf-
hielt, verwandte sich in einem Brief an Bullinger zur Rechtfertigung Martyrs. Martyr mußte ihn wohl darum gebeten haben. Er hatte ihm offenbar
auch den Antwortbrief an Bullinger zugestellt mit der Bitte, ihn weiter-
zuleiten. Ferner hatte er Trebellius aufgefordert, Briefe von Bullinger und
der Zürcher Kirche in Zukunft selbst nach Straßburg zu besorgen. Das
Mißgeschick wurde der Unzuverlässigkeit der Briefboten zugeschrieben[75].
Martyr beteuert in seinem Brief, auf seiner Seite könne bei der hohen

---

[71] Vgl. Ernst *Bizer*, Studien zur Geschichte des Abendmahlsstreits im 16. Jahrhundert,
Fotomechanischer Nachdruck der 1. Auflage, Gütersloh 1940, Darmstadt 1962,
S. 231 ff. *Schmidt*, S. 67 ff.
[72] Hieronymus *Zanchi*, Opera theologica, Tomus VII., Teil 1, Genf, 1618, S. 5,7 ff. Vgl.
Schmidt, S. 67.
[73] Josias *Simler*, Narratio de ortu, vita et obitu reverendi viri D. Henrici Bullingeri,
Zürich, 1575, f° 25. *Schmidt*, S. 67.
[74] Vgl. *Schmidt*, S. 103 f.; John *Strype*, Ecclesiastical Memorials, Vol. II, Part I, Oxford,
MDCCCXII (1812), S. 325 f.; vgl. den Brief Bucers an Brenz vom 15. Mai 1550,
ORIGINAL LETTERS, hrsg. v. Parker Society durch Hastings *Robinson*, Cam-
bridge, 1847, S. 544: »I am as sorry for master Martyr's book as any one can be; . . .«
Strype, a.a.O. S. 190, meint dem Bericht Simlers entnehmen zu können, schon in
Straßburg hätten Martyr und Bucer einen Disput über die Abendmahlslehre gehabt.
[75] Brief: Theodosius Trebellius Henrico Bullingero, Basileae pridie calendas Augusti
MDXLV, Ms. Staatsarchiv Zürich, E II 335, Nr. 2074.

Verehrung, die er ihm entgegenbringe, von einer Entfremdung nicht die Rede sein. Er sei nicht der Mann, der Zwietracht begünstige oder wegen des aufgekommenen Streits über das Abendmahl den christlichen Frieden ins Wanken geraten lassen wolle. »Die Ansicht eurer Kirche, soweit ich sie verstehe, weicht nicht von der Wahrheit ab.« Er solle ganz sicher sein, nichts dieser Art hätte bewirken können, daß er jemals im Lager der Feinde stehe. Trotzdem bedaure er es sehr, daß dieser Streit in ihrer Zeit vorgefallen sei. Doch daran gebe er nicht ihnen die Schuld. Er beklage das unglückliche Unternehmen, wolle sie aber nicht mit seinem Urteil belasten. »Und dennoch, weil ich nicht zweifle, daß Christus seiner Kirche beisteht und immer helfen wird, verspreche ich mir am Ende von dem Hader dieser Auseinandersetzung irgendeinen Gewinn. Denn solcherart Erörterungen haben gewöhnlich schließlich den Nutzen abgeworfen, daß die strittige Sache überzeugender und klarer ans Licht kommt. Ich erbitte daher leidenschaftlich und mit allen Kräften von Gott durch Christus, daß sowohl die Wahrheit ihr Gewicht behält als auch die gekränkten Gemüter auf beiden Seiten vom Öl des heiligen Geistes besänftigt und versöhnt werden... Mit euch pflege ich den Frieden und die Einheit der Kirche. Mögen andere sich erhitzen soviel sie wollen, ich darf solche Sätze nicht verachten noch verurteilen, die mit dem Wort Gottes übereinstimmen. Daß zu dieser Art Sätzen eure zu rechnen sind, bin ich bei mir fest überzeugt. Da hast du zu dieser Sache meine ganz aufrichtige Meinung.«[76] Einen ganz ähnlichen Rat hat Calvin Bullinger erteilt, noch bevor die Zürcher ihr Bekenntnis veröffentlicht hatten. Sie möchten den Kampf möglichst vermeiden, weil er der ganzen Kirche schade. Zugleich versichert er Bullinger seiner brüderlichen Freundschaft im Herrn, obgleich eine »kleine Uneinigkeit« in der Abendmahlslehre zwischen ihnen bestehe[77]. Die Einheit der Kirche war den Schweizern immer ein unvergleichlich höheres Anliegen als die Abendmahlslehre. Die Zürcher waren seit Zwinglis Zeiten der Meinung, man könne trotz der bestehenden Differenzen in der Abendmahlslehre die kirchliche Gemeinschaft auch mit Luther wahren[78]. Was Martyr bewegt, ist der Streit an sich, nicht der Gegenstand der Auseinandersetzung, zu dem er sich gar nicht äußert. Man kann bezweifeln, ob er über Luthers Auffassung überhaupt informiert war.

---

[76] Brief: Martyr Henrico Bullingero, Argentorati nonis Julii 1545, Ms.
[77] Brief: Calvin an Bullinger, Genf 25. November 1544, gedruckt in: CORPUS REFORMATORUM, Vol. XXXIX. Ioannis *Calvini* opera quae supersunt omnia. Ediderunt Guilielmus *Baum*, Eduardus *Cunitz*, Eduardus *Reuss* Theologi Argentoratenses, Vol. XI, Brunsvigae, 1873, Nr. 586, S. 774.
[78] Vgl. *Bizer*, Studien zur Geschichte des Abendmahlsstreits, vgl. Anm. 71, S. 16 ff.

Der Streit über die Abendmahlslehre ist für ihn offenbar irgendein theologischer Disput, wie er über jede andere Lehrmeinung ausbrechen kann. Daß gerade er, wie Luther meinte, die kirchliche Gemeinschaft in Frage stellt, lehnt er nachdrücklich ab. Daß sich an der Abendmahlslehre entscheiden könnte, ob eine kirchliche Gemeinschaft wirklich Kirche Jesu Christi ist und ob sie des Beistandes Christi gewiß sein kann, kommt ihm nicht in den Sinn. Vielmehr vermag er auf Grund seines kirchlichen Selbstbewußtseins, auf Grund seines Glaubens, daß Kirche ist und daß er und andere ihr angehören, sich der Hilfe Christi zu getrösten, der auch den theologischen Streit der Kirche zum Nutzen gedeihen lassen wird. Von dieser Voraussetzung aus relativiert er den theologischen Ernst der Auseinandersetzung und setzt sich im Streben nach einem höheren Ziel, der Versöhnung der erhitzten Gemüter, über die konkrete Problematik hinweg. Da nach seiner Überzeugung die Lehre der Zürcher der biblischen Wahrheit nicht widerspricht, braucht er sich, wie es scheint, um Luthers Anliegen nicht mehr zu kümmern, kann er in dem Streit keine ernstliche Anfechtung für die eigene kirchliche Gemeinschaft, sondern nur ein beklagenswertes Mißgeschick, zumal bei der ohnehin beängstigenden Lage der Protestanten am Vorabend des Schmalkaldischen Krieges, sehen.

Daß Bullingers Argwohn gegenüber Martyr nicht zufällig war, sondern das Verhältnis der Zürcher zu den Straßburgern in der Abendmahlslehre allgemein kennzeichnet, hellt eine Episode um drei Schweizer Studenten in Straßburg auf. Da zwei von ihnen Söhne prominenter Zürcher waren, Jakob Gesner, Sohn des berühmten Naturforschers Conrad Gesner, und Ludwig Lavater, der zukünftige Zürcher Antistes, Sohn des Bürgermeisters Hans Rudolph Lavater, zog der Vorfall einen Briefwechsel der Theologen beider Städte nach sich. Der dritte Student kam aus Schaffhausen. Man mag daran auch erkennen, wie leicht die von Martyr beschworene kirchliche Gemeinschaft, bei der er von der Lehre im einzelnen abzusehen suchte, im konkreten Fall erschüttert wurde. Die drei Studenten wohnten in Johann Marbachs Haus. Marbach war 1543 in Wittenberg unter Luthers Vorsitz zum Doktor der Theologie promoviert worden, dann Pfarrer in Isny gewesen und 1545 nach Straßburg gekommen[79]. Durch ihn gelangte mit der Zeit die lutherische Lehre in Straßburg zur Herrschaft. Die Schweizer Studenten nahmen in Straßburg nicht am Abendmahl teil. Kurz vor Ostern ermahnte Marbach sie, mit ihren Hausgenossen und der ganzen Kirche zu kommunizieren. Wer mit den anderen Gläubigen eins

---

[79] Vgl. Robert *Stupperich*, Artikel: Marbach, in: Die Religion in Geschichte und Gegenwart, 3. Aufl., Bd. IV, Tübingen, 1960, Sp. 733. Vgl. *Schmidt*, S. 69.

sein wolle, könne es nicht ablehnen, mit ihnen an dem einen Brot des
Herrn teilzuhaben. Es war in Straßburg üblich, zur Osterzeit die ganze
Schule zur Teilnahme am Abendmahl aufzufordern. Auf die »väterliche
Ermahnung« hin ging der Schaffhauser zum Abendmahl, die beiden Zürcher aber nicht. Marbach ließ sich das Verhalten gefallen und beachtete es
nicht. Einige Zeit danach gab der Besuch von Gesners Vater in Straßburg
die Gelegenheit, den Vorfall zur Sprache zu bringen. Die Straßburger wie-
sen darauf hin, daß sie nichts anders von den jungen Leuten verlangt hätten, als daß sie im Glauben ihrem eigenen Basler Bekenntnis (von 1536)[80]
gemäß mit ihnen kommunizierten. Es gehe nicht an, daß sie im Hause und
in der Schule mit ihnen zusammenlebten und ihnen dabei ihre kirchliche
Gemeinschaft verweigerten. Herr Gesner versprach, mit den Studenten zu
reden, in Zürich zu berichten und den Anstoß aus der Welt zu schaffen.
Bei den Bußgottesdiensten zum Ausbruch des Schmalkaldischen Krieges
blieben die Schweizer wieder dem Abendmahl fern. Diesmal brachte Marbach seine Klage dem Kirchenkonvent vor. Dieser beschied die Studenten
zu sich und machte ihnen allerlei Vorhaltungen. Unter anderem wurde
ihnen bedeutet, niemand könne einer Kirche die Sakramentsgemeinschaft
versagen, ohne von ihr verurteilt und exkommuniziert zu werden. Zudem sei es das Gesetz der Schule, daß, wer ihre Vorteile in Anspruch nehme, auch an der Kirche teilhaben müsse, denn sie hätten eine christliche
Schule. Schließlich hätten sie vor einiger Zeit gehört, in Zürich werde
nicht einmal in der bürgerlichen Gemeinschaft geduldet, wenigstens nicht
im Ratsherrenstand, wer niemals am Abendmahl teilnähme und zum
Ausdruck brächte, er tue es deshalb nicht, weil er meine, das Abendmahl
werde bei ihnen nicht recht verwaltet. Nachdem sie so »äußerst milde« ermahnt worden waren, ließ man sie mit der Aufforderung, die Angelegen-
heit noch einmal zu überdenken, gehen. Drei Tage später wurde dem Kirchenkonvent zugetragen, die Studenten hätten sich beklagt, es sei ihnen
mit der Verweisung von der Schule gedroht worden, wenn sie nicht kommunizierten. Jetzt rief Bucer sie zu sich, um ihnen zu sagen, man werde
nichts überstürzen, man habe sie nur ermahnen wollen, sie sollten sich in
Ruhe ihren Studien widmen. Da die Straßburger aber bemerkten, daß die
Studenten unter dem Einfluß ihrer heimischen Pfarrer von der Teilnahme
am Abendmahl abgehalten wurden, entschlossen sie sich zu einem Bericht
an die Zürcher Pfarrer[81]. Am 10. Januar 1547 antworteten die Zürcher in

---

[80] Schmidt meint, die Basler Konfession vom Januar 1534 sei gemeint. *Schmidt*, S. 70
Anm.
[81] Brief: Hedio, Martyr, Bucer an Bullinger, Pellican, Bibliander und die übrigen Pfar-

einem an Bucer, Hedio und Martyr gerichteten Brief, die jungen Leute seien, bevor sie Zürich verließen, aufgefordert worden, an ihrer Lehre festzuhalten und nicht mit denen Abendmahl zu halten, die diese Lehre nicht bekennten. In Zürich nötige man keinen Fremden zur Kommunion, die Straßburger möchten es ebenso halten[82].

Die Absenderliste des nach Zürich erstatteten Berichts enthält auch Martyrs Namen. Wieweit und in welcher Weise er sich in die Auseinandersetzung eingeschaltet hat, läßt sich nicht erkennen.

Bei den Vorgängen in der Straßburger Kirche tritt Martyr selten und nur am Rande in die Erscheinung. Nach dem, was wir wissen, wird er sich vorzüglich seinen Aufgaben, die ihm als theologischem Lehrer aufgetragen waren, gewidmet haben. Zwar hatte er auch in Lucca den Mönchen seines Klosters Vorlesungen gehalten[83], doch war die wissenschaftliche exegetische Arbeit, wie sie an der Straßburger Akademie betrieben wurde, für ihn neu und verlangte am Anfang gewiß einige Anstrengung. Er hat in den fünf Jahren seines Aufenthalts in Straßburg fünf Vorlesungen gehalten, also in jedem Jahr ein biblisches Buch erklärt[84].

Martyr begann mit der *Vorlesung über die kleinen Propheten*[85]. Diese Vorlesung ist nicht ediert worden. Auch Martyrs Manuskript hat bis heute niemand gefunden. Der Zürcher Joh. Rudolf Stucki hat das Manuskript noch 1629 in der Bibliothek seines Onkels D. Joh. Wilhelm Stucki gesehen. Er hatte die Absicht, es drucken zu lassen. Von dieser Ausgabe ist jedoch nichts bekanntgeworden, sie kam offenbar nicht zustande[86]. Stucki

---

rer der Zürcher Kirche, Argentinae VI. December MDXLVI, Ms. Staatsarchiv Zürich, E II 327, f° 379 ff. Auf diesem Brief fußt auch meine Darstellung. Wir lernen den Vorgang also aus der Sicht der Straßburger kennen. Schmidt bezieht sich auf einen Brief Hedios vom 7. Oktober an die Zürcher. Was er vom Inhalt des Briefes erwähnt, stimmt mit unserem Brief überein, vielleicht meint er denselben Brief. Vgl. *Schmidt*, S. 70.

[82] *Schmidt*, S. 70.

[83] *Schmidt*, S. 28. Brief: Zanchi an Landgraf Philipp, Clauennae XV. Octob. MDLXV, *Zanchii* opera, Tomus VII, Teil 1, vgl. Anm. 72, Sp. 4.

[84] Martyr selbst behauptet, fast sechs Jahre in Straßburg gewirkt zu haben. Vgl. Oratio quam Tiguri primam habuit, Loci 1587, 1063, 26. Er kam im Oktober 1542 in Straßburg an, im November 1547 reiste er nach England. Vgl. oben S. 18; 22 u. 16.

[85] Brief: Universis Ecclesiae Lucensis, Argentorati octavo calendas Ianuarias MDXLIII, Loci 1587, 1072, 1; zur Zeit der Abfassung des Briefes, also am 25. Dezember 1542, wollte er den Schluß des Buches Amos vornehmen. »Prophetas minores, quos vocant, interpretor in praesentia, Hamoso extremam manum brevi impositurus.« Zur Datierung des Briefes vgl. Bibliographie, 2, S. 277 f.; Brief: Henrico Bullingerio, Argentorati XIIII calendas Ianuarias MDXLII, Ms; In Lamentationes, S. 4, 22 f. Vgl. oben S. 20 und Anm. 54.

[86] Vgl. *Schmidt*, S. 295; *McLelland*, S. 263. McLelland ordnet die Vorlesung irrtümlich dem zweiten Straßburger Aufenthalt zu; im biographischen Teil seines Buches datiert er sie richtig. Vgl. S. 12.

berichtet, der Kommentar sei teilweise vollständig, teilweise nur fragmentarisch erhalten[87].

Als Martyr 1551 seinen Kommentar über den ersten Korintherbrief drucken ließ, fragte Bullinger wegen weiterer zur Veröffentlichung geeigneter Vorlesungen an. Martyr antwortete ihm am 2. Oktober 1551, was er über Genesis, Exodus, Leviticus und die kleinen Propheten geschrieben habe, seien kurze und eilige Bemerkungen, die der gründlichen Überarbeitung bedürften und daher so schnell nicht ediert werden könnten. Wenn er die nötige Muße finde, werde er sich der Veröffentlichung nicht widersetzen[88].

In der Vorlesung über die Propheten bot Martyr eine historisch philologische Auslegung, bei der er nichts anderes beabsichtigte, als den Sinn der Worte der Propheten deutlich zu machen. Im Stil soll sie nach seiner eigenen Auskunft der Vorlesung über die Klagelieder Jeremias ähnlich gewesen sein[89].

Über die Reihenfolge der weiteren Vorlesungen ist nichts Zuverlässiges überliefert.

Im Proömium der *Vorlesung über die Klagelieder* erwähnt Martyr als einzige den Hörern bekannte frühere Vorlesung die über die kleinen Propheten, und zwar, um darauf hinzuweisen, wie er auch jetzt wieder Exegese zu treiben gedenke[90]. Daraus darf man wohl schließen, daß er noch keine anderen exegetischen Vorlesungen in Straßburg gehalten hatte[91].

---

87 In Lamentationes, Vorwort an die Leser. Vgl. den Widmungsbrief an Johann Prideaux.
88 ORIGINAL LETTERS, hrsg. v. Parker Society durch Hastings *Robinson*, Cambridge, 1847, Bd. II, S. 499. Vgl. *McLelland*, S. 263 f. McLelland meint irrtümlich, Martyr sei 1551 mit der Edition des Römerbriefkommentars befaßt gewesen. Vgl. auch McLellands bibliographische Liste S. 262. Martyr teilt Bullinger zwar mit, er werde die Edition seines Römerbriefkommentars vorbereiten, aber zu dieser Zeit erwartete er schon die Zusendung seines soeben in Zürich gedruckten Korintherbriefkommentars. Der Römerbriefkommentar erschien 1558 bei Petrus Perna in Basel und wurde danach noch mehrmals aufgelegt. Die Edition besorgte Martyr selbst. Die Zentralbibliothek in Zürich besitzt ein Exemplar der ersten Auflage (Sign.: Z 5. 73). 1551 ließ Martyr in Zürich bei Christoph Froschauer seine Auslegung des ersten Korintherbriefes drucken. Auch dieser Kommentar wurde mehrmals aufgelegt. Die Zentralbibliothek Zürich besitzt von der ersten Auflage drei Exemplare (Sign.: Z XXI 92; Z 5 127; III D 441).
89 In Lamentationes, 3, 29 ff.
90 In Lamentationes, 4, 22 f.
91 Schmidt meint: Er erklärte »zuletzt die Klagelieder des Jeremias, letztere wegen der Analogie der Zeiten; dieses Buch, sagte er, paßt wunderbar auf unsere Tage, wo die Christenheit so viele Noth zu leiden hat.« *Schmidt*, S. 58. Er stellt sich offenbar vor, Martyr habe die Klagelieder 1546/47 während des Schmalkaldischen Krieges ausgelegt. Mich überzeugt sein Argument nicht, zumal andere Beobachtungen gegen diese Datierung sprechen. Der Flüchtling Martyr konnte wohl auch schon früher vom Unglück, das die christliche Welt befallen habe, sprechen. Zudem scheint mir die

Die Genesisvorlesung bietet eine oft umständlich breite Auslegung mit
allerlei dogmatischen und erbaulichen Betrachtungen und Exkursen ganz
in der Art von Martyrs späteren Vorlesungen. Sie dürfte auch zeitlich den
späteren Vorlesungen nahe stehen. Dagegen ist die Vorlesung über die
Klagelieder nach Martyrs ausgesprochener Absicht eine recht straffe, von
Vers zu Vers fortschreitende philologische und historische Erklärung des
Textes. Er zog auch die rabbinischen Kommentare bei, was zu seiner Zeit
als ein seltener Vorzug seiner Exegesen anerkannt wurde[92]. Johann Rudolf
Stucki fand dieses Manuskript ebenfalls in der Bibliothek seines Onkels
Johann Wilhelm Stucki. Er bearbeitete es für den Druck und ließ es 1629
bei Johann Jacob Bodmer in Zürich erscheinen[93]. Spätere Auflagen sind
mir nicht bekanntgeworden. Stucki schreibt im Widmungsbrief an Johann Prideaux zur Datierung nur, Martyr habe die Vorlesung vor seinem
Aufbruch nach England ausgearbeitet.

Die Bücher Genesis, Exodus, Leviticus wird Martyr in dieser Reihenfolge behandelt haben. Das nimmt auch Simler wie selbstverständlich an
und alle späteren Biographen Martyrs[94]. Er hält bei seinen alttestamentlichen Vorlesungen von nun an die kanonische Reihenfolge ein. Es folgen
die Auslegungen der Bücher Richter (1553–56), Samuel, Könige (1556–62).

Die *Genesisvorlesung* müßte er nach meiner Berechnung 1544/45 gehalten haben. Dem könnte widersprechen, daß die Disputationsthesen aus
Genesis, Exodus, Leviticus in den Loci communes auf das Jahr 1543 datiert werden[95]. Einen sicheren Hinweis für die Datierung der Vorlesung
enthält diese Angabe nicht. Für die öffentliche Disputation geeignete dogmatische Thesen ließen sich aus den kleinen Propheten und den Klage-
liedern Jeremias wohl nicht so leicht gewinnen wie aus der Genesis. So
mochte Martyr vielleicht seine große Vorlesungsreihe, bei der er sich der

---

Aussage: »von allen Seiten werden so viele unheilvolle Ereignisse der christlichen
Welt gemeldet«, ausgezeichnet auf die politische Lage vom Herbst 1543 zu passen.
Der Geldrische Feldzug war gerade für den Kaiser siegreich beendet worden, um nur
den alarmierendsten Vorfall zu erwähnen. Martyr sagt genau: »Incutitur et terror
aliis populis, quando vident peccata eo adduxisse illum populum, cui tantopere
Deus favit, . . . Faciunt itaque haec multum ad nostra tempora, quando Christiani
orbis tot undique nuntiantur calamitates.« In Lamentationes, 3, 14.

[92] Vgl. In Genesim, *Simlers* Widmungsbrief an Johann Juell, a 2, 39 ff. Vgl. Richard
Simon, Histoire critique du vieux Testament, Rotterdam, 1685, S. 439. Simon erhebt
den Pariser Professor Jean Mercerus über andere Exegeten, weil er die Kommentare
der Rabbinen benutze. Bei Martyr hat er dieses Zeichen besonderer Gelehrsamkeit
übersehen.

[93] Die Zentralbibliothek Zürich besitzt von diesem Druck drei Exemplare (Sign.:
Z. 5. 1231; Z III O 120; III B 66 e).

[94] *Simler*, Oratio, Loci 1587, c, 12 ff.

[95] Loci 1587, 1000.

Behandlung dogmatischer Fragen stärker zuwenden wollte, durch die Disputationsthesen vorbereiten[96].

Martyrs Bibliothek mitsamt seinem literarischen Nachlaß fiel nach seinem Tode seinem ständigen Begleiter Julio Terentiano zu. Dieser übertrug Josias Simler die Vollmacht, zu entscheiden, was aus dem handschriftlichen Nachlaß ediert werden sollte. Nach langen Überlegungen entschloß Simler sich, das mit den Mängeln eines nicht zum Druck hergerichteten Vorlesungsentwurfs behaftete und zudem fragmentarische Manuskript drucken zu lassen. Er wußte, daß Martyr selbst diese unvollkommene Auslegung nicht hatte herausgeben wollen[97]. Das Manuskript brach nach Kapitel 42, Vers 25 ab. Ob der Rest verlorengegangen ist oder ob Martyr die letzten 9¹/₂ Kapitel der Genesis gar nicht auslegte, ist unsicher[98]. Es ist freilich unwahrscheinlich, daß Martyr mit der Erklärung des Buches Exodus anfing, wenn er mit der Genesisvorlesung mitten in den Josephsgeschichten steckengeblieben wäre. Der Kommentar erschien 1569 bei Christoph Froschauer in Zürich und wurde danach noch mehrmals aufgelegt[99]. In der zweiten Auflage, Zürich 1579, vervollständigte Ludwig Lavater den Kommentar von Kapitel 42, Vers 26 ab auf den Wunsch des Druckers Christoph Froschauer.

In Martyrs Vorlesungstätigkeit vollzieht sich mit der Genesisvorlesung ein auffallender Wechsel. Jetzt behandelt er ausführlich, wenn auch noch zurückhaltend, die Themen der reformatorischen Theologie. Der zuerst wegen seiner humanistischen Bildung gelobte Philologe[100] wandelt sich zum dogmatisierenden Bibeltheologen. Mit dieser Vorlesung verdirbt er seine methodische Klarheit, was ihm Richard Simon später zum Vorwurf machte[101]. Seine Kommentare sind seitdem nach dem Urteil Simons voll

---

[96] *Simler* schreibt im Widmungsbrief seiner Ausgabe des Genesiskommentars, dieser sei in der Reihenfolge der erste unter Martyrs Kommentaren. In Genesim, a 2ᵛᵒ. In der Biographie sieht er die Genesisvorlesung m. E. zutreffend als Martyrs dritte an. *Simler*, Oratio, Loci 1587, c, 13.

[97] Widmungsbrief Josias *Simlers* an Johann Juell, In Genesim, a 2, 1 ff.

[98] Ludwig *Lavater* betont im Vorwort zur zweiten Auflage, Martyr habe in der Straßburger Schule das ganze Buch Genesis ausgelegt. In Genesim, a 2ᵛᵒ, 32 f.

[99] Die Zentralbibliothek Zürich besitzt von der ersten Auflage zwei Exemplare (Sign.: Z III B 382; Z 5. 751).

[100] Vgl. oben S. 22.

[101] *Simon*, vgl. Anm. 92, S. 437 f. »Il y a de l'apparence, que comme il étoit éloquent, il suivit cette methode, pour faire paroître davantage son éloquence, et même son érudition; ... En un mot, les commentaires de Pierre Martyr sur la Bible sont pleins de longues digressions, et il affecte par tout de paroître homme d'érudition.« Simon verurteilt Martyr von einem Standpunkt, der Martyr fremd war, und ohne Kenntnis seiner früheren Kommentare. Seine Beobachtungen sind dennoch im ganzen zutreffend. Bullinger jedenfalls findet Martyrs Art der exegetischen Vorlesungen nachahmenswert. »Ac progressus est Martyr noster in exponendis literis sacris expedite,

Abschweifungen auf fernliegende Gegenstände. Andererseits begründet er seit dieser Vorlesung den ihm zuteil gewordenen Ruhm eines bedeutenden Lehrers der reformierten Kirche[102]. Eine Liste der ausführlichsten und nach dogmatischer Methode gegliederten Exkurse mag einen ersten Eindruck vermitteln. De Sacrificiis (S. 35vo). De peccato originis (S. 36). De servitute (S. 43vo). De vocatione dei (S. 48). Divitiarum possessionem piis licitam esse (S. 52). De bello (S. 56). De iustificatione (S. 59). De similitudine et differentia veteris et novi testamenti (S. 64). De sacramentis (S. 69). De circumcisione (S. 69). De insomniis (S. 79vo). De Prophetia (S. 80vo). De iureiurando (S. 85). Tentatio (S. 90). De luctu mortuorum (S. 92). Sepultura (S. 92vo). Praedestinatio (S. 99vo). Providentia (S. 115vo). De votis (S. 116vo). De fuga (S. 128vo). De tyrannide perferenda a piis hominibus (S. 141vo). De funerum lacrimis et luctu (S. 144). Wir finden in diesen Artikeln nicht die Elemente eines straff zentrierten theologischen Programms. Vielmehr stellen sie die Auswahl einer möglichen dogmatischen Enzyklopädie dar. Das schätzte man im sechzehnten Jahrhundert und im Anfang des siebzehnten Jahrhunderts neben seinem exegetischen Scharfsinn und seiner philologischen Gelehrsamkeit an Martyrs Schriften, daß er mit umfassender biblischer Begründung zu allen möglichen Fragen, die einen gebildeten Christen damals interessieren konnten, etwas Verständiges ausgeführt hatte. Aus diesem Grunde sammelten seine Freunde aus seinen überwiegend exegetischen Schriften Loci communes, die eine rasche Folge von Auflagen erlebten. Dabei eignete seinem Denken die Weite des besonnenen biblizistisch humanistischen Gelehrten, dem Radikalismen zuwider waren, der den beengenden Zwang eines dogmatischen Systems nicht kannte und keiner bestimmten Schulmeinung verpflichtet war. Seine Argumentation ist zu umständlich, um volkstümlich zu wirken. Seine Gedanken sind nicht gemein, aber von bedachter Schlichtheit[103].

Für die beiden letzten Jahre von Martyrs erstem Aufenthalt in Straßburg (1545–47) bleibt die Beschäftigung mit den Büchern *Exodus und Le-*

non inhaesit uni alicui capiti, nedum loco scripturae alicui dies aliquot an menses, quod alioqui a doctis viris saepe solet fieri.« Brief: Bullinger an Zanchi, Tiguri 16. Decemb. 1562, *Zanchii* opera, Bd. 8, S. 126, vgl. oben Anm. 26. *Simler* stößt sich wie Simon an der Menge der verschiedenen Gegenstände, der Erklärung abgelegener Fragen und findet, in der Methode und Ordnung stehe die Genesisvorlesung Martyrs anderen Kommentaren nach. In Genesim, Widmungsbrief, a 2, 7 f.

102 Vgl. Alexander *Schweizer*, Die Glaubenslehre der evangelisch-reformierten Kirche, 1. Bd., Zürich, 1844, S. 127.

103 Vgl. Bullingers Urteil über Martyr. Nach Martyrs Tod bietet er Zanchi die Nachfolge an. »Hominem praeterea requirimus simplicem et expositum, non involutum variis opinionibus et quaestionibus interminabilibus, non intentum rebus curiosis et nihil facientibus ad salutem.« Brief: Heinrich Bullinger an Hieronymus Zanchi, Tiguri 16. Decemb. 1562, *Zanchii* opera, Bd. 8, S. 126, vgl. oben Anm. 26.

viticus übrig. Von diesen Vorlesungen weiß man vollends nichts, außer daß Martyr sie gehalten hat. Manuskripte waren kurz nach Martyrs Tod (1564/65) noch vorhanden. Im Nachlaß fand Simler die Auslegung des Buches Exodus bis zum 34. Kapitel. Konrad Hubert hatte ein nachgeschriebenes Heft von der Leviticusvorlesung[104].

Aus der Straßburger Zeit sind außer den Vorlesungen einige Dokumente verschiedener Art erhalten geblieben.

Josias Simler fand unter Martyrs nachgelassenen Papieren winzige Zettel mit Aufzeichnungen in Martyrs Handschrift. Unter ihnen stieß er zufällig auf einige verstreute Blätter, auf die Martyr *Psalmgebete* geschrieben hatte. Er berichtet, Martyr habe sie in der Zeit, als das Trienter Konzil begonnen hatte und in Deutschland der Religionskrieg ausgebrochen war, also 1546–47, am Ende seiner Vorlesungen gebetet[105]. Wie Simler zu dieser Datierung kommt, sagt er nicht. Er scheint von den Aussagen der Gebete auf diese geschichtliche Situation zu schließen. Sie sprechen durchgängig von der Bedrängnis der Christenheit, die für sie ein Anlaß zur Buße sein müsse und sie bewegen solle, ihre Hoffnung allein auf Gottes Gnade zu setzen. Ab und zu finden sich genauere Anspielungen wie: »sie wollen ein Konzil haben« (zu Ps. 58) oder »in dieser Zeit merken wir, ... daß sich die ganze Macht der Welt gegen dich [Gott] verschworen hat« (zu Ps. 2). Schmidt findet in den Gebeten zu Ps. 55 und zu Ps. 121 ähnliche Hinweise auf die politische und kirchliche Lage, daß die Feinde alle ihre Gedanken gegen Gottes heilige Lehre richten und die Kirche zu Fall bringen wollen. Weiter wird von »diesen schweren Zeiten« und »den gegenwärtigen Gefahren« gesprochen[106]. Man kann sich bei vielen der Gebete recht gut vorstellen, daß Martyr an die Ereignisse dieser Jahre dachte. Aber warum sollte er die Gepflogenheit, seine Vorlesungen mit einem Gebet abzuschließen, nicht auch zu anderen Zeiten geübt haben? Es ist doch sehr fraglich, ob die »verstreuten Zettel« alle aus derselben Zeit stammten und ob nicht bei Martyrs Reisen gerade aus der frühen Straßburger Zeit am meisten verlorengegangen war. Ich kann mich angesichts des von Simler konstatierten Zustandes des Nachlasses nicht zu einer bestimmten Datierung der ganzen Sammlung entschließen.

Die Gebete lehnen sich an die Aussagen der Psalmen an, sind aber gegenüber dem Vorbild recht frei. Die Sammlung enthält Gebete zu allen Psalmen, oft mehrere zu demselben.

---

[104] *Schmidt*, S. 294.
[105] Widmungsbrief *Simlers* an Hermann Folkersheim aus Friesland.
[106] *Schmidt*, S. 72.

Josias Simler ließ sie 1564 bei Christoph Froschauer in Zürich drucken. Sie wurden mehrmals aufgelegt und auch ins Deutsche übersetzt[107].

Die *Disputationsthesen aus den Büchern Genesis, Exodus, Leviticus* hat zum erstenmal der Basler Drucker Peter Perna im dritten Band seiner erheblich vermehrten Ausgabe der Loci communes (1580–82) in drei Bänden ans Licht gebracht[108]. Die letzten sechs Thesen sind dem Richterbuch, Kapitel elf, entnommen. Perna hat alle erreichbaren kleinen Schriften Martyrs für seine Ausgabe gesammelt. Genaueres erfährt man nicht, wo er die Disputationsthesen gefunden hat und wie sie entstanden sind[109]. Perna gibt auf dem Titelblatt an, Martyr habe sie in der Straßburger Schule in den Jahren 1543–1549 aufgestellt. Ende November 1547 war Martyr aber schon in England. Sie werden also in den Jahren 1543–1547 entstanden sein. Die Jahreszahl 1543 wird in der Überschrift zu den Thesen wiederholt und auch in der von Robert Masson bearbeiteten ansatzweise kritischen zweiten Zürcher Ausgabe von 1587 beibehalten. Dieses Datum ist offenbar mit der Überlieferung der Disputationsthesen fest verbunden.

Von schriftlichen Vorbereitungen zu Martyrs rhetorischen *Übungen über Ciceros Tusculanae Disputationes* hat sich keine Kenntnis erhalten[110].

Bei Martyrs *Auslegung des Apostolischen Glaubensbekenntnisses* ist wiederum die Datierung äußerst schwierig. Sie ist aber gewiß eine seiner ersten Arbeiten nach der Flucht aus Italien. Simler erwähnt zwei Schreiben, die Martyr auf der Flucht in Pisa abfaßte, eins an Reginald Pole, ein anderes an seine Lucenser Gemeinde. Diese Briefe sollten einen Monat nach seiner Abreise den Empfängern übergeben werden. In ihnen erklärte er die Gründe seiner Flucht[111]. Nur ein Brief vom 25. August 1542 an die Ordensbrüder von S. Frediano ist bisher gefunden worden[112]. Der Herausgeber der Loci communes, Zürich 1587, behauptet, die Auslegung des Glaubensbekenntnisses sei der Abschiedsbrief an das Papsttum, von dem Simler berichte. Er fügt eine lateinische Übersetzung der Symboli expositio den Loci am Schluß des christologischen Teils ein. Er scheint die Ausle-

---

107 Die Zentralbibliothek Zürich besitzt von der ersten Auflage ein Exemplar (Sign.: Z A W 6004).
108 Loci communes, Basel 1582, Bd. III, S. 429 ff.
109 Vgl. oben S. 23.
110 Vgl. *Schmidt*, S. 60 f.; vgl. oben S. 23.
111 *Simler*, Oratio, Loci 1587, b 6ᵛᵒ, 45 ff.
112 Er ist jetzt neu gedruckt bei *McNair*, S. 287 f. Er ist aber nicht aus Pisa, wie Simler annahm, sondern aus Fiesole datiert. Martyr hat noch einen dritten Brief an den Rector generalis der Lateran-Kongregation, Arcangelo Pelissoni da Pavia, geschrieben. Kardinal Gonzaga schickte davon eine Kopie Girolamo Vida, den Bischof von Alba, am 7. November 1542. Original und Kopie sind verschollen. Vgl. *McNair*, S. 287.

gung des Glaubensbekenntnisses mit dem Brief aus Pisa an die Gemeinde in Lucca zu identifizieren[113]. Dieses Urteil wird von den Biographen Martyrs außer McLelland[114] und McNair[115] übernommen. Der Brief nach Lucca, gerichtet an das Kloster der Augustiner Chorherren, ist jetzt bekannt[116]. Die Auslegung des Glaubensbekenntnisses ist ein Abriß seiner Theologie, in dem natürlich bei der Ekklesiologie auch vom Papsttum die Rede ist. Auf seine persönliche Absage an den Katholizismus und seine Flucht bezieht sich Martyr nicht. Er rechtfertigt seine Flucht in dem Brief aus Straßburg vom 25. Dezember 1542 in ganz anderer Weise[117], nicht mit dem Hinweis auf seine Theologie, sondern mit der Darlegung seiner persönlichen Lage. Er erwähnt auch die Auslegung des Apostolikums in dem Brief nicht, was man doch bei einer so gründlichen und ausführlichen Darstellung seiner Theologie erwarten müßte, wenn sie zu dem Zweck geschrieben worden wäre, seiner Gemeinde seinen Abschied zu erklären. Die Auslegung des apostolischen Glaubensbekenntnisses wurde im Februar 1544 in Basel in italienischer Sprache gedruckt. Später wurde sie nachgedruckt und ins Lateinische übersetzt[118]. Ich habe in dieser Ausgabe keine Erklärungen über die Vorgeschichte der Schrift gefunden. Ich sehe keinen Grund, der die an sich selbstverständliche Annahme in Frage stellen könnte, Martyr habe die Auslegung des Apostolikums in Straßburg ausgearbeitet und sie unmittelbar danach in Basel drucken lassen[119]. Wir haben in ihr Martyrs erste Schrift, die er publizierte und die von vornherein zur Veröffentlichung bestimmt war. Am Schluß stellt er ein Buch in Aussicht, das er »de vero cultu Dei« zu schreiben gedenke, in dem man finden werde, was man hier vermisse[120]. Dazu ist er wohl nicht gekommen. Man erkennt aber an diesem Plan, daß Martyrs nächstes Ziel eine umfassende Darstellung seiner Theologie war und daß er die Auslegung des Apostolikums als seine Dogmatik im Grundriß ansah[121]. Daß Martyr

---

[113] Loci 1587, 420,40 ff. Wahrscheinlich ist die Auslegung des Apostolikums auch schon in frühere Auflagen der Loci, die mir z. Z. nicht zugänglich sind, aufgenommen worden.

[114] *McLelland*, S. 9.   [115] *McNair*, S. 284 ff.   [116] Vgl. *McNair*, S. 287 f.

[117] Vgl. oben Anm. 9 u. ö.

[118] Von der ersten Auflage besitzt das Musée Historique de la Réformation in Genf ein Exemplar (Sign.: MHR: H. Mar. 1.). Eine kurze Inhaltsangabe bietet *Schmidt*, S. 37 ff.

[119] Damit schließe ich mich dem Urteil McLellands an. *McLelland*, S. 9, Anm. 17.

[120] Loci 1587, 442, 52 ff.

[121] Das kleine Werk wurde in die Liste der 1551 von der Sorbonne verbotenen Bücher aufgenommen. COLLECTIO JUDICIORUM DE NOVIS ERRORIBUS, qui ab initio duodecimi seculi post incarnationem Verbi, usque ad annum 1713 in Ecclesia proscripti sunt et notati; censoria etiam judicia insignium academiarum, . . ., opera et studio Caroli *du Plessis d'Argentré*, Sorbonici Doctoris, et Episcopi Tutelensis, Tomus secundus, in quo exquisita Monumenta ab anno 1521. usque ad annum 1632. continentur, editio nova, Lutetiae Parisiorum, M.DCC.LV. (1755), S. 174.

sich im folgenden Jahr gründlich mit Dogmatik befaßte, gibt die Genesis-vorlesung zu erkennen[122].

Zum Thema der Flucht bei der Glaubensverfolgung hat Martyr einen ausführlichen Traktat in Briefform verfaßt: »*De fuga in persecutione*«. Ein italienischer Freund, der nicht näher bekannt ist, hatte ihn um seine Stellungnahme gebeten. Am Anfang drückt Martyr seine Befürchtung aus, er könne durch seine Schrift die offenbar schon oft unter den italienischen Christen diskutierte Kontroverse wieder aufrühren, ob Christen sich der Verfolgung durch die Flucht entziehen dürften. Seine Erörterung ist äußerst gründlich und langatmig, sein Urteil vorsichtig und alle Umstände abwägend, wie es seine Art ist. Sie ist der Sache nach eine Rechtfertigung seiner eigenen Flucht, obwohl er das Problem rein akademisch behandelt.

Es gibt keine zuverlässigen Kriterien zur Datierung der Schrift. Der Herausgeber der Loci communes, Zürich 1587, hat die im Anhang abge-druckten Briefe chronologisch geordnet. Dort steht dieser Brief an zweiter Stelle nach dem vom 25. Dezember 1542[123]. Seitdem wird er allgemein der ersten Straßburger Zeit Martyrs zugeordnet. Es liegt nahe, daß die An-frage bald nach seiner eigenen Flucht an ihn erging, als er sich seinen ita-lienischen Freunden noch nicht durch lange Abwesenheit entfremdet hatte, und daß er sich zu einer so eingehenden Erörterung bewogen fühlte, weil ihn seine eigene Flucht noch bewegte.

Er schrieb den Brief italienisch. Später übersetzte ihn Thadaeo Duno, ein Arzt aus Locarno, ins Lateinische. Er wurde mit anderen Briefen zum erstenmal im Anhang der Loci communes, Zürich 1580, gedruckt. Josias Simler hatte die Briefe vermutlich vorher gesammelt, jedenfalls hatte er in einem Brief an Hubert vom 22. Juli 1575 den Plan einer solchen Sammlung unterbreitet[124].

Martyrs *Gutachten, ob evangelische Christen am katholischen Kultus teilnehmen dürfen,* aus dem Frühjahr 1545[125] wurde zuerst in der Samm-lung von Schriften Calvins zu demselben Thema in Genf 1549 gedruckt unter dem Titel: »De vitandis superstitionibus«[126]. In dieser Zusammen-stellung wurde es noch oft herausgebracht[127]. Es ist nicht datiert. Das vor-anstehende Gutachten Bucers trägt das Datum: 8. Mai 1545. Martyrs Gut-achten wird nur wenig später abgefaßt sein.

---

[122] Vgl. oben S. 33 f.
[123] Loci 1587, 1073 ff. Eine Inhaltsangabe bietet *Schmidt,* S. 53 ff.
[124] *Schmidt,* S. 295.   [125] Vgl. oben S. 25.
[126] Von der ersten Auflage besitzt die Bibliothèque Publique et Universitaire in Genf ein Exemplar (Sign.: Rés. Bd 1461).
[127] Vgl. *Calvini* Opera, Bd. VI, in: CORPUS REFORMATORUM, Bd. XXXIV, vgl. Anm. 70, Sp. 627 f.

II. Der Theologe Peter Martyr Vermigli

Als Martyr in der zweiten Hälfte des Oktober 1542 in Straßburg anlangte, war er gerade dreiundvierzig Jahre alt geworden[128]. Im Dienst seiner Kirche hatte er bereits beachtliche Erfahrungen gewonnen und verantwortungsvolle und ehrenhafte Ämter innegehabt. Er war kein Neuling mehr in der Theologie. In Italien pflegte er Umgang mit hohen Würdenträgern der Kirche, mit angesehenen fortschrittlichen Theologen und mit hervorragenden Leuten unter den literarisch Gebildeten. Er hatte vielfältige Beziehungen zur geistig führenden Schicht Italiens. Er schien alle Voraussetzungen für eine glanzvolle Karriere zu erfüllen; der Aufstieg zu den höchsten Ämtern seiner zur »Gegenreformation« entschlossenen Kirche schien ihm unmittelbar bevorzustehen[129], was er selbst sehr wohl wußte[130].

Wir gewinnen an Hand der Dokumente aus seiner Straßburger Zeit nicht mehr Einblick in die jugendliche Phase seiner theologischen Entwicklung. Wie sich die Konturen seiner theologischen Überzeugungen allmählich herausbildeten und erhärteten, ist für uns dunkel, da keine zuverlässigen Urkunden aus seiner italienischen Zeit bekannt sind. Wir begegnen ihm in Straßburg schon im Stadium einer gewissen Reife, in einem Lebensalter, in dem sich die Ansichten eines Mannes gewöhnlich gefestigt

---

[128] Er wurde am 8. September 1499 in Florenz geboren. Vgl. *Simler*, Oratio, b 4, 54 ff. *McNair*, S. 53, gibt nach dem Florentiner Taufregister sein Geburtsjahr als das Jahr 1499 an. Nach Simler sollte Martyr ein Jahr später (1500) geboren sein. Bucer schätzte ihn nach dem oben, S. 22, zitierten Brief ein Jahr zu alt.

[129] Im April 1540 baten Pole und Bembo und viele andere aus der Umgebung des Papstes Pauls III. den Protektor der Lateran-Kongregation, Herkules Gonzaga, um Martyrs Versetzung nach Rom, damit man diesen »homo rarissimo« zu gelegentlichen Beratungen in der Nähe habe. *McNair*, S. 191. Martyr war nach einer von Kardinal Aleander im September 1540 aufgestellten Liste einer der fünf für das Wormser Religionsgespräch vorgesehenen Begleiter Contarinis. Contarini hatte sich ihn für seine Mannschaft erkoren. *McNair*, S. 197. Vgl. Fr. *Dittrich*, Regesten und Briefe des Cardinals Gasparo Contarini, Braunsberg, 1881, S. 134. In einem Breve vom 12. April 1542 ordnete der Papst die Bildung einer Untersuchungskommission zur Bestrafung von Vergehen einiger Mitglieder der Congregation an. Er schlug neben sechs anderen Martyr für dieses Gremium vor. Wieder war Contarini der Berater des Papstes bei der Auswahl der Kommission. *McNair*, S. 200 ff. Noch am 25. Juli 1542, also kurz vor Martyrs Flucht, schlug der soeben zum Kardinal gewählte Bischof Morone in einem Brief an Kardinal Cervini Martyr als seinen Nachfolger auf dem Bischofsstuhl von Modena vor. *McNair*, S. 255. Vgl. *Dittrich*, S. 239 und 398. In einem Brief vom 7. Juli hatte Morone Contarini seinen Dank ausgesprochen, daß er Martyr für ihn als Fastenprediger gewonnen habe. *McNair*, S. 255. *Dittrich*, S. 237.

[130] Brief: Universis Ecclesiae Lucensis, Argentorati octavo calendas Ianuarias MDXLIII, Loci 1587, 1073, 13 ff.: »Neque vero . . . discessio mea caret mei ipsius mortificatione, non *dignitatis* atque *honorum* neglectione, quibus secundum hominem eram *abunde decoratus;* . . . non *authoritatis ac gratiae* abdicatione, qua apud omnes *multum valebam*. Atque haec omnia multifariam *augere potuissem*, si a veritate Dei atque Euangelio discessionem facere voluissem.«

haben. Seine Erkenntnisse, Eindrücke, Erfahrungen, die ihm in Straßburg zuteil wurden, trafen auf einen Grund, dem sie assimiliert werden mochten, der aber jedenfalls ein ausgeprägtes Vorverständnis bedingte, das die Auswahl und die Art der Begegnisse bei der direkten Berührung mit der deutschen Reformation straßburgischer Prägung steuerte.

Nichts ist davon bekannt, daß er mit seiner Flucht einen Bruch in seinen theologischen Anschauungen oder gar eine Konversion verband. Als einzigen Beweggrund seiner Flucht gibt er die Bedrohung durch die kirchliche Rechtsprechung an, die ihm nicht die Freiheit zur gewissenhaften Ausübung seines Priorates gewährte, nämlich zu lehren, was er nach den Regeln der theologischen Wissenschaft und auf Grund seiner Einsicht in die biblischen Schriften für die christliche Wahrheit erkannt hatte, und das kirchliche Leben seines Klosters und der Stadt der Lehre gemäß zu ordnen[131]. Er hatte durchaus sein eigenes, wenn auch nicht originelles, Verständnis des christlichen Dogmas gewonnen und ein bestimmtes Leitbild von der Kirche, nach dem er sie gerne reformiert gesehen hätte. Er mußte nun befürchten, daß er bei der derzeit herrschenden Erregung bei den kirchlichen Behörden für seine Lehre weder Verständnis noch Duldung finden würde. Doch wurde nicht auf Grund bestimmter theologischer Aussagen ein Vorwurf gegen ihn erhoben. Seine Haltung im ganzen brachte ihn in den begründeten Verdacht, er unterstütze den in Lucca um sich greifenden Abfall von der katholischen Orthodoxie, der gelegentlich Unruhen hervorrief. Er selbst hatte sich bei der Ausübung seines Amtes korrekt verhalten und oft anders gehandelt, als er dachte und lehrte, indem er »abergläubische Riten« vollzog. Da er nun einmal den Argwohn auf sich gelenkt hatte, wußte er, daß er zur Rechenschaft gezogen würde, wenn er die Gerüchte nicht dementierte, und daß er vor einem Inquisitionsgericht seine wahren Überzeugungen nicht ungestraft werde aussprechen dürfen[132].

---

[131] Vgl. Brief: Honoreuoli Fratelli, Data a Fieso, ali XXIIII di Agosto M.D.XLII, *McNair*, S. 287 f.

[132] Brief: Universis Ecclesiae Lucensis, Argentorati octavo calendas Ianuarias MDXLIII, Loci 1587, 1072, 35 ff.; 1073, 3 ff.; »Praeterea vos minime fugiunt cruciatus, quibus angebatur conscientia mea, propter illam, quam sequebar, vitae rationem. Innumeris quotidie superstitionibus conivendum erat, superstitiosi ritus non mihi solum peragendi, verum etiam ab aliis importune exigendi, multa faciunda aliter quam sentiebam et docebam.« Mit diesen Sätzen will Martyr erklären, daß er vor der Flucht einiges erduldet hat und ihn daher der Vorwurf nicht ganz zu Recht trifft, er hätte ausharren müssen, bis ihm wirklich Gewalt angetan worden wäre, und er hätte sie dann geduldig ertragen müssen (1072, 50 ff.). Dies ist der Angelpunkt der ethischen Problematik seiner Flucht, die Martyr nachher bewegt. Aber das *Motiv* seiner Flucht ist die Ausweglosigkeit seiner äußeren Lage, daß nämlich die umlaufenden Gerüchte ein Vorgehen gegen Martyr notwendig machten und daß er dadurch gegen die Wahrheit zu predigen gezwungen worden wäre. Im Brief aus Fiesole schreibt er ganz eindeutig: »Für mich haben die so großen Gerüchte, . . . es notwendig gemacht zu

Schon bisher hatte er oft durch sein konservatives Verhalten die Wahrheit
verdunkelt, wie er sich rückblickend zu seinem Verdruß eingestehen
mußte, aber in der neuen Situation, wenn er von der Inquisition über-
wacht würde, hätte er offen falsch lehren müssen; das wollte er keinesfalls[133].

Er selbst sah den Fortschritt seiner Erkenntnis als eine kontinuierliche
Entwicklung an, die sich allmählich zu wachsender Klarheit der Einsicht
und freimütigerer Offenheit beim Lehren steigerte[134]. Dabei bemerkt er
ausdrücklich, er habe von Jugend an, als er in Italien lebte, nichts anderes
betrieben, als die göttlichen Schriften zu lernen und zu lehren, und auch
Erfolg gehabt. Zwar habe auch er zeitweise verwirrt geredet, weil das
Papsttum viele in die Finsternis führe, doch nie aufgehört, an der Heiligen
Schrift zu lernen und danach zu lehren. Daher sei für ihn, als er den Lehr-
auftrag in Straßburg erhielt, die Beschäftigung mit dem Wort Gottes nichts
Neues und Ungewohntes gewesen. Martyr will damit mehr sagen als, er
habe sich schon früh um die Kenntnis der Bibel bemüht. Seine Hörer sol-
len verstehen, daß er schon immer »evangelisch« war, daß nämlich von
Jugend an die Theologie der Bibel Maß und Ziel seiner Erkenntnis war.
Andererseits drückt er damit aus, er habe auch später nichts anderes als
ein Biblizist sein wollen, wobei ihm der Wille, sich nach der Bibel zu rich-
ten, wichtiger ist als ihr Verständnis im einzelnen. Daß die biblischen
Wahrheiten, die er lehrte, in seiner Kirche nicht allenthalben in Geltung
standen, wußte er wohl. Er hoffte aber, er könne mit Gleichgesinnten die
Kirche aus ihrer Entartung zu sich selbst zurückführen. Wenn seine Kirche
ihn eines Tages nicht mehr ertragen würde, beruhte das nicht auf einem
Wandel seiner Theologie oder gar seines Bekenntnisses. Er verstand diese
Wendung als verhängnisvolles Versagen der offiziellen Organe der Kirche,
die sich auf diese Weise weigerte, sich zu ihrem eigenen Grund, der biblischen Verkündigung, zurückführen zu lassen. Martyr brach nicht mit seiner Gemeinde, seinem Orden, dem Augustinerorden, dem Katholizismus,
sondern mit den Regierungsinstanzen der Kirche. Er gab das Zeichen sei-

---

gehen.« Brief: Honoreuoli Fratelli, Data a Fieso, ali XXIIII di Agosto M.D.XLII,
McNair, S. 287. McNair findet den entscheidenden Grund zur Flucht in Martyrs
Gewissenskrise und erklärt die Flucht als Ausdruck seiner Bekehrung zum Protestan-
tismus. Er schreibt: »The decisive battle was fought and won in Martyr's conscience.
The simple fact is that he no longer believed in the religion which he professed. He
had come to acknowledge that Catholicism was wrong and Protestantism right, . . .«
Dann weist er auf die oben zitierten Sätze hin. Diese grob vereinfachende Deutung
ist unbegründet. Vgl. *McNair*, S. 267.

[133] Brief: Universis Ecclesiae Lucensis, Argentorati octavo calendas Ianuarias, MDXLIII,
Loci 1587, 1072, 36 ff.

[134] Oratio quam Tiguri primam habuit, Loci 1587, 1062, 60 ff.

ner amtlichen Würde, den Priorsring, zurück und kündigte damit sein
Amt und den dienstlichen Gehorsam[135]. Er erklärte in einem beigefügten
Brief an den Rector generalis förmlich seinen Verzicht auf das Priorat[136].
Im ersten Brief an seine Gemeinde versucht er ihr klarzumachen, daß sich
zwischen ihnen durch seine Flucht nichts geändert habe. Er habe sich nur
davon befreit, von den kirchlichen Behörden gemaßregelt zu werden. Seine
Gemeinde werde er ebensogut durch häufige Briefe trösten und ermahnen
können[137]. Ja, Martyr dachte sogar daran, vielleicht wieder nach Lucca zu-
rückzukehren, wenn Gott eine Beruhigung der Verhältnisse herbeige-
führt habe[138]. Das Verhalten seiner Kirche galt ihm als ihr Urteil über sich
selbst, so daß er sagen konnte, es gebe zur Zeit in Italien keine geordnete
Kirche[139]. Nichts deutet darauf hin, daß er sich überhaupt einmal zu einem
neuen Glauben bekehrt hätte. Er verstand sich als ernsthaft katholischen
Theologen, freilich nicht im konfessionellen Sinn, so daß neben dem katholischen ein anderes christliches Bekenntnis denkbar gewesen wäre.
Martyr spricht von »der Religion«, wenn er das Christentum als Phänomen bezeichnen will, und meint damit das wahre Christentum ohne Berücksichtigung der Verschiedenheit der Kirchentümer[140]. So erwartete er als
selbstverständlich, daß er in der Schweiz oder in Straßburg als theologischer Lehrer angestellt würde, um in ungebrochener Kontinuität seine
frühere Lehrtätigkeit im Augustinerorden fortzusetzen.

Er war zum Reformer geworden, weil er aufrichtiger und leidenschaft-
licher katholisch war als der durchschnittliche Katholizismus seiner Zeit.
Er hatte im Orden der Augustiner-Chorherren darauf gedrungen, daß die
Ordensregel streng beachtet wurde, daß die Frömmigkeit der Mönche ern-
ster wurde, daß sie ihre Studien pflegten und ihre Aufgaben, zu predigen
und zu lehren, erfüllten[141]. Mit solchem Streben konnte er sich Egidius von
Viterbo, dem General der Augustiner-Eremiten, verbunden wissen, der in
der Eröffnungsrede auf dem Laterankonzil 1512 die Kirchenreform als Haupt-

---

[135] *Simler*, Oratio, b 6vo, 50 f.
[136] *McNair*, S. 267; Brief: Honoreuoli Fratelli, Data a Fieso, ali XXIIII di Agosto
     M.D.XLII, *McNair*, S. 288.
[137] Brief: Universis Ecclesiae Lucensis, Argentorati octavo calendas Ianuarias, MDXLIII,
     Loci 1587, 1073, 6 ff.
[138] Brief: Universis Ecclesiae Lucensis, Argentorati octavo calendas Ianuarias, MDXLIII,
     Loci 1587, 1073, 1 f.: »Si rebus vestris aliquam dederit quietem Deus, rursus fortassis
     vobiscum vitam degam.«
[139] De fuga, Loci 1587, 1080, 57 ff.
[140] Brief: Honoreuoli Fratelli, Data a Fieso, ali XXIIII di Agosto M.D.XLII, *McNair*,
     S. 287 f. Brief: Dryandro, 22. Augusti 1547, Argentorati. Brief: Dryandro, 5. octobris
     1547.
[141] *Simler*, Oratio, b 6, 41 ff.

aufgabe der Versammlung hingestellt hatte[142]. Wenn man seinen Klosternamen als Omen seines Schicksals deuten will, war Martyr ein Märtyrer
des Katholizismus, der wegen seines Eifers um die Erneuerung der biblischen Frömmigkeit in der katholischen Kirche und nach katholischem
Verständnis vor der drohenden Zwangsgewalt, durch deren Anwendung
diese Kirche ihre heidnische Entartung offenbarte und verteidigte, seine
geistliche Freiheit durch die Flucht retten mußte. Beza nannte ihn den aus
der Asche Savonarolas erstandenen Phönix[143].

Martyr war sich nicht nur subjektiv keines deutlichen Bruchs mit dem
Katholizismus bewußt, sein Weg vom katholischen Reformer zum Lehrer
der reformierten Kirche vollzog sich auch objektiv als Prozeß der Assimilation von Gedanken deutscher und schweizerischer reformierter Theologen.
Von einer markanten Auseinandersetzung mit der neuen Theologie, die
ihm in Straßburg entgegentrat, ist nichts zu spüren. Die Theologie Bucers
dürfte ihm auch eher ein Anlaß gewesen sein, sich der weitgehenden
Übereinstimmung zu freuen, als eine Herausforderung zur Auseinandersetzung und Entscheidung[144]. Der Wandel war eine harmonische Erweiterung und Präzisierung seiner Gedanken ohne den Schein von Revolu-
tion und klarer Entscheidung. Seine Formulierung der in Bucers Haus
gewonnenen theologischen Eindrücke ist bezeichnend: er habe manches,
was er bei den Tischgesprächen hörte, noch nicht so sorgfältig erwogen
gehabt und sei noch nicht so fest überzeugt gewesen[145]. Seine Theologie
bietet der Assimilation drei Kristallisationszentren: seine Hochschätzung
der Schrift als Quelle theologischer Erkenntnis und Norm der Frömmigkeit, seine Kritik am monarchischen Absolutismus des Papsttums und sein
aufklärerischer Kampf gegen Aberglauben und Paganisierung von Kult
und Frömmigkeit[146]. Mit diesen Anliegen ist er den reformierten Kirchen
solidarisch und teilt mit ihnen das so gerichtete religiöse Pathos. Er steht
mit seiner Intention an der Seite der fortschrittlichen Katholiken seiner

---

[142] *Schmidt*, S. 3 f.; Hubert *Jedin*, Geschichte des Konzils von Trient, Bd. I: Der Kampf
um das Konzil, 2. Auflage, Freiburg, 1951, S. 102.

[143] *Beza*, Icones, Genf, 1580, P II: »Petrum Martyrem . . . Florentinae natum et a
Savonarolae veluti cineribus prodeuntem phoenicem . . .« Savonarola war ein Jahr
vor Martyrs Geburt, 1498, in Florenz verbrannt worden. V. *Vinay*, Artikel: Savonarola, in: Die Religion in Geschichte und Gegenwart, 3. Auflage, Bd. V, 1961,
Sp. 1379 f. Vgl. *Schmidt*, S. 1.

[144] Unter diesem Aspekt ist besonders interessant und aufschlußreich: Karl *Koch*, Studium Pietatis, Martin Bucer als Ethiker, in: Beiträge zur Geschichte und Lehre der
Reformierten Kirche, 14. Band, Neukirchen, 1962.

[145] Brief: Universis Ecclesiae Lucensis, Argentorati octavo calendas Ianuarias, MDXLIII,
Loci 1587, 1071, 37 f. Vgl. oben S. 21.

[146] Vgl. sein Gutachten, ob evangelische Christen am katholischen Kultus teilnehmen
dürfen, Corpus Reformatorum, Bd. XXXIV, vgl. Anm. 70, Sp. 627.

Zeit, nicht aber in prinzipiellem Gegensatz zum Katholizismus. Man findet in seinen Schriften aus der Straßburger Zeit schwer theologische Aussagen, von denen man eindeutig sagen müßte, sie seien nicht katholische Lehre. Dabei mag das grundsätzliche Problem bedacht werden, auf das Küng hinweist, wenn er sagt: »Nie irrt sich der evangelische Theologe leichter, als wenn er behaupten will, dieses oder jenes sei *nicht* katholische Lehre.«[147] Martyr nimmt durchaus eine kritische Haltung gegenüber der Lehrtradition ein, es ist die konservativ kritische Haltung, die das Echte und Bewährte zu erhalten und vom Verderbten zu scheiden trachtet. Bei der Kritik katholischer Lehrsätze läßt sich eine mit dem Einwurzeln in den reformierten Kirchen fortschreitende Emanzipation feststellen. Obgleich Carl Schmidt ihm nachrühmt: »Wenige haben so viel getan wie er für die Begründung und Feststellung der reformierten Kirchenlehre«[148], muß auch er zugeben, daß Martyr in der Auslegung des Apostolischen Glaubensbekenntnisses noch »wenig von der katholischen Lehre Abweichendes« schreibt. Erst »bei dem Artikel von der Kirche beginnt die tiefer eingreifende Differenz.« Beim nächsten Satz des Apostolikums muß Schmidt wieder zugestehen: »Als drittes Mittel der Sündenvergebung außer Predigt und Sakrament nimmt Vermigli, noch mehr oder weniger im katholischen Sinn, die Buße an ...«[149]. Zur Wertung seiner ekklesiologischen Aussagen wird man den soteriologischen Aspekt vom kirchenrechtlichen unterscheiden müssen. Martyrs ekklesiologisch entfaltete Soteriologie hat durchaus eine merkliche Affinität zu katholischen Grundgedanken[150]. Die Kritik am Papsttum bezieht sich auf die rechtliche Stellung des Papstes als Haupt der Kirche und deren dogmatische Begründung. Sie hat ihre Spitze in dem Vorwurf, daß der Papst *allein*, nach seinem Willen, die Kirche beherrscht und sie dadurch verführt und zerstört. Er möchte den Bischöfen und Pastoren nicht einmal die Aufsicht über ihren eigenen Amtsbereich überlassen[151]. Kirchengesetze müßten im Gegensatz zum herrschen-

---

[147] Hans *Küng*, Rechtfertigung, Die Lehre Karl Barths und eine katholische Besinnung, 4. Auflage, Einsiedeln, 1964, S. 124.
[148] *Schmidt*, Vorwort.   [149] *Schmidt*, S. 40 f.
[150] Vgl. Kapitel II, 3, S. 175 ff.
[151] Loci 1587, 437, 40, 19 ff.: »Propterea utili ipsius enarratione contentus plura nunc hic non addam, nisi quod denuo concludo corpus illud unicum Christum habere caput, non vero homuncionem quempiam, qui sola sua authoritate torqueat, corrumpat, pervertat atque etiam discerpat verba Scripturae, cuius se plenam cognitionem solidamque interpretationem in scrinio pectoris habere inter suos iactitat; non homuncionem, qui quoslibet pro nudo voluntatis suae arbitrio extra Ecclesiae communionem depellat, diris devoveat atque condemnet; non homuncionem, qui suo unius nutu Ecclesiis Pastores, rectores ac Episcopos constituat, quibus nec propriarum quidem facultatum custodiam velit committere, quod eorum ingenio ac industriae diffidat, quam ne minimum quidem exploratam habet.«

den Brauch durch einen Consensus der Kirche aufgehoben und verändert werden können, wenn sie der Kirche Schaden zufügen[152]. Wenn man sagt, der Papst sei ein zweites Haupt der Kirche unter Christus, so mag das angehen. Jedoch beweist die Erfahrung, daß der Papst nicht nur Christus nicht anhängt, sondern ihm widerstreitet[153]. Das geschieht vor allem dadurch, daß er sich nicht mit der Frömmigkeit, welche die heiligen Schriften vorschreiben, begnügt, sondern abergläubische menschliche Erfindungen sanktioniert, die zur Spaltung der universalen Gemeinschaft der Gläubigen, des Leibes Christi, führen, zumal seine Kirche sich dabei noch den Namen katholisch überheblich anmaßt[154], und er nach seiner Willkür, wen er will, aus der Gemeinschaft der Kirche vertreibt[155]. Diese Gedanken fügen sich in die Linie der konziliaristischen Ideen und werden durch humanistische Theologumena unterbaut, die sich ihrerseits an eine in der ganzen Tradition auch belegbare Sicht der Kirche anlehnen[156]. Sie passen in ein Programm zur gründlichen Reform der katholischen Kirche, widersprechen aber nicht dem damaligen katholischen Dogma und sind keineswegs Ausdruck einer dezidiert nichtkatholischen Theologie[157]. Trotzdem konnte Martyrs Bewertung der Schrift als allein zureichenden Maßstab von Lehre, Kult und Leben[158] und seine Forderung, daß die Ordnung der Kirche vom

---

[152] Loci 1587, 438, 43, 25 f.

[153] Loci 1587, 437, 40, 15 ff.: »Verum sit sane quemadmodum isti volunt Papa sub Christo capite praecipue alterum caput censeatur. Attamen qua fide quasi idoneum organum Christo subsit, experientia ipsa loquitur, quae illum non tantum non adhaerere Christo, sed illi plane operibus, factis ac consiliis adversari testatur.«

[154] Loci 1587, 436, 38, 7 ff.

[155] Loci 1587, 437, 40, 23 f. Vgl. o. Anm. 151.

[156] »Gemeinsam ist allen Konziliaristen der Schismazeit [1378—1415] die Lehre, daß die allgemeine Kirche, verstanden als Gemeinschaft aller Christgläubigen, letzter und oberster Träger der kirchlichen Gewalt ist und diese durch ihre Vertretung, das Generalkonzil, in gewissen Fällen ausübt.« *Jedin*, Geschichte des Konzils von Trient, Bd. I, vgl. Anm. 142, S. 7; vgl. S. 17. Vgl. Acta sacri generalis Constantiensis Concilii, Sessio V.: »Et primo declarat, quod ipsa in Spiritu sancto legitime congregata, Concilium generale faciens, et ecclesiam catholicam repraesentans, *potestatem a Christo immediate habet,* cui quilibet cujuscumque status vel dignitatis, etiam si papalis exsistat, obedire tenetur . . .« Sacrorum Conciliorum nova et amplissima collectio, . . . Joannes Dominicus *Mansi* . . . evulgavit, Tomus XXVII, Venetiis, MDCCLXXXIV (1784), S. 590. Vgl. Decreta et acta Concilii Basileensis, Sessio XXXIII und XXXIV, *Mansi*, Tomus XXIX (1788), S. 178 ff. Vgl. ferner: Epistola synodalis ad universos Christi fideles, de obediendo conciliis generalibus et cavendo ipsis inobedientes, datiert in Basel am 8. November 1440, *Mansi*, Tomus XXIX, S. 355 ff.

[157] Schlosser ist Martyrs »Toleranz« bei der Auslegung des Apostolikums in seinem Urteil über die katholische Kirche aufgefallen und stellt fest, daß er »jeden harten Ausdruck« vermeide. *Schlosser*, S. 395.

[158] Vgl. z. B. Confessio et expositio simplex orthodoxae fidei (1566), in: BEKENNTNISSCHRIFTEN UND KIRCHENORDNUNGEN DER NACH GOTTES WORT REFORMIERTEN KIRCHE, herausgegeben von Wilhelm *Niesel*, 3. Auflage, Zollikon-Zürich (1938), S. 223, Artikel I.

Consensus der ganzen Kirche her konstituiert werden müsse[159], neben anderen konvergierenden Anschauungen ihm einen Platz in der reformierten Kirche sichern. Unter den generellen Übereinstimmungen mit der reformierten Lehre ist außerdem die schon erwähnte »Grundrichtung«, die als »vorherrschende Protestation« gegen alle paganistische Kreaturvergötterung bezeichnet werden kann[160], zu erwähnen. Wie die Reformierten gibt Martyr der Lehre vom Heiligen Geist einen hohen Rang, um auf diese Weise allen Lehrstücken den gemeinsamen Zug beizulegen, daß sie die bedingungslose Abhängigkeit des Gläubigen von Gottes Gnade ausdrücken[161]. Für die damalige konfessionelle Orientierung am wichtigsten war das ganz ähnliche spirituell aufklärerische Verständnis der Sakramente, insbesondere des Abendmahls. Die Übereinstimmungen lassen sich oft bis in die Einzelheiten der dogmatischen Darlegungen verfolgen, so daß Martyrs reformierte Zeitgenossen ihn mit Grund zu den ihren rechnen konnten, wenn sie auf das Verbindende sahen und dem gelehrten Ausländer gewisse katholische Abweichungen hingehen ließen. Schließlich war Martyr damals ein moderner Theologe, der an der Erörterung der Probleme seiner Zeit teilnahm und die ihn überzeugenden Argumente seiner theologisch gelehrten Umwelt aufnahm, je mehr er in ihr heimisch wurde. Aber immer wieder scheint ein Bodensatz gemeinkatholischer Überzeugungen und Frömmigkeit durch.

Martyrs theologische Entwicklung erhielt ihre entscheidenden Impulse, als er in Neapel Prior des Klosters S. Petri ad aram war[162]. Dort fand er Zugang zu einem humanistischen Kreis, der sich um Juan de Valdés[163] scharte. Valdés verbreitete unter diesen frommen Gebildeten erasmische Gedanken. Martyrs Freund Benedictus Cusanus führte ihn in diese Gesellschaft ein. Zu dem Kreis gehörten der als lateinischer Dichter berühmte Marc Antonio Flaminio, Isabella Manrica, Schwester eines Kardinals, die später wegen ihres Glaubens ins Exil vertrieben wurde, Vittoria Colonna, die wegen ihrer Schönheit, Tugend und Bildung bewunderte Giulia Gonzaga, Galleazzo Caraccioli, den Martyr bekehrte, und andere humanistisch gebildete Männer und Frauen[164]. »Dieser Kreis hatte einen ganz eigen-

---

[159] Vgl. Alexander *Schweizer*, Die Glaubenslehre der evangelisch-reformierten Kirche, 2. Bd., Zürich, 1847, S. 688 ff.

[160] *Schweizer*, 1. Bd., vgl. Anm. 102, S. 16 ff.

[161] *Schweizer*, 2. Bd., vgl. Anm. 159, S. 443 ff.

[162] *Simler*, Oratio, Loci 1587, b 5vo, 48. *McNair* hat dieser entscheidenden Phase in Martyrs theologischer Entwicklung ein ausführliches Kapitel gewidmet. S. 139–179.

[163] J. *Heep*, Juan de Valdés, seine Religion – sein Werden – seine Bedeutung. Ein Beitrag zum Verständnis des spanischen Protestantismus im 16. Jahrhundert, Leipzig, 1909.

[164] *Simler*, Oratio, Loci 1587, b 5vo, 58 ff. Vgl. *Schmidt*, S. 16 ff.

tümlichen, ich möchte sagen dichterischen Charakter; es herrschte darin
eine ruhige, platonische Beschaulichkeit ... Bald versammelten sie sich in
Valdés' Wohnung im Palaste des Vizekönigs, bald in Vittoria Colonna's
Landhaus auf der lieblichen Insel Ischia, bald in der Villa Caserta's in der
Terra Lavoro, wo Flaminio seine Gesundheit wiederfand. Betrachtung der
herrlichen Natur wechselte mit Unterhaltungen über evangelische Fragen ...«[165] Valdés selbst »galt lange Zeit als Sozinianer, Wiedertäufer,
Lutheraner, Apostat und Calvinist«[166]. Seine und seiner Anhänger Ideen
lassen sich offenbar nicht eindeutig einer bestimmten Gruppe der damals
fortschrittlichen theologischen Bewegungen zuordnen, sondern erscheinen
je nach dem Standpunkt des Urteilenden in recht verschiedenem Licht.
Vázquez charakterisiert seine Theologie zusammenfassend: »Seine geistige
Richtung – der Valdesianismus – bewegte sich auf dem schwankenden Boden der vortrident. kath. Theologie u. war in größerem od. kleinerem Maß
v. den Alumbrados, dem Erasmianismus u. dem it. Evangelismus beeinflußt. Sein letzter Biograph, Domingo de Santa Teresa, sieht Juan bestimmt
durch Theozentrismus (Vorrang des Elementes Gott vor dem Element
Mensch im geistigen Leben), Religiosität v. höchster innerlicher Lebens-
kraft bei Ablehnung der äußerl. u. rituellen Elemente, durch eine gesteigerte adogmat. Tendenz u. schließl. eine ahierarch. Geisteshaltung, die
nicht direkt gg. die Kirche gerichtet war, sich aber am Rand der Kirche bewegte.«[167] Der Eindruck, den man nach den Exzerpten und Referaten seiner
Schriften von Ed. Boehmer erhält, bestätigt dieses Urteil[168]. Martyrs Gedanken konvergieren mit denen von Valdés. Man wird mit einer bemer-
kenswerten Abhängigkeit Martyrs von Valdés rechnen müssen, die vielleicht seine Theologie dauernd prägte. Das Verhältnis der beiden zueinander läßt sich nicht genauer bestimmen, da wir über Martyrs Aufenthalt in
Neapel nur sehr wenig wissen. Thomas von Kempens Buch »De Imitatione
Christi« und die »Vitae patrum« von Cassian und Hieronymus schätzte
Valdés hoch[169]. Die geistige Haltung des Kreises drückt vielleicht Giulia
Gonzaga stellvertretend in einem Brief an ihren Vetter aus: Wenn sie über
religiöse Dinge gesprochen haben, so sei es geschehen, um diese zu *ver-
stehen*, nicht um von dem abzuweichen, was die katholische Kirche fest-

---

[165] *Schmidt*, S. 19.
[166] I. *Vázquez*, Artikel Valdes, Alfonso u. Juan, in: Lexikon für Theologie und Kirche,
2. Aufl., 10. Bd., 1965, Sp. 594.
[167] *Vázquez*, a.a.O. vgl. Anm. 166, Sp. 594.
[168] Ed. *Boehmer*, Artikel, Valdés, Juan und Alfonso, in: Realencyklopädie für protestantische Theologie und Kirche, 3. Aufl., 20. Bd., Leipzig, 1908, S. 380–390.
[169] *Boehmer*, a.a.O. vgl. Anm. 168, S. 385.

halte[170]. Auch Valdés greift die Kirche nicht an und enthält sich jeder Äußerung über die Verfassung der römischen Kirche, ohne doch die nach seiner
Meinung depravierte Frömmigkeit des Katholizismus seiner Zeit zu billigen[171]. Martyr kannte wohl den Reiz der inneren Bildung und der kon-
templativen Erbauung. Er stellte sich die Kirche als eine Art Freundeskreis
vor, in dem man einander zu immer tieferem Verständnis der beglücken-
den Wahrheit der göttlichen Offenbarung im Gespräch, durch vertrauten
Umgang mit vorbildlich frommen Menschen, durch die Lektüre religiöser
Schriften verhilft. Vielleicht wurde seine Idealvorstellung von der Kirche
mit durch das Erlebnis des neapolitanischen Kreises der »Spirituali« gebil-
det. Doch drängte Martyr sein Moralismus zur Gestaltung der kirchlichen
Ordnung, zur Sorge für die praktische Übung der Frömmigkeit, zur öffentlichen Wirksamkeit. Sein Amt nötigte ihn zudem zur Stellungnahme zu
den bestehenden Verhältnissen in der Kirche. Aber auch ihm geht es zunächst nicht um Reformen der Organisation und der Verfassung der Kirche,
sondern um die Erneuerung und Wiedergeburt der biblischen Frömmigkeit. Zu diesem Zweck legt er in öffentlichen Vorträgen und Predigten
die Schrift aus. So wird die in dem exklusiven Zirkel gepflegte Frömmigkeit ins Volk getragen. Die Wiederentdeckung der Predigt als Quelle der
Erbauung und egalisierendes Band der ganzen Kirche, insbesondere aber
für das einfache Kirchenvolk, gehört mit zu den begeisternden Ideen dieser
hinreißenden, schlichten Prediger wie Vermigli und Ochino, von dem der
Kaiser selbst gesagt haben soll, er könne Steinen Tränen erpressen[172]. Die
Kapitularakten des am 19. April 1540 in Ravenna eröffneten Generalkapi-
tels charakterisieren den zum Visitator gewählten Vermigli als »Predica-
torem eximium«[173]. Daß Zuhörer aus allen Ständen, Bischöfe und Gerber,
zu ihren Vorträgen kamen, gereichte ihnen zu besonderem Ruhm[174].

Berhardino Ochino kam 1539 als General der Kapuziner nach Neapel.
Er war eng mit Valdés verbunden. Auch er hat als Glied des Kreises Vermigli beeinflußt.

Desgleichen stand der Kardinal Contarini Martyr theologisch und persönlich nahe. Durch Vittoria Colonna trat er mit dem neapolitanischen
Kreis in Verbindung[175]. Er schätzte Martyr und besuchte ihn in Lucca[176].

---

[170] Boehmer, a.a.O. vgl. Anm. 168, S. 390.
[171] Boehmer, a.a.O. vgl. Anm. 168, S. 389.
[172] Schmidt, S. 22.
[173] McNair, S. 192.
[174] Schmidt, S. 23. Vgl. Boehmer, a.a.O. vgl. Anm. 168, S. 389.
[175] Hanns Rückert, Die theologische Entwicklung Gasparo Contarinis, Bonn, 1926, S. 48.
[176] Benrath, S. 550; Schmidt. S. 29; Simler, Oratio, Loci 1587, b 6vo, 11 ff.

Boehmer berichtet, Contarini hätte Vermigli gerne zum Regensburger Religionsgespräch mitgenommen[177]. Wir finden Martyr eingegliedert in die Bewegung des italienischen Evangelismus, ohne das Maß der in dieser Bewegung üblichen Variationen überschreitende markante Abweichungen in der Theologie[178]. Daß Vermigli vor der Inquisition floh, während andere ähnlich gesinnte Theologen die Reformation des Katholizismus betrieben, beweist eher die Tragik seines Schicksals als einen einschneidenden Unterschied seiner Theologie. Dennoch muß Vermigli damals Aufsehen erregt haben. Als er später in Lucca den Römerbrief in öffentlichen Vorlesungen auslegte und seinen Mönchen die Psalmen erklärte, ließen sich andere durch sein Beispiel ermutigen, auch ihre theologischen Erkenntnisse aus der Bibel und den Schriften der Väter, besonders Augustins, zu schöpfen, wie Zanchi von sich berichtet[179].

Von Martyr selbst wissen wir aus seiner neapolitanischen Zeit, daß er mit seiner Auslegung von 1. Kor. 3, 13 ff. auffiel. Die Stelle galt als Beleg für die Lehre vom Fegfeuer. Martyr greift diese Lehre nicht direkt an, was

---

[177] *Boehmer*, a.a.O. vgl. Anm. 168, S. 389. Jedenfalls war seine Teilnahme am Wormser Religionsgespräch 1540 vorgesehen. *McNair*, S. 197.

[178] Die mangelnde Klarheit der theologischen Ausrichtung, die auch der Begriff »Evangelismus« ausdrückt, kennzeichnet diese Bewegung. »In ganz Europa hatten sich während der 1530er Jahre Theologen und Laien in die Heilige Schrift und in die Väter, insbesondere in Paulus und Augustin vertieft und an sich erlebt, was Sünde und Gnade, Erlösung in Christus und Rechtfertigung durch den Glauben an ihn sind. Alle wollten sie das Wort hören: Ich bin dein Heil; leidenschaftlich rangen sie um das größte Problem der Zeit. Die deutsche Glaubensspaltung hatte die Geister aufgerührt; man suchte in der Bibel und in den Vätern Antwort auf die Fragen, die das Innerste bewegten. Dem einen oder anderen war eine Schrift der Neuerer in die Hände gefallen, vielleicht ein Bibelkommentar; notwendig war es nicht. Die Fragestellung lag in der Luft – in den Herzen. Nur sie ist allen Vertretern des Evangeliums gemeinsam, alles andere, die Antworten und die Einflüsse, die sie bestimmten, sind verschieden, so verschieden, daß es fast vermessen erscheint, der Vielfalt der individuellen Erscheinungsformen *eine* Etikette aufkleben zu wollen.« *Jedin*, Geschichte des Konzils von Trient, Bd. I, vgl. Anm. 142, S. 294 f. Theologen wie Vermigli kam es auf die gemeinsame Fragestellung, auf den einheitlichen Geist, in dem man die Lösungen suchte, an. Gegenüber dieser Übereinstimmung fielen Unterschiede bei den Antworten nicht sehr ins Gewicht und konnten übersehen und toleriert werden. Zum italienischen Evangelismus vgl. ferner: Eva-Maria *Jung*, On the Nature of Evangelism in 16th Century Italy, in: Journal of the History of Ideas, 14, 1953. *McNair*, S. 1–50. Valdo *Vinay*, Die Schrift »Il Beneficio di Giesu Christo« und ihre Verbreitung in Europa nach der neueren Forschung, in: Archiv für Reformationsgeschichte, Jahrgang 58, Gütersloh, 1967, S. 29–72. Dieser Aufsatz verdient über das eigentlich verhandelte Thema hinaus Beachtung, weil er über die neuere Forschung informiert und weil er zeigt, daß nach den Ergebnissen neuerer Arbeiten die Beurteilung des italienischen Evangelismus, dessen typisches Erzeugnis die Schrift »Il Beneficio di Giesu Christo« ist, insofern revisionsbedürftig sei, als eine beträchtliche Abhängigkeit von den Schriften der deutschen und schweizerischen Reformatoren, genannt werden Luther, Melanchthon und vor allem Calvin, angenommen werden müsse. Dieses Ergebnis ist freilich umstritten.

[179] Widmungsbrief Zanchis an Landgraf Philipp, Clauennae XV. Octob. MDLXV, Hieronymi *Zanchi* opera, Bd. 7, vgl. Anm. 72, Sp. 4.

seinen theologischen Standpunkt und sein Verhältnis zur dogmatischen
Tradition zu dieser Zeit bezeichnet. Er beweist aus den Exegesen der Väter, daß Paulus hier nicht vom Fegfeuer handle. Sein Interesse gilt dem
Verständnis der Schriftstelle, doch erkennt er die Auslegung der Väter als
gültige Richtschnur seiner eigenen Exegese an. Selbst das so gewonnene
Ergebnis begründet noch nicht die Ablehnung der widersprechenden tradi-
tionellen Lehre. Vielmehr versucht Martyr, die Auffassung vom Fegfeuer
zu spiritualisieren, um auf diese Weise seine biblischen Erkenntnisse mit
der geltenden Lehre in Einklang zu bringen; das Fegfeuer ist der Schmerz
der Reue und die tiefe Traurigkeit, welche die empfinden, die erkennen
müssen, daß ihre Mühe vergeblich ist, wenn in Gottes Gericht ihre Sünde
aufgedeckt wird. Obwohl er so vorsichtig war, wurde ihm nach diesen
Äußerungen seine Lehrtätigkeit vorübergehend verboten[180]. Martyr lehnt
sich an Augustins Auslegung an, die freilich nicht in allen seinen Schriften
übereinstimmte. Es war zwar nicht ungewöhnlich, Martyrs Exegese zu vertreten, aber doch heikel. Luther hatte die Fegfeuerlehre in der Leipziger
Disputation für nicht schriftgemäß erklärt. Eck und Cajetan hatten ihm
widersprochen. Cajetan verstand aber unter dem Feuer in 1. Kor. 3, 13 wie
Martyr das Gericht Gottes. Das Konzil von Trient beschloß im Dekret vom
3. Dezember 1563 nach einer heftigen Diskussion, die Lehre vom Fegfeuer
sei schriftgemäß und entspreche der Tradition[181]. Doch zeigt die Diskussion, daß Martyrs Auslegung unter katholischen Theologen vertretbar war
und nicht gegen eine eindeutige katholische Lehre verstieß[182]. Zwar war
die Lehre vom Fegfeuer auf den Konzilien in Lyon 1274 und Florenz 1439
definiert worden, aber die Beziehung von 1. Kor. 3, 11 ff. auf das Purga-
torium war kein Glaubenssatz[183].

Man darf wohl auch annehmen, daß die Anekdote aus der Bekehrungs-
geschichte Caracciolis einen typischen Zug von Martyrs theologischen

180 *Simler*, Oratio, Loci 1587, b 6,7 ff. Vgl. *Schlosser*, S. 381. Schmidts Annahme, Martyr
    habe »mit seinem Glauben an die Rechtfertigung durch Christum die Meinung nicht
    vereinigen« können, »der Gläubige bedürfe im zukünftigen Leben noch einer all-
    mählichen Reinigung von seinen Sünden«, ist ganz unbegründet. Martyr bereitet
    vielmehr die Entdeckung, daß die Lehre vom Fegfeuer nicht biblisch sei, Schwierig-
    keiten. Vgl. *Schmidt*, S. 24 f.
181 ENCHIRIDION SYMBOLORUM, definitionum et declarationum de rebus fidei et
    morum quod primum edidit Henricus *Denzinger*, et quod funditus retractavit, auxit,
    notulis ornavit Adolfus *Schönmetzler*, S.J., Editio XXXII, Barcinone, Friburgi Brisgo-
    viae, Romae, Neo-Eboraci, MCMLXIII (1963), Nr. 1820, S. 418 f.
182 Theobald *Freudenberger*, Die Bologneser Konzilstheologen im Streit über 1. Kor.
    3, 11 ff. als Schriftzeugnis für die Fegfeuerlehre, in: Reformata Reformanda, Festgabe
    für Hubert Jedin zum 17. Juni 1965, 1. Teil, Münster, 1965, S. 577–609.
183 ENCHIRIDION SYBOLORUM, vgl. Anm. 181, Nr. 856–858; Nr. 1304–1306. Vgl.
    McNair, S. 161.

Anschauungen festhält[184]. Martyr hatte in einer Predigt den Heiligen Geist als Grund des christlichen Lebensrhythmus und als die Kraft des göttlichen Wortes erklärt. Auch Valdés sprach gerne und emphatisch von den inneren Geisteswirkungen. Man hat ihm gewiß nicht zu Unrecht eine unorthodoxe Neigung zu mystischem Spiritualismus nachgesagt[185]. Valdés verwandte ein ähnliches Bild wie Martyr. »Wer das Licht der hl. Schrift und das Beispiel der Heiligen hat, nicht aber hl. Geist, der wandelt wie jemand mit einer Kerze in der Nacht, nicht ganz im Finstern, aber nicht sicher und ohne Furcht.«[186] Martyr sagte: Wer den Heiligen Geist nicht hat, durch den er sich gedrungen fühlt, dem Evangelium gemäß sein Leben einzurichten, hält das Leben der Christen für absurd, wie einer, der Tanzenden zusieht, ohne die Musik zu hören. Beiden ist die innere Erleuchtung und Überwältigung durch den Heiligen Geist ein grundlegendes Prinzip ihrer Theologie und Frömmigkeit. Die Pflege der innerlichen, persönlichen und individuellen geistigen und geistgewirkten Frömmigkeit dürfte wohl ein hervorstechendes Merkmal des Valdés-Kreises gewesen sein. So vermochten sie ihr ausgeprägtes Bewußtsein der Abhängigkeit von Gottes Gnade mit ihrem Ästhetizismus und ihrem Bildungsoptimismus zu verbinden. Doch hat Martyr, wenigstens später, die Dialektik von Schrift und Geist bei der Entstehung des Glaubens strenger bewahrt als Valdés, der dem Heiligen Geist den absoluten Vorrang vor der Schrift einräumte und die Schrift nur als Zeugnis für den Geist einschätzte. Außerdem liegt Martyr mehr an der Verwandlung des Menschen zu einer neuen sittlichen Lebensführung als an der Erquickung, die der Inspiration selbst innewohnt und die Valdés rühmt. Martyrs Gedanken über den Heiligen Geist sind der Mystik ferner und zugleich besser katholisch als die viel eigenwilligeren Äußerungen von Valdés.

Wie sich Valdés und seine Anhänger zur Reformation in Deutschland und in der Schweiz verhielten, ist im ganzen undeutlich. Niemand war offenbar geneigt, sich etwa Luther einfach anzuschließen und seine Schriften zu billigen. Die meisten hielten eine vermittelnde Stellung inne. Sie nahmen reformerische Ideen auf, ohne doch in die radikale Front Luthers einzuschwenken. Aus Martyrs frühen Schriften gewinnt man den Eindruck, daß er Luther kaum kennt. Ich erinnere mich keiner Stelle, an der er Luther zitiert oder zu einem Satz Luthers ausdrücklich Stellung nimmt. Was er in Italien und in Straßburg von Luther und anderen Reformatoren

---

[184] Vgl. Kapitel III, 4, S. 244 ff.
[185] Vgl. *Schmidt*, S. 17; *Boehmer*, a.a.O. vgl. Anm. 168, S. 388. Vgl. *Heep*, vgl. Anm. 163, S. 51 ff.
[186] *Boehmer*, a.a.O. vgl. Anm. 168, S. 288.

gelesen hat, wissen wir nicht genau. Zanchi berichtet, Martyr und her-
nach auch ihm selbst sei Bucer als der gelehrteste Theologe von allen, die
in Deutschland lehrten, erschienen[187]. Martyr las in Neapel Bucers Evan-
gelienkommentare und seine Psalmenauslegung, die er unter dem Namen
Aretius Felinus herausgegeben hatte, Zwinglis »De vera et falsa religione«
und »De providentia dei«, dazu einige nicht genauer bekannte Schriften
von Erasmus. Simler erzählt, Martyr habe immer freimütig bekannt, durch
die Lektüre dieser Schriften bedeutende Fortschritte gemacht zu haben[188].
Nach der Darstellung von Schmidt soll Valdés die Bücher aus Deutschland
mitgebracht und Martyr gegeben haben[189]. Später in Lucca las er mit Freunden weitere Werke Bucers, Melanchthons Loci communes, Calvins Institutio, Bullingers »Libri duo de origine erroris.« »Auch mit der Ausburgi-
schen Confession machten sie sich bekannt, fühlten sich aber jetzt schon
mehr zu dem reformierten Bekenntnisse hingezogen.«[190]

In diesem Lektürekatalog wird keine Schrift von Luther erwähnt. Wir
wissen nichts davon, welchen Eindruck diese Bücher auf Martyr gemacht
haben, welche Gedanken er übernahm, welche ihm imponierten und wie
er sie beurteilte. In seinen eigenen Arbeiten aus der Straßburger Zeit habe
ich keinen deutlichen Niederschlag dieser Studien gefunden. Natürlich
trifft man oft auf Sätze, die man auch bei Bucer, Zwingli, Calvin oder
Bullinger lesen kann. Die Übereinstimmungen mit Bucer sind besonders
deutlich[191]. Aber Martyr weist bei seinen dogmatischen Erörterungen nicht
darauf hin, daß er sich von einem dieser Theologen abhängig wisse oder
sich von ihnen in seiner Überzeugung unterscheide. Er legt offenbar keinen Wert darauf, sein Verhältnis zu den Reformatoren zu klären. Seine
theologischen Darlegungen entwickelt er auf Grund exegetischer Ergebnisse
in logischen Konstruktionen und Deduktionen als ungeschichtliche, zuverlässige Wahrheit, die über den Meinungsstreit erhaben ist und diesen ihrer

---

[187] Widmungsbrief Zanchis an Landgraf Philipp, Clauennae XV. Octob. MDLXV,
   Zanchii opera, vgl. Anm. 72, Bd. 7, Sp. 3. Genauso urteilte auch Contarini über
   Bucer. Melchior Adam berichtet unter Berufung auf eine Mitteilung Ursins, Contarini habe in Lucca zu Martyr gesagt, als er ihn nach den deutschen Theologen fragte:
   »Nihil attinet de Philippo, qui notus, dicere. Habent Germani et Martinum Bu-
   cerum, qui ea ubertate doctrinae theologicae et philosophicae, ea etiam in dispu-
   tando subtilitate felicitateque est instructus, ut unus ille omnibus nostris doctoribus
   possit opponi.« Vitae Germanorum Theologorum, ad annum usque MDCXVIII.
   deductae a Melchiore *Adamo*, editio tertia, prioribus longe correctior, Francofurti ad
   Moenum, anno MDCCV. (1705), S. 108. Vgl. *Schlosser*, S. 403.
[188] *Simler*, Oratio, Loci 1587, b 5ᵛᵒ, 52 ff.
[189] *Schmidt*, S. 20.
[190] *Schmidt*, S. 28. Schmidt bezieht seine Kenntnisse offenbar aus Briefen Zanchis, die
   ich im Briefband der Opera theologica Zanchis nicht gefunden habe.
[191] Vgl. *Koch*, Studium Pietatis, vgl. Anm. 144, passim.

Autorität wegen transzendieren muß. Es kann sein, daß er sich für die ihm
überspitzt erscheinenden dogmatischen Unterschiede, um die man sich in
Deutschland und in der Schweiz auf Grund der Auseinandersetzung mit
Luther stritt, nicht interessierte. Da er eine schlichte, biblisch begründete
Theologie wollte, mußte es ihm fernliegen, die Reformatoren als neue
dogmatische Autoritäten an Stelle der scholastischen Lehrer anzuführen.

Ähnlich verfährt er mit den Vätern der alten Kirche. Er zitiert sie selten
und fast ausschließlich als Kommentatoren der Bibel. Dieses Verhalten
entspricht seinem theologischen Programm, die heiligen Schriften von der
Vormundschaft der Tradition zu befreien[191a]. Die einzige Autorität, die
oft und wirksam zur Geltung kommt, ist Augustin[192]. Von Augustin hat
der Augustiner-Chorherr Vermigli wirklich gelernt, und seine Gedanken
haben ihn nachhaltig beeindruckt. Seine Abhängigkeit von Augustin verbindet ihn wiederum mit vielen damals modernen Theologen. Augustin
stand bei fast allen Reformatoren und Reformkatholiken in hohem
Ansehen. Auch von dieser Seite her läßt sich nicht die unterscheidende
Eigenart seiner Theologie erfassen.

Obgleich Martyr eine Generation jünger war als die Anfänger der Reformation – er studierte von 1518 bis 1526 in Padua[193] –, war er ein gleich-
ursprünglicher Reformator, wenn man ihm diesen Titel mit Vorbehalt beilegen will, neben anderen[194]. Er hatte in Padua eine gründliche scholastische
Schulung erfahren[195]. Die Philosophie des Aristoteles hatte er kennen und
schätzen gelernt[196], war vor allem mit der Theologie des Thomas vertraut
gemacht worden und hatte auch einen skotistischen Lehrer gehört[197]. Er
hatte Griechisch und Hebräisch gelernt und sich in den Sprachen fleißig
geübt[198]. Schließlich hatte er während des Studiums oder kurz danach
Augustins Werke gelesen. Durch Valdés war er mit Gedanken der »devotio
moderna« und den Anschauungen von Erasmus bekannt gemacht worden.

[191a] Exhortatio inventutis ad sacrarum literarum studium, Loci 1587, 1051, 28. »Theologi dicimur atque tales haberi volumus, nomini et professioni respondeamus, nisi pro theologis velimus esse patrologi.« Ebenda 1051,13 ff. Die Rede hielt Martyr in Oxford; die Formulierungen sind also für Martyrs frühe Theologie nicht direkt repräsentativ.
[192] Vgl. *McLelland*, S. 269: »But in his writings we see clearly that *Augustine* was his chief Patristic source . . .«
[193] *Simler*, Oratio, Loci 1587, b 5, 8 ff.
[194] Bizer nennt Martyr und einige andere Theologen seiner Zeit »relativ selbständige Gestalten« neben Bullinger. Die Dogmatik der evangelisch-reformierten Kirche, dargestellt und aus den Quellen belegt von Dr. Heinrich *Heppe*, neu durchgesehen und herausgegeben von Ernst *Bizer*, 2. Auflage 1958, S. XX.
[195] *Simler*, Oratio, Loci 1587, b 5, 36 ff.
[196] *Simler*, Oratio, Loci 1587, b 5, 18 ff.
[197] *Simler*, Oratio, Loci 1587, b 5, 35 ff.
[198] *Simler*, Oratio, Loci 1587, b 5, 29 ff.; b 5vo, 3 ff.

Die Ausbildung seiner theologischen Überzeugungen vollzog sich unter den gleichen Bedingungen wie die der meisten Reformatoren. Von anderen unterscheidet er sich vielleicht durch seine besonders gründliche scholastische Ausbildung. Zudem fand er schon früh in Zwingli, Bullinger, Bucer, Calvin und Melanchthon neben ihm ähnlich gesinnten italienischen Theologen Gefährten auf seinem Weg, durch deren Schriften er sich in seinen Gedanken bestätigt und ermutigt sehen konnte und aus denen er sicher auch entscheidende Anregungen aufnahm, ohne sich doch als Schüler eines dieser Theologen zu verstehen. Viele theologische Aussagen, die mit der Kritik am Papsttum und der Meßtheologie, dem Pochen auf die Schrift und der Betonung des Glaubens zusammenhingen, bereiteten ihm weder die Faszination noch die Anfechtung der unerhört neuen Lehre. Die Möglichkeit, sie zu vertreten, brauchte nicht mehr erkämpft zu werden. Er war sie vielmehr schon gewohnt und lernte sie zugleich mit der sie abklärenden Kritik kennen. Seine eigene biblische Theologie stand schon in einer zweifachen Front, gegen die Entartungen des Katholizismus und gegen extreme Äußerungen mancher Protestanten. Er mußte in dieser Lage eine eigenständige Theologie entwickeln und war überzeugt, daß er selbst trotz mancher Hilfen durch seine biblischen Studien und die methodische Auswertung ihrer Ergebnisse erarbeitet habe, was er lehrte.

Da er es immer vermeidet, in seiner Lehre eine entschieden reformatorische Position einzunehmen, wirkt seine Theologie zuweilen als vor- oder frühreformatorisch. Als er nach Straßburg kam, befand sich dort die Kirche bereits in der Phase der Konsolidierung der neuen reformatorischen Lehre und der Ordnung des kirchlichen Lebens. Er wird mit seiner vorreformatorisch anmutenden Theologie zum Lehrer der Kirche zur Zeit der beginnenden Orthodoxie. Doch fehlen ihm manche Züge des orthodoxen Theologen. Er erachtet keines der bestehenden Bekenntnisse für verbindlich. Ihm geht die barocke Lust ab, die theologischen Loci bis in die feinsten Verästelungen denkbarer Probleme zu zergliedern und konstruktiv zu ziselieren. Vielmehr bietet er eine schlichte, biblisch begründete Theologie, die auf die Verwirklichung einer einfachen Frömmigkeit nach dem Vorbild der Urchristenheit ausgerichtet ist. Er kennt kein dogmatisches Prinzip, nach dem er einen klaren systematischen Entwurf konzipieren könnte. Die Einheit seiner theologischen Gedanken liegt darin, daß sie alle auf die Idealvorstellung von einer homogenen Frömmigkeit bezogen sind. Seine Theologie erfüllt die formalen Ideale der Renaissance: Einfachheit, Klarheit, Harmonie, allgemeingültig rationale Ordnung. Das gilt nicht immer für seine Darstellung, aber für seinen Denkstil.

Mit den Theologen der Orthodoxie verbindet ihn vor allem sein Rationalismus und seine Anwendung des Biblizismus. Martyr legt großen Wert darauf, den vernünftigen Zusammenhang der einzelnen Lehrsätze darzutun. Zwar traut er dem unerleuchteten Verstand keine eigene theologisch relevante Erkenntnis zu, aber die vorausgesetzte innere Rationalität des Dogmas wirkt sich faktisch oft genug als geheimes Kriterium aus, an dem sich sinnvolle theologische Sätze als solche zu legitimieren haben. Seine starke Betonung der Notwendigkeit der Erleuchtung durch den Heiligen Geist für das Verständnis der offenbarten Wahrheiten weiß er so zu formulieren, daß sie die methodische und bewußt vernünftige analytische Betrachtung und Beurteilung der Schrift als Quelle dieser Erkenntnisse sanktioniert, nicht aber relativiert. Er hat unbedingtes Zutrauen zu der einmal klar erkannten Offenbarungswahrheit und der Möglichkeit solch zweifelsfreier Erkenntnis. Die Schrift hat die Funktion eines Quellenbuches von theologischen Wahrheiten und Glaubenssätzen. Der Glaube ist von seinem Gegenstand her bestimmt als Anerkenntnis eines Kanons von Lehrsätzen, deren demonstrierbarem logischem und sachlichem Zusammenhang hohe Bedeutung beigemessen wird zur Begründung der Festigkeit der Glaubensüberzeugung und des Trostes der Gewissen. Dieses Verständnis des Glaubens hat zur Folge, daß Martyr immer wieder an dem Problem laborieren muß, wie echter, aufrichtiger Glaube von vorgeblichem, heuchlerischem zu unterscheiden sei. Obwohl sein Rationalismus und sein Schriftprinzip ihn oft genug zu systematisierenden Konstruktionen verleiten, zeigt er keine ausgeprägte Neigung, die Spekulation konsequent auszuführen, sondern bedient sich ihrer nur so weit, als sie ihm zum Verständnis bestimmter biblischer Aussagen und ihrer Zuordnung zum sachlichen Zusammenhang nützlich erscheinen und sich dabei selbst im Rahmen biblisch belegbarer Gedanken halten.

Trotz methodischer und formaler Ähnlichkeiten mit der orthodoxen Art, die christliche Lehre zu erheben und darzustellen, die oft genug durch sachliche Übereinstimmung in einzelnen Sätzen bekräftigt wird, schlägt er nach dem Anliegen seiner Lehre und nach seiner Frömmigkeit eine Brücke vom vorreformatorischen Evangelismus zum nachorthodoxen Verständnis des Christentums. Oft reichen seine Gedanken nahe an pietistische Anschauungen. Es geht ihm um den lebendigen, praktischen Glauben. Die christliche Vollkommenheit zu ermöglichen ist der vorzügliche Sinn der Sendung Jesu. Der übernatürlich begnadete Mensch Jesus ist das Vorbild solcher Verwirklichung der Gotteskindschaft in der Welt. Gegenüber der Wiedergeburt steht die Rechtfertigung hintenan. Sie ist die Erneuerung der

geschöpflichen Prägung und Ausstattung der menschlichen Natur nach
Gottes Ebenbild. Die Gnadenlehre ist auf das Ergebnis, den neuen Menschen, ausgerichtet. Die Folgen der Sünde, das Böse und Niedrige erscheinen gewichtiger als die Sünde selbst. Wiedergeburt und Bildung zu wahrer
Menschlichkeit sind einander affin. Die Kirche ist die über die Welt[199] in
allen Kirchentümern verstreute Schar der innerlich Gleichgesinnten. Die
Sakramente werden als Andachtsmittel geschätzt, als ausgezeichnete Gelegenheit zu Gebet und persönlicher Hingabe. Die Pneumatologie konturiert
die Soteriologie. Die individuelle Erfahrung des Heiligen Geistes begründet
die Heilsgewißheit. Der Heilige Geist paßt sich der Situation und den
Kräften der einzelnen Menschen an, führt jeden seinen Weg und vergewissert ihn der Übereinstimmung seiner Entschlüsse mit Gottes Willen.
Gläubigkeit dokumentiert sich als Glückseligkeit. Christus ist der vorbildliche Führer einer Schar, die sich seiner Herrschaft in herzlicher Freiwillig-
keit unterstellt. Die Welt soll an der Kirche genesen durch die moralische
Kraft der wiedergeborenen, in brüderlicher Gemeinschaft verbundenen Einzelnen. Das irdische Ziel des Christentums ist, die innere Lebensform des
Urchristentums wiederzugewinnen. Dem entspricht das theologische Programm, sich mit der biblischen Theologie zu begnügen, um auf sie die
universale Einheit der Kirche zu gründen.

Martyrs theologische Eigenständigkeit stellt sich der theologiegeschicht-
lichen Betrachtung so dar, daß seine Theologie nicht durch Zuordnung
zu einer eng umgrenzten typischen Richtung charakterisiert werden kann.
Seine Theologie war weit, sie vereinte viele Motive, die einen Theologen
seiner Zeit anregen konnten. So kommt es, daß er in allen Lagern, außer
den konservativen Katholiken und den strengen Lutheranern, Anerkennung fand, bei Bucer, Calvin, Beza, Bullinger, Melanchthon, Cranmer,
Contarini. Man kann ihn mit einigem Recht McLelland folgend einen
ökumenischen Reformator nennen[200]. Doch wäre es falsch, die so geartete
Vielseitigkeit seiner Theologie als den grandiosen Wurf einer überragenden, einzigartigen und seiner Zeit weit vorauseilenden theologischen Leistung zu rühmen. Seine Theologie ist eine absichtlich unoriginelle Durch-
schnittstheologie, die vielleicht wegen ihres Mangels an auffälliger Origi-
nalität eine recht kunstvoll und gewiß bedacht komponierte Erfindung ist.
Alle diese der möglichen Akzentuierung nach unterschiedlichen Gedanken
stimmen in Martyrs Überlegungen zusammen. Seine Theologie ist nicht

---

[199] Die »christliche Welt« ist ein Synonym für »Kirche« und entspricht dem alttestamentlichen »Volk Gottes«. In Lamentationes, 3, 24 f.
[200] McLelland, S. 1.

eine Sammlung heterogener Momente, sondern die Formulierung und Erörterung einer sauber durchdachten einheitlichen Gesamtanschauung. Das Ergebnis ist beinahe die Erüllung seines theologischen Willens, eine einfache, deutliche, biblisch begründete und von trennenden menschlichen Erfindungen freie Theologie zu lehren.

Wenn Martyrs Theologie auch im Ergebnis einfach und von schlichter Klarheit ist, wird sie doch mit großer und manchmal verstiegen anmutender Gelehrsamkeit dargestellt. Seine Ableitungen und Folgerungen sind wegen der hohen Abstraktion seines Denkens oft schwer zu verstehen. Die eidetische Komponente seiner Vorstellungen ist auf ein Minimum reduziert. Seine Bilder sind nicht anschaulich, sondern konstruierte Allegorien. Meistens werden sie zum Zweck eines Analogieschlusses entworfen. So werden gedachte oder postulierte kausale und logische Zusammenhänge als denkbar und logisch evident erwiesen. So sehr es Martyr auch auf den praktischen Effekt der Lehrsätze, auf ihren Wert zur Förderung der Frömmigkeit und der Moral ankommt, ist doch die theologische Erörterung rationale Artistik, Verknüpfung von Sätzen und Begriffen, die ihre Wahrheit in sich selbst, abgesehen von ihrer Beziehung zur phänomenalen Realität, dem konkreten Leben des Menschen, wie man ihn findet, und der Geschichte haben. Die vorgeführten Konklusionen und Distinktionen richten sich nach formalen Möglichkeiten und dem begrifflichen Gehalt der Worte. Die Wahrheiten der Gotteslehre, Soteriologie und Anthropologie betreffen den lebendigen Menschen nicht unmittelbar, sie begegnen ihm nicht in seiner Welt, sondern haben ihr Sein jenseits von ihr und unabhängig von ihr als eine besondere geistige Welt von Gründen, Normen und Zielen. Sie haben *Bedeutung* für den Menschen. Wie die Mathematik sind ihre formulierten Sätze anwendbar, aber ihre Gesetze sind nur dem abstrakten rationalen Denken zugänglich. Martyr verwendet die Sprache dogmatisch wissenschaftlich als eine Summe logisch zueinander geordneter Begriffe, nicht als einen die Begriffe fortwährend implizit definierenden Aussagezusammenhang, in dem die plastischen Elemente auf eine nicht systematisch normierte Sinn- und Sprachganzheit bezogen sind. Ein einziger Begriff eventuell mit Berücksichtigung des logischen Gegenteils erschließt ihm mehr Wahrheit als die in vielfältig nuancierten Formulierungen angehäufte Erfahrung am bezeichneten Vorgang selbst oder gar die eigene Wahrnehmung. Er kann über die Fähigkeiten der menschlichen Natur Betrachtungen anstellen, ohne doch beim eigenen Denken die Begrenztheit der Möglichkeiten in Anschlag zu bringen. Der »natürliche« Mensch seiner Dogmatik hat wenig Ähnlichkeit mit dem »wirklichen«

Menschen. Er kann von der überwältigenden Macht des Heiligen Geistes
sprechen, ohne die Bedingtheit der eigenen Rede durch diese Macht in
Rechnung zu stellen. Die Übereinstimmung des Lebens mit dem Gedachten und Erkannten erscheint stets als Aufgabe, nicht aber ihre Verflochten-
heit als Voraussetzung theologischer Wahrheitsfindung und Grenze ihrer
Objektivität. Die Möglichkeit der Approximation des Denkens an die
Wahrheit wird für unendlich groß erachtet, so daß sie mit dem Gedachten
identisch erscheint, kaum aber als Gegenstand des Denkens betrachtet
wird, der ihm widersteht. Auch Martyrs Frömmigkeit ist zum Teil Denken,
nämlich den richtigen und schicklichen Zweck bei allem, was man tut
und was einem widerfährt, mitzudenken, alle sich aufdrängende Wirklichkeit für Schein zu halten, sofern sie nicht ontologisch ausgewiesen und im
Zusammenhang der gedachten Wahrheiten verstanden werden kann.
Einem Ereignis wird unter verschiedenen Aspekten Sinn beigelegt, je nachdem von welchem Richtstrahl apriorischen Wissens es angeleuchtet wird.
Die Deutungen können unvereinbar sein, insofern die erste eine so spezielle Konkretion des Ereignisses voraussetzt, daß die anderen an dieser
Verlaufsform keinen Anhalt haben. Sie können trotzdem gleichberechtigt
nebeneinander und in vernünftiger Beziehung zueinander stehen, wenn
sie auf der Ebene des gewonnenen Sinnes zusammenstimmen. So ist ein
Ereignis oft nur Anlaß zur Bestätigung vorher bekannter Sinnhaftigkeit.
Wenn die Bibel Quelle solcher Wahrheiten sein soll, wird sie nicht als ge-
schichtliches Dokument, womöglich als Tat Gottes, aufgefaßt, sondern als
Buch zuverlässiger unableitbarer Gedanken über Gott, Christus und den
Menschen, als die Axiomatik der Theologie.

Ich möchte am Ende dieses Kapitels die allgemeine Charakteristik von
Martyrs Theologie durch die Darstellung eines als Beispiel ausgewählten
Lehrstücks ergänzen. Insbesondere zur Beurteilung seines Verhältnisses
zur Reformation und zum Katholizismus dürfte sein Verständnis der Rechtfertigung des Glaubenden aufschlußreich sein. Die folgende Skizze mag
zudem allgemein einen Eindruck von seiner Art zu denken, zu lehren und
theologisch zu argumentieren vermitteln. Gewiß wird man seine schul-
meisterliche Ordentlichkeit, seine Vernünftigkeit und seine konstruktiv
abstrakte Denkweise erkennen. Da ich dem Sinn dieses Kapitels gemäß
besonderen Wert darauf lege, Martyrs Anschauung nicht systematisierend
zu verzeichnen, halte ich mich an seinen Exkurs in der Genesisvorlesung,
den er diesem Thema gewidmet hat, und verzichte hier zugunsten des
Hauptteils meiner Arbeit darauf, den weiteren Zusammenhang zu erörtern.

Der Exkurs wird an die Auslegung von Gen. 15, 6: »Abraham glaubte dem Herrn, und das rechnete er ihm als Gerechtigkeit an« angehängt. Rechtfertigen ist bei den Hebräern die Tätigkeit, die Gott den Richtern aufgetragen hat, daß sie den Rechtschaffenen gerecht sprechen[201]. Das Gegenteil ist die Verurteilung des Frevlers. Mit Paulus muß man die Gerechtigkeit Gottes von der menschlichen oder der des Gesetzes unterscheiden. Die Gesetzes- oder Werkgerechtigkeit ist die Gerechtigkeit derer, die ohne Christus versuchen, den Gesetzen Gottes zu gehorchen. Die Gerechtigkeit, die uns von Gott verliehen wird, hat drei Teile. Erstens: Sündenvergebung, Wiedergeburt oder Adoption zu Söhnen und Erwählung zum ewigen Leben. Zweitens: Gute Werke, rechte Lebensführung, die Erwerbung edler »habitus« auf Grund häufiger heiliger Handlungen, schließlich die »iustitia inhaerens«, die Gott gefällt. Drittens: Lohn, Belohnung im gegenwärtigen und zukünftigen Leben, die Beweis, Empfehlung und Anerkennung unserer Gerechtigkeit sind, weil sie uns wegen unserer Wohltaten gegeben werden.

Werk ist jede Tat, die ohne Zustimmung zu den göttlichen Worten und Verheißungen verrichtet wird. Man kann die Werke unterscheiden nach den Gesichtspunkten, ob sie vor oder nach der Rechtfertigung vollbracht werden, ob sie sich auf moralische oder kultische Gebote beziehen.

Glaube ist etwas Beständiges und Festes. Martyr leitet πίστις ethymologisch von ἵστημι ab. Glaube wird definiert: »Fides est assensus firmus animi divinis promissionibus, afflatu Spiriti sancti ad salutem.«[202] Die Erklärung verdeutlicht, wie die Formel organisiert ist. Sie gibt die vier »causae« des Glaubens an: »materia« sind die Verheißungen Gottes, »forma« der Akt der Zustimmung, »causa efficiens« der Heilige Geist, »finis« unser Heil. Genauer begründet wird die Abhängigkeit des Glaubens vom Heiligen Geist.

Der Analyse des Problems sollen einige Thesen folgen, die Martyr mit paulinischen Argumenten und anderen Schriftstellen beweist.

Erste These: Das Gesetz rechtfertigt nicht. Beweisgründe: 1. Die Juden wurden nicht gerechtfertigt dadurch, daß ihnen das Gesetz gegeben war, es mußte vielmehr erfüllt werden. 2. Die Aufgabe des Gesetzes war nicht, gerecht zu machen, sondern die Sünden aufzudecken. 3. Der tatsächliche Erfolg beweist, daß das Gesetz nicht rechtfertigt, denn viele sind gerechtfertigt worden, die das Gesetz nicht empfangen hatten. 4. Dasselbe wird aus der universalen Güte Gottes geschlossen. Wenn er diejenigen von der Rechtfertigung ausgeschlossen hätte, denen das Gesetz nicht gegeben wur-

[201] In Genesim, 59, 34 ff.   [202] In Genesim, 59 b, 15.

de, wäre er nicht der Gott aller. 5. Die Verheißung ist älter als das Gesetz
und kann durch dieses nicht aufgehoben werden. 6. Wenn wir unsere
empfangene Gerechtigkeit dem Gesetz zuschreiben wollten, würden wir
uns Christus entfremden. 7. Das Gesetz war unfähig zu rechtfertigen.
Zweite These: Rechtfertigung kann man nicht aus Gesetzeswerken haben. Beweisgründe: 1. Werke, auf Grund deren wir gerechtfertigt würden,
müßten gut sein; so sind aber die Werke, die wir vor der Rechtfertigung
vollbringen, nicht. 2. Es ist billig, daß Gott der Ruhm zukomme. Wenn
die Gerechtigkeit sich auf Werke gründet, hätten die Menschen etwas, womit sie prahlen könnten. 3. Wenn die Menschen auf Grund von Werken
gerechtfertigt würden, könnte leicht bestritten werden, daß die göttliche
Gerechtigkeit die höchste und vorzüglichste sei. Bei jeder Gattung von Sei-
endem ist das höchste die »causa«. Also muß Gottes Gerechtigkeit die »causa« aller Gerechtigkeit sein. 4. Es kann nicht zugestanden werden, daß wir
aus Gnade und aus Werken gerechtfertigt werden. Wenn man sagen wollte, wir würden aus Werken gerechtfertigt, würde ausgeschlossen, daß es
aus Gnade geschehe, was eine absurde Behauptung wäre. 5. Es widerspricht
der Bedeutung des Wortes »imputatio«, daß die Rechtfertigung auf Grund
von Verdiensten geschehe. 6. Niemand wagt zu sagen, wir würden ohne
das Hinzukommen des Heiligen Geistes gerechtfertigt. 7. Gesetzeswerke
halten geradezu die Gerechtigkeit von uns fern, indem sie dazu führen,
daß man die Gerechtigkeit in den Werken sucht, also rechtfertigen die
Werke nicht. 8. Das vorgängige Urteil der Apostel beweist unsere These.
Was sie entschieden haben, müssen auch wir ohne Widerspruch festhalten.
Sie haben aber geurteilt, nicht aus Gesetzeswerken, sondern aus Glauben
könnten sie gerechtfertigt werden.

Bewiesen wird immer, daß die vor der Rechtfertigung, also ohne Glau-
ben und aus eigener Kraft geleisteten Werke kein zureichender Grund zur
Erlangung der Rechtfertigung sind, nicht aber, daß wir »ohne des Gesetzes
Werke« gerechtfertigt werden.

Dritte These: Wir werden aus Glauben gerechtfertigt. Beweisgründe:
1. Das Beispiel Abrahams nach Röm. 4 beweist diesen Satz. 2. Der Satz
wird aufgestellt, damit die Rechtfertigung aus Gnade geschieht. 3. Nichts
bereitet Gott mehr Ehre, als daß wir seiner Verheißung Glauben schenken,
also werden wir dadurch gerechtfertigt. Denn weil Gott vor allem seine
Ehre will, muß man annehmen, daß er uns sein herrlichstes Geschenk auf
die Weise zuteil werden läßt, die ihm die größte Förderung seiner Ehre
verspricht. 4. Die Rechtfertigung ist mit der Berufung verbunden, und wer
weiß nicht, daß die Berufung im Glauben angenommen wird. 5. Wir

werden durch das gerechtfertigt, wodurch wir den Segen empfangen, denn niemand wird von dem Fluch, der über die Sünder verhängt ist, befreit, wenn nicht an die Stelle des Fluches das Gegenteil, also der Segen, tritt. Paulus sagt nun Gal. 3, 9, daß wir durch den Glauben mit Abraham den Segen erlangen. 6. Der Glaube ist zur Rechtfertigung bestimmt (Röm. 10, 10). 7. Leben und Gerechtigkeit werden als dasselbe angesehen. Nach dem Zitat des Paulus aus Hab. 2, 4 (Röm. 1, 17; Gal. 3, 11; Hebr. 10, 38) lebt der Gerechte aus seinem Glauben, also wird er aus seinem Glauben gerechtfertigt. Wenn zwei Dinge identisch sind, erlangt man das eine auf demselben Wege wie das andere. Da wir durch den Glauben, wie es heißt, das Leben gewinnen, erlangen wir durch ihn auch die Gerechtigkeit. 8. Schließlich könnte die These mit unzähligen Schriftstellen bewiesen werden. Martyr führt solche Zitate an, welche die Rechtfertigung aus dem Glauben direkt und ausdrücklich belegen. Vorher hatte er ja die Aussagen der Bibel nicht als unmittelbare Belege, sondern als Voraussetzungen rationaler Beweise benutzt.

Vierte These: Zeremonien rechtfertigen nicht.

Ich verzichte auf die Wiedergabe der Gründe.

Martyr trägt alle erfindbaren Gedanken zusammen, um das Problem der Rechtfertigung zu klären, trifft aber keine deutliche Entscheidung, wie er sie aufzufassen gedenkt. Er beweist mit recht verschiedenartigen Argumenten, die keineswegs alle biblisch sind, daß die biblischen Thesen richtig und widerspruchsfrei sind. Da der Sinn eines Satzes nicht unwesentlich von seiner Begründung abhängt, eröffnet er in der Tat durch die vielfältigen Begründungen der Auslegung der Thesen einen weiten Spielraum.

Nach der Disposition des Themas und dem Beweis der grundlegenden Thesen geht Martyr nun an die feinere Analyse der Rechtfertigungslehre.

Daß wir durch den Glauben gerechtfertigt werden, ist von der ersten Bedeutung der Gerechtigkeit bzw. der Rechtfertigung zu verstehen. Durch den Glauben erlangen wir nämlich, daß uns unsere Sünden vergeben und wir in Gottes Gerichtsurteil für gerecht gehalten werden. Dem Glauben wird dieses zugeschrieben, weil er die Bedeutung hat, die ihm angebotene Barmherzigkeit und Verheißung zu ergreifen. Der Glaube ist nicht selbst die Gerechtigkeit, sondern das, wodurch wir die angebotene Sündenvergebung ergreifen. Durch dasselbe Mittel, nämlich den Glauben, ergreifen wir auch die zweite Gerechtigkeit, das neue Leben und heilige Taten. Auf dieselbe Weise erlangen wir auch die dritte Gerechtigkeit, die Belohnungen. Wenn man auf die Vorbereitung (dispositio) und die Ermöglichung (facultas) sieht, auf Grund deren wir für jede der dargelegten Arten der

Gerechtigkeit aufnahmefähig sind und sie ergreifen, ist das ganze dem Glauben zuzuschreiben[203]. Da diese verschiedenen Formen der Gerechtigkeit Gaben Gottes sind, müssen wir sie im Glauben annehmen, wenn er sie uns anbietet. So geht es auch bei allen menschlichen Geschäftsabschlüssen zu, daß das Geschäft nur zustande kommt, wenn der, dem etwas gegeben wird, zustimmt. Die erste Gerechtigkeit, die Sündenvergebung, ist die uns dargereichte Gerechtigkeit Christi. Christi Gerechtigkeit ist »substantia«, »forma« und »natura« dieser Gerechtigkeit. Bei dem Ergreifen der Gerechtigkeit durch den Glauben müssen wir immer zu dem von uns ergriffenen Objekt die Zuflucht nehmen, zu Gottes Barmherzigkeit und Verheißung, so daß wir nicht an der Entschlossenheit und Festigkeit unseres Zustimmungsaktes hängen, der aus unserem Geist hervorgebracht wird; denn er hat seine Schwächen, Unsicherheiten und Anfechtungen, so daß wir niemals sicher sein können, ob er allem entspricht, was von Gott dabei gefordert wird. Trotzdem sollen wir daran festhalten und darauf vertrauen, daß wir durch diese Gerechtigkeit gerechtfertigt werden, weil sie vom Heiligen Geist und der Verheißung dargeboten worden ist[204].

Die letzten Sätze sind die interessantesten des ganzen Eskurses. Hier kommt Martyr der Lutherischen Auffassung am nächsten. Er berührt die Peripherie des Kreises noch möglicher katholischer Aussagen von innen, ohne ihn zu durchstoßen. Das am längsten umstrittene und darum äußerst spitzfindig formulierte cap. 9 des Trienter Dekrets kommt zu ganz ähnlichen, m. E. hinsichtlich der Auffassung der Rechtfertigung übereinstimmenden, wenn auch anders akzentuierten Aussagen[205]. Im Gegensatz zu dem thomistischen Schlußsatz der Formel des Trienter Dekrets empfiehlt Martyr das Vertrauen auf die Rechtfertigung trotz der Unsicherheit des

---

[203] Vgl. auch: »Hinc possumus argumentum satis evidens arripere, cur fiat ut fide iustificemur. Humana mens est potissima et potentissima vis in homine, unde si ea arripiat et suscipiat Christum et divinas promissiones, ita immutata, in actionibus et in omnibus habitibus et affectibus totius hominis magnam inducet mutationem.« In Genesim, 125 b, 38 ff.

[204] In Genesim, 61, 1 ff.: »in qua tamen fidei apprehensione id te moneo, tibi prorsus ad eius obiectum recurrendum esse a te apprehensum, scilicet ad Dei misericordiam et promissionem, ita ut non haereas efficaciae et virtuti actionis assentiendi quae ex tua mente exprimitur; nam illa suos habet infirmitates et sordes, titubationem, tentationes, ita ut de illa nunquam tutus esse possis, quod omnia habeat ibi a Deo requisita, haereas nihilominus et confidas illa te iustificari quo a spiritu sancto est et a promissione oblata.«

[205] Vgl. Hubert *Jedin*, Geschichte des Konzils von Trient, Bd. II: Die erste Trienter Tagungsperiode 1545/47, Freiburg, 1957, S. 210 ff.; S. 261. ENCHIRIDION SYMBOLORUM, vgl. Anm. 181, Nr. 1534, S. 373: »Nam sicut nemo pius de Dei misericordia, de Christi merito deque sacramentorum virtute et efficacia dubitare debet: sic quilibet, dum seipsum suamque propriam infirmitatem et indispositionem respicit, de sua gratia formidare et timere potest, cum nullus scire valeat certitudine fidei, cui non potest subesse falsum, se gratiam Dei esse consecutum.«

disponierenden Glaubens. Man kann vielleicht sagen, Martyr drücke in diesen Sätzen das Anliegen der reformatorischen Rechtfertigungslehre aus, daß der Glaubende sich allein an die Barmherzigkeit und die Verheißung Gottes hält, stelle es aber so dar, daß seine Aussagen als durchaus katholisch gelten können[206].

Doch folgen wir seinen weiteren Ausführungen.

Die zweite Gerechtigkeit ist das neue Leben, die Ausstattung mit Tugenden und heilige Taten. Mit ihr können wir nicht in Gottes Gericht bestehen. Mit ihr verdienen wir auch nicht die erste Gerechtigkeit, durch die wir mit Christus verbunden und wiedergeboren werden, da sie ihr folgt. Dennoch ist sie notwendig[207]. Da wir gehalten sind, Gott zu gehorchen, und er ein heiliges Leben und Gerechtigkeit von uns verlangt, müssen wir uns diese Gerechtigkeit beilegen. Außerdem erfordert es unser Heil, daß wir zu Gottes Bild erneuert werden. In diesem Sinne ist heilsnotwendig, daß wir unsträflich leben. Unsere aus dem Glauben hervorgehenden Taten sind Mittel, um Tugenden zu erwerben, unseren Geist wiederherzustellen und unsere vorher verunstaltete Natur mit guten »habitus« zu verherrlichen. Obgleich diese Gerechtigkeit Gott nicht genugtut, gefällt sie ihm doch und hat seine Empfehlung. Wir lehnen die guten Werke nicht so ab, wie unsere Gegner fälschlich behaupten, da wir sie doch für geeignet halten, unsere Würde wiederherzustellen, wenn nur das eine hinzugefügt wird, daß wir es nur erreichen, wenn wir schon in Christus sind und von seinem Geist zum Handeln angetrieben werden. Es braucht uns nicht zu beunruhigen, daß wir nur Ärmliches zuwege bringen, solange wir hier leben, weil wir durch Christus sicher wissen, daß unser Vater diesen angefangenen Gehorsam gegenüber dem Gesetz gelten läßt[208].

---

[206] Ähnlich wie Martyr hoben auch Gropper, Contarini und Seripando mit Nachdruck hervor, »daß der Gerechte subjektiv sein ganzes Vertrauen auf die ihm imputierte Gerechtigkeit Christi zu setzen habe.« Vgl. Hubert *Jedin*, Girolamo Seripando, Sein Leben und Denken im Geisteskampf des 16. Jahrhunderts, Zweiter Band: Vollendung, Untersuchungen und Texte, Würzburg, 1937, S. 263.

[207] Auch Seripando hat diesen Grundgedanken seiner Rechtfertigungslehre sehr betont, daß die Verbindung mit Christus im Glauben die »Voraussetzung jeden Verdienstes ist« und daß diese selbst absolut unverdienbar ist. Auch er schließt von vornherein aus, »daß jemand mit dem Glauben allein, ohne die Beachtung der Gebote in den Himmel kommen kann«. Vgl. Hubert *Jedin*, Girolamo Seripando, Sein Leben und Denken im Geisteskampf des 16. Jahrhunderts, Erster Band: Werdezeit und erster Schaffenstag, Würzburg, 1937, S. 130 und 131; 371.

[208] »quia per Christum iam certo scimus hanc legis inchoatam obedientiam patri nostro fore acceptam.« In Genesim, 61, 29 f. Wie Seripando betont auch Martyr bei der sonst thomistischen Auffassung der Rechtfertigung die von den Skotisten geforderte »acceptatio Dei« für die guten Werke, weil diese Lehre geeignet ist, hervorzuheben, daß auch der Lohn für die Verdienste Gottes Gnade ist. Vgl. *Jedin*, Seripando, vgl. Anm. 207, S. 370; 372.

Die dritte Bedeutung der Rechtfertigung ist, daß wir von Gott dem
Richter gelobt und wegen irgendwelcher Wohltaten belohnt werden. Diese
uns belohnenden Gaben Gottes sind Indizien der zweiten, habituellen
Gerechtigkeit. Die Werke stehen in zweifacher Beziehung zum Lohn. Sie
können Wirkungen Gottes sein, der sie schenkt, denn den gerecht leben-
den Heiligen mehrt Gott Glauben, Hoffnung, Liebe und dergleichen. Sie
können aber auch als Mittel angesehen werden, durch die wir uns Gottes
Gaben und Belohnungen zu eigen machen. Wenn wir uns bei der Beurteilung unserer Rechtfertigung richtig und heilsam verhalten wollen, dürfen wir nicht nur auf unsere Werke sehen, durch die wir diese Gaben Gottes verdienen, sondern müssen auch ihr Fundament und ihre Wurzel
berücksichtigen[209], den Glauben und Gottes Barmherzigkeit, so daß wir
immer des Satzes Augustins gedenken, Gott kröne an uns nicht unsere,
sondern seine eigenen Gaben.

Wieder fällt auf, daß Martyr die Bedeutung des Glaubens für die Rechtfertigung mit derselben Formulierung bezeichnet, in der das Trienter Dekret die ununterbrochen übereinstimmende Auffassung der katholischen
Kirche ausdrückt[210] und daß er zur Verdeutlichung seines Anliegens auf
Augustins Gnadenlehre hinweist. Hinzu kommt die kurz vorher geäußerte
apologetische Bemerkung, er schreibe (wie die katholische Lehre) die wirkliche, das Leben gerecht machende Gerechtigkeit den Werken zu, durch sie
werde unsere Würde wiederhergestellt. Der Vorwurf der (katholischen)
Gegner, man spreche den Werken diesen Wert ab, sei eine böswillige
Unterstellung. Ich kann mich des Eindrucks nicht erwehren, Martyr formu-
liere absichtlich so katholisch, wie er es gerade noch vertreten zu können
meinte, um den Gegensatz zu entschärfen, soweit es ihm möglich schien.
Es fehlt denn auch alle Polemik und jeder Versuch, den Unterschied gegenüber der katholischen Lehre hervorzuheben[211].

---

[209] Vgl. In Genesim, 100,44 f.: »At primus motus cogitandi est inchoatio. Fides deinde
fundamentum totius boni, donum Dei est, . . .«
[210] ENCHIRIDION SYMBOLORUM, vgl. Anm. 181, Nr. 1532, S. 372, Cap. 8: »Cum vero
Apostolus dicit, iustificari hominem ›per fidem‹, et ›gratis‹ [Rom. 3,22 24], ea verba
in eo sensu intelligenda sunt, quem perpetuus Ecclesiae catholicae consensus tenuit
et expressit, ut scilicet per fidem ideo iustificari dicamur, quia ›fides est humanae
salutis initium‹, fundamentum et radix omnis iustificationis, ›sine qua impossibile
est placere Deo‹ [Hebr. 11,6] . . .«
[211] Das ist später anders. In seinem Römerbriefkommentar, der auf 1550 in Oxford
gehaltenen Vorlesungen beruht und den Martyr 1558 herausgab, legt er ausführlich
den Unterschied seiner Rechtfertigungslehre gegenüber dem Dekret des Tridentinums und der Auffassung des Utrechter Propstes Albert Pigghe dar. Beiden wirft er
Pelagianismus vor und beruft sich gegen den »Pelagianismus« des Tridentinums auf
Augustin (ad Simplicianum, S. 576,40). Schon früher hatte Martyr die absolute
Präponderanz der Gnade gegenüber der menschlichen Willensaktivität bei der Recht-

Nach dem Abschluß seiner systematischen Entfaltung des Themas behandelt er noch einige besondere Probleme.

Zuerst weist er wieder einen offenbar katholischen Vorwurf als unbegründet zurück. Er besagt, man behaupte, der Glaube beziehe sich nur auf die Verheißungen des Heils von Gott durch Christus als seinen adäquaten Gegenstand, nicht aber auf alles, was die heiligen Schriften enthalten. Martyr antwortet, die Verheißung des Heils habe in der Schrift so große

fertigung betont. Er hat seine Auffassung der Rechtfertigungslehre in der Römerbriefvorlesung grundsätzlich nicht verändert. Sie wird nur viel ausführlicher erörtert, apologetisch akzentuiert und vorsichtiger formuliert. Aber gerade den geringen Modifikationen könnte im Gegensatz zu der Ambivalenz von Martyrs früherer Rechtfertigungslehre die entscheidende Bedeutung zukommen. Jedenfalls ist er selbst jetzt überzeugt, daß sich seine Rechtfertigungslehre von der auf dem Trienter Konzil formulierten katholischen erheblich unterscheide.

Besonders anstößig findet er die Auffassung von der »praeparatio ad iustificationem« (cap. 5). In Trient haben jene Beatissimi, nämlich die Väter, die Mietlinge des Papstes, so definiert: »Initium iustificationis esse a gratia.« Aber wie sie die Gnade verstehen, zeigen sie bald. Sie behaupten nämlich, daß der Mensch durch seine Zustimmung und Mitwirkung auf Grund des freien Willens die Gnade annimmt und daß er sie auch ablehnen kann. Der menschliche Geist widerstreitet aber nach Martyrs Urteil auf Grund seiner verdorbenen Natur der Gnade. Er kann sie nicht annehmen, wenn er nicht durch den Heiligen Geist und Gottes Gnade erneuert wird. Wie sehr er auch erregt, belehrt und bewegt wird, er wird die Gnade immer abweisen, wenn er nicht durch und durch verwandelt wird. »Itaque Augustinus ad Simplicianum recte scribit, non esse in potestate nostra, ut ea quae occurrunt nobis grata sint et placeant.« (S. 576, 24 ff.)

Auch die tridentinische Wesensbestimmung der Rechtfertigung akzeptiert Martyr nicht. Sie sagen (cap. 7), die »causa formalis« sei die Gerechtigkeit Gottes, die er uns mitteilt. Darunter verstehen sie die »instauratio« des Menschen, seine neue Gestaltung durch die Gnade und den Heiligen Geist. Dieser Erneuerung des Menschen geht nach Martyrs Verständnis die Rechtfertigung voraus, ist aber nicht selbst die Rechtfertigung. Die Rechtfertigung besteht nämlich nach Paulus darin, daß uns die Sünden vergeben und uns nicht länger zugerechnet werden (S. 577, 44).

Auch über die Heilsgewißheit denkt Martyr anders, als die Lehre des Tridentinums (cap. 9) bestimmt. Das Beispiel Abrahams (Röm. 4, 18 ff.) lehrt, daß man nicht auf die eigene »indispositio« sehen, sondern den Glauben fest an die Worte und Verheißungen Gottes heften soll (S. 578, 19 ff.). »Postea ex natura promissionis ostendit [Paulus] iustificationem esse per fidem« (zu Röm. 4, 13). Eine »promissio« ist nämlich ihrem Wesen nach nicht mit Bedingungen verbunden (S. 579, 10 ff.). (Vgl. *Melanchthon*, Apologia Confessionis Augustanae, in: Die Bekenntnisschriften der evangelisch-lutherischen Kirche, 4. durchgesehene Auflage, Göttingen, 1959, Artikel IV, 84. Martyr wiederholt fast vollständig Melanchthons biblische Belege und Argumente für die Rechtfertigung aus Glauben.) Doch was verheißt diese von Martyr so betonte »promissio«? Sie ist grundsätzlich die »promissio de Christo«. Von dieser Hauptverheißung wird wie von der Quelle unser Heil und unsere Rechtfertigung abgeleitet (S. 580, 37 f.). Martyr bezeichnet die »promissio« sonst näher als »promissio iustificationis et salutis« (S. 579, 51) oder als »promissio Spiritus sancti« (581, 28 f.). Der Glaubende soll also nicht über den kärglichen Anfängen seiner Gerechtigkeit verzagen, sondern die verheißene Vollendung, die ihm gewiß bevorsteht, fixieren.

Am Glaubensbegriff selbst ist am wenigsten eine Veränderung erkennbar. »Hinc etiam apparet, cum vera fide bona opera et poenitentiam coniungi. Quod autem ad *definitionem* et naturam fidei attinet, satis probari potest illam a iustificatione et a bonis operibus, hoc est ab effectibus suis non posse separari. Est enim fides non

Bedeutung, daß ihr ganzer Inhalt auf diesen Skopus zu beziehen sei. »Wir
bestreiten also nicht, daß alles, was in den heiligen Schriften enthalten ist,
geglaubt werden müsse, aber weil das alles sowohl von Christus abhängt
als auch um seinetwillen geglaubt wird, darum machen wir die Verheißung von ihm zum ersten, worauf sich unser Glaube bezieht«[212].

Die Lösung ist ein Vermittlungsversuch zwischen den fraglichen ent-
gegengesetzten Auffassungen. Es hätte nahgelegen, die ausschließliche
Zuordnung von Glaube und »promissio« mit der Unterscheidung von
Verheißung und Gesetz zu begründen. Gerade das tut Martyr nicht.

Auch die zweite Erörterung gibt Antwort auf eine katholische Anfrage
an die reformatorische Rechtfertigungslehre.

Wie kommt es, daß wir uns die erste und vorzügliche Rechtfertigung
nur durch den Glauben erwerben[213], da wir ihrer doch durch die Werke
habhaft zu werden scheinen? Die Gegner sagen nämlich, es komme nicht
nur dem Glauben, sondern auch den Werken zu, die Gerechtigkeit zu
ergreifen, da Gott den Seinen das Leben und seine anderen Gaben unter
der Bedingung zu versprechen scheine, daß sie an seinen richtigen und
heiligen Anordnungen festhielten. Diese Auffassung, die Rechtfertigung
werde unter Bedingungen verheißen, kann keinesfalls anerkannt werden.

vulgaris, sed firmus et vehemens assensus, isque profectus a Spiritu sancto. Quod si
miser aliquis damnatus capitis humanam tantum promissionem acciperet, se esse
liberandum, et verbis illis haberet fidem, statim animo toto *mutaretur* ad hilarita-
tem, et nuncium talia pollicentem *amare inciperet*, eique, quacumque in re posset,
obsequi. Quanto plus tribuendum est verae fidei, quae habetur verbo Domini, et
afflatur a Domino spiritu?« (S. 584,52 ff.) Rechtfertigender Glaube ist offenbar die
zuversichtliche Hoffnung, daß Gott die Berufenen trotz ihrer Schwachheit endlich
zum Heil führen wird, und diese Hoffnung ist die Keimkraft der inneren Verwandlung des Menschen zur Liebe und zum Gehorsam.
Ich begnüge mich hier mit diesen wenigen Hinweisen auf Martyrs spätere Rechtfertigungslehre und verzichte auch auf einen eingehenden Kommentar. Martyrs
Glaubensverständnis ist auch in der Römerbriefvorlesung katholischen Anschauungen näher als der Theologie Luthers. Zugleich ist deutlich, daß Martyr seit seiner
Straßburger Zeit neue Gedanken aufgenommen, die Probleme präziser erfaßt, den
Aufwand an Gelehrsamkeit erheblich vermehrt hat und über größere Belesenheit und
dialektische Gewandtheit verfügt. *Schmidt*, S. 106 ff., bietet ein kurzes Referat seiner
Prädestinations- und Rechtfertigungslehre nach der Römerbriefvorlesung. In Epistolam Pauli Apostoli ad Romanos, D. Petri *Martyris Vermiglii* Florentini Professoris divinarum literarum in schola Tigurina, commentarii doctissimi, cum tractatione
perutili rerum et locorum, qui ad eam epistolam pertinent. Ex postremo authoris
recognitione. Cum duobus locupletibus, locorum scilicet, utriusque Testamenti, et
rerum et verborum indicibus. Tertia editio, Basileae, M.D.LXVIII. (1568).

212 In Genesim, 61 b, 3 ff.
213 Martyr sagt hier wie auch sonst nirgends in dieser Abhandlung »sola fide«, sondern »fide solum . . . acquiramus«. »Solum« wird auf das Verbum bezogen. Wir
werden nicht allein im Glauben gerechtfertigt, so daß wir »sonst nichts bedürfen«
(*Luther*, Von der Freiheit eines Christenmenschen, Abschn. 7), sondern der Glaube
ist die einzige Weise, wie wir die Rechtfertigung annehmen können. Der Glaube ist
also eine notwendige Bedingung der Rechtfertigung; mehr sagt Martyr hier nicht.

Dem Glauben ist die Verheißung uneingeschränkt gemacht worden. Daher fällt auch die Meinung hin, wir würden so durch den Glauben gerechtfertigt, daß auch die Werke zum Teil zur Rechtfertigung beitrügen. Nur ein guter und gerechter Mensch bringt gute Werke hervor, also muß er zuerst gerechtfertigt sein, bevor er Gutes tun kann. Die Werke müssen aus dem Glauben entstehen. Wenn die Werke an sich eine »causa« der Rechtfertigung wären, hätten wir sie nicht gratis, wie es durch viele Schriftstellen gefordert wird. Da nun aber die Rechtfertigung eine geistliche Wiedergeburt ist, auf welche Weise können wir uns überzeugen, daß einer zu seiner Wiedergeburt beiträgt? Wenn wir das außerdem annehmen, werden wir noch unentschieden sein, und niemand wird sicher sein können, ob er gerechtfertigt sei. Wieder wehrt Martyr um der Heilsgewißheit willen die Berücksichtigung des eigenen Beitrags zur geistlichen Erneuerung ab. Schließlich wäre uns nicht die Ursache entzogen, uns zu rühmen, wenn die Werke Bedingung der Rechtfertigung wären. Wenn die Gegner sagen, die Sünden würden durch die Buße, nicht durch den Glauben vergeben, verstehen sie die Buße falsch. Sie ist unzertrennlich mit dem Glauben verbunden[214].

Martyr wendet sich nicht gegen den katholischen Hauptsatz, daß dem Christen die Barmherzigkeit Gottes erst wirklich zu eigen wird, wenn er anfängt, auf Grund ihrer gerecht zu leben. Er biegt vielmehr die Begründung durch eine spitzfindige Theorie ab, welche die Werke zur notwendigen Folge der Zuwendung von Gottes Barmherzigkeit erklärt, nicht aber zur Bedingung, unter der die Verheißung erst in Kraft tritt. So wird festgehalten, daß Gottes Barmherzigkeit die einzige »causa« des Heils ist. Das ontologisch Höhere kommt zu seinem Ziel, das ontologisch Niedere umzuorientieren, ohne dessen ursächliche Beteiligung. Martyrs Aristotelismus fordert schon seine Lösung. Gewiß entspricht, was er sachlich sagen wollte, der formalen Denkmöglichkeit, so daß man annehmen kann, er habe das aristotelische Kausalschema mit Bedacht als adäquaten Ausdruck seiner Gedanken aufgenommen.

Martyr betont die unbedingte Gültigkeit der verheißenen Sündenvergebung, die der Christ im Glauben annimmt, behauptet aber zugleich nachdrücklich den meritorischen Wert und die Heilsnotwendigkeit der guten Werke. Beides suchten andere Theologen zu seiner Zeit, Seripando, Contarini, Gropper, in der Lehre von der doppelten Rechtfertigung zu verbinden. Diese Auffassung lehnt Martyr ausdrücklich ab, um die im Glau-

---

[214] Vgl. Theses, Loci 1587, 1033, Proposita ex V.; VI. et VII. capite Levitici, Necessaria, Th. I.: »Vera fides, quae iustificat, non est absque salutari poenitentia.«

ben angeeignete Gerechtigkeit Christi, die Gott zur Sündenvergebung anrechnet, radikal vor der Relativierung zu schützen und nur *eine* »causa«
der Rechtfertigung, die Barmherzigkeit Gottes, zuzulassen. Mit dieser Akzentuierung seiner Ausführungen entspricht er der reformierten Rechtfertigungslehre[215]. Doch muß sofort hervorgehoben werden, daß Martyr
in diesem Zusammenhang nicht ausdrücklich von der Sündenvergebung
und der Imputation spricht. Vielmehr erörtert er, ob zum Empfang der
Gerechtigkeit außer dem Glauben Werke taugen. Man kann das Problem
auf die katholische Fragestellung bringen, ob zur Disposition Werke gehören. So verstanden, ist seine Aussage, die Verheißung gelte absolut und
werde nur im Glauben angenommen, thomistisch[216]. Daß aus dem Glauben die Liebe hervorgeht und daß toter Glaube nicht rechtfertigt, betont
Martyr einige Sätze danach[217]. Zudem ist ja hier nur von der ersten Rechtfertigung, der Vergebung und der Erwählung zum Heil, die Rede, was nach
katholischer Lehre zur »praeparatio« gehört. Am Ende scheint man den
Unterschied seiner Auffassung von der katholischen daran ablesen zu
müssen, ob bei ihm die erste Rechtfertigung mehr Gewicht im Verhältnis
zu den beiden anderen Weisen der Rechtfertigung hat als die »praeparatio«
in der katholischen Lehre. Das trifft zweifellos zu[218]. Einer klaren Entscheidung entzieht sich Martyr durch seine scholastischen Distinktionen,
die es ermöglichen, je nach dem Aspekt und dem Zusammenhang die

---

[215] Vgl. *Heppe—Bizer*, vgl. Anm. 194, S. 431 ff. Vgl. auch *Melanchthon*, Apologia Confessionis Augustanae, Artikel IV, 74, vgl. Anm. 211, S. 175, 8 ff.: »Dilectio etiam et
opera sequi fidem debent. Quare non sic excluduntur, ne sequantur, sed *fiducia
meriti* dilectionis aut operum in iustificatione *excluditur*.« In diesem Hauptanliegen,
daß Vertrauen auf die eigenen Werke ausgeschlossen sein muß, ist Martyr mit den
reformierten Dogmatikern und mit Melanchthon einig.

[216] Vgl. *Rückert*, Die theologische Entwicklung Gasparo Contarinis, vgl. Anm. 175, S. 76.
Die als »dispositio materiae« verstandene Glaubensentscheidung ist ja nach der
Lehre des Thomas per definitionem von der »caritas« als »forma« des vollendeten
Glaubens unterschieden. Nur wenn die »praeparatio« durch die »infusio gratiae«
vervollkommnet wird, kann von einer verdienstlichen Tat gesprochen werden.
Thomas, Summa Theologica, I, 2, Quaestio 112, Art. 2, ad 1; Quaestio 113, Art. 4,
ad 1.

[217] In Genesim, 61 b, 33 ff.; 39 ff.

[218] Auch bei den Diskussionen auf dem Trienter Konzil kam man gelegentlich auf den
Gedanken, daß die Betonung den Ausschlag gebe, und Martyrs Betonung konnte
durchaus vertreten werden. Rückert referiert Guilio Contarinis Gedanken: »Man
muß sich für *eine* Betonung entscheiden. So stellt er (Contarini) die Frage, die niemand sonst auf dem Konzil stellt: Worauf kommt es in der Rechtfertigung an, auf
den Glauben selbst, oder auf die Werke, die notwendig aus ihm entstehen? Dann
aber kann er sich der Eindeutigkeit der paulinischen Sätze nicht entziehen und antwortet: »Irgendwelche Werke kommen in unserer Rechtfertigung und für unser Heil
nicht in Betracht. Dort kommt es allein auf das Leiden, allein auf die Verdienste
unseres Heilandes Jesu Christi an.« Hanns *Rückert*, Die Rechtfertigungslehre auf
dem Tridentinischen Konzil, Bonn, 1925, S. 160.

eine oder die andere Seite hervorzukehren. Es ist wirklich schwer zu beurteilen, ob Martyrs Rechtfertigungslehre der Verurteilung nach dem Maßstab der Trienter Canones de iustificatione einen deutlichen Anhalt bietet. Er selbst meinte, die Einwände von katholischer Seite gegen seine Lehre durch entsprechende Interpretation seiner Auffassung abweisen zu können. Gewiß wäre seine Lehre unter den Äußerungen der fortschrittlichen Gruppe des vortridentinischen Katholizismus nicht aufgefallen. Sein Freund Gasparo Contarini fand an ihm sicher einen verständnisvollen Zuhörer, als er ihn auf der Rückreise vom Regensburger Religionsgespräch in Lucca besuchte[219]. Im Ergebnis scheint mir Martyrs Rechtfertigungslehre trotz seiner Ablehnung der doppelten Rechtfertigung mit der Contarinis übereinzustimmen[220]. Aber auch Bucer hat ganz ähnlich über die Rechtfertigungslehre gedacht[221]. Eine bemerkenswert ähnliche Rechtfertigungslehre wird auch in der aus den Kreisen um Juan Valdés hervorgegangenen, 1543 in Venedig anonym veröffentlichten Schrift »Il Beneficio di Giesu Christo« vertreten[222]. Martyr ist – auch in der Rechtfertigungslehre – ein Reformkatholik unter den Vätern der reformierten Kirche. In diesem Satz muß beiden Aussagen ihre relative Bedeutung belassen werden. Er ist katholisch und reformiert, beides nicht gut, beides am Rande des jeweils Erträglichen. Aber was er ist, ist er ehrlich und ganz. Die katholische Kirche hat ihn nicht geduldet, die reformierte konnte ihn später zu den Vätern ihrer Lehre rechnen. Er hält an den Fundamenten »der katholischen Rechtfertigungslehre«, der übernatürlichen Seinserhöhung durch die heiligmachende Gnade und dem »meritorischen Wert der im Gnadenstande verrichteten guten Werke« fest[223]. Damit verbindet er das reformierte Anliegen, daß der Christ seine Hoffnung nur auf das Erlösungswerk Christi setzen kann

---

[219] *Simler*, Oratio, Loci 1587, b 6vo, 9 ff.
[220] Vgl. *Rückert*, Die theologische Entwicklung Gasparo Contarinis, vgl. Anm. 175, S. 85 ff.
[221] Vgl. *Koch*, Studium Pietatis, vgl. Anm. 144, S. 45 ff. »Diese Wertung der Lehre von der doppelten Rechtfertigung zeigt, wie stark Bucer von der für die Reformation charakteristischen Lehre von der Rechtfertigung allein durch Gnade abweicht und der erasmischen Tradition in diesem Lehrstück verbunden bleibt. Die erste Rechtfertigung ist für ihn die Voraussetzung für den Empfang von Fähigkeiten und Kräften, durch die der Mensch in eigener Verantwortlichkeit das Gute wirkt. Die Rechtfertigung aus Glauben ist der Ausgangspunkt für die Heiligung, der das eigentliche Interesse Bucers gilt . . . Es wird bei Bucer ein System entwickelt, dem reformatorischen Anliegen des sola fide wie dem katholischen der guten Werke in gleicher Weise gerecht werden will, in dem Glaube und Werk, Handeln Gottes und Handeln des Menschen aufeinander abgestimmt sind. In einem solchen System glaubt unser Reformator das humanistische Anliegen von der Würde des Menschen wahren zu können.« S. 48 f.
[222] Vgl. *Vinay*, Die Schrift »Il Beneficio di Giesu Christo«, vgl. Anm. 178, S. 40 ff.
[223] *Jedin*, Geschichte des Konzils von Trient, Bd. II, vgl. Anm. 205, S. 209.

und daß er von sich aus nichts zu seinem Heil tun kann, außer daß er im Glauben annimmt, was Gott ihm an Trost und Kraft durch seine Verheißungen und den Heiligen Geist gewährt[224]. Seine hoch abstrakte Art zu denken und seine rationale Argumentationsweise läßt ihn jedes Einzelproblem für sich erörtern und in jedem Fall die Gewichte sorgsam ausbalancieren, so daß seine Formulierungen im einzelnen gegen Angriffe von beiden Fronten geschützt erscheinen. Auf die psychologische Vorstellbarkeit des Rechtfertigungsvorgangs scheint er wenig Wert zu legen. Auch vom Glaubenden erwartet er offenbar, daß er zunächst einmal richtig und fromm denkt, daß er ein christliches Verständnis seiner selbst gewinnt, indem er zu jeder Zeit den ontologischen Sinn seines Lebens findet. In diesem Sinn, den sein Leben von Gott her hat, gehen alle einzelnen Wahrheiten auf als in einer einfachen und einheitlichen Wahrheit. Ihr Inbegriff ist, daß Gott seine Ehre zuteil wird und die Menschheit zu der ihr von Gott verordneten Vollkommenheit wiedergeboren wird. Die zweite Basis der Einheit aller einzelnen Lehrsätze ist ihre Quelle, die Bibel. Weil die Bibel Rechtfertigung als forensische Sündenvergebung und als Erwerb von Rechtschaffenheit und als Anerkenntnis vorhandener Gerechtigkeit versteht, darum redet er in dreifacher Weise von der Rechtfertigung[225]. Bei der Begründung der Thesen wird jedes Argument mit einem Bibelvers belegt. Seine, des Theologen, Aufgabe ist, die Weite und Vielfalt der biblischen Aussagen nicht um menschlicher Klugheit willen zu verkürzen und sie andererseits nicht durch menschliche Erfindungen zu entstellen, um die universale Einheit der durch dieselbe Glaubensgesinnung zum Leibe Christi vereinten Kirche nicht zu hindern. Diesem seinem eigenen Ziel entspricht er trefflich mit seiner vermittelnden Theologie, die gelegentliche schroffe Kritik nicht ausschließt, wo ihm abergläubisch erscheinende dogmatische und konfessionelle Härte und Enge begegnet, wie bei Auswüchsen der katholischen Sakramentslehre, der Ekklesiologie, der Lehre vom Fegfeuer. Daß ihn das Zutrauen zu der Klarheit und Vorurteilslosigkeit seines eigenen Verstandes und den Prinzipien seiner Metaphysik diesem Programm oft untreu werden läßt, indem er selbst Sätze aufstellt, die keineswegs gegen den Verdacht der rationalistischen Verfremdung der biblischen Verkündigung gefeit sind, ist offensichtlich.

---

[224] *Heppe—Bizer*, vgl. Anm. 194, S. 432; 433; 448 f.
[225] In Genesim, 59, 50 ff.

III. Zur Methode der Darstellung von Vermiglis Theologie

Wer nur originelle theologische Erfindungen für bemerkenswert und des historischen Interesses würdig hält, wird bei Peter Martyr enttäuscht. Mein erster Eindruck beim Lesen seiner Schriften war, daß er die Formeln und Gedanken zusammenstelle, die man aus den dogmatischen Handbüchern der protestantischen Orthodoxie kennt. Dabei fehlen manche charakteristische Ausprägungen der Unterscheidungslehren, so daß seine Theologie als durchschnittlich, traditionell und wie eine unsystematische enzyklopädische Sammlung der im sechzehnten Jahrhundert vertretbaren Anschauungen erscheint. Beim weiteren Eindringen in seine Schriften und beim Versuch, seine Gedanken im Zusammenhang seiner Argumentationen und Ableitungen zu verstehen, stellte sich Ratlosigkeit angesichts der Fremdheit seines Denkens ein. Seine Theologie kann bei genauerer Betrachtung nicht als Kompilation kirchlich approbierter und an der Geschichte dogmatischer Auseinandersetzungen bewährter Theologumena angesehen werden, die durch die geltenden Bekenntnisse verbürgt sind und biblizistisch bewiesen werden, so daß nach der Anerkennung einiger Grundentscheidungen die Bildungsgesetze der Lehre wenigstens überschaubar, wenn auch nicht unbedingt einsichtig wären. Viele traditionelle Lehrstücke werden zwar übernommen, kommen aber in Martyrs Theologie bei näherem Zusehen nicht zum Tragen. So ist die Trinitätslehre kein Pfeiler seiner Theologie[226]. Die Satisfaktionslehre erkennt er an, sie hat aber keine prägende Bedeutung für seine Christologie[227]. Was ich von Luther, Melanchthon, Calvin, Zwingli wußte, taugte nicht zu einer bezeichnenden und das Befremden tilgenden Zuordnung. Schließlich ist auch von unseren Denkgewohnheiten aus der Abstand zu Martyrs Gedankenverknüpfungen nicht leicht zu überbrücken. Wie soll man es etwa verstehen, wenn Martyr sagt, Christus habe die menschliche Natur, seine eigene und die aller Gläubigen, durch seine Inkarnation geheiligt?[228] Wie kann man die Leib-Christi-Christologie verstehen, ohne auf die religionsgeschichtlichen Hintergründe der paulinischen Vorstellungen zu rekurrieren, deren Kenntnis man bei Martyr nicht in derselben Weise voraussetzen kann, wie wir es bei modernen Exegesen gewohnt sind?[229] Inwiefern ist Christi Auferstehung ein »exemplum efficax«?[230] Warum soll die Folgerung gelten?:

---

[226] Vgl. Kapitel I, 1, a, S. 87.
[228] Loci 1587, 425, 11, 14 ff.
[230] Vgl. Kapitel II, 2, b, S. 137 f.

[227] Vgl. Kapitel II, 2, e, S. 153 ff.
[229] Vgl. Kapitel II, 2, d, S. 148 ff.

Weil Christus sich dem Zugriff seiner Feinde entzog, ist die Flucht bei der Glaubensverfolgung nicht Feigheit und Laster[231]. Selbst logische Schlüsse fußen auf Voraussetzungen, die uns weder selbstverständlich noch geläufig sind. Was muß man alles mitdenken, wenn ein Satz wie der folgende überzeugen soll?: Weil Christus gen Himmel gefahren ist, müssen wir nach himmlischen Gütern streben[232]. Hinzu kommt, daß wir manche Gedanken zwar gewohnt sind, uns deren Implikationen aber nicht vergegenwärtigen, wenn wir sie aussprechen, so daß uns geläufige Anschauungen fragwürdig werden, wenn sie uns in der fremden Umgebung entgegentreten. Freilich stellt sich auch die umgekehrte Erfahrung ein, daß Gedanken, die wir für töricht hielten, durch eine unverhoffte Begründung oder die gelungene Eingliederung in einen Zusammenhang einleuchten oder wenigstens respektabel erscheinen. Viele der unverständlichen Anschauungen kann man historisch durch theologiegeschichtliche Ableitung zu erklären versuchen. Auf diese Weise mag man einen Modus des Umgangs mit ihnen finden und ihre provozierende Fremdheit neutralisieren. Aber man versteht sie dennoch oftmals nicht. Die Frage, was Martyr dabei gedacht habe, wirft einen zurück auf den Zusammenhang in Martyrs Ausführungen, auf den Text, der dem Verstehen beim ersten direkten Zugriff Widerstand bot.

Die Fremdheit solcher Gedanken, Sätze, Passagen enthält selbst den Stachel, der den Verstand reizt, sie zu ergründen. Diese faszinierende Anregung ist allerdings zugleich ein verführerisches Stimulans für den zu Nüchternheit verpflichteten Verstand. Jeder wenigstens mäßig leidenschaftliche Verstand, der zuweilen das Unheimliche anspringt, um es zu zerlegen, duldet das Sinnlose nur ungern, obgleich doch die Erfahrung lehrt, daß es wohl sinnloses Gerede gibt. Ich bin zuweilen besorgt gewesen, ob ich die Grenze gewahrt habe, jenseits deren Verständnis und Erklärung nicht gefunden werden kann und darum auch nicht gesucht werden darf.

Es zeigt sich bald, daß nicht nur einzelne Sätze der Einvernahme auf Grund verfügbarer Denkmodelle widerstehen, sondern durch sie der Zusammenhang, in den sie verflochten sind. Ebenso wird deutlich, daß wegen der uns ungewohnten Art zu denken, Gedanken zu entwickeln und zu verknüpfen, immer wieder einzelne Operationen undurchsichtig bleiben. Insbesondere verleihen unausgesprochene Voraussetzungen den Gedanken ihre Richtung, ihr spezifisches Gewicht und ihren ontologischen Sinn. Die Erkenntnis der Fremdheit wesentlicher Momente von Martyrs Theo-

---

[231] Vgl. Kapitel II, 2, b, S. 132.
[232] Vgl. Kapitel II, 2, b, S. 138.

logie schließt ein, daß die Aufklärung der sie bedingenden Hintergründe nicht auf der Hand liegt und den Texten nicht direkt abgelesen werden kann. Es bedarf dazu der bewußten und reflektierten Erschließung dieser hintergründigen Bedingungen konkreter Aussagen in ihrem Kontext. Erfordert ist also eine Art transzendentaler Ableitung der Bedingungen der Möglichkeit der bestimmt artikulierten Gedanken[233]. Auf diese Weise wird nach Martyrs Ontologie gefragt, die seine Denknotwendigkeiten und Denkmöglichkeiten bedingt. Von daher eröffnen sich Möglichkeiten, Zusammenhänge zu erhellen, die sonst verdeckt blieben. Die Fremdheit wird durch diese Deutung echt aufgehoben, da Denkmöglichkeiten nur dann als solche begriffen werden, wenn sie unabhängig von zufälligen Voraussetzungen auch anderen Menschen zu denken möglich sind, jedenfalls auch mir. Erfragt werden nicht Meinungen Martyrs, denen er womöglich das Ansehen ontologischer Wahrheiten gibt. Vielmehr zielt die Frage auf das Verständnis von Sein, das seinen Aussagen *wirklich* zugrunde liegt, das angenommen werden muß, um seine Sätze als sinnvoll verstehen zu können. Sie entläßt aus sich Fragen der Art: wer *ist* der Mensch, wer *ist* Gott, was *ist* Wirklichkeit in Martyrs Theologie? Seine Lehrsätze über den Menschen zum Beispiel sind nicht identisch mit der hier zu erfragenden Anthropologie, sondern erst das unter anderem zu befragende Material. Aber diese Aufgabe wird in meiner Arbeit nur so weit ausgeführt, wie es jeweils zum Verständnis bestimmter theologischer Aussagen und ihrer Zuordnung zu anderen mit ihnen zusammen gedachten Sätzen notwendig ist, das heißt zugleich, so weit, wie es von den einzelnen Texten und ihrer Kombination mit sachlich verbundenen zuverlässig möglich ist.

So entdeckte ich nach einiger exegetischer Bemühung in Martyr einen eigenwilligen, selbständigen Theologen. Er verwendet alle überkommenen Theologumena als Bausteine seiner eigenen Theologie, indem er ihnen das Ferment seiner Frömmigkeit und seiner eigentümlichen Anschauung vom christlichen Glauben zusetzt. Dabei werden Akzente gesetzt und verschoben, Horizonte abgemessen und Strukturen aufgeprägt. Obwohl man alles einzelne historisch ableiten könnte und schon irgendwoher kennt, ist am Ende seine Theologie im ganzen eine besondere, wohlbedachte Konzeption.

Aus diesen Einsichten ergab sich nach und nach die Methode der Dar-

---

[233] Eine auffallend analoge Einsicht in die Problematik der Darstellung von menschlichem Handeln und Denken scheint eine bezeichnende Eigentümlichkeit der modernen Romankunst zu erklären. Die Erzählung macht »die inneren Voraussetzungen des Geschehens zum Gegenstand ihrer Kunst«. Das geschieht vorzüglich durch »Ein-

stellung seiner Theologie. Wenn es richtig ist, daß Martyrs Theologie nicht durch einen originellen Ansatz, wie etwa Luthers Theologie durch sein Wort- und Sakramentsverständnis, charakterisiert wird, wenn es ferner zutrifft, daß nicht einzelne Lehrstücke so im Vordergrund stehen, daß sie das Organisationszentrum seiner Theologie bilden, mußte ein möglichst umfassender Überblick über alle ihm selbst wichtigen oder für seine Theologie bezeichnenden Aspekte erstrebt werden. Es lag nahe, die Aspekte systematisch zu ordnen. Um aber der systematischen Überfremdung zu wehren, habe ich mit strenger fortlaufender Exegese ausgewählter Texte angefangen. Unvermeidlich wurde die Textauswahl mit dem Fortschreiten der Arbeit zum Teil von den bereits gewonnenen systematischen Gesichtspunkten geleitet. Bei der Einzelauslegung wurde auch in wachsendem Maße die Aufklärung der Hintergründe und Zusammenhänge versucht. Diese Vorarbeiten haben in der nun vorliegenden Arbeit keinen direkten Niederschlag gefunden. Ich wollte dem Leser nicht die Mühe bereiten, diffizilen Textanalysen in extenso folgen zu müssen. Einen wahrhaft kritischen Leser überzeugt diese Methode ohnehin nie, weil durch die notwendige Auswahl der Texte und ihre Abgrenzung genügend Möglichkeit und Versuchung besteht, den Stoff zu manipulieren. Ich habe also von den sich bei der Auslegung allmählich abzeichnenden Ergebnissen und Schwerpunkten her die Arbeit gegliedert und die einzelnen Kapitel konzipiert. Die Begründung meiner Darlegungen konnte dann hauptsächlich nur durch, wie ich hoffe, reichliche Hinweise auf die Fundstellen erfolgen. Darüber hinaus habe ich, wo es mir angebracht erschien, gelegentlich doch auf die Exegese zurückgegriffen und einzelne Textabschnitte innerhalb der Darstellung argumentierend verwendet. Schließlich habe ich historische Erklärungen und den Nachweis von Abhängigkeiten sowie typischen Ähnlichkeiten nachträglich anmerkungsweise hinzugefügt, wo sie offenkundig waren. Ich meine, ihnen damit den ihnen gebührenden Rang eingeräumt zu haben; denn nur nachdem ein Satz aus sich selbst und dem unmittelbaren Zusammenhang verstanden ist, kann je und dann über seine besondere historische Bedingtheit entschieden werden.

Mein Interesse galt vorzüglich der theologischen Grundanschauung, die den Zusammenhang der einzelnen Motive und Komplexe seiner Theologie stiftet. Was alle theologischen Aussagen Martyrs verbindet, ist dieser

schübe reflektierender und erörternder Art«, welche »die inneren Verhältnisse einer Geschichte« »konstituieren«. Dem entspricht eine »kritisch-ironische« Haltung des Erzählers. Vgl. Hans *Geulen*, Max Frischs »Homo Faber«, Studien und Interpretationen, Berlin, 1965, Einleitung, S. 1 ff.; S. 9 f.

nicht systematische Zusammenhang. Er wird nicht durch ein geordnetes System beziehungsreich verknüpfter Wahrheiten dargestellt, sondern beruht auf sachlichen Spannungen und Harmonien der in Martyrs Schriften jeweils unter einem bestimmten Aspekt überschaubar vereinten Aussagen über Gott, Christus, die Welt und die Menschen. Es zeigt sich immer wieder, daß ein nicht spezifizierter, gleichsam visionärer Entwurf von christlichem Selbstverständnis die um der geordneten Erörterung willen isolierten Teilzusammenhänge konturiert, ihren Rückhalt bildet und sie innerlich koordiniert. Dieses existentiale Koordinierungsprinzip ist natürlich solcher Art, daß es immer nur partiell aus Anlaß konkreter Äußerungen aufgewiesen, nicht aber für sich ontologisch rein herausdestilliert werden kann. Vordergründige Zusammenhänge, Beziehungen, Spannungen, weisen oft auf die nicht direkt in Erscheinung tretende Ordnung hin. Wenn man diesem Sachverhalt Rechnung trägt, ergibt sich für das Nach-Denken der Zusammenhänge eine zyklische Verlaufsform. Von einem bestimmt formulierten Gedanken ausgehend, werden die offenliegenden Beziehungen kenntlich gemacht, um den Stellenwert und die Gespanntheit der Aussage in dem ihr eigentümlichen Sprach- und Sinnhorizont abzumessen. Ferner wird sie hinterfragt auf jenen Grundentwurf im Denken Martyrs hin, auf dem die Kontinuität seiner Gedanken beruht, auf die Idee seiner Theologie hin. Sogleich muß aber das Nachdenken wieder zur Ausgangsbasis, der Formulierung der Aussage, dem Text, zurückgebogen werden, damit es bei der Sache bleibt und die Ausblicke dem Verfolgen des Gedankenfortschritts im Text integriert werden. Der Vollzug dieses Nachdenkens ist leichter als dessen methodische Klärung und Beschreibung. Er ist der natürliche Verlauf des Denkens, der nur durch das Bewußtsein seiner methodischen Relevanz kontrolliert und maßvoll diszipliniert wird. Hier muß davon gesprochen werden, weil meine Darstellung der Theologie Martyrs dieses Kreisen des seine Aussagen verstehenden Denkens nachzeichnen muß, denn nur auf diesem *Wege* begegnen wir Martyrs Denken, seiner Art des Umgangs mit den fast immer bekannten Theologumena. Seine Theologie ist in der Auslegung eines Bibelverses verborgen, er spricht sein Verständnis des Christentums in wenigen Sätzen der Gotteslehre ebenso aus wie in der Formulierung einer bestimmten christologischen Vorstellung, nur jedesmal in anderer Weise skizzenhaft unvollendet. Darauf wird in den nachfolgenden Kapiteln öfters hingewiesen. Man kann also seine Theologie nicht Stück für Stück begreifen, auf einen wachsenden Grundstock von Einsichten aufbauen und jedem neuen Satz seinen passenden Platz suchen. Vielmehr steht jeweils unter besonderem Aspekt

das Verständnis seiner ganzen Theologie in Frage, weil Martyr immer
wieder neu anhebt, den christlichen Glauben auszusagen. Meine Darstellung umkreist daher von Kapitel zu Kapitel, manchmal von Abschnitt zu
Abschnitt erneut einsetzend Provinzen, die Martyrs ganze Theologie repräsentieren. Aus diesem Grunde gibt es vom ersten zum letzten Kapitel
prinzipiell keinen Fortschritt. Man könnte die Kapitel ohne Not – abgesehen von einer gewissen Ökonomie der dargebotenen Informationen –
anders nacheinander ordnen. Daraus folgt weiter, daß keine Zwischen-
ergebnisse zu verbuchen sind, die sich in Zusammenfassungen am Ende
der Kapitel und Teile niederschlagen könnten. Summarien wären nur Er-
hebungen zum Material seiner Theologie, aber gerade das, was seine Theologie ausmacht, seine Art der Verwendung des bereitstehenden Stoffes,
sein Denken als den transzendentalen Grund seiner erdachten Gedanken,
das doch seinerseits bestimmt wird von den zu bedenkenden Wahrheiten,
müßten sie verfehlen. Ich habe versucht, den erarbeiteten Ertrag auf andere
Weise festzuhalten. In jedem Teil der Arbeit habe ich mich bemüht, zentrierende Motive und Intentionen hervorzuheben. Sie werden jeweils im
letzten Kapitel eines Teiles unter dem für den Teil leitenden Gesichtspunkt diskutiert[234]. Dabei werden zwar die voranstehenden Kapitel
vorausgesetzt, nicht aber verkürzt wiederholt. Vielmehr soll in weiterfüh-
renden Erwägungen Charakteristisches unter einem auf Grund der vorhergehenden Analyse gezielt durchdringenden Aspekt neu erschlossen
werden. Auch diese abschließenden Erörterungen dienen dem Ziel, die
Einheit von Martyrs Theologie aufzuweisen, dabei aber zugleich die unsystematische, lockere, schwebende Fügung seiner Gedanken zu bewahren.
Für die ganze Arbeit erfüllt den entsprechenden Zweck die Charakteristik seiner Theologie im zweiten Kapitel der Einleitung[235].

Ich komme zurück zur Komposition meiner Darstellung. Gerade wenn
Martyrs Theologie sie nicht präformiert, wird sie zum Problem. Mir er-
wächst dann die Aufgabe, sie in einem tieferen Sinne sachgemäß zu gestalten, sie als in sich selbst aussagefähiges Mittel der Darstellung wahr-
zunehmen. Nicht zufällig ist im ersten und im letzten Kapitel Gottes
Geist das Thema. So beschreibt meine ganze Darstellung einen Kreis, indem sie auf der höchsten erreichten Stufe der Reflexion zum grundlegenden Anfang zurückführt und auf diese Weise eine Klammer von eigener theologischer Aussagekraft um Martyrs Theologie legt, insofern sie den
kräftigsten Spannungsbogen seines Denkens nachzeichnet. Entsprechend

234 So in den Kapiteln I, 3, b und c; II, 1, c; II, 3; III, 4.
235 Vgl. S. 39 ff.

führt das abschließende Kapitel des ersten Teils »Die ethischen Konsequenzen der Gotteserkenntnis« zurück zum Kapitel »Gott als höchstes Gut«, nachdem die Gedanken schon vorher zum Schnitt gebracht wurden in dem Kapitel »Gott als der gute Schöpfer der guten Dinge«. Die historisierende Betrachtung verbindet den ontologischen und den soteriologischen Aspekt der Christologie. Die abschließenden Erwägungen zur ersten Hälfte des zweiten Teils werden aus diesem Grunde am Schluß des zweiten Halbteils bei der Erörterung über »Die Bedeutung von Auferstehung und Himmelfahrt Christi« wieder aufgenommen. Der theologische Ertrag der Untersuchung der Christologie Martyrs wird in dem Kapitel »Die Vorordnung der ekklesiologischen Bedeutung Christi in der Soteriologie« erhoben. Da es auch den leitenden Gesichtspunkt im dritten Teil beschreibt, steht es sachlich vermittelnd genau zwischen beiden Teilen. Die Verknüpfung wird im letzten Kapitel des dritten Teils wieder hervorgehoben durch die Aufklärung der strengen Zuordnung von Pneumatologie und Ekklesiologie. Von hier aus wird zugleich, wie ich schon erwähnte, die Beziehung zur Gotteslehre erneut kenntlich gemacht.

Es versteht sich, daß bei der Darstellung von Martyrs Theologie die Information über Begriffe, Lehrsätze und Vorstellungen nicht unterbleiben kann. Martyr bekennt sich zu einer bestimmten Lehre. Sie muß daher zur Kenntnis genommen werden, obgleich etwa die Begründung eines Lehrsatzes für seine Theologie bezeichnender sein kann als der am Ende aufgestellte Lehrsatz selbst. Weil die erörternde Analyse voraussetzt, daß man seine Lehre dabei vor Augen hat, habe ich Information und Analyse nicht anders zu verbinden gewußt, als indem ich das eine mit dem anderen beständig durchsetze. Dieses Verfahren mag auf den, der vorzüglich die Information sucht, verwirrend wirken, aber ich konnte dem Anliegen meiner Arbeit, nämlich zu prüfen, zu befragen, zu analysieren, zu entdecken, so am besten entsprechen.

Die Fremdheit von Martyrs Theologie sollte nicht durch Erklärungen überspielt werden. Beim Referat seiner Anschauungen tritt sie manchmal von selbst hervor. Im Rahmen der Interpretation habe ich sie gelegentlich herausgestellt. Oft habe ich sie nur durch Verfremdungen in meiner Sprache bei der Darstellung signalisiert, um die Darstellung nicht durch einen zusätzlichen Strang von ausdrücklichen Hinweisen zu belasten, so beispielsweise durch die an sich unverständliche, einen speziellen Widersinn enthaltende Formulierung: »Beschaffenheit verordnen«[236].

---

[236] Vgl. Kapitel I, 2, b, S. 97.

Diese Fremdheit weist auf die spezifische Differenz hin, die das Verstehen hemmt. Die Zwistigkeit, in die der Forschende verstrickt wird, beruht auf dem historischen Abstand der Epochen, der individuellen Unterschiedenheit zweier Menschen und der jeweils besonderen Unzulänglichkeit der verfügbaren Analogien. Aus der Spannung zwischen dem Bewußtwerden dieser Differenz und ihrem scheinbaren Erlöschen im Verstehensvollzug entsteht dessen eigentümliche Dynamik, die sich bei meiner Anlage der Arbeit der Darstellung mitteilt. Sie ist am leichtesten erkennbar an der sprachlichen Ratlosigkeit, die sich immer dann einstellt, wenn die Verständnisbemühung besonders intensiv ist. Einmal drängen sich moderne, vertraute Formulierungen zur Wiedergabe einer Anschauung Martyrs auf, die sofort die Furcht auslösen, so sei keine historische Erkenntnis gewonnen; dann wieder legt sich eine historisch geprägte Sprache nahe, die dem Verdacht unterliegt, erst noch der Erklärung zu bedürfen. Einmal wird eine Gedankenverbindung als prozessualer Ablauf beschrieben oder mit einer raschen Folge von Einzelaussagen nachgezeichnet, ein anderes Mal wird deren Ertrag in wissenschaftlich abstrakter Form registriert. So kommt es, daß ich manchmal in mehreren Anläufen versucht habe, einen Sachverhalt einzugrenzen. Dabei wird nicht eine anfänglich undeutliche Erkenntnis durch eine reifere überboten. Vielmehr stellen alle zusammen eine Annäherung an das Gemeinte dar, wobei durch den Unterschied der verwendeten Begriffe und dem Wechsel im Gebrauch der Sprache angezeigt wird, daß der Abstand nicht restlos getilgt, eine genau treffende Analogie, das eine, eindeutige, erleuchtende Wort, nicht gefunden werden kann. Die deutlichen Fälle sind natürlich nur Symptome für den approximativen Charakter des Verstehens überhaupt. Wenn sich der Sinn einer Gedankenverbindung leicht zu erschließen scheint, wird auch die Darstellung in der Sprache so vertraut, daß man empfindet, man habe es selbst so sagen können. Aber sobald die Vertrautheit wahrgenommen ist, dringt das gegenläufige Moment des Verstehens, die Distanz, ins Bewußtsein und nötigt zu einer Ausdrucksweise, welche der Fremdheit Rechnung trägt. Wenn die Einstimmung auf die Gedanken des »Helden« die Ironie verdrängt, wenn eigene Gedanken mit seinen zusammenfallen, wenn man ihn uneingeschränkt zu lieben beginnt, ist man zumeist nicht mehr ernst und wahrhaftig. Man identifiziert sich mit dem Wunschbild seiner Forschungsintention, indem man wähnt, daß man sich ihm vertraut gemacht habe. Aus der Polarität von Vertrautheit und Befremden ersteht die Ironie als Frucht des Ernstes im Verhalten zum Gegenstand der Darstellung. Gewiß ist sie nicht methodisch planbar, man ertappt sich dabei und ist dann hinterher genötigt, sie zu rechtfertigen oder sie als ungehörige Distanzierung auszumerzen. Hier zeigt sich, daß die Methode überhaupt nicht das unbegrenzt Projektierbare ist, sondern aus dem Wechselspiel von vorhergehender Planung und kritischer Beobachtung, Beurteilung und Begründung des Arbeitsvorgangs entsteht. Die Ironie stellt sich von selbst ein, wenn man auf seinen Ernst bedacht ist und zugleich Verständnis erstrebt. Sie ist eine Form der Objektivität auf der Basis des Eingeständnisses der Unmöglichkeit unvoreingenommener Sachlichkeit, das Gegenteil unkritischen Engagements.

Es war eins der besonders schweren Probleme meiner Arbeit, eine Darstellungsweise zu finden, die echtes Verständnis begünstigt. Einerseits mußte ich auf Martyrs Denkvoraussetzungen und seine Denkart eingehen, sie versuchsweise übernehmen, um ein Stück weit auf seiner Bahn mitzudenken. Andererseits durfte ich nicht der Konsequenz seiner Gedanken verfallen, wenn ich wahrhaftig bleiben und mich nicht um mein Verständnis seiner Gedanken bringen wollte. Also mußte ich mich immer wieder zu einem kritischen Standpunkt retten. Doch relativiert sich die Kritik von selbst, sobald das Eingeständnis offenbar ist, daß sie von einem Standpunkt aus geführt wird. Infolgedessen mußte Martyrs Argumentation in der Weise des Nachfassens noch einmal eingehender bedacht und erwogen werden, inwiefern die Kritik nur bedingt trifft. Auch diese dialektische Bewegung des Verstehensprozesses überträgt sich notwendig auf die Darstellung. Daher brechen immer wieder subjektive Reflexionen in den Fortgang der Darstellung ein, die relativiert werden, sobald fester Boden als Basis sauberen Verständnisses gewonnen ist. Sie dienen mir dazu, wieder zu mir selbst zu finden, um mich dem Gegenstand erneut zuzuwenden, und sind aus diesem Grunde notwendig zur Erhaltung der konstitutiven Bedingungen der Möglichkeit von Verständnis.

Denselben Sinn erfüllt die ausdrückliche Kritik. Freilich kritisiere ich Martyrs Theologie mit der Absicht, die Fragwürdigkeit gewisser Anschauungen, ihre unbegründeten Voraussetzungen und verhängnisvollen Folgen aufzudecken. Es gehört wohl zum Verständnis theologischer Sätze, ihren Erkenntniswert abzumessen und ihre religiöse Valenz auszuloten. Insofern ist die Kritik ein integrierender Teil des Verstehensvorgangs selbst, der zuweilen zur bewußten Hervorhebung seines urteilenden Moments isoliert entfaltet wird. Sie hat gewöhnlich den oft verdeckten Zweck, eigene Erkenntnisse zu verteidigen oder zu gewinnen, also den eigenen Standort in der Begegnung mit den fremden, ob ihres Anspruchs, wahr zu sein, aggressiven Überzeugungen zu begründen. In dieser Weise ist sie notwendig tendenziös und hat den existentiellen Sinn, in der geistigen Auseinandersetzung geistig zu überleben.

Eine besondere Form der Kritik oder der Verfremdung ist der Vergleich mit anderen theologischen Auffassungen. Ich weise gelegentlich auf Luthers Anschauungen hin, um zu zeigen, daß ein theologisches Problem auch völlig anders angesehen und gelöst werden kann. Luthers Theologie eignet sich wegen der eindeutigen Unterschiedenheit von Martyrs Theologie besonders zur Kontrastierung. Mehr kann ein solcher Vergleich nicht besagen, als daß es keineswegs selbstverständlich ist, vielleicht nicht einmal naheliegend, wie Martyr zu denken. Hinweise auf die Lehre des Thomas markieren gewöhnlich Übereinstimmungen. Selten sind solche Berührungen ein Beweis der direkten Abhängigkeit. Aber sie zeigen, wie wenig es Martyr oft gelungen ist, sich von einer bestimmten Tradition mittelalterlich scholastisch katholischen Denkens zu emanzipieren, obwohl er doch ein moderner, dieser Überlieferung gegenüber kritischer Theologe sein wollte. Auf diese Weise wird von Mal zu Mal offenbar, daß partielle Kritik des Hergebrachten noch keine neue Theologie ausmacht, deren Wahrheiten autark und in ihrem Begründungszusammenhang selbst evident sind. Die Übernahme thomistischer Formulierungen, Argumente, Unterscheidungen und Definitionen ist leichter erkennbar als Martyrs Verhältnis zu anderen Autoren. An ihnen wird auch deutlich, daß Martyr seine thomistische Schulung zu erkennen gibt und daß ferner seine Theologie so rational konzipiert ist, daß er seinen Erörterungen scholastische Argumente ohne Bruch einfügen kann. Aber seine Theologie läßt sich im ganzen nicht durch solche Übernahmen erklären, so daß ich darauf verzichtet habe, sie durchgängig aufzuspüren und eingehend zu diskutieren.

Was ich hier aufgeschrieben habe, sollte Rechenschaft von meiner Bemühung geben, mich mit einer vielschichtigen Fragestellung, einem Bündel von Perspektiven, an Martyrs Theologie heranzuarbeiten. Es ist sehr deutlich, daß ein unerklärter Kern übrigbleibt, den zu begreifen ich nicht die treffenden Worte fand. Was ich zur Sprache gebracht habe, ist nur eine annäherungsweise Umschreibung seiner Theologie. Es ist eine Beschreibung des Weges, den ich in meinem Nachdenken auf Grund von Martyrs Sätzen beschritten habe. Es sind meine Gedanken, mit denen ich versuche, die profilierenden Umrisse seiner Theologie zu zeichnen. Vieles bleibt ungesagt. Martyrs Theologie bewahrt ihr Geheimnis, ihre individuelle, unanalogisch kontingente, nicht auflösbare Eigenheit. Diese sollte bei aller Deutung durch die vielfach gebrochene Art ihrer Durchführung indirekt erkennbar sein. Am Ende regt sich die Sorge, ob ich genügend intensiv und vorsichtig gefragt und, was sagbar gewesen wäre, gesagt habe und ob ich andererseits durch Wiedergabe und Erklärung nicht unkenntlich gemein gemacht habe, was vielleicht einmalig tiefe Wahrheit war. ». . . die Sprache ist wie ein Meißel, der alles weghaut, was nicht Geheimnis ist, und alles Sagen bedeutet ein Entfernen. Es dürfte uns insofern nicht erschrekken, daß alles, was einmal zum Wort wird, einer gewissen Leere anheimfällt . . . Wie ein Bildhauer, wenn er den Meißel führt, arbeitet die Sprache, indem sie die Leere, das Sagbare, vortreibt gegen das Geheimnis, gegen das Lebendige. Immer besteht die Gefahr, daß man das Geheimnis zerschlägt, und ebenso die andere Gefahr, daß man vorzeitig aufhört, daß man es einen Klumpen sein läßt, daß man das Geheimnis nicht stellt, nicht faßt, nicht befreit von allem, was immer noch sagbar wäre, kurzum, daß man nicht vordringt zu seiner letzten Oberfläche.«[237]

Ich bin bei meiner Darstellung der Theologie Martyrs von seiner Auslegung des Apostolischen Glaubensbekenntnisses ausgegangen, weil sie seine einzige systematische Darlegung seiner Lehre ist. Sie ist eine kurzgefaßte Dogmatik, etwa halb so umfangreich wie Melanchthons Loci von 1521. Diese »Expositio fidei« ist der Maßstab für die Stoffauswahl und für die Beurteilung der systematischen Bedeutung jedes Lehrstücks geworden. Ferner sind die Gesichtspunkte meiner Darstellung vorzüglich bei ihrer Exegese gewonnen worden. Vorstellungen und Lehrsätze, zu deren Erörterung dieser dogmatische Grundriß keinen Anlaß bot, wurden nur behandelt, wenn aus sachlicher Notwendigkeit die Erweiterung des Stoffbereichs geboten war, wie etwa zur Berücksichtigung der Lehre von der Providenz im Rahmen der Gotteslehre[238]. Das systematische Gewicht einzelner Theologumena läßt sich auf Grund der exegetischen Schriften oft schwer bestimmen. Die Auslegung des Apostolikums bringt klar zum Ausdruck, daß die Christologie im Begründungszusammenhang von Martyrs Theologie das fundamentale Lehrstück ist, sowohl für die Erkenntnis des Heils als auch als sachlicher Grund des Heilsglaubens. Die alttestamentlichen Kommentare könnten über diesen Sachverhalt leicht irreführen. Dieses Beispiel mag verdeutlichen, wie sich die Orientierung an der Auslegung des Apostolikums auswirkt. Zwangsläufig ergibt sich auch ein Unterschied in der Intensität der exegetischen Bearbeitung. Jeder Satz der »Fidei expositio« wurde sorgfältig abgehorcht, bei den Kommentaren konnten nur ausgewählte Abschnitte so genau untersucht werden.

---

[237] Max *Frisch*, Tagebuch 1946–1949, Frankfurt am Main, 1950, S. 42 f.
[238] Vgl. Kapitel I, 2, c, S. 101 f.

Zuletzt soll die Abgrenzung des Themas und des Arbeitsbereichs begründet werden. Martyrs früheste erhaltene theologische Schrift ist seine Auslegung des Glaubensbekenntnisses. Was liegt näher, als mit der Bemühung um das Verständnis seiner Theologie bei diesem Dokument einzusetzen! Im November 1547 folgte Martyr dem Ruf Cranmers nach Oxford. Erst danach wurde er in die dogmatischen Auseinandersetzungen der Zeit hineingezogen, zunächst in den Abendmahlsstreit. Seine Zeit in Straßburg ist in seinem Leben die Phase der Klärung seiner Theologie, der vielleicht ein entsprechender Lebensabschnitt in Zürich 1556–1562 folgte. Durch seine Vorlesungen war er zur beständigen theologischen Arbeit gezwungen. Nach außen war seine Theologie unangefochten, er brauchte sie nicht polemisch zu entwickeln. Er mußte sich aber als Theologe in der neuen Umgebung behaupten. Nach der folgenschweren Entscheidung, seiner Flucht aus Italien, hatte er offenbar auch von sich aus den Wunsch, seine theologischen Anschauungen abzuklären. Aus diesem Grunde schreibt er wohl die Auslegung des Glaubensbekenntnisses. An deren Schluß kündet er sogleich eine ausführliche Rechenschaft über seine Theologie an, in einem Buch »De vero cultu dei«, das er dann allerdings nicht geschrieben hat. Zu alledem hatte er in Straßburg unter Bucers Schutz die Freiheit, nach seiner Überzeugung zu lehren, die ihm weder vorher noch später jemals wieder in gleichem Ausmaß gewährt wurde. Die Schriften aus dieser Zeit sollten also vorzüglich geeignet sein, einen Zugang zu Martyrs Theologie zu eröffnen. Mir scheint ihre Untersuchung die unabdingbare Voraussetzung für die Würdigung seiner späteren theologischen Entwicklung und insbesondere seiner polemischen Schriften zur Abendmahlslehre, zur Prädestinationslehre und zur Christologie zu sein. Eine bemerkenswerte Wandlung seiner Anschauungen während seines Aufenthalts in Straßburg ist nicht erkennbar. Daher konnte deren grundsätzliche Einheitlichkeit erwartet werden und durften auch die Schriften aus dieser Zeit als eine in sich geschlossene Gruppe von Zeugnissen betrachtet werden.

Die Begrenztheit meiner Aufgabe ist überaus deutlich. Zu einer Darstellung der Theologie Martyrs ist nur ein Anfang gemacht. Zudem ist der Straßburger Exeget Peter Martyr der unbekannte Martyr, von dessen theologischer Arbeit man bisher wenig wußte, deren Untersuchung daher auch nicht zu den nächstliegenden Desideraten der reformationsgeschichtlichen Forschung gehörte. Er ist bekannt als italienischer Häretiker, bevor er nach Straßburg kam. Er ist bekannt als Mitbegründer der englischen Reformation, nachdem er Straßburg verlassen hatte. Er ist schließlich bekannt als der reformierte Dogmatiker auf Grund seiner späteren großen Vorlesungen und gelehrten Streitschriften. Bekannt ist freilich auch in diesen Zusammenhängen zunächst nur sein Name, ein wenig von seinem Leben[239], kaum seine Theologie[240].

[239] Eine gründliche Biographie seiner italienischen Zeit liegt jetzt in dem Buch von *McNair* vor.
[240] Nur seine Abendmahlslehre ist von *McLelland* dargestellt worden.

Die Theologie
des Peter Martyr Vermigli

I. Die Lehre von Gott

1. Gottes unveränderliches Sein

a) Gott als reines geistiges Sein

Martyr beginnt die Auslegung des Apostolischen Glaubensbekenntnisses mit dem Satz: »Die Artikel unseres Glaubens stellen uns nichts anderes vor die Augen als die Erkenntnis Gottes.«[1] Die Aussage ist unbestreitbar trivial. Dennoch ist es sicher nicht zufällig, daß ein so allgemeingültiger Satz allen weiteren Ausführungen voransteht und ihnen ihren Ort und ihren Beziehungszusammenhang ausgrenzt. Indem darin unausgesprochen eine bestimmte Vorstellung von Gott und der möglichen Beziehung des Menschen zu ihm eingeschlossen ist, kann man ihn als eine programmatische, die dogmatische Konzeption einfriedigende Zusammenfassung ansehen. Christologie und Soteriologie erhalten durch diese Voraussetzung vorgängig die Bedeutung, den Weg der Gotteserkenntnis zu beschreiben. Glaube ist infolgedessen zunächst immer, Gott als Gott anerkennen[2].

Gott ist natürlich als der dreieinige Gott der christlichen Überlieferung zu verstehen. Jedoch bleibt die Erwähnung der Trinität zunächst wenigstens blaß und ohne Nachdruck. Dagegen verraten eingestreute Formulierungen sofort spekulatives und religiöses Pathos. Das erste Kapitel der Gotteslehre gibt, so sagt Martyr, zuerst zu beachten, daß der Gott, an den wir glauben, der wahre Gott ist. Auf ihn können die Kriterien wahrer Gottheit angewandt werden, sie sind andererseits durch diese Anwendbarkeit bestätigt. Zu ihnen gehört, daß Gott wirklich Sein zukommt, nämlich, daß er nicht ein »Trugbild« oder die Erfindung eines menschlichen Gehirns ist. Er ist wesenhaft vollkommen und rein (natura perfectus et integer)[3]. Daraus ist abzuleiten, daß wir ihn nicht völlig begreifen können. Gott ist für sich selbst, im Gegenüber zu der Welt niederer Vollkommenheit und Selbstbeherrschung, vermöge seiner gleichsam materiellen Beschaffenheit.

In einem späteren Abschnitt, als Martyr im Zusammenhang der Lehre

---

[1] Vgl. *Thomas*, Summa Theologica, I, Quaestio 2: ». . . *principalis* intentio huius sacrae doctrinae est Dei cognitionem tradere . . .«
[2] Loci 1587, 421, 1, 19 f.
[3] Loci 1587, 421, 1, 2 f.

vom Heiligen Geist zu erklären sucht, was Geist ist, spricht er das deutlich aus[4]. Gott ist ein unsichtbares und doch körperliches Wesen, in der Vereinigung und Vermischung beider Merkmale aller Akzidentien entblößt, einfach und eigenschaftslos (essentia nuda atque varia). Es scheint, daß die Leiblichkeit Gottes zu solcher Feinheit sublimiert ist, daß die sie durchwirkende Kraft des Geistes sie ganz assimiliert[5]. So heißt die göttliche Natur schlicht Geist[6]. Das nächste veranschaulichende Analogon sind die Träger jener Funktionen (organa), mit denen die Seele den Leib regiert und in Tätigkeit versetzt. Sie wiederum sind als Medien unfaßbarer Wirkungen dem Wind vergleichbar. Sofern bei Gott die »Vergeistigung« vollkommen ist, vermag keine Analogie die absolute Differenz zu überwinden.

Martyr scheut nicht den Versuch, Gottes unsichtbares Wesen vorstellbar zu machen, wenn die Gelegenheit es gibt. Er geht aus vom Geist des Menschen, der sich selbst schon nur beschränkt dem Zugriff der Erfahrung preisgibt, und erreicht das Ziel durch den zur radikalen Negation übersteigerten Vergleich, dem die menschliche Anschauung nicht folgen kann. Solche Überlegungen breitet Martyr nicht in seiner Lehre von Gott aus; er achtet sie gewiß nicht für heilsnotwendige Glaubenssätze. Gerade weil sie unausgesprochen und unreflektiert dem Begriff des wahren Gottes anhaften, geben sie insgeheim der Gottesvorstellung das Profil. Martyr weist gerne darauf hin, daß seine Aussagen über Gott philosophisch unangreifbar sind, daß sie in sich nicht widersprüchlich und mit dem philosophischen Gottesbegriff vereinbar sind. So sieht er in der biblischen Lehre von Gottes Vorsehung zugleich einen Beweis für die Unveränderlichkeit Gottes. Im Unterschied zu den Menschen hat Gott sein Wissen von Ewigkeit her und aus sich selbst, nicht aus der Erfahrung. Daher verändert sich sein Wissen nicht durch die Veränderung der Dinge[7]. Auch lenkt ihn seine Für-

---

[4] Loci 1587, 432,31,54 ff.: »Vox illa spiritus, in genere, vim semper quandam occultam exprimit, quae et movere et impellere possit. Propterea venti simulque organa illa quibus anima regit, movet atque agitat corpus, spiritus vocantur. Quamvis autem haec vis inclusa sit et naturae corporeae permixta, tamen cum corpora in quibus agit subtilia sint, ut videri ut plurimum non possint, istud vocabulum eo etiam deductum est, ut *significet naturas atque essentias nudas atque varias, qualis est Deus* ac *angelici chori*, simulque hominum animae iam a corpore separatae, ut propterea divina natura Spiritus appelletur . . . Denique vox illa Spiritus, non tantum naturam divinam invisibilem ac corpoream significat, sed etiam speciatim tertiam divinitatis personam denotat, . . .«
[5] Ein Leib im eigentlichen Verständnis ist Gott natürlich nicht eigen. Loci 1587, 430,24,3 f.: ». . . quum Deus expers sit corporis, manuum, laterumque, neque etiam dexteram aut sinistram habeat.«
[6] Loci 1587, 431,31,59.
[7] In Genesim, 116,25 ff. Vgl. *Thomas*, Summa Theologica, I, Quaestio 14, Art. 15. Martyr und Thomas zitieren als Beleg für die Unveränderlichkeit Gottes Jak. 1,17.

sorge für die Welt nicht von seiner glückseligen Ruhe und der Betrachtung der besseren Dinge ab[8]. Seine Erkenntnis bereitet ihm keine Anstrengung, weil er zu dieser Tätigkeit keiner körperlichen Hilfsmittel bedarf[9]. Die Beispiele könnten vermehrt werden. Solche spekulativen Lehren trägt Martyr in seinen Vorlesungen vor, wo er dazu einen Anlaß findet. Er referiert sie meist knapp als den selbstverständlichen Schatz scholastischer Gelehrsamkeit, ohne eigenes Engagement bei den Erörterungen zu verraten. Wenn Martyr an der bestimmten Anschauung selbst etwas läge, würde er seine Phantasie reicher zu Wort kommen lassen. Man wird sein Interesse an den Vorstellungen richtiger erfassen, wenn man sie als Synthese mehrerer Abstraktionen ansieht. Daß Gott unbegreiflich, unergründlich wirksam, jenseits aller Relationen nicht Schein, sondern Wirklichkeit in höchster Steigerung ist, erlaubt das Abstraktum par excellence, das doch einen Schimmer von Anschauung gewährt, der Begriff des reinen Geistes, eben zu decken.

b) Gott als höchstes Gut

Der religiöse Sinn der Gottesvorstellung tritt stärker hervor, wenn Gott weiter vom Prädikat des ewigen Gutes her verstanden wird. Auf die Frage, wer Gott sei, empfiehlt Martyr zu antworten, Gott sei das ewige Gut, aus dem alles Gute seinen Ursprung habe[10]. Aller feinsinnigen und abgründigen Fragwürdigkeit zum Trotz zuversichtlich, schlicht und ohne Zögern anzuerkennen, Gott sei Inbegriff, Grund und Ziel alles Guten, heißt an Gott glauben[11]. Der Satz hat einen kausalen und einen finalen Sinn; daraus leiten sich die Möglichkeiten der Entfaltung und der religiösen Ausdeutung ab. Gott ist der Ursprung alles Werthaften, das der Mensch in seiner Welt finden und genießen kann. Er ist zugleich das Ziel alles ernsten, auf wahre Werte ausgerichteten Strebens und Hoffens. Der finale Sinn hat wegen seines erkenntnistheoretischen Vorrangs bei Martyr die größere Bedeutung. Gott als höchstes Gut tritt dem Menschen zuerst als Anerkennung heischendes erstrebenswertes Ziel und als Liebe und Hingabe fordernder einzigartiger unweltlicher Wert entgegen. Das von mensch-

---

[8] In Genesim, 116, 35 ff.   [9] In Genesim, 116, 48 ff.

[10] Loci 1587, 421, 1, 19 ff. Auch mit diesen Gedanken folgt Martyr der Lehre des Thomas. Ihre Einigkeit erschöpft sich nicht in einzelnen Aussagen und der Gesamtauffassung. Bemerkenswert ist vor allem ihre Übereinstimmung hinsichtlich des vorzüglichen theologischen Rangs dieser Fundamentallehre. Vgl. *Thomas*, Summa Theologica, I, Quaestio 6, Art. 3 und 4.

[11] Loci 1587, 421, 1, 18 ff.

lichem Erwägen und menschlicher Vorstellungskraft nie einzuholende
Ziel ist zugleich normierende Grenze alles Guten, da es erst Begriff und
Maß dafür gibt, was gut ist. Man muß zuerst von dem wahren Gott wissen, den der Mensch nicht selbst in seiner Welt finden kann, um zu beurteilen, welcher Dinge und Geschehnisse Urheber Gott in seiner Güte ist,
welche Güter begehrenswert und welche Taten der Anstrengung würdig
sind. Die Welt, mit der der Mensch umgeht, hat Sinn und Wert von außerhalb ihrer selbst. Wenn Gott das höchste und ewige Gut ist, wird sie in
ihrem vorfindlichen Bestand relativiert und der Mensch in seinen alltäglichen Bindungen der objektiven Unorientiertheit und Unsicherheit ausgesetzt. Er kann sich aber geborgen wissen, wenn er im Konflikt mit der
ihn umgebenden Welt und allen vordergründigen Widerwärtigkeiten
zum Spott in Gott das Prinzip seines Urteils und den Grund seiner Hoffnung hat. Dann wird er sich mit seiner Liebe an Gott selbst hängen, sich
seinem Willen unterwerfen und in der Ausrichtung auf das höchste Ziel
die Welt mit ihren Gefahren verachten und seine Angst besiegen[12]. Diese
Gedanken bilden den Kern von Martyrs Theologie und Frömmigkeit.

Aus diesem Grunde hält Martyr auch den Schöpfungsartikel für den
wichtigsten. Einmal drückt dieser Gottes Autorität aus, daß nämlich Gott
auf Grund seiner Macht, Weisheit und Güte der Herr des Universums ist.
Was wären seine Gesetze und Verheißungen wert, wäre er nicht dieser
Gott![13] Zum andern beruht die Würde der Kirche darauf, daß sie einen so
gütigen Vater und freundlichen Beschützer und Verteidiger hat[14]. Die ganze
Religion geht zugrunde, wenn dieser Artikel hinfällt[15]. Martyrs Frömmigkeit ist ganz und gar auf Gott gerichtet, auf den Geber guter Gaben und das
allein verehrenswürdige Gut. Dieser erste Rang bleibt, schon vom Gottes-
gedanken her, der Christologie vorenthalten. Das wirkt sich, wie wir später sehen werden, erheblich auf die Christologie und die Soteriologie
aus[16].

[12] De fuga, Loci 1587, 1075, 11 ff.: »Quis enim non videt longe turpissimum esse, si
summum finem utilitate nostra metiamur ... denique ut mundum hunc tot peri-
culis nos involventem sperneret. ... timoris huius finis is potissimum esse debet, ut
ipsum Dei voluntati subijciamus, quo illum affectibus animi nostri omnibus
amemus.«
[13] In Genesim, 1 b, 24 ff.; 55 ff.
[14] In Genesim, 1 b, 32 ff.
[15] In Genesim, 2, 2 ff.: »Utilitas quam inde nos decerpimus docet quanta sit illius
bonitas. Tanti est momenti ut fide hanc mundi fabricam complectamur, ut hinc
fidei Symbolum habeat sua exordia; hoc siquidem ablato nec primum extabit peccatum, promissiones de Christo corruent, omnis religionis vis pessundatur, cumque
omnes fidei articuli quaedam sint nostrae pietatis theses sive principia, inter omnia
hic ordine censetur primus.«
[16] Vgl. z. B. S. 117 ff.; 131 ff.; 244 ff.

2. Gottes unbeschränktes Einwirken auf die Welt des Menschen

a) Gott als Grund des unbegrenzt Möglichen

»Omnipotentia Dei« bedeutet zuerst, daß Gott »allein durch sein Vermögen (sua unius virtute) hervorbringen konnte (potuisse!), was von Himmel und Erde umschlossen wird«[17]. Der Satz fordert durch seine bedachtsame Formulierung eine vorsichtige Deutung. Ganz sicher wird Gott hier nicht anthropomorph als ein aller erdenklichen Kräfte mächtiges und unaufhörlich tätiges Wesen vorgestellt, das nach seinem Willen und nach seinem unermeßlichen Reichtum der Erfindung unsere Welt gemacht hat und sie jeden Tag mit seinen kräftigen Händen zerbröckeln kann. Als Gegensatz zum Bekenntnis zur omnipotentia Gottes, des Schöpfers, gilt die These der Philosophen, die Welt bestehe von Ewigkeit her aus sich selbst[18]. Die beiden Anschauungen, der theologischen wie der philosophischen, gemeinsam vorausliegende Frage sucht den Grund, der die Entstehung und den Bestand der Welt ermöglichte. Es geht um das hinter den Erscheinungen zu erfragende Gesetz, durch das sie bedingt sind. Der christliche Glaube weiß, der Grund und die Ursache dafür, daß die Entstehung des Universums möglich wurde, ist allein in Gott zu suchen[19]. Gott ist die extrapolierte Chiffre, die alles Werden in Natur und Geschichte schon verschlüsselt enthält, das Ur-Sein. Omnipotentia Gottes heißt dann, daß Gott unbegrenzte Möglichkeiten des Geschehens garantiert[20]. Darum ist es abgeschmackt,

---

[17] Loci 1587, 422, 3, 1 f.
[18] Loci 1587, 422, 4, 15 ff. Theses, Loci 1587, 1000, Disputatio, Th. I: »Cum de creatione rerum loquimur, *non Aristotelico more res ex rebus producimus, sed affirmamus omnes, tam corporales quam incorporales naturas ex nihilo conditas esse per verbum Dei.*« Vgl. *Aristoteles,* Physica, I, 4 (187a, 28), wo Aristoteles mit Berufung auf Anaxagoras sagt, alle Physiker hätten gelehrt, nichts könne aus dem, was nicht ist, entstehen. Vgl. außerdem Eduard *Zeller,* Die Philosophie der Griechen in ihrer geschichtlichen Entwicklung, zweiter Teil, zweite Abteilung, Aristoteles und die alten Peripatetiker, Photomechanischer Nachdruck der 4. Auflage, Leipzig 1921, Darmstadt, 1963, 432 ff.
[19] Theses, Loci 1587, 1000, Necessaria, Th. III: »Praestantia sacrarum literarum et in hoc attenditur, quod resolvit ad *summam causam* divinae voluntatis, quae in eis revelatur.« Diese Thesen zu Gen. 1 beziehen sich besonders auf die Erkenntnis Gottes, des Schöpfers. Th. VI: »... Dei notitiam ex creatione hic traditam ...«
[20] Gottes Omnipotenz ist sein posse, sein Vermögen, die Garantie ausreichender Möglichkeiten, die man »in ihm« dargeboten erkennen kann. In Genesim, 67 b, 46 ff.: »Non est autem parum credere Deum esse Deum sibi potissimum, qui scilicet possit et satis sit; qui enim hoc statuit, non aliunde sibi quaerit auxilium, aut alibi quietem vel satisfactionem, cum illa sibi in Deo solummodo offerri intelligat et non alibi ... hoc forte est quod nobis proponitur in Symbolo primo credendum, scilicet Credo in Deum patrem omnipotentem. - Vgl. Loci 1587, 430, 25, 14.

die Werke des allermöglichenden (omnipotentis) Gottes nach dem Maß
der natürlichen Werke zu messen[21]. Martyr will keineswegs sagen, Gott
wirke alles, was geschieht, unmittelbar so, wie es geschieht. Ebensowenig
will er behaupten, man solle von Gottes Wirken alle erdenklichen Vorkommnisse erwarten. Beides würde mit dem Begriff omnipotentia im
Sinne von Allwirksamkeit und Allmacht im populären Verständnis zum
Ausdruck gebracht werden.

Gott als Grund der Ermöglichung des Geschehens vorzustellen ist jeder
mehr dynamischen Anschauung darin überlegen, daß Gott in seiner po-
tentiellen Macht sich nicht bei ihren Auswirkungen behaften läßt[22]. Man
kann nur sagen, Gott habe gekonnt, was geschehen ist. Da Gottes Können
darin besteht, daß bei ihm *möglich* ist, was geschieht, muß man sogleich
hinzufügen, er hätte auch anders gekonnt. Er hätte die Welt auch anders
gründen können, aber ihm hat die Weise, die er gewählt hat, gefallen[23]. So
ist trotz der Ohnmacht Christi am Kreuz kein Zweifel an der unendlichen
Fülle der Möglichkeiten Gottes erlaubt. Gewiß hätte Gott einen anderen
Weg unserer Versöhnung mit ihm wählen können. Jedoch konnte der göttlichen Gerechtigkeit auf andere Weise keine Genugtuung widerfahren[24].
Der Widerspruch des Satzes löst sich, wenn man die früheren Ausführungen über Gottes potentia beachtet. Wenn Gott einen anderen Weg gewählt
hätte, hätte auch der den Grund seiner Ermöglichung in Gott gehabt. Die
Gültigkeit dieses Grundsatzes kann durch kein tatsächliches Vorkommnis
beeinträchtigt werden. Aber nicht alle in Gott gründenden Möglichkeiten
können verwirklicht werden. Gott ist zwar durch nichts außer ihm bedingt
und begrenzt. Das schließt aber seine Bindung an sich selbst, z. B. an seine
Gerechtigkeit, nicht aus. Ebensowenig kann man von Gott erwarten, daß
er bewirkt, was dem Wesen der Dinge, also »Naturgesetzen«, widerspricht.

---

[21] Loci 1587, 422, 4, 18.
[22] Auch Martyrs Verständnis der potentia Dei entspricht der Grundanschauung nach
der Lehre des Thomas. Sie wird aber bei Martyr nur in Fragmenten erkennbar. Vgl.
A. D. *Sertillanges*, Der Heilige Thomas von Aquin, Hellerau, o. J., S. 352: »Allmacht
ist bezogen auf das Mögliche. Gott ist allmächtig heißt unmittelbar: Gott kann alles,
was möglich ist.« Vgl. S. *Thomae Aquinatis*, Quaestiones Disputatae, Tomus II.,
Nova editio emendata et augmentée d'une préface par le R. P. Mandonnet, Ord.
Praed., Parisiis, 1925, S. 21, De Potentia, Quaestio I, Art. VII: »Constat ergo quod
Deus ideo dicitur omnipotens, quia potest omnia quae sunt possibilia secundum se.«
[23] Theses, Loci 1587, 1000, Probabilia, Th. IV: »Cum variis modis potuisset Deus mundum condere, hunc dumtaxat approbavit, idcirco additur frequenter, et vidit Deus
quod esset bonum.«
[24] Loci 1587, 426, 17, 59: »Hoc enim constat illum nostrae secum reconciliationis aliam
quancumque adhibuisset viam inire potuisse. Cur igitur tot opprobriis atque miseriis
illum subiecit? Hic possem respondere, divinae iustitiae non alia ratione satisfieri
potuisse: Quod responsum ut verum, ita vulgo receptum est.«

Das Problem erlangt erhebliches Gewicht bei der Abweisung der leiblichen Ubiquität Christi zugunsten seiner leiblichen Himmelfahrt[25].

Die Erhabenheit des christlichen Glaubens hängt nach Martyrs Meinung von der omnipotentia Gottes als seinem einzigartig sicheren Fundament ab. Gott muß es auf vielerlei Weise zuwege bringen können, die Christen vor Übel zu bewahren und sie mit Gütern zu überschütten, wenn der Blick auf Gott in der Not trösten soll[26]. Der in der Not geängstete Christ erfleht Gottes Hilfe, weil er glaubt, daß Gott ihm helfen *kann*. Weil er Gott als den kennt, durch dessen Macht Himmel und Erde geschaffen wurden, glaubt er auch, daß er der gegenwärtigen Gefahr entrissen werden kann. Die passiven verbalen Wendungen sind bezeichnend: auf Grund von Gottes Macht *wurde* die Welt geschaffen und *wird* man von Gefahr frei. Der Christ erwartet eigentlich nicht Gottes rettende Tat, sondern vertraut auf das Vermögen, das Gott repräsentiert[27]. Gottes Vermögen wird gelegentlich als seine Kunst verstanden, den Seinen selbst die widrigsten Umstände zum Guten zu wenden. Immer wieder schärft Martyr den Christen ein, vor allem auf diese Kunst Gottes, sein Können, sein Vermögen, zu sehen[28]. Diese Art, mit den Seinen umzugehen, hat Gott an Christus bewiesen, indem er ihn aus der tiefsten Niedrigkeit erhöhte[29]. Gottes Macht besteht vor allem in der Fähigkeit, dem Geschehen seine Richtung zu geben, es zu steuern, zu bestimmen, ob etwas auf diese oder jene Weise seine Verfassung erhält[30]. Auch die das Vertrauen hemmenden Bedenken gegenüber den in den heiligen Schriften enthaltenen Verheißungen werden entkräftet durch den Glauben an Gottes jedem Hindernis überlegenes Vermögen[31]. Das Vorbild solchen Glaubens ist Abraham, nach Römer 4, 20. Damit die in Gott gründende Möglichkeit, daß mir alles Gute zukommt und kein Übel mir etwas anhaben kann, in meinem Leben Wirklichkeit wird, ist der Glaube nötig, der Glaube, auf Grund dessen ich nicht auf die nächstliegende Wirklichkeit sehe, sondern mich in meinem Urteilen und

[25] Vgl. Schmidt, S. 95.

[26] Loci 1587, 422, 3, 2 ff.

[27] Preces sacrae, zu Psalm 121, Loci 1582, Bd. III, S. 391 f.

[28] In Genesim, 155 b, 29 f.: »Vult Deus ut in his potissimum spectemus *artem* suam, *posse* eum malis rebus bene uti.« Vgl. In Genesim, 116, 4.

[29] Vgl. zu Anm. 28 die andere Formulierung desselben Gedankens und dessen Begründung: In Genesim, 158, 54 ff.

[30] In Genesim, 115 b, 36 ff.: »at in divina providentia comprehenditur non modo notitia divinae mentis, sed eius voluntas et electio, qua res magis hoc modo quam illo constituuntur et decernuntur futurae; ad haec ibi quoque est vis et *facultas* ea dirigendi et gubernandi, quibus providere dicitur.« Vgl. Preces sacrae, zu Psalm 121, Loci 1582, Bd. III, S. 392.

[31] Loci 1587, 422, 3, 5 ff.; In Genesim, 67 b, 43 ff.

Empfinden von Gottes unbegrenzten Möglichkeiten leiten lasse. Hier betont Martyr, es komme darauf an, daß *mir* Gottes potentia unendlich und vollkommen sei, und er erinnert daran, daß Wunder nur geschehen und Gebete nur erhört werden, wenn Gottes omnipotentia Glauben entgegengebracht wird[32].

Ganz ähnlich argumentiert Martyr bei der Auslegung von Römer 8, 28. Sie mag zur Verdeutlichung erwähnt werden[33]. Paulus sage nicht, Gott werde dafür sorgen, daß wir nicht von Unglück gequält werden. Vielmehr bewirke Gott durch seine Prädestination, daß, was an sich ein Übel ist, den Erwählten zum Heil gereicht. Oder wieder ein wenig anders und mehr die subjektive Seite hervorkehrend[34]: Christi Joch ist leicht, aber nicht, weil es nicht hart und schwer ist, was die Christen tun und leiden, sondern weil ihnen aus Liebe zu Gott auch das Allerschwerste angenehm wird. Ähnlich erging es Jakob. Er diente 14 Jahre für Rahel, und die lange Zeit erschien ihm aus Liebe recht kurz.

Gottes omnipotentia bedeutet also nicht, daß Gott die Welt der Dinge willkürlich verändert oder dies auch nur könnte. Was sich wunderhaft wandelt, ist die Einstellung des Menschen zu seiner Umwelt, die für ihn Glück oder Unheil birgt. Allerdings bleibt die gegenständlich erfahrbare Welt in ihrem Wesen nicht unverändert, wenn der Mensch zum Glauben kommt oder von der Liebe erfüllt wird[35]. Sie wird entwirrt und auf die summa causa hin durchsichtig[36]. Als Produkt von Ursache und Zweck, von Gott ermöglicht und weise verordnet[37], sind die Dinge wesentlich anders, als sie sich außerhalb dieser Ordnung darstellen, so wie Gift bei sachkundiger Anwendung ein Heilmittel und also vom Gift völlig verschieden ist[38]. Die Wandlung des Menschen zum Glaubenden und Erwählten, der dann auch Gottes wunderbares Sorgen außerhalb seiner selbst wahrnehmen kann, ist ihrerseits wieder die Verwirklichung einer in Gott gründenden Möglichkeit; insofern kann sie keineswegs auf die Spontaneität des Menschen zurückgeführt werden.

Des Allmächtigen Hilfe für den einzelnen Menschen besteht konkret immer darin, daß er ihm eine Möglichkeit, etwas zu tun, bereitet. So zeigt

---

[32] Loci 1587, 422, 3, 9 ff.; vgl. In Genesim, 67 b, 45 ff.
[33] In Epistolam S. Pauli Apostoli ad Romanos D. Petri *Martyris Vermiglii* ... Commentarii, Heidelbergae, MDCXII (1612) (4. Auflage), S. 302.
[34] Ad Romanos 1612, vgl. Anm. 33, S. 303.
[35] Ad Romanos 1612, vgl. Anm. 33, S. 302: »... sed naturam illarum (rerum adversarium) docet quodammodo invertit, ...«
[36] Theses, Loci 1587, 1000, Necessaria, Th. III.
[37] Theses, Loci 1587, 1000, Disputatio, Th. V.
[38] Ad Romanos, 1612, vgl. Anm. 33, S. 302.

er etwa einem Verfolgten einen Weg zur Flucht, daß er weggehen kann[39]. Das Gebet an den Allmächtigen gipfelt in der Bitte, er möge den Bedrängten Anfang und Ziel *ihrer Taten* in der Bahn seiner Worte lenken, daß sie in ihrer Regel blieben[40]. Das gläubige Zutrauen zu Gottes Macht erzeugt beim Glaubenden das Bewußtsein seines eigenen grenzenlosen Könnens, von dem er freilich weiß, daß er dessen nicht willkürlich mächtig ist[41]. Dieses Problem, daß die Tüchtigkeit der Menschen desto höher veranschlagt wird, je mehr die ermöglichende Macht Gottes betont wird, überträgt sich vom Gottesbegriff her auf die Gnadenlehre und die Lehre vom Heiligen Geist[42].

b) Gott als der gute Schöpfer der guten Dinge

Es ist nur eine spezielle Ausprägung der vorher beschriebenen Vorstellung vom Einwirken Gottes auf die Welt, wenn er als Schöpfer und Erhalter der den Menschen zum Gebrauch übergebenen Dinge dargestellt wird. Mit derselben Kraft, mit der er sie aus dem Nichts hervorgebracht hat, bestimmt er sie auch (regit!), daß sie nicht wieder zunichte werden. Daraus kann man schließen: »Wenn alles von Gott geschaffen ist, der (wie es vorher hieß) dir der rechte Vater und so freundlich ist, so gereicht alles, was von ihm gemacht ist, dir zum Nutzen« (in tuum usum cedet)[43]. Oder in Anlehnung an 1. Tim. 4, 4 formuliert: Die von Gott geschaffenen Dinge sind gut, damit die Gläubigen nützlichen Gebrauch davon machen möchten, und keins von ihnen ist als schlecht zu verwerfen. Selbst wenn ein solches einmal eine Sünde bewirkt hätte, wird es doch durch Wort und Gebet heilig gemacht[44]. Martyr will nicht sagen, alles Geschaffene diene uns, so wie wir es finden, zum Heil. Er begnügt sich auch nicht mit dem Gedanken von 1. Tim. 4, 4, daß die Danksagung, mit der wir Gottes Güter genießen, sie

---

[39] De fuga, Loci 1587, 1082, 7 ff. Vgl. Anm. 41.
[40] Preces sacrae, zu Psalm 121, Loci 1582, Bd. III, S. 392.
[41] Die Möglichkeit, die Gelegenheit (ratio), welche Gott dem Menschen eröffnet, ergreift der Mensch als seine facultas. Gott kann, nach Martyrs Verständnis, seine Macht am Menschen nur so erweisen, daß er dessen Fähigkeiten provoziert, so daß dieser seine Möglichkeiten wahrnimmt und seine Wirklichkeit als gegeben, von Gott ermöglicht, hinnimmt. Vgl. De fuga, Loci 1587, 1076, 41 ff.: »Nihil enim absurdi video, si quis persequutionum tempore (dum legitima fugiendi via et *facultas* datur) eo animo fugiat … per fidem certior factus viam ad effugium sibi a Deo monstrari, quod sine eius voluntate effugiendi ratio non patefiat …«
[42] Vgl. S. 257 ff.
[43] Loci 1587, 422, 4, 19 ff.; In Genesim, 116, 18 ff.
[44] Loci 1587, 422, 4, 30 ff.

heiligt. Ihm kommt es darauf an, festzustellen, daß alles, dessen Urheber und Ursprung Gott ist, jedem zum Vorteil gereicht, der es im Sinne des Urhebers, und das heißt, dem zum eigentlichen Wesen der Dinge gehörenden Zweck entsprechend gebraucht. Den irdischen Gütern inhäriert ihr Wert nicht, sondern wird ihnen vom Ansehen und der Würde Gottes, der sie schenkt, her zuteil[45]. Ihre eigentliche, ihnen von Gott mitgeteilte Güte, liegt in der ihre individuelle Unterschiedenheit bewirkenden Bestimmung und damit zugleich in der Ordnung, in der sie zueinander stehen[46]. Die Ordnung der Natur weist auf Gottes kunstvoll planende Schöpfung zurück[47]. Sie spiegelt an den Dingen Gottes Güte. Die Dinge sind gut, sofern sie ihrer Bestimmung entsprechen und die ihnen vorgeschriebenen Grenzen einhalten, wie Gott dem Meer eine Grenze gesetzt hat (Ps. 104, 9)[48]. Von Anfang an hat Gott allem, was er geschaffen hat, eine bestimmte Ordnung gegeben, die gewahrt werden sollte. Obgleich sie nach dem Sündenfall durchbrochen schien, hält Gott an ihr fest, so daß er bei der endzeitlichen Erneuerung der Welt die ursprüngliche Ordnung wiederherstellt[49].

Adam hat durch seine Undankbarkeit sich und seine Nachkommen des Reichtums der Schöpfung beraubt[50]. Christus hingegen hat uns von der Sünde und infolgedessen von allem Übel befreit. Alles Schlechte entsteht nämlich aus der Sünde, wo aber die Wurzel des Übels beseitigt ist, ist alles Üble getilgt[51]. Die Freiheit von der Sünde und die Freiheit vom Übel scheinen so miteinander verbunden zu sein, daß die durch Christus von der Sünde befreiten »Söhne Gottes« die Schöpfung ihrer Bestimmung gemäß als die auf Gott hin transparenten guten Gaben ihres guten Gottes nehmen. Den Frommen soll daher der Umgang mit den Dingen stets Anlaß zu dankbarem Lobpreis der Güte Gottes sein[52]. Wenn an Gott glauben heißt, Gott als das ewige und höchste Gut lieben, aus dem alles Gute hervorgeht[53], wird der zum Glauben befreite Christ in irgendeiner Weise gut finden, was immer ihm als aus Gott hervorgegangen zuteil wird. Selbst

---

[45] In Lamentationes, 8, 25 f.: »Non enim res solum aestimatur a sua bonitate, sed ex nomine et dignitate donantis.«

[46] In Genesim, 115 b, 40 ff.: »Utroque pacto res bene sunt institutae, quod ad seipsas singillatim quaeque illarum dictae sunt bonae, et generaliter quoad ordinem valde bonae; hunc vero ordinem in rebus existere ex ipsius natura ordinis probare licet. Definitur enim ab Augustino, quod est parium dispariumque rerum sua cuique tribuens dispositio . . .« Vgl. 115 b, 46 ff.

[47] In Genesim, 116, 2 f.: »Ordo rerum declarat, quae condita sunt non temere aut casu facta esse; ergo Deus est agens ex proposito, eiusque providentiae ut generali et supremae cuidam arti omnia sunt subiecta . . .«

[48] In Genesim, 115 b, 46 ff.   [49] In Genesim, 38 b, 38 ff.
[50] Loci 1587, 422, 4, 23 ff.   [51] Loci 1587, 423, 7, 29 ff.
[52] Loci 1587, 422, 4, 28 ff.   [53] Loci 1587, 421, 1, 19 ff.

giftige Pflanzen und unfruchtbare Bäume taugen zu irgendeinem menschlichen Nutzen, *wenn jemand sie zu gebrauchen versteht.* Diese besonderen vorteilhaften Eigenschaften der Dinge waren Gott, dem kundigen Baumeister, bekannt. Man muß es ihm daher *glauben,* daß alles, was er gemacht hat, gut ist[54]. In diesem Zusammenhang legt Martyr Wert darauf, daß Gott alles durch sein Wort geschaffen hat. Gottes Wort ist Ausdruck und Manifestation des in seinem Geist verborgenen Ratschlusses[55]. Die Dinge entstehen also nicht zufällig oder aus irgendeiner Notwendigkeit[56], sondern nach Gottes Willen und Plan[57]. Ihnen hätte auch eine andere Beschaffenheit verordnet werden können[58]. Jedes Ding muß als das Ergebnis einer umfassenden, doch minuziösen Sinngebung angesehen werden. »Das ist die Kraft unseres Glaubens, daß alles auf Grund des Wortes Gottes besteht«[59]. Der Glaubende hat die Gewißheit, nicht dem Spiel der blinden Natur ausgeliefert zu sein, sondern überall der nach Gottes Befehl dem Menschen zugute eingerichteten Schöpfung zu begegnen. Der Geist Gottes »brütet« nach Gen. 1, 2 über der Schöpfung, weil die geschaffenen Dinge durch seine Güte und Kunstfertigkeit haltbar gemacht werden müssen[60]. Die Dinge der Natur werden durch den beständigen Einfluß der Güte Gottes in der ihnen anerschaffenen Verfassung bewahrt[61].

Wie nun die Nachkommen Adams ihr kostbares Erbe, daß ihnen alles zu ihrer Verfügung dargeboten war, verloren haben, so ist nur denen, die Gott zum Vater haben, die Schöpfung gut; das sind die, denen Christus ihre Erbschaft wiederhergestellt hat[62]. Aber auch nur ihnen, so kann man systematisierend folgern, ist sie wirklich Schöpfung, weil nur sie Gott als deren Ursprung verehren. Röm. 8, 28 wird zur Erklärung angeführt, daß nämlich »denen, die Gott lieben, alle Dinge zum besten dienen«. Vielleicht darf man die im vorhergehenden Abschnitt mitgeteilte deutlichere Auslegung dieser Stelle in der Römerbriefvorlesung wieder hinzuziehen und die vorgetragene Interpretation durch den Zusammenhang, in dem der Vers hier zitiert wird, bestätigt finden.

So kann auch schließlich verstanden werden, daß die geschaffenen Dinge ein Zeugnis der vollkommenen und einzigartigen Güte Gottes darstellen.

---

[54] In Genesim, 5, 15 ff.   [55] In Genesim, 3, 35 ff.
[56] In Genesim, 3 b, 29 f.   [57] In Genesim, 3, 40.
[58] In Genesim, 3 b, 30.   [59] In Genesim, 3 b, 32.
[60] In Genesim, 3, 30 f.: »... instar avis cum sui ovis incubat, ita bonitate ac arte divini spiritus necesse est ut res creatae confirmentur.«
[61] In Genesim, 2 b, 23 ff.: »... hanc puto esse sententiam, ut res naturae quantocumque arte, ratione, aequilibrio et iustitia contrariorum sint constitutae, adhuc non servarentur aut durarent, nisi assidue divinae bonitatis influxus illas tueretur.«
[62] Loci 1587, 422, 4, 26.

Sie vermögen Zeugnis zu sein, wenn sie als von Gott, der *mir* Vater ist, geschaffen gelten[63]. Der Nutzen, den wir der Schöpfung abgewinnen, lehrt, wie groß Gottes Güte ist[64]. Daß Gott der gute Schöpfer der Natur und in der Geschichte der gütige Vater und Beschützer der Seinen ist, kann man nicht einfach lesen, beobachten, meinen. Man kann es nur im Glauben verstehen. Wir bedürfen jener Zustimmung, die uns durch die Überzeugungskraft des Heiligen Geistes zuteil wird. Wenn wir sie haben, bleiben wir nicht kühl, sondern zu der Erkenntnis tritt eine gewisse Empfindung, ein seelischer Affekt. Von Gott bewegt zu werden, danach müssen wir streben, wenn wir die Bücher der Schöpfungsgeschichte in die Hand nehmen[65]. Ohne Frage *kann* Gott an den Geschöpfen in der Welt erkannt werden. Nur weist sich solche Erkenntnis sogleich dadurch aus, daß Gott um dessentwillen *gelobt* wird, wobei er erkannt wird[66]. Zu der Betrachtung der Kreaturen muß eben immer der Glaube hinzutreten. Der Glaube wird einmal näher bestimmt durch den Satz: »Wenn wir hier nicht den Worten Gottes glauben, erreichen wir nichts«[67]. »Wort Gottes« versteht Martyr in diesem Zusammenhang als die Kundgabe von Gottes Ratschluß und Willen[68]. Der Glaubende muß also des von Gott intendierten Sinnes der Schöpfung innewerden, im Einverständnis mit Gottes Absicht, die ihm selbst verordnete Bestimmung wahrnehmen, um so an der geschaffenen Welt Gottes wohlbedachte Gestaltung im einzelnen zu erkennen und Gottes Güte um der zweckvoll guten Schöpfung willen zu preisen. Die Güte der Schöpfung besteht vorzüglich in ihrer Brauchbarkeit für den Menschen. Mithin unterliegt der Mensch derselben Zweckbestimmung wie die geschaffenen Dinge, nämlich daß er sie zur Ehre Gottes nutzt.

c) Gottes Plan

Den Gedanken, daß Gott das Geschehen in der Welt nach seinem Plan lenkt, spricht Martyr in der Gotteslehre seines Katechismus nicht direkt aus. Man findet bei ihm auch sonst keine heilsgeschichtliche Konzeption,

---

[63] Loci 1587, 422, 4, 22 ff.
[64] In Genesim, 2, 2 f.
[65] In Genesim, 1 b, 39 ff.
[66] In Genesim, 55, 52 f.: »... nam Paulus inquit illum innotescere a creaturis mundi hominibus, per quae ergo innotuerat per illa eadem laudatur.«
[67] In Genesim, 1 b, 53 ff.; 54 f.: »Contemplationi igitur creaturarum addatur semper vis fidei, si nolumus operam ludere et damno exerceri.«
[68] In Genesim, 3, 39 f.; 3 b, 29 ff.

die der Weltgeschichte ein Schema ihres Ablaufs nach Gottes Willen vor-
schriebe. Ebensowenig kennt er eine abstrakte Ordnung göttlicher Heils-
dekrete, durch die alle Etappen der Heilsgeschichte auf einen einlinigen
Sinn ausgerichtet würden. Ihm liegt zu viel an der Kontingenz allen Geschehens und der unfaßbaren Geistigkeit Gottes, um solchen Theorien un-
tertan zu sein. Trotzdem teilt er die wichtigsten Voraussetzungen der orthodoxen Dekretenlehre, wie die Meinung, daß Gott unwandelbar ist.
Gottes Wissen und Wollen können sich also nicht ändern. Er muß folglich immer schon gewußt und gewollt haben, was er einmal geschehen
läßt. So gewiß für Martyr feststeht, daß Gottes Ratschluß allen Ereignissen
einen Sinn beilegt, so sehr hütet er sich, Gottes Vorsatz im ganzen nach-
zuzeichnen. Diese Zurückhaltung hindert ihn nicht, die biblische Geschichte und andere Ereignisse oftmals auf Gottes Absicht hin zu befragen
und durchschaubar zu machen.

Der Hinweis auf die antitypische Entsprechung von Sündenfall und
Restitution durch Christus und ihre Auswertung zugunsten der engen
Bindung des Schöpfungsglaubens an die Gewißheit der Erlösung, auf die
ich im vorigen Abschnitt hingewiesen habe, setzen die Vorstellung von
Gottes planvollem Weltregiment voraus[69]. Die Tätigkeit, wodurch Gott
die Schöpfung davor bewahrt, sich definitiv dem göttlichen Ursprung zu
entfremden, wird darum als »regere« bezeichnet[70]. Ich verdeutliche: Gott
hat die rechten Vorkehrungen eingeplant, die bewirken, daß der Mensch,
wie die Dinge, ihre ursprüngliche und ihnen zum Ziel gesetzte Prägung
nicht endgültig verlieren.

Man findet bestätigt, was man erwarten konnte, wenn von Gottes re-
gierendem Bestimmen deutlicher die Rede ist bei der Geschichte Christi
und bei dem erneuernden Wirken des Heiligen Geistes im Leben jedes
Christen. Eine ausführliche Theorie wird auch in diesem Zusammenhang
nicht entwickelt. Schon die bis auf unscheinbare Schwingungen der Ereignisse vollzogene Deutung des Schicksals Christi fordert als Horizont
der Orientierung die prästabilierte Regie Gottes. Die Formel von 1. Kor.
15, 4, daß Christus am dritten Tag »secundum Scripturas« auferweckt
wurde, deutet Martyr als »ex patris decreto«[71]. Bei der Überlieferung von

---

[69] Loci 1587, 422, 4, 23 ff.; vgl. auch Loci 1587, 421, 2, 36 ff.
[70] Loci 1587, 422, 4, 20; vgl. In Genesim, 116, 36 f. Oft gebrauchte Synonyme, welche
dieselbe Vorstellung von Gottes planendem Einwirken auf die Welt ausdrücken,
sind: *dirigere*, In Genesim, 115 b, 37; 49; 116, 14; 56; 116 b, 14; Preces sacrae, zu
Psalm 121, Loci 1582, Bd. III, S. 392; *gubernare*, In Genesim, 115 b, 37; *ordinare*, In
Genesim, 115 b, 39; 42; 116, 2; 116 b, 41; *disponere*, In Genesim, 115 b, 44; *terminare*,
In Genesim, 115 b, 46; 116, 56 und die entsprechenden Substantive.
[71] Loci 1587, 428, 21, 53.

der Auferstehung am dritten Tag gibt ihm die Bibel das Recht, auf Gottes Bestimmung zu rekurrieren. Er nutzt die Gelegenheit zu einer üppigen Formulierung: ».... depositum fuit in sepulchro, in quo ad tertium usque diem permansit, quod fuerat tempus ab aeterno Patre foelicissimae Christi resurrectioni constitutum.«[72]

Jesu Geburt wird geradezu als eine ausgeklügelte Erfindung Gottes hingestellt. Adams Nachkommen waren ausnahmslos Gottes Fluch verfallen. Christus (nach dem Fleisch) sollte von diesem Verderben ausgenommen werden, so daß er seine Natur immer behalten könnte. Da beschloß die göttliche Weisheit mit bewundernswerter Bedachtsamkeit, der Mensch, der in die Einheit der Person mit der Gottheit aufgenommen werden sollte, müsse einen göttlichen und menschlichen Ursprung haben. Aus diesem Grunde stieg der Heilige Geist zu Maria herab und schuf mit seiner Kraft, aus dem schon durch seine Gnade gereinigten Blut Marias einen einzigartigen, vollkommenen Menschen[73].

Wie Art und Abfolge des Heilsweges Christi ihre in Gott gründende genaue Ordnung haben, so ist auch die Zahl der Glaubenden und das Maß ihres Glaubens von Gott bestimmt[74]. In der Lehre vom Heiligen Geist und der Lehre von der Kirche herrscht der Gedanke, daß die Begabung mit dem Geist und der die Mitgliedschaft in der Kirche begründende wahre Glaube der sinnvollen Zufälligkeit des göttlichen Geheimnisses entspringt[75]. Dieses Geheimnis ist nur denen eröffnet, die wissen, daß ihr Bekenntnis zu Christus als dem Haupt der Kirche, vom Geist Gottes hervorgebracht ist[76]. Hier zeigt sich dieselbe Vorstellung von der Art des Wirkens Gottes, die wir schon vorher herausstellen konnten und die bei der Lehre vom Heiligen Geist noch eingehender zu behandeln sein wird. Es ist jetzt nur wichtig, darauf hinzuweisen, daß Martyr nicht an eine massive, den Glauben überspielende Wirksamkeit Gottes denkt und auch nicht einen abstrakten Plan Gottes konstruiert, der abgesehen vom Glauben eingesehen werden könnte oder auch nur Gültigkeit hätte. Aber, wo christ-

---

[72] Loci 1587, 427, 19, 58.
[73] Loci 1587, 424, 10, 51 ff.; 52 ff.: »Ergo ad Christum (secundum carnem) ex communi totius humani generis labe eximendum, sic ut suam semper retineret naturam, divina sapientia admirabili consilio decrevit hominem qui esset in unitate personae assumendus, initium habere debere et divinum et humanum.«
[74] Loci 1587, 442, 51, 46 ff.
[75] Loci 1587, 435, 35, 12 ff.: »Ecclesia ... nihil aliud significat, quam multitudinem convocatam; quoniam composita est ex iis, qui per spiritum sanctum ad Christianam fidem vocantur, a qua excluduntur, qui humano quodam motu aut persuasione, corde duplici, aut alia quacumque occasione, nullo divini spiritus instinctu ei se adiungunt.« Vgl. Loci 1587, 433, 32, 32 ff.
[76] Loci 1587, 433, 36, 34.

liches Leben zustande kommt, gehört dazu die Gewißheit, daß Gott ihm durch sein Bestimmen schon voraus ist.

Diese Anschauung gilt so allgemein, daß sie auf jede durch eine Entscheidung markierte Veränderung im Leben der Christen übertragen werden kann. In dem Traktat über die ethische Beurteilung der Flucht bei der Verfolgung um des Glaubens willen rechtfertigt Martyr die Flucht unter anderem mit dem Argument: wer nicht aus eigennützigen Motiven, sondern, um Gott zu leben, flieht, ist im Glauben vergewissert, daß Gott ihm den Weg zur Flucht zeigt, weil ohne seinen Willen ihm keine Möglichkeit (ratio) zur Flucht offenstünde. Er fährt fort, der Christ müsse bereit sein, den Feinden des Evangeliums zu widerstehen, wenn *seine Stunde* gekommen sei. Sie ist nach dem Zusammenhang an der Unausweichlichkeit der äußeren Umstände und dem inneren Treiben des Heiligen Geistes zu erkennen. Man darf sich aber der Gefahr nicht unnötig aussetzen, sondern muß wie Jesus auf die *Stunde* des Leidens warten. Überdies ist nicht jedem in gleicher Weise bestimmt, das Äußerste für seinen Glauben zu erdulden. »Jeder von uns muß dem Anhauch des Heiligen Geistes folgen, der jeden innerlich zum Heil antreibt auf dem Wege, der am meisten seinen Kräften und den von ihm zugeteilten Gaben entspricht, nicht nach unserem Willen, sondern nach seinem vorbedachten und allweisen Urteil.« Alle müssen jedoch bereit sein, auch das letzte zu tragen, »sooft einer durch die handgreifliche Willensbekundung Gottes und den Antrieb des Geistes dazu gedrängt wird«[77].

Gelegentlich faßt Martyr alle diese Gedanken in der herkömmlichen Lehre von der Providenz Gottes zusammen. Wenn er in der Genesisvorlesung, vom Text veranlaßt, eine Skizze der Prädestinationslehre entwirft[78], führt er die Prädestination auf das Vorherwissen Gottes zurück. Damit lehnt er den konsequenten Determinismus ab. Er stellt sich Gottes Bestimmung des Weltablaufs subtiler vor, als Vorhersorgen, Vorherwissen, Vorherordnen[79]. Ebenso leitet er das biblische Verständnis von Providenz von einem hebräischen Wort mit der Grundbedeutung »sehen« ab[80]. Bezeichnend für seine Art, die Wirksamkeit Gottes aufzufassen, ist auch in diesem

---

[77] De fuga, Loci 1587, 1077, 14 ff.; 20. Vgl. schon 1076, 41 ff.; 1078, 56 ff.
[78] In Genesim, 99, 54 ff. Vgl. S. 189 und dort Anm. 2.
[79] In Genesim, 115 b, 36 ff.: »at in divina providentia comprehenditur non modo notitia divinae mentis, sed eius voluntas et electio, qua res magis hoc modo quam illo constituuntur et decernuntur futurae; ad haec ibi quoque est vis et facultas ea dirigendi et gubernandi, quibus providere dicitur, nam in rebus non modo invenitur substantia ipsa et natura earum, sed ordo etiam quo sibi invicem connectuntur et una in aliam tendit, ut eam adiuvet sive ut ab illa perficiatur . . .«
[80] In Genesim, 115 b, 31 f.

Zusammenhang sein Grundgedanke, daß der Glaubende weiß, alles, was sich zugetragen habe, sei nicht zufällig geschehen[81]. Der Blick wird vom Ereignis auf dessen transzendenten Grund gerichtet, der freilich nicht aus der Erfahrung des Vorgefallenen abgeleitet werden kann. Gott pflegt sogar seine Absicht zu verbergen, so daß er etwa seine Erwählten in Schmach und Niedrigkeit führt und Verworfene zu Werkzeugen seiner Pläne ausersieht[82]. Gott kann nicht bei den wahrnehmbaren Fakten behaftet werden, dennoch ist nicht Zufall, was immer geschieht. Gottes Providenz besteht darin, daß er alle Dinge auf ihr Ziel ausrichtet[83]. Seine Providenz umfaßt Wissen, Willen und Fähigkeit, etwas zu bewirken[84]. Wenn man ein Ereignis auf seine Bestimmung hin ansieht oder erkennt, daß in ihm die ihm eigentümliche Bestimmung zum Ziel kommt, ist der Grund seines Zustandekommens notwendig Gott zuzuschreiben. Andererseits ist vieles im Hinblick auf die nächsten Umstände, unter denen es eintritt, zufällig[85]. Dem dumpfen und schwachen Denken der Menschen erscheint vieles als zufällig, aber wir glauben, daß von Gott alles gelenkt wird und nach seinem Plan geschieht[86]. Die meisten konkreten Vorkommnisse des menschlichen Lebens treten nur »ex hypothesi« notwendig ein[87]. Unter der Voraussetzung, daß sie sich ereignen, hat Gott sie gewollt und verursacht, aber es hätte ebensogut anders kommen können. Außer dem allgemeinen Glauben, daß Gott alles ordnet und dirigiert, bedarf es der besonderen Offenbarung oder Erleuchtung, wenn Gottes Plan im einzelnen erkannt werden soll. Man muß die von Gott bestimmte Ordnung kennen, in der das einzelne Vorkommnis seinen Stellenwert hat, und das von Gott gesteckte Ziel, um zu erkennen, inwiefern und in welchem Sinn von Gottes Ratschluß herrührt, was einem gerade widerfährt.

---

[81] In Genesim, 158 b, 8 f.: »Hoc enim praesertim dicitur, ut de divina providentia admonearis, ne, quae tradentur postea accidisse, casu sive fortuito arbitreris facta.«

[82] In Genesim, 158, 54 ff.; 158 b, 5 ff.

[83] In Genesim, 115 b, 48 f.: Definition der providentia: »Esse rationem, qua Deus utitur in rebus dirigendis ad suos fines.« Martyr übernimmt die thomistische Definition: »Ad providentiam enim pertinet ordinare res in finem.« *Thomas*, Summa Theologica, I, Quaestio 22, Art. 4.

[84] In Genesim, 115 b, 49 f.: »In qua definitione non modo notitia sed voluntas et vis id faciendi comprehensa est.«

[85] In Genesim, 116 b, 16 ff. Martyr bedient sich der thomistischen Unterscheidung von causa prima und causa proxima. *Thomas*, Summa Theologica, I, Quaestio 19, Art. 8; vgl. Quaestio 14, Art. 13.

[86] In Genesim, 166 b, 12 ff.

[87] In Genesim, 116 b, 22 ff. Auch die Unterscheidung von necessitas absoluta und necessitas ex hypothesi bzw. ex suppositione ist Thomas entlehnt. *Thomas*, Summa Theologica, I, Quaestio 19, Art. 3.

3. Die Erkenntnis Gottes

a) Die Quelle der wahren Gotteserkenntnis

Die Philosophen mit ihrer eingebildeten Einsicht und die weltlichen Menschen mit ihren Lehrsätzen haben keine rechte Gotteserkenntnis. Sie ist nur aus den Artikeln des Glaubens und aus den heiligen Schriften zu gewinnen[88]. Sätze dieser Art findet man bei Martyr häufig. Der christliche Glaube fußt auf einer Offenbarung, die der Welt fremd ist. Sie ist daher der philosophischen Welt- und Gotteserkenntnis entgegengesetzt. Daraus folgt, daß sie auch in der Kirche der Gefahr der heidnischen Verfälschung durch menschliche Gedanken ausgesetzt ist. Daher ist die ursprüngliche, von Gott selbst autorisierte und ihrem übernatürlichen Charakter adäquate Darlegung der christlichen Wahrheit in der Bibel die bleibende Quelle und der gültige Maßstab aller Lehre. Die christliche Religion ist in der Bibel von allen menschlichen Verfälschungen frei niedergelegt. Aus diesem Grund hat die Heilige Schrift einen einzigartigen Wert und vorzügliche Bedeutung für die Gotteserkenntnis. Sie ist die reine und unabgeleitete Quelle aller Glaubenssätze. Sie ist ein Abbild oder ein Ausdruck der Weisheit Gottes, vom Geist Gottes selbst inspiriert. Ihre Verfasser waren so begnadet, daß sie sogar übermenschliche stilistische Fähigkeiten besaßen[89]. Vor allem enthält sie aber die vollkommene, absolut gewisse und unveränderlich wahre Lehre[90]. Ihr Inhalt bezieht sich entweder auf unser kontemplatives Denken oder auf unser Handeln. Unserem Denken bietet sie die Erkenntnis der Eigenschaften Gottes, seiner natürlichen und übernatürlichen Werke und schließlich hervorragender Taten von Menschen dar. Unser Tun betreffen Gebote, Ermahnungen und Verheißungen[91]. Da es auf die Lehre ankommt, beruft sich Martyr oft auch auf das Symbol, womit er gewöhnlich das Apostolikum meint. Das Glaubensbekenntnis hat den Vorzug, daß es die Artikel unseres Glaubens in einer bestimmten Ordnung zusammenstellt, die den Zusammenhang der einzelnen Sätze und Prävalenzen erkennen läßt[92]. Für den Glauben macht es keinen Unterschied, worauf er sich gründet, entscheidend ist allein, was jemand glaubt und daß er überzeugt ist. Die den Glauben haben, sehen weiter als die Philosophen, sie allein verehren darum Gott eigentlich[93]. Die Artikel

---

[88] Loci 1587, 421, 1, 10 ff.; 422, 3, 5.
[89] In Genesim, 1, 1 ff.   [90] In Genesim, 1, 24 ff.   [91] In Genesim, 1, 12 ff.
[92] In Genesim, 2, 3 ff.; Loci 1587, 421, 1, 10 ff.; 422, 3, 5.
[93] Loci 1587, 422, 4, 17; 421, 1, 32.

des Glaubens weisen die zweifelnde menschliche Klugheit in die Schranken[94].

Martyr verwendet das Schriftprinzip als materiales und kritisches Prinzip. Bei ihm hat es wenig theologische Relevanz, daß die Schrift Wort, Verkündigung ist oder daß der Glaube sich auf eine ganz bestimmt artikulierte, in der Schrift fixierte Offenbarung gründet, die Gottes *Wort* ist, und daß er die eigentümliche Form seiner Gewißheit durch die Berufung auf das, was geschrieben steht, erhält. Daß auf diese Weise die Schrift formal und qualitativ von aller anderen *Überlieferung* unterschieden ist, betont Martyr nicht. Er versteht die Schrift selbst als Überlieferung. Oft spricht er von der *überlieferten Lehre*, um mit dieser Formulierung den Inhalt der Schrift zu bezeichnen[94a]. Die Worte weisen über sich selbst hinaus auf ihre Bedeutung. Sie weisen auf einen Kanon autorisierter Wahrheiten hin, deren Ausdruck sie sind[95]. Der Schrift kommt also ihre kritische Funktion zu, weil sie die originale und verbürgte Quelle zur Erkenntnis dieser Wahrheiten ist. Alle Lehren über Gott und geistliche Dinge müssen insofern an der Schrift legitimiert werden, als sie ihr nicht widersprechen dürfen. Was den Wahrheiten der Schrift widerspricht, ist eben dadurch als törichte menschliche Erfindung entlarvt. Wenn Aristoteles die creatio ex nihilo für unmöglich erklärt, ist das eine absurde Meinung, weil die Schrift das Gegenteil behauptet. Wenn aber Plato sagt, daß Gott nur einer ist, die letzte Ursache aller Dinge, so ist das wahr, weil es zu den Aussagen der Schrift paßt[96].

Vor allem bringt Martyr das Schriftprinzip gegen die Verfälschung der christlichen Lehre in der Papstkirche in Anschlag[97]. Dabei stellt er fest, daß menschliche Erfindungen hinsichtlich der Lehre und der Gottesverehrung grundsätzlich der Universalität der Kirche widerstreiten[98]. Die Einheit der weltweiten Kirche ist nur dann gewährleistet, wenn alle den heiligen

---

[94] Loci 1587, 422, 3, 5.

[94a] In Genesim, 1, 17: »nihil hic paene *tradi*, quod nostras actiones non respiciat«; 21: »haec doctrina sit *tradita*«; 34 f.: »ea quidem ita *tradita*«; 41 f.: »Lex est doctrina mandatorum a Deo *tradita* ad homines impellendos ad Christum.«; 1 b, 6: »Lex ibi (in libris Mosis) *traditur*«; 2, 25: »*tradita* sunt verba Dei«; Theses, Loci 1587, 1000, Necessaria, Th. II: »quae *tradita* sunt in sacris literis«; Th. VI: »Dei notitiam ex creatione hic *traditam*.«

[95] Vgl. S. 221 ff.

[96] Vgl. Schmidt, S. 151.

[97] Loci 1587, 436, 38, 7 ff.

[98] Loci 1587, 436, 37, 2: »Deinde quum ex hominum mente prodeant, non possunt omnibus satisfacere; etenim quot homines, tot sententiae. Ut alii in illo fidei articulo, alii in alio dissentiant; quod in Graecis ac caeteris Christianis qui Orientem versus habitant, reipsa contigit. Quos si excuties, comperies quidem communi consensu sanctas Scripturas approbasse, verum in variis illis superstitionibus, quas subinde commenti sunt, magna se prodet dissensio.«

Schriften ihre ungeteilte Zustimmung geben. Diese Gedanken enthalten eine prinzipielle Wertung der Schrift, die der Stellungnahme zu ihrem Inhalt vorausgeht. Jedoch ist die Auffassung, die Einheit der Kirche werde durch die »consensio in doctrina fidei« garantiert, jenen Gedanken übergeordnet[99]. Dieses Postulat ist aus den Lehren vom Heiligen Geist und von der Kirche abgeleitet. Die katholische Lehre, daß die Kirche der Schrift ihre Autorität gebe, widerlegt Martyr nicht mit einer Erörterung über die Schrift als grundsätzlich von aller Überlieferung verschiedene, ausschließliche und suffiziente Quelle der Lehre[100]. Er verharrt vielmehr zunächst in der Richtung der katholischen Fragestellung, daß die Schrift, um Glauben zu erwecken, einer sie autorisierenden Bestätigung bedarf. Seine These ist: »Wir glauben nämlich deshalb den Schriften, weil wir vom Geist Gottes angehaucht sind«, nicht wegen der Autorität der Priester und Bischöfe, »denn wir haben unseren Glauben nicht von Menschen, sondern aus Gott.«[101] Wenn die Väter über die Schriften geurteilt haben, so ist das durch Gottes Geist geschehen. Sofern auch wir mit diesem Geist begabt sind, anerkennen wir die Schriften, die auch sie anerkannt haben[102]. Martyr behält also formal die katholische Beurteilung der Schrift bei, daß die Rezeption der Schrift als gültige Offenbarung dem Urteil der Kirche unterliegt. Er modifiziert aber die Ekklesiologie, indem er solche Urteilsvollmacht nicht den Amtsträgern vorbehält, sondern sie nur denen zubilligt, die Gott mit seinem Geist begabt, und ihnen allen[103]. Da bei dieser Auffassung jeder Christ dem anderen gleichgestellt ist und in derselben Weise auf den Heiligen Geist allein angewiesen ist, entfällt das augustinische Argument als Beweggrund für die Entstehung des persönlichen Glaubens: »Evangelio non crederem, nisi me Ecclesiae Catholicae commoveret autoritas.« Martyr glaubt nicht, daß das Ansehen der Kirche einen fleischlichen Menschen, der sich gegen Gott und alles Geistliche auflehnt, zum Glauben bewegen könne[104]. Unter diesem Vorbehalt steht freilich auch die Schrift. Auch sie lehnt der Mensch ab, wenn er nicht innerlich vom Heiligen Geist

---

[99] Loci 1587, 435, 37, 57.
[100] So argumentierte Luther, um auf diese Weise die uneingeschränkte Gültigkeit des Sünden vergebenden Wortes zu behaupten. WA 7, 317 ff. Vgl. dazu Ernst *Bizer*, Luther und der Papst, in: Theologische Existenz heute, Neue Folge, Nr. 69, München, 1958, S. 10.
[101] In Lamentationes, 120, 13 ff.
[102] In Lamentationes, 120, 15 ff.
[103] So geht auch Melanchthon bei seiner Abhandlung über dasselbe Thema vor. Philipp *Melanchthon*, De Ecclesia et Autoritate Verbi Dei (1539), in: Corpus Reformatorum, Bd. 23, Sp. 597.
[104] In Lamentationes, 120, 17 ff.

verwandelt wird[105]. Martyr stellt eigentlich nicht die Schrift gegen das kirchliche Lehramt, sondern den Geist gegen die hierarchisch verfaßte Kirche. So kann denn auch nach der spiritualisierenden Korrektur am Kirchenbegriff den Vätern ihre Bedeutung und der Kirche ihr Ansehen wieder eingeräumt werden. Die Väter lobt Martyr ob ihrer zur Bewahrung der Schrift aufgewandten Sorgfalt und ihrer Bemühungen um die Predigt, also die Auslegung. Der Kirche möchte er nicht die Autorität absprechen, Verordnungen und Dekrete erlassen zu können. Sie dürfen jedoch den Worten Gottes nicht widersprechen, und ihre Beachtung darf nicht als heilsnotwendig gelten. Die Erlasse der Kirche sollen nicht ebenso verbindlich sein wie die heiligen Schriften, doch sollen wir auch sie nicht verachten[106]. Diese Unterscheidung ist klar, dürfte aber praktisch schwer zu treffen sein. Gültige Kirchengesetze zu verachten ist jedenfalls ein schweres Vergehen[107]. Da nur verlangt ist, daß sie der Schrift nicht widersprechen, sind sie nicht an die Schrift gebunden und können daher leicht zu einer Autorität *neben* der Schrift werden. Martyrs spiritualistische Hermeneutik fördert diese Gefahr. Sie sieht vor, daß man, vom Heiligen Geist beflügelt, über die wörtliche Bedeutung einer Schriftstelle hinausgeht und neuen Sinn erschließt, wie es jeweils Ort und Zeit entspricht[108]. Von den kirchlichen Traditionen außer der Schrift sagt Martyr nichts. Sein Anliegen ist bei all diesen Überlegungen, daß die Schrift in Geltung stehe[109].

Die ursprüngliche Glaubenslehre ist das Maß, an dem sich die Kirche zu orientieren hat und an deren Leitfaden sie wieder zu ihrer ursprünglichen Einheit des Geistes zurückfinden soll. Natürlich ist auch in diesem Sinn die Bibel der Kanon der unverfälschten christlichen Religion[110]. Sie enthält die erste und unverdorbene Lehre Christi[111], die reine und einfache Religion Christi[112]. Aus dieser Quelle wird die rechtmäßige Lehre der Wahrheit geschöpft[113], mit der sich die Kirche begnügen soll, um neuen

---

[105] Loci 1587, 434, 10 ff.; In Lamentationes, 4, 16 ff.
[106] In Lamentationes, 120, 19 ff.
[107] Loci 1587, 438, 43, 33 f.
[108] In Lamentationes, 4, 9 ff. Vgl. S. 260–262.
[109] In Lamentationes, 120, 31 ff.
[110] Loci 1587, 436, 38, 28 ff.: ».. . ut ab ea veritate, quam nobis Dei spiritus in literis Sacris patefecit, ne latum quidem unguem se abduci patiantur; Verum unicum illum cultum legitimum, Deoque acceptum statuant, quem divinis illis Scripturis praescripsit.«
[111] Loci 1587, 436, 38, 14 f.: ». . . primam ac synceram Christi doctrinam amplexi sunt, . . .«
[112] Loci 1587, 436, 38, 7 ff.: »... Ecclesia Romana ... *puro ac simplici Christi cultui* infinitas abominationes e paganismi lacunis depromptas infercire curat ...«
[113] Loci 1587, 436, 38, 11 f.: »... legitima atque ex sacris Scripturae fontibus hausta veritatis doctrina.«

Einfällen eine Grenze zu stecken[114]. Die Inspirationslehre findet im humanistischen Traditionalismus die für Martyrs Auffassung charakteristische Ergänzung. Die Schrift ist die antike, klassische kirchliche Überlieferung. Die »traditionalistische Grundüberzeugung, daß die Alten die Wahrheit schlechthin unüberbietbar genau erkannt und in ihren Schriften niedergelegt haben«[115], überträgt Martyr in radikaler Fassung auf die Überlieferung der christlichen Lehre. Neue Dogmen sind demzufolge als solche unwahr[116].

Daß Martyr gelegentlich sagen kann, die Schöpfung zeuge von der einzigartigen Güte Gottes[117], darf nicht uneingeschränkt als Behauptung der Möglichkeit der Erkenntnis Gottes aus der Natur gewertet werden. Zu solcher Glaubenserkenntnis bedarf es immer der direkten Intervention Gottes durch den Heiligen Geist[118]. Jedoch sei hierzu bemerkt: Wer die Liebe hat und die dankbare Gesinnung gegen Gott, kann sicher die milde Güte Gottes des Vaters in der Natur bezeugt finden, ohne der Schrift zu bedürfen. Martyrs Glaubensverständnis[119] läßt diese Anschauung zu; sie gehört aber nicht zu seinen theologischen Hauptsätzen und gilt nur mit der Einschränkung, daß *in der Regel* der Mensch aus der Schrift der Güte Gottes vergewissert sein muß, um der Glaubensüberzeugung und der Liebe fähig zu sein[120].

---

[114] Loci 1587, 436, 38, 19 ff.: »Etenim si in ea religione ac cultu, quem nobis Sacrae literae praescribunt acquievisset, non tot inde scismata prodiissent, verum *novis suis commentis* nullum hucusque modum imposuit.« Vgl. In Genesim, 106, 51 f.: »Neque in religione aliquid temere est innovandum . . .«

[115] Adolf *Sperl*, Melanchthon zwischen Humanismus und Reformation, München, 1959, S. 44.

[116] Ebenfalls unter dem Einfluß des humanistischen Traditionsverständnisses kommt Melanchthon zu auffallend ähnlichen Sätzen, welche die gemeinsamen humanistischen Voraussetzungen verdeutlichen. Ph. *Melanchthon, De Ecclesia et Autoritate Verbi Dei* (1539), in: Corpus Reformatorum, Bd. 23, Sp. 595: »Rursus etiam quaedam petulantiora ingenia, cum fingunt ex dictis scripturae male detortis *novas opiniones*, prorsus aspernantur *consensum verae Ecclesiae* . . .« Sp. 605: »Valet etiam hoc dictum ad refutanda *nova dogmata*, quae nunquam in Ecclesia extiterunt, . . . Nam dogmata necessaria pietati, *necesse est initio extitisse* in praedicatione Apostolorum.«

[117] Loci 1587, 422, 4, 34.

[118] Vgl. S. 97 f.

[119] Gotteserkenntnis ist nur im Glauben möglich. Dabei wird freilich der Glaube ganz allgemein verstanden. Die Rede vom Glauben braucht in diesem Zusammenhang nicht mehr auszusagen, als daß der Glaube von der philosophisch immanenten Betrachtung der Natur zu unterscheiden ist. Vgl. Theses, Loci 1587, 1000, Necessaria, Th. VI: »Qui Dei notitiam ex creatione hic (Gen. 1) traditam percipiunt, ea fide assequuntur.«

[120] Loci 1587, 439, 2.

b) Die Relevanz der Gotteserkenntnis für eine christliche Anthropologie

Der religiöse Sinn aller dogmatischen Sätze hängt für Martyr an ihrer anthropologischen Bedeutung und an ihren ethischen Konsequenzen. Kaum ein Artikel der Glaubenslehre wird ausgeführt, ohne daß daraus Einsichten über das im gegenwärtigen Weltzustand sich darbietende und das ihm zum Ziele gesetzte Wesen des Menschen abgeleitet werden. Die geheimen Grundfragen lauten: »Wer sind wir?« »Wie sollen wir sein?« Das am meisten eine persönliche Gottesbeziehung spiegelnde Prädikat Gottes, die grandios mythisch anthropomorphe Verbildlichung Gottes als Vater legt Martyr mit der Similitudo-Lehre aus[121]. Wie sollte sich die rationale Kälte seines wissenschaftlichen Gottesbegriffes bezeichnender verraten? Martyr findet das tertium comparationis in dem Besitz an Begabung und Gütern, den Kinder von ihren Eltern her haben. Eltern pflegen ihren Kindern zweierlei zu übertragen, ihre Veranlagung und ihre Lebensart sowie ihren Besitz. Die Christen erwarten von Gott als Erbe das ewige Leben. Ihre Wesensverwandtschaft (similitudo) mit Gott dem Vater besteht in ihrer Weisheit, Gerechtigkeit, Liebe usw. Mit diesen Eigenschaften zeigen sie an, daß sie zur Ebenbildichkeit Gottes angelegt sind (conditos esse), ganz so, wie sie ursprünglich geschaffen waren. Die Christen haben ihr Wesen von ihrem Ursprung und ihrem Ziel her, so wird man deuten dürfen und zugleich zeigen, in welcher Weise die Anthropologie zu der Gotteslehre in Beziehung steht[122]. Es sei die Aufmerksamkeit darauf gelenkt, daß hier von einer anthropologischen Beschreibung der *Wiedergeborenen* gehandelt wird. Sie sind freilich die Menschen, wie Gott sie von Anfang her gemeint hatte. Gott ist Vater der in Christus Wiedergeborenen[123]. Die Erkenntnis Gottes bewirkt nicht nur ein neues Menschenbild, sie ermöglicht überhaupt erst, eigentlich Mensch zu sein, oder weniger hart formuliert: sie ermöglicht ein neues Menschsein, das gegenüber dem Leben des Menschen, wie ihn die natürliche Geburt in die Welt setzt, so sehr eine Verwandlung des Wesens einschließt, wie der »Bastard« vom ehelichen Kind in seiner seelischen und geistigen Veranlagung verschieden ist[124]. Die Abwertung der leiblichen Vitalität zugunsten des inneren Menschen, seiner geistigen und seelischen Kräfte, wird mit dem Gottesbegriff begründet. Da Gott nicht körperlich ist, muß die Entsprechung zwischen Gott und Mensch in seiner geistigen Natur bestehen, die den Leib nur als ein Instrument benutzt. Des Menschen Aufgabe ist es darum, dieser beherr-

[121] Loci 1587, 421, 2, 36 ff.   [122] Vgl. In Genesim, 7, 6 ff.
[123] Loci 1587, 421, 2, 51.   [124] Loci 1587, 421, 2, 47–56.

schenden Funktion des Geistes in seinem Leben Ausdruck zu verleihen[125]. Die Similitudo- bzw. Imago-Lehre ist traditionell der Ort, wo die Anthropologie in Korrelation zur Gotteslehre entwickelt wird. Auch bei Martyr findet man diesen Zusammenhang sonst nicht so deutlich ausgesprochen.

Überwiegend drängt sich der ethische Aspekt der Dogmatik vor dem anthropologischen in den Vordergrund. Beim zweiten und dritten Artikel liegt auch die direkte Wendung von der Ontologie oder dem Referat über die rechtsgültigen Heilstatsachen zur Ethik nahe. Sachlich systematisch setzt dieser Schluß die anthropologische Ausdeutung der theologischen Lehrsätze voraus. Die Bestimmung des usus und commodus der Heilsereignisse zum Beispiel[126] basiert auf der Hypothese, daß das Heilsgeschehen Antwort auf Grundfragen des menschlichen Daseins gibt. Jedenfalls beweist das auffallende Hervorkehren der ethischen Betrachtungsweise wie das Interesse an der Anthropologie das Haften der Religiosität an den immanenten Verhältnissen und den Voraussetzungen und Möglichkeiten ihrer Gestaltung. Darum mündet auch die Darstellung der Christologie auf ihren Höhepunkten regelmäßig in Folgerungen der folgenden Art: Wie Christus auferstanden ist, so gehört es sich auch für uns, unser Sinnen auf die himmlischen Güter zu richten[127].

c) Die ethischen Konsequenzen der Gotteserkenntnis

Man kann ohne Übertreibung behaupten, die Gotteslehre sei für Martyr Ethik[128]. Sein oberster theologischer Satz heißt, es mache die Gottheit Gottes aus, daß er das höchste Gut sei. Dem gibt Martyr neben dem platonischen, daß aus dem ewigen Gute alle Güter hervorgehen, vorwiegend den Sinn, daß die Verehrung Gottes der ethische Wert erster Ordnung und die Zielsphäre des sittlichen Verhaltens ist[129]. Der primäre Sinn des Wissens um Gott liegt darin, daß es die transzendentale Sicherung der Ethik ge-

---

[125] In Genesim, 7, 45 ff.

[126] Vgl. Loci 1587, 422, 5, 46 ff.; 427, 18, 21 ff.

[127] Loci 1587, 430, 26, 60: »Praeterea quemadmodum Christus excitatus a mortuis, ascendit in caelum; sic nos eius gratia iustificati, tota nostra vita, non amplius res terrenas, sed coelestes meditari par est.«

[128] In Genesim, 1, 17 ff.: »... imo id ausim dicere, nihil hic paene tradi, quod nostras actiones non respiciat. Divinarum affectionum debemus fieri imitatores; operibus Dei grato uti animo; gesta quae narrantur, praeclara exemplaria et specimen nostrae vitae esse oportet; praecepta, hortationes, minae ac promissa, ut nostris agendis rebus conferant, non opus est docere; contemplatione reficitur animus, practicis illis formatur vita.«

[129] Loci 1587, 421, 1, 18 ff.: »... patet eum qui quidpiam tanti aut pluris faciat quam Deum ipsum, dicere vere non posse, Credo in Deum. Si enim eum ut summum

währleistet. Dieses Wissen zu aktualisieren wird zur vorzüglichen sittlichen Übung des Menschen, wie es Martyr in seinen Erörterungen über modus und finis des Fliehens bei der Verfolgung dartut[130]. Es gilt, *Gott* zu leben, aber aus diesem erhabensten aller denkbaren Gründe auch zu *leben*, umsichtig[131], tugendhaft, glücklich.

Ist so die Ethik im innersten Kreis der Gottesanschauung angesiedelt, versteht es sich leicht, daß alle anderen Lehrstücke als Variationen desselben Themas behandelt werden. Natürlich ist die Gottebenbildlichkeit Aufgabe, sie muß mit Glauben und innerlicher Neigung angeeignet (amplecti), bewahrt und durch Taten ausgedrückt werden[132]. Aus dem Artikel, daß Gott Vater heißt, entwickelt Martyr in einer kurzen Folge von Ableitungen ein rundes Bild christlichen tugendhaften Lebensstils, dem später nichts von Belang mehr zugefügt wird. Da die Christen in ihrer seelischen und geistigen Konstitution Gott ähnlich sind, enthalten sie sich schändlichen Handelns. In Erwartung des ewigen Lebens, ihres Erbes, macht sie das Glück nicht stolz und das Unglück nicht niedergeschlagen, immer ist ihr Geist auf das jenseitige Höhere gerichtet, und sie ertragen die Mühen des Lebens mit überlegenem Gleichmut[133].

Auch aus dem Satz, daß Gott alle Dinge zu unserem nützlichen Gebrauch geschaffen hat, folgt die Lebensregel: »darum ist es unsere Pflicht, die geschaffenen Güter richtig und anständig zu unserem Nutzen und Vorteil zu gebrauchen, so daß für den Nutzen und den lieblichen Genuß, den wir durch sie empfinden, die göttliche Güte gepriesen und ihr Dank gesagt werde«[134]. In diesem Zusammenhang tritt so wenig wie sonst die Ethik selbständig als ferne Ableitung neben die Lehre von der Schöpfung. Sie ist vielmehr konstitutives Moment des Schöpfungsglaubens[135]. Die

bonum agnoscas, nihil ei umquam anteposueris. . . . Quid ergo de eis dicas, qui ex consilii sui vanitate, et Philosophorum aut civilium hominum decretis, imo potius brutarum animantium sensu, sibi quosdam *bonorum fines* constituerunt, in quibus (quantumvis mali adferant) reipsa tamen acquiescant.« Bemerkenswert sind diese Gedanken nur, weil Martyr durch sie das »credere in Deum« hinreichend erklärt, wenigstens aber treffend charakterisiert zu haben meint.

[130] De fuga, Loci 1587, 1075, 9: »ex his, quae dicta sunt, colligimus, fugam peccatum non esse, si pro Dei gloria suscipiatur . . .« 1076, 41: »Nihil enim absurdi video, si quis persecutionum tempore (dum legitima fugiendi via et facultas datur) eo animo fugiat, ut Deo, non sibi ipsi vivat . . .«
[131] De fuga, Loci 1587, 1077, 23 f.: »Qui igitur *prudenter* fugit, quando et occasio adest, et periculum imminet, is Deum in primis ad hunc modum orare debet.«
[132] Loci 1587, 421, 2, 43 ff.; 52 ff. In Genesim, 7, 6 ff.; 45 ff.; 7 b, 1 f.: »Hinc omnes virtutes oriuntur, ex hac praestanti conditione humanae naturae, ut iustus, fortis, charitate praeditus.« 7 ff.: »Admonetur quoque ex hoc loco homo de officio, ratione et forma omnium suarum actionum; quoties aliquid est acturus, dicat secum, Istud refert patrem meum? Est ne hoc vivere ex imagine?«
[133] Loci 1587, 421, 2, 36 ff.; besonders 52 ff.
[134] Loci 1587, 422, 4, 28.   [135] Vgl. S. 95 ff.

Brauchbarkeit der Güter steht in einem doppelseitigen Beziehungszusammenhang. Sie spiegelt die Güte des Schöpfers und schließt zugleich die anthropologische Erkenntnis ein, daß das Leben der Menschen es wert ist, so aufwendig unterhalten zu werden. Um das Glück zu erlangen, welches Gott den Menschen zum Zweck ihres Lebens bestimmt hat, brauchen sie außer ihren Tugenden eine Menge äußerer Dinge, Reichtum und andere Mittel. Gottes Güte erweist sich darin, daß er ihnen das alles gewährt[136]. Wenn es Gottes ausdrückliches Gebot, sogar das Ziel der Schöpfung ist, daß die Güter zur Unterhaltung des Lebens genutzt werden, ist das in sublimer, ethisch vollkommener Weise zum Danke Gottes genießende Leben Gottesdienst. Das glückliche fromme Leben ist als Gottes Gabe und als die Erfüllung seiner Bestimmung ein erhabener Wert in sich selbst, der nur noch von der ewigen Seligkeit, deren Abglanz es ist, übertroffen wird. Wie hoch Martyr das voll entfaltete christliche *Leben* theologisch einschätzt, zeigt wiederum sein Traktat über die Flucht bei der Glaubensverfolgung. Das Martyrium des Bekenners mag zuzeiten die Möglichkeit besonders begnadeter Männer sein[137]. Ihnen wird alle Todesfurcht in überschwänglicher Freude ertrinken, die sie aus der Betrachtung Gottes, des ewigen Lebens und ihres Beitrags zur Erbauung der Kirche gewinnen[138]. Beschränkungen des religiösen Lebens leidend zu ertragen, ist nahezu Verleugnung des Evangeliums, das immer eine vielfältige und reiche Frömmigkeit gebietet, provoziert, ermöglicht[139]. Daher ist die Flucht zum Zwecke der Erhaltung der Möglichkeiten, das Christentum voll auszuleben, zu empfehlen. So wird Gottes Ruhm am meisten gefördert, daß man ihm mit der Entfaltung aller Kräfte dient. Unbefleckt leben und die Gefährdung der eigenen Frömmigkeit vermeiden, ist der Leitsatz des Verhaltens[140]. Auch von dieser Seite her zeigt sich das Übergewicht des Immanenten in seiner Religiosität, sie trägt manchmal die Züge der narzißtischen Pflege der eigenen Frömmigkeit.

---

[136] In Genesim, 7 b, 4 ff.: »Spectabis et hanc Dei bonitatem, quia humana foelicitas requirit ultra actiones secundum virtutem praeclarissimam, copiam rerum externarum, cum illae sint organa; multa enim per divitias ceu instrumenta agimus.«
[137] De fuga, Loci 1587, 1077, 10 ff.   [138] De fuga, Loci 1587, 1054, 57 ff.
[139] De fuga, Loci 1587, 1082, 58 ff.
[140] De fuga, Loci 1587, 1075, 19 ff.: »... fugam peccatum non esse, si pro Dei gloria suscipiatur, in eum videlicet finem, ut puro corde illi serviamus, idololatrias atque superstitiones relinquamus, in abiurationis periculum temere nos non conjiciamus, sancti coniugii beneficio impolluti vivamus, Deum pura conscientia invocemus; melius in iis, quae ad divinum cultum pertinent, ab eruditis viris iustituamur, sanctorum societatem visamus, in Ecclesia bene reformata vitam traducamus, ut nos denique sic roboremus, quo opportuniori tempore alios ad aedificationem erudire possimus, prout Deus nos vocaverit, spirituque suo impulerit.« Vgl. 1077, 7 ff. und öfter.

II. Die Christologie

1. Der ontologische Aspekt der Christologie

a) Christus als einzigartige Person, in der göttliche und menschliche Natur unauflöslich und dauernd vereint sind

Es ist von vornherein bemerkenswert, wie Martyr das Problem der Lehre von den zwei Naturen Christi angeht. In dem ihm gewidmeten Abschnitt gelte es zu betrachten und zu entscheiden, schreibt Martyr, ob Jesus Christus die Auszeichnung zukomme, von uns als Herr angebetet zu werden[1]. Offensichtlich denkt Martyr, wenn er von Jesus Christus spricht, zunächst an den Menschen Jesus, dem gegenüber es als Zumutung erscheinen muß, ihm göttliche Verehrung zuteil werden zu lassen. Seine menschliche Natur findet er einfach dadurch genügend deutlich bewiesen, daß Christus gestorben ist und begraben wurde[2]. Viel schwerer einzusehen und darum umstrittener ist die Lehre von der Gottheit Christi. Sie ist aber in der Heiligen Schrift vielfältig und klar bezeugt, besonders Joh. 1, 1 und Röm. 9, 5.

Martyr findet für sich selbst einen Beweis besonders geeignet, ihm das Bekenntnis abzunötigen, Christus sei wahrer Gott. Die heiligen Schriften warnen oft und ausdrücklich davor, daß man sein Vertrauen auf geschaffene Dinge oder Menschen setze (bes. Jer. 17, 5; Ps. 146, 3). Andererseits gebieten die Schriften, unser mit lebendiger Hoffnung begleiteter Glaube solle sich auf Christus stützen. Wenn Christus nicht irgendwie (ullo modo) Gott wäre, könnten wir auf ihn keinesfalls hoffen. Also muß er eine einzigartige Person sein, die göttliche und menschliche Natur in sich vereinigt[3]. Der Beweis zeigt recht schön die Reduktion der mataphysischen Spekulation und die Konzentration auf den religiösen Sinn der Naturen-

---

[1] Loci 1587, 422, 49 ff.
[2] Loci 1587, 433, 5; vgl. 428, 20, 31: ». . . quum Christus tot operibus atque perpessionibus se verum esse hominem certo convicerit . . .«
[3] Loci 1587, 423, 15 ff.: »Mihi haec una ratio . . . sufficit; est enim satis idonea non solum ad evincendum sed etiam confiteri cogendum Christum esse verum Deum. Extat multis in locis disertis verbis expressa haec prohobitio, ne ulli rei creatae confidamus, ac ne homini quidem nominatim, ut apud Ieremiam 17, 5 aperte hoc habetur. . . . Itaque si Christus purus homo sit, nec ullo modo deus, in eo sperare nequaquam nobis liceat. Quod tamen sacrae litterae non tantum permittunt, quin nominatim etiam iubent. . . . Hinc ergo confidenter concludimus, singularem hanc personam, de qua nunc quaestio, vere in se habere naturam et divinam et humanam.«

lehre. Die Christologie erscheint als Auslegung der christlichen Frömmigkeit. Sie ist genauer die logische Voraussetzung der in der Schrift beschriebenen Frömmigkeit, des Glaubens[4]. Alle Aussagen des zweiten Artikels über das Wesen Christi werden in Martyrs Auslegung dem zentralen existentiell bedeutsamen Satz, daß Jesus Christus *unser Herr* sei, untergeordnet[5]. Dem entspricht auch, daß immer wieder »usus« und »commodus« dessen, was Christus ist und was er tat, herausgestellt werden[6].

Aber Christi Herr-Sein steht vor und jenseits der konkreten »Ausübung« seiner Herrschaft in der Kirche fest, es ist in seiner Natur begründet. Martyr redet ganz selbstverständlich davon, daß in der einzigartigen Person Christi die göttliche und die menschliche Natur dauernd vereint sind[7]. Er hält also am alten Dogma fest, ohne doch von der »modernen« Skepsis gegenüber der metaphysischen Lehrkonstruktion unberührt zu sein[8]. Er erklärt auch Inkarnation und Jungfrauengeburt im Rahmen traditioneller Vorstellungen. Der Heilige Geist schuf (creavit) aus dem durch besondere Gnade gereinigten Blut der Maria einen vollkommenen Menschen, der vom »Wort« angenommen wurde. Seine Vollkommenheit besteht darin,

---

[4] Martyr wendet gern das Verfahren des Rückschlusses von der Frömmigkeit, der Gestaltung und Norm des gläubigen Lebensvollzuges, auf die den verwirklichten Glauben begründende und in seiner Bezogenheit auf Sein und Realität aufhellende Ontologie an. Hier wird der Beweis in der Form des strengen Syllogismus geführt. Vgl. *Aristoteles*, Topik, I. Buch, 1. Kapitel; 12. Kapitel. Er empfahl diese »dialektische« Methode für die Oxforder Abendmahlsdisputation. Vgl. *McLelland*, S. 19; *Schmidt*, S. 91; Petri *Martyris* Disputatio de Eucharistia Oxoniae habita, Loci Communes, Tomus II., Basileae, MDXXCI (1581), Sp. 1224. McLelland kennzeichnet dieses Vorgehen als Umkehrung der aristotelischen Ordnung, nach der zuerst das Sein, dann Art und Zweck einer Sache bestimmt werden müßten. Martyr selbst weist darauf hin, er kenne zwar die aristotelische Regel nach der Analytik posterior, halte aber hier die dialektische Methode für optimal geeignet. Vgl. *Aristoteles*, Analytik II, 2. Buch, 8. Kapitel. Zur aristotelischen Dialektik vgl. Eduard *Zeller*, Die Philosophie der Griechen in ihrer geschichtlichen Entwicklung, Zweiter Teil, Zweite Abteilung, Aristoteles und die alten Peripatetiker, Fotomechanischer Nachdruck der 4. Auflage, Leipzig, 1921, Darmstadt, 1963, S. 240 ff.
[5] Loci 1587, 422, 5, 49 ff.; vgl. weiter 423, 7, 35; 423, 8, 38 ff.; 424, 8, 2 f. u. ö., sogar 424, 9, 4: Wer den Preis für den Freikauf eines Gefangenen bezahlt, ist dessen Herr.
[6] Zum Beispiel Loci 1587, 425, 11, 5 ff. Martyr steht mit solcher Begründung der Zweinaturenlehre von ihrem religiösen Sinn, von ihrer theologischen Bedeutung für den Heilsglauben her in seiner Zeit nicht allein. Besonders deutlich läßt sich eine ähnliche Argumentationsweise bei Melanchthon belegen. Ein charakteristischer Unterschied zwischen Melanchthon und Martyr ist ebenso deutlich. Melanchthon versteht den Glauben nicht vorzüglich als Hoffnung auf den in Christus sich offenbarenden ungeschaffenen Gott, sondern als Glauben an den vollmächtigen Prediger der Sündenvergebung. Vgl. Ernst *Bizer*, Theologie der Verheißung, Studien zur Theologie des jungen Melanchthon 1519–1524, Neukirchen, 1964, S. 104; 238 ff.; 251.
[7] Loci 1587, 422, 5, 52 ff.
[8] Damit steht er der reformierten Auffassung des christologischen Dogmas nahe. Vgl. Hans *Weber*, Reformation, Orthodoxie und Rationalismus, erster Teil, zweiter Halbband, reprographischer Nachdruck der 1. Auflage, Gütersloh, 1940, Darmstadt, 1966, S. 131 ff.

daß er einen Leib hat, der seiner edlen Seele vollkommen gehorsam ist[9]. Deutlich wird der geschichtliche Mensch von dem praeexistenten Logos unterschieden. Die Beziehung des Menschen zu dem ewigen Gott besteht in Gottes Ratschluß, diesen Menschen durch den Heiligen Geist für die Aufnahme in die Einheit der Person des Logos zu bereiten[10]. Die Einigung der beiden Naturen geschieht durch »assumptio« von seiten des »Sermo«, wodurch ausgedrückt wird, daß sich die Gottheit nicht verändert, denn »assumens autem non dicitur assumptum«[11]. Mariens Schoß ist der göttliche Schmelzofen, in dem der Heilige Geist aus dem gereinigten Blut den einzigartigen Leib herstellt. Maria bietet dazu in ihrem gereinigten Blut den Stoff dar, während der Heilige Geist das wunderbar wirksame Prinzip ist[12]. Der so erzeugte Leib Christi ist das Instrument der Seele der gottmenschlichen Person[13]. Die Seele ist also das die Einung vermittelnde Element und der Kernbereich der Person[14]. Die Beziehung zwischen Leib und Seele, welche die Einheit der Person konkret darstellt, wird als Gehorsam des Leibes gegenüber der Seele bezeichnet. Martyr hält sich wieder genau an die thomistische Lehre. Aber trotz der Beachtung der Einzelheiten der dogmatischen Überlieferung bedeuten ihm diese Vorstellungen in ihrem unmittelbaren mythologischen Aussagegehalt nicht viel. Er übernimmt sie ohne Erörterung der hintergründigen scholastischen Diffizilitäten und Arabesken. Nur bei der Auslegung des Apostolikums widmet er sich ihnen. Die exegetischen Schriften sind für die Zweinaturenlehre unergiebig. Die übernommenen Anschauungen dienen ihm einzig dazu, hervorzuheben, daß Christus in jeder Hinsicht aller Tugend und Vollkommenheit teilhaftig ist[15]. Diese Auszeichnung Christi ist die Voraussetzung dafür, daß er als Herr und damit zugleich als Vorbild des frommen Lebens verehrt werden kann[16]. Die Gottheit Christi ist Martyr vorstellbar nur als über-

---

[9] Loci 1587, 424, 10, 49 ff.

[10] Loci 1587, 424, 10, 54 ff. Vgl. *Thomas*, Summa Theologica, III, Quaestio 24, Art. 2, ad 1: »Christus, secundum quod homo, est praedestinatus esse Filius Dei.« »non autem praeexistit id quod est hominis.« Quaestio 33, Art. 3.

[11] Loci 1587, 424, 10, 55; 58. Vgl. *Thomas*, Summa Theologica, III, Quaestio 2, Art. 8; vgl. Art. 7: »Respondeo dicendum quod unio de qua loquimur est relatio quaedam quae consideratur inter divinam naturam et humanam, secundum quod conveniunt in una persona Filii Dei. Sicut autem in Prima Parte dictum est (q. 13 a.7), omnis relatio quae consideratur inter Deum et creaturam, realiter quidem est in creatura, per cuius mutationem talis relatio innascitur: non autem est realiter in Deo, sed secundum rationem tantum, quia non nascitur secundum mutationem Dei.«

[12] Loci 1587, 424, 10, 56; 58. Vgl. *Thomas*, Summa Theologica, III, Quaestio 31, Art. 5.

[13] Loci 1587, 424, 10, 59. Vgl. *Thomas*, Summa Theologica, III, Quaestio 2, Art. 6.

[14] Loci 1587, 424, 10, 58 f. Vgl. *Thomas*, Summa Theologica, III, Quaestio 6, Art. 1: »Filius Dei univit sibi carnem mediante anima.«

[15] Loci 1587, 425, 10, 1 f.

[16] Loci 1587, 425, 11, 14 ff.

natürliche Ausstattung des Menschen Jesus mit Gnadengaben[17]. So erscheint Christus, nach seiner Menschheit betrachtet, als der vollkommene Mensch schlechthin[18].

Seine Aufnahme in die Personeinheit mit der Gottheit ist gleichbedeutend damit, daß er von Gott auf Grund seiner Sündlosigkeit angenommen wird und Gottes Kraft und Güte in ihm wirksam sind[19]. Ohne Sünde sein heißt, mit göttlichen Gütern erfüllt sein und mit göttlichen Eigenschaften begabt sein; das heißt weiter, Macht haben, andere reich zu machen und zu beschenken, oder auch: als Gottes Ebenbild das Bild des Vaters widerspiegeln, Gottes Sohn und der »unicus Dei sermo« sein[20]. Christus ist der Mensch, der vor Gott bestehen kann, und den Menschen gegenüber spiegelt er Gottes Vollkommenheit und Güte, so ist er für die Menschen Gott[21]. Gottheit und Menschheit Christi fallen beständig per-

---

[17] In dem Abschnitt über die Jungfrauengeburt wird thematisch die Entstehung Christi »secundum humanam naturam« verhandelt Loci 1587, 424, 10, 44 ff.; 425, 12, 35. Zwischendurch wird jedoch immer wieder ohne Übergang die Reinigung der menschlichen Natur durch die wunderbare Geburt mit der Vereinigung des göttlichen Sermo und des Menschen Jesus indentifiziert Loci 1587, 424, 10, 55 ff.; 425, 12, 6 ff.; 14 ff.

[18] Loci 1587, 424, 10, 57.

[19] Loci 1587, 423, 8, 38 ff.: »Primum enim quod ad naturam divinam attinet, ambigi non potest, quin in veteri Testamento Deus saepe vocetur Dominus; quippe qui sit rebus omnibus superior, cum earum sit conditor. Hic vero titulus ad hominem etiam pertinet, qui in huius, de quo agimus persona, fuit cum Deo unitus, quia ab omni peccato immunis, omni autem bono repletus fuit. Si quis igitur in hoc mundo talis sit (quamvis praeter ipsum nullus unquam fuerit) an non videatur iis dotibus exornatus, propter quas Domini nomen ei merito conveniat?«

[20] Loci 1587, 423, 8, 39 ff.

[21] Auch mit diesen Gedanken kann Martyr an die thomistische Lehre anknüpfen. »Die starke Betonung der Unveränderlichkeit des Logos in der Christologie des 12. Jahrhunderts hatte einerseits zur Folge, daß man der Menschheit Jesu eine relative Selbständigkeit zuschrieb, andererseits aber auch, daß die menschliche Natur lediglich als das unpersönliche Organ des Logos angesehen wurde. Auf dieser Linie hat sich die Gedankenentwicklung der großen Scholastiker weiterbewegt, ohne erhebliche Fortschritte hervorzubringen.« Zwar behauptet auch Thomas die Einheit der Person »secundum id quod in se est«, bezeichnet sie aber zugleich als »persona composita« »secundum rationem« »subsistendi«. *Thomas,* Summa Theologica, III, Quaestio 2, Art. 4. Das Verhältnis der Naturen zueinander erklärt er in der Weise, daß die Menschheit das *Instrument* der Gottheit sei, das freilich mit dieser nicht nur »accidentaliter« verbunden sei. Quaestio 2, Art. 6; Quaestio 2, Art. 6, ad 4; Quaestio 8, Art. 2. Vgl. Reinhold *Seeberg,* Lehrbuch der Dogmengeschichte, 3. Band: Die Dogmengeschichte des Mittelalters, Leipzig, 1930, S. 416 ff. Martyrs Auffassung deckt sich sachlich vollkommen mit der des Thomas. Doch verzichtet Martyr auf eine ebenso differenzierte Erörterung. Vgl. S. 113 f. und Anm. 10–14; S. 146 und Anm. 197. Luther hat gegen diese scholastische Christologie und zugleich gegen die Zwinglis und der Schwärmer den Vorwurf erhoben, daß sie »eine wand machen zwischen Gottes Sone und dem Son von Maria der Jungfraw geborn«. Damit hat er den Unterschied gegenüber seiner eigenen Christologie deutlich hervorgehoben. Auslegung D. Martin *Luthers* uber das Sechste, Siebende und Achte Capitel des Euangelisten Joannis, geprediget zu Wittemberg, Anno 1530. 1531. und 1532., Predigt am 11. Februar 1531 über Joh. 6, 45–47, Luthers Werke, Weimarer Ausgabe, Bd. 33, Weimar, 1907, S. 155.

spektivisch auseinander, er ist sowohl Gott als auch Mensch, aber er ist auch weder Gott noch Mensch. »Unter den Menschen kann er mit Recht einzig genannt werden wegen der ihm aus Gottes Wohlwollen zuteil gewordenen Fülle der Gnaden und weil er des ewigen Vaters Bild und ihm ähnlich ist«[22]. Von Gott aus gesehen, ist er der Bruder aller, die den Geist haben und von Gott adoptiert worden sind[23]. Am ehesten ist er noch ein besonders begnadeter Mensch. Wenn ein Mensch ohne Sünde sein könnte, wäre er wie er unser Herr[24].

Martyrs penetrante Bemühung, das Dogma vorstellbar und begreiflich zu machen, zieht es nach sich, daß Christus sehr menschlich erscheint, weil er von der Analogie des Menschen aus beschrieben wird. Menschheit und Gottheit Christi werden je für sich angesehen, erörtert, bewiesen[25]. Das eigentliche Problem stellt die Menschheit Christi dar, sofern sie auch, für sich betrachtet, göttlicher Eigenschaften teilhaftig ist. Es erfährt eine breite Erörterung[26]. Läßt es sich begründen, daß Christus ein vollkommener und sündloser Mensch war, bereitet seine Aufnahme in die Einheit des »Sermo« keine Schwierigkeiten mehr. Da Freiheit von der Sünde ohnehin eine Abschattung göttlicher Vollkommenheit ist, kann der paradigmatisch Sündlose, ohne daß die Logik außer Geltung gerät, als mit Gott eins gedacht werden. Es wird zudem nicht recht verständlich, inwiefern die Vereinigung der göttlichen und der menschlichen Natur die göttliche Vollkommenheit des Menschen Christus noch überbietet[27]. Die Gottheit schwebt gleichsam als Schatten über dem Menschen Jesus, sie gibt ihm selbst und seinem Tun Legitimität und Gewicht, aber sie bleibt ihm doch eigentümlich fern und fremd[28]. Christus ist die Jakobsleiter, durch die Himmlisches und Irdisches

---

[22] Loci 1587, 423, 8, 61 ff.; vgl. 42 ff. und Anm. 19.
[23] Loci 1587, 424, 9, 14 ff.; In Genesim, 114, 1 f.: »Quod si nostra sunt, quae Christo dedit pater, idem nobis sperandum fore non dubitamus.«
[24] Loci 1587, 423, 8, 42, zitiert Anm. 19.
[25] Loci 1587, 423, 6, 5 ff. Vgl. die Abschnitte 7; 8; 9.
[26] Loci 1587, 423, 8, 38 ff. Ebenso 424, 10; 425, 11; 425, 12.
[27] Loci 1587, 425, 13, 44 ff.
Ohne merklichen Bedeutungsunterschied wird die christologische Paradoxie einmal als der Widerspruch von der Unschuld seines Lebens und der Schande der ihm aufgeladenen Sünde, zum andern als die Diskrepanz zwischen seiner Gottessohnschaft und der Schmach seiner Verurteilung aufgefaßt. Die Überleitung von der einen zur anderen Betrachtungsweise bildet die eingestreute Bemerkung: »qui non solum iustus et innocens erat, sed ipsa etiam innocentia et iustitia.« 425, 13, 50.
[28] Noch 1556 sagte Martyr anläßlich des Streites zwischen Osiander und Stancaro in einem Brief an die polnischen Gemeinden: »Concesserim vero, Deum natum, passum et mortuum et crucifixum, quia Christus ut una persona est indivisibilis, ita duas naturas in seipso coniunctas habet. ... At si quaeratur, utrius naturae merito et ratione? respondebitur humanae. ... Quomodo absque sui mutatione Dei natura pateretur et moreretur? Deum vero non mutari quam apertissime testatur scriptura.« Loci 1587, 1113, 35 ff. In Martyrs späteren Schriften findet man nicht selten der

verbunden werden[29]. Das Kind in der Krippe in seiner erniedrigenden Armut hat ein *Zeugnis* der göttlichen Majestät[30]. In der Leidensgeschichte[31] ist Gott der Regent im Himmel, der leidende Christus ist ein Mensch, freilich ein unschuldiger, gehorsamer, geduldiger Mensch. Einerseits wird auch das Göttliche an Christus als von der empirischen Beobachtung her zugänglich dargestellt, andererseits ist seine eigentümliche Verbundenheit mit Gott, die sein Wesen ausmacht, ganz unerfahrbar und unweltlich. Beides ist für Martyr von grundlegender theologischer Bedeutung. Christus muß Gott sein, denn nur so kommt ihm die jeder Erfahrung überlegene »potentia«[32] zu, die das Vertrauen und die Verehrung der unter seiner Herrschaft stehenden Christen begründet. Er muß aber auch verherrlichter Mensch sein als Beispiel und Urbild des christlichen geheiligten und verklärten Lebens. Beide Aspekte der Christologie gehören hinsichtlich der formenden Einwirkung Christi auf die Gemeinde zusammen. Christus ist der Grund der Erkenntnis heilvollen christlichen Lebensvollzuges, und er ist der Realgrund, der die Verwirklichung solchen Lebens ermöglicht. In jeder Weise wirkt er Demut und Vertrauen. In ihm den göttlichen Herrn verehren heißt, ihm demütig dienen und darauf vertrauen, daß er uns immer helfen kann[33]. Christi Geduld und Gehorsam betrachten tröstet im Unglück und regt zum Abtöten des Fleisches an[34].

b) Der Vorrang des Geistes gegenüber dem Sohn in der Trinität

Schon was wir bisher von der Christologie wissen, läßt erkennen, daß sie für den glaubenden Menschen dieselbe Funktion erfüllt wie die Lehre von Gott. Gott und Christus sind der hohe Wall, an dem die Menschen ihrer Endlichkeit und Verlorenheit ansichtig werden[35]. Sie sind außerdem

---

Sache nach den Logos von Christus so unterschieden, daß es notwendig wird, die Inkarnation Christi von anderen Erscheinungsweisen des Logos, etwa in der Gestalt von Engeln bei Abraham und anderen Vätern, abzuheben. Vgl. *McLelland*, S. 89; 90: »They the Fathers had present the *divine person*, that is the *Son of God*, whom they grasped by faith, and indeed grasped in his promise, or as I may say, in respect of the *human nature* which He would assume.«

[29] In Genesim, 114, 5.
[30] Loci 1587, 425, 10, 2 f.
[31] Loci 1587, 425, 13–427, 18.
[32] Loci 1587, 423, 8, 48; 424, 9, 35.
[33] Loci 1587, 424, 9, 33 ff.
[34] Loci 1587, 427, 18, 20 ff.; besonders 36 ff. Vgl. 428, 20, 31 f.
[35] Vgl. z. B. die Argumentation: Loci 1587, 424, 10, 49 ff.: Christus ist durch seine Geburt auch nach seiner menschlichen Natur sündlos. Daran kann man erkennen, daß alle Nachkommen Adams ohne Ausnahme der Sünde unterworfen waren.

Inbegriff und Garanten einer besseren, reinen und vollkommenen Welt, durch die der Mensch sich zur sittlichen Vervollkommnung seines Lebens aufgefordert weiß. Sie gewähren zugleich der Hoffnung ihr transzendentes Ziel und Halt und begründen den Trost, in dem sich der Glaubende über die Niedrigkeit des irdischen Lebens erheben kann. Um der Kirche diesen Dienst zu tun, muß Christus in jeder Weise über das, was Menschen möglich ist, hinausragen. Wie er sich dabei zu Gott verhält, kann einigermaßen gleichgültig sein, wenn nur unzweifelhaft ist, daß er nicht Kreatur ist, sondern ganz auf der Seite Gottes steht[36]. Ebenso wichtig aber ist, daß er als die leibhaftige Akkommodation Gottes an den Menschen und um seines Heilswerks willen so menschlich wie nur möglich ist. Dazu ist als Drittes zu erwägen, daß Gott seines geistigen, transzendentalen Wesens wegen einer Verbindung mit der körperlichen Welt nicht recht fähig ist. Wenn diese Rekonstruktion des Zusammenhangs angemessen ist, kann man verstehen, daß der Heilige Geist die Vermittlung zwischen Gott und Christus zu übernehmen hat. Wir erörtern dieses Problem, um eine Konsequenz der Martyrschen Christologie aufzuzeigen, die er selbst nicht deutlich gezogen hat.

Daß Christi Sündlosigkeit, Gehorsam, Geduld als Folgen intensiver Inspiration verstanden werden, legt die Parallelisierung mit der relativen Sündlosigkeit der Christen, bei denen sie der Geist wirkt, nahe[37]. Die göttliche Verklärtheit seiner menschlichen Natur ist so sehr geistiger Art, daß sie als *Gehorsam*, nämlich als Gehorsam des Leibes gegenüber seiner edlen Seele, beschrieben wird[38]. Sogar seine Menschwerdung bedeutet die Reinigung der menschlichen Natur, die vorbildlich die Reinigung der Natur aller Glaubenden ist[39]. Die reinigende Verwandlung von Geist und Leib schafft bei den Christen der Heilige Geist[40]. Freilich besteht der Unterschied, daß Christus seine Rechtschaffenheit angeboren ist, ihm seiner natürlichen Beschaffenheit nach unverlierbar eigen ist. Jedoch bedeutet das bei der Passion für ihn keinerlei Erleichterung[41], was ausschlaggebend für seine Heilsbedeutung und die tröstende Kraft seines vorbildlichen Duldens

---

[36] Loci 1587, 429, 23, 33 ff.: »... hinc sequitur illum Christum meritissimo iure *supra quamcumque vel sublimissimam creaturam* evectum esse.«
[37] Loci 1587, 423, 8, 41 ff.; 423, 8, 61 ff.; 424, 9, 14 ff.
[38] Loci 1587, 424, 10, 58.
[39] Loci 1587, 425, 11, 14 ff.; 425, 12, 20 ff.
[40] Loci 1587, 433, 31, 1 ff.: »Atque ita Spiritus speciali nomine appellatur ratione suae proprietatis: Quoniam ipsius est movere, impellere, persuadere, consolari ac illuminare spiritus et corda hominum, ac tandem in iis operari ea quae ad nostram sanctificationem pertinent.« Vgl. 433, 32, 24 ff.; 433, 33, 48 ff.; 434, 33, 13 ff.
[41] Loci 1587, 426, 14, 15 ff.

ist[42]. Nicht die Begabung mit dem Heiligen Geist unterscheidet die Christen von Christus, sondern nur das Maß und die Art der »Geistigkeit«. Die Inspiration verbindet sie sogar und macht ihre Ähnlichkeit aus. Der Begriff des Geistes ist das vorzügliche Interpretament der Zusammengehörigkeit von Christus und den Christen. Die Vorstellung, daß die Gläubigen »in Christus« erlöst, erneuert, wiedergeboren sind, legt Martyr immer wieder mit Bezugnahme auf den Geist aus. »In Christus« gibt dann den Bereich an, in dem der Geist wirkt. Aber nicht Christus handelt an seinen Gliedern, sondern der Geist als die selbständige Person der Trinität. Der Blick fällt nicht auf den erhöhten, in Einheit mit Gott herrschenden, seine Gemeinde umfangenden und ihr aus göttlicher Fülle Heil spendenden Christus. Der auferstandene Christus vermag bei Gott so viel wie ein Heiliger, nämlich für uns zu beten. Dadurch gewinnt er für uns Gottes Gnade. Die Gnade aber schenkt Gott selbst auf Grund seiner Macht und Gunst durch den Heiligen Geist[43]. Auch die Anschauung von der Einleibung der Gemeinde in Christus wird auf Christus in der Heilsgeschichte bezogen[44], in der er mehr unschuldiges Opfer der göttlichen Heilsveranstaltung als Täter seines Werkes zu sein scheint. Die Betrachtung seines Schicksals wird von der Frage geleitet, was Gott mit ihm anstellte, um uns das Heil zu besorgen[45]. Trotzdem sind Christi Gehorsam, Liebe und Geduld sein eigenes nachahmenswertes Werk[46], wie der Geist ja auch die Menschen nicht ohne die Beteiligung ihrer eigenen Kräfte verwandelt. Er ist Beispiel dafür, wie der Geist heil macht[47]. Natürlich ist, was Geist ist, wie er wirkt und daß der Geist den Christen zuteil wird, von Christus her bestimmt. Es ist der Geist Christi[48], der die Herzen erneuert, und Christus ist der erstgeborene Sohn, als dessen Adoptivbrüder die Christen erst an seinem Geist teilhaben können[49]. Wichtiger aber ist, daß der Geist an den Glau-

---

[42] Loci 1587, 427, 17, 23 ff.
[43] Loci 1587, 430, 25, 13 ff.: »quum Christus a morte devinci non potuerit, nunc nostrae necessitati longe melius posse illum subvenire, idque favore et potentia Patris, ad quem tam familiaris ei patet accessus, quem admodum dictum est, cui continuo summae efficacitatis preces pro nobis offerens gratiam illius nobis conciliat, viresque impetrat, quas alia ratione nunquam possemus nobis comparare.« Vgl. Anm 60.
[44] Loci 1587, 430, 25, 16 ff. Vgl. In Genesim, 113 b, 53 ff.
[45] Loci 1587, 427, 17, 1 ff.: »Primum id erit, quod ex ratione illa tam dura quam procurandae saluti nostrae iniit Deus, satis intelligere possumus, . . .«
[46] Loci 1587, 427, 18, 20 ff.
[47] Loci 1587, 433, 32, 24: »nos hic tertiam divinitatis personam confiteri cuius vi in Christo renovamur, atque ideo Christo similes fimus. Quemadmodum enim absque hominis semine genitus est, ita nos in novam vitam renascimur opera divini Spiritus.«
[48] Loci 1587, 434, 34, 24.
[49] Loci 1587, 424, 9, 12 ff.

benden dasselbe tut, was an Christus geschehen ist[50]. Den Geist Christi zu
haben, gibt die Gewißheit, daß man in den Stand des ewigen Lebens gelangen wird, der schon jetzt Christi Stand ist[51]. Des Christen Eigentümlichkeit macht es aus, daß er den Geist Christi hat, und wer seinen Geist
nicht hat, kann nicht Christ und Sohn Gottes sein[52]. Die Söhne Gottes,
den erstgeborenen und die um seinetwillen Adoptierten, zeichnet dieselbe
Geistesart und dieselbe Lebensdynamik aus[53]. Man möchte sagen, es ist
derselbe Geist, der in Christus und in den Christen auf die gleiche Weise
seine Wirkung entfaltet. Das würde die klare Unterordnung Christi unter
den Geist ausdrücken. So deutlich sagt Martyr es nicht, weil er gewiß bewußt nicht gegen die überlieferte Trinitätslehre zu verstoßen gedenkt. Als
er einmal allzu deutlich ausgesprochen hat, wie er vom Geist Christi unbe-
fangen denken möchte, korrigiert er sich sogleich. Er stellt sich die Frage,
wie wir den Geist haben können. Die Antwort lautet: der Vater schickt ihn
uns um Christi willen (propter Christum), wie Christus selbst verheißen
hat [Joh. 14, 26]. Sofort ergänzt Martyr: »Ja, ich könnte auch überzeugt (confidenter) hinzufügen, Christus selbst sende ihn vom Vater zu uns, wie er
anderswo sagt: der Geist, den ich von meinem Vater zu euch sende. Ob
vom Vater oder vom Sohn, jedenfalls wird er zu keinem anderen Zweck
geschenkt, als damit er uns mit Gaben ... überhäufe.«[54] Gewöhnlich ist
für Martyr der Geist Gott dem Vater selbst zugehörig. Gerade dadurch hat,
was durch den Geist geschieht, seine besondere Dignität, weil es unmittelbar, ohne Vermittlung von Kreaturen, von Gott herrührt[55]. Der Geist des
Vaters pflanzt uns Christus, seinem Sohn, ein[56]. Wir erinnern uns, daß der
Geist schon durch seine Wesensgleichheit mit Gott ihm unlöslich zugeordnet ist[57]. Von solchem Gottesbegriff ausgehend, muß es Martyr schwer-
fallen, Christus in gleich dichte Nähe zum Vater zu bringen. Es kann gar
nicht so sehr verwundern, daß Christus, von Gott aus gesehen, der in die
ferne fremde Welt geschickte verlorene Sohn ist. Aussagen über das Verhältnis des Sohnes zum Vater unterstreichen diese Beobachtungen. Christus hat nach seiner Auferstehung einen Ehrenplatz zur Rechten Gottes

---

[50] Loci 1587, 434, 34, 24.
[51] Loci 1587, 430, 25, 36 ff.; 434, 34, 24 f.
[52] Loci 1587, 433, 32, 57 ff.
[53] Loci 1587, 425, 12, 25 ff.; dazu: 435, 35, 11.
[54] Loci 1587, 433, 32, 58 ff.
[55] Loci 1587, 434, 34, 49 f.
[56] Loci 1587, 434, 48 ff.: »Propterea Deo summe benigno ac misericordi tantas quantas
possumus agamus gratias, qui non angelorum aut alterius cuiuscumque creaturae
ministerio, sed sui ipsius spiritus vi, nos Christo vero ac naturali ipsius filio inseruit ...«
[57] Loci 1587, 432, 31, 58: »... ut propterea divina natura Spiritus appelletur.«

inne, jedoch so, wie ein von einem Fürsten begünstigter Vasall nach diesem an dessen Seite Würde und Ehre hat[58]. An dem den Christen Hilfe spendenden Vermögen des Vaters hat er in der Weise teil, daß er vertraulichen Zugang zum Vater hat und wirkungsvoll Gebete für uns darbringen kann. Christus bleibt Gott gegenüber auf der Seite der Menschen[59]. Daß er Gott ist und mit Gott gleichgestellt, betrifft seine Ehre. In bezug auf Gottes Macht ist er der Christen Fürsprecher bei Gott, indem er in Solidarität mit ihnen ihre Gebete unterstützt, durch die sie von Gott erbitten, was nur Gott geben kann[60].

Bei der Erörterung der Stellung des Geistes innerhalb der Trinität betont Martyr außer der wesenhaften Gleichheit von Gott Vater und Geist nur, daß der Geist eine selbständige Person ist. Er beweist vorzüglich, daß er vom Sohn verschieden ist. Dafür führt er an erster Stelle die Taufe Jesu nach Joh. 1, 33 an. In dieser Szene stellt sich das Verhältnis der drei Personen der Gottheit so dar, daß der Vater durch Johannes den Täufer über den Geist als etwas (res) von ihm und dem Sohn Verschiedenes redet (verba facit) und danach der Geist auf den Sohn, der ganz selbstverständlich in die Rolle des geschichtlichen Christus eintritt, herabfährt[61]. Wieder ist Christus dem Handeln Gottes durch den Heiligen Geist passiv ausgesetzt. Die zitierte Bibelstelle gibt natürlich Martyr recht. Aber warum erklärt er gerade an ihr das Verhältnis von Vater, Sohn und Geist?

Der bisher gewonnene Eindruck verstärkt sich, wenn man sieht, daß der Geist auch Christi Heilsgeschichte inauguriert und vollendet. Bei der Geburt übt der Geist an der besonderen Person Christi die Funktion des Schöpfers aus. Auch hier folgt Martyr zunächst einfach dem biblischen Text, obwohl dort das Werk des Geistes nicht gerade als »creatio« angesehen wird. Diesen Begriff führt Martyr ein, um den Vergleich mit der Erschaffung Adams zu ermöglichen. Auch Adam ist auf wunderbare Weise, durch die Kraft Gottes und ohne den gewöhnlichen Samen, erschaffen worden. Christi Überlegenheit ist darin begründet, daß ihn der *Geist* geschaffen hat, was hinsichtlich der Gestalt und der Art der Erschaffung seines Leibes keinen Unterschied zur Folge hat. Die Gegenüberstellung beweist,

---

[58] Loci 1587, 429, 24, 58 ff.
[59] Loci 1587, 430, 25, 12 ff., zitiert Anm. 43.
[60] In Genesim, 72, 15 ff.: »Adoratio autem vera, est reverentia Deo exhibita, qua illum oramus ut nobis praestet quae Deus tantummodo potest dare, et Christi adoratio, est reverentia illi exhibita, qua ab eo petimus ea dumtaxat bona quae Christi humanitas suppeditare potest, intercessionem scilicet, utque sit inter nos et Deum salutaris mediator, quae dicta tu intelligas de Christo ut homo, nam qua Deus est, par Deo illi debetur honor.«
[61] Loci 1587, 433, 31, 11 ff.

daß Martyr den Geist an dieser Stelle im speziellen theologischen Sinn versteht. Die Geburt aus dem Geist ist nicht nur eine wunderbare, übernatürliche Geburt überhaupt. Sein Gestaltetwerden durch den Geist macht Christi Reinheit aus. Dieses Amt kommt allein dem Heiligen Geist zu. Wie für die Glaubenden die Sündenvergebung aus dem Geist herausströmt[62], so hat auch Christus seine Sündlosigkeit aus dem Geist.

Entsprechend ist selbst die Auferstehung das Werk des Geistes nach Eph. 1, 20[63]. Daß Martyr sich die Ausdeutung dieses biblischen Belegs nicht entgehen läßt, ist der Beachtung nur darum wert, weil Martyr der Gedanke offensichtlich gefällt, weil er seine Anschauung rund und schlüssig macht und weil er ihm keine Bedenken erregt. Er rekurriert auf diese Vorstellung erst, als er die Bedeutung (fructus) der Auferstehung Christi für die Gemeinde erörtert. In diesem Zusammenhang ist sie für ihn wichtig und für seine Auffassung der Auferstehung Christi bezeichnend. Er kommt dann auf sie zurück, als er die »Auferstehung des Fleisches« erklärt. Martyr hält klar daran fest, daß Christus der Gemeinde das Geschenk des Geistes dargebracht hat, daß es ihn nicht anders gibt als von Christi Auferstehung her und für die, die zu Christus gehören. So wird der Geist zwar an Christi Leben und Schicksal und an das Datum seiner Himmelfahrt gebunden, aber Christus bleibt doch nicht Herr über den Geist. Denn bald schürzen sich die Ausführungen zu dem Schluß: Wenn wir den Geist haben, können wir sicher sein, daß wir zu dem Ziel des ewigen Lebens gelangen werden, weil durch seine Kraft auch Christus auferstanden ist[64]. Am Ende ist doch der Geist das unabhängige und selbst suffiziente Prinzip der mit Christus und durch sein Verdienst zum ewigen Leben ausgewählten Gemeinschaft[65].

---

[62] Loci 1587, 433, 32, 29 ff.

[63] Loci 1587, 430, 25, 36; 440, 47, 42.

[64] Loci 1587, 430, 25, 32: »Praeterea Christus in coelum abiens singulare illud spiritus donum nobis gratificatus est, cui quemadmodum animarum nostrarum origo et vita regenerationisque christianae principium debetur, ita etiam resurrectionis corporum, sicut testatur Paulus Eph. 1, 20 ... Quum igitur primitias Spiritus, cuius virtute Christus resurrexit a mortuis habeamus, quem iam ad gloriosum illum, ad quem contendebat finem scimus pervenisse, animo hilari esse nos oportet ...«

[65] Loci 1587, 440, 47, 38 ff.: »Ecclesia corpus est a Dei spiritu animatum, quod gradatim augescit, non secus atque corpus animale naturaliter sensim formatur. ... Idem evenit in sancto credentium corpore, in quo Dei spiritus Christum verum omnium caput excitavit. Idem postea spiritus eadem vi qua Christum excitavit, in nobis omnibus, qui chara sumus corporis ipsius membra, eadem resurrectionis effecta producet, ut habetur Ephes. 1, 20.«

Der ontologische Aspekt der Christologie

c) Aus der ontologischen Christologie ableitbare Neigung zur historisierenden Betrachtung des irdischen Christus

Martyrs Christologie fordert die Orientierung am historischen Jesus, sie verlangt, daß man an Jesus, wie er auf der Erde lebte, seine göttliche Hoheit *sehen* kann, wenigstens mit den Augen des Glaubens[66]. Glauben heißt hier zunächst nicht mehr als, die überlieferte Geschichte Jesu unvoreingenommen, ohne dezidierte Bosheit zu betrachten. Die Formulierung »Augen des Glaubens« verwendet Martyr selbst. Sie drückt aus, daß die gemeinte Betrachtung Christi eine »Wahrnehmung« an seinem Geschick ist, daß sie aber das »Erwägen« des Geschehens auf seinen Sinn hin einschließt und beides zusammen das »Verstehen« ausmacht[67]. Da der Heilsglaube nach Martyrs Verständnis das in dieser Weise sachgemäße (recte) Anschauen der Geschichte Jesu einschließt, ist es notwendig, daß die biblischen Zeugen mit ihrem Bericht von Jesus auch historisch recht haben, daß es mit seinem Leben *wirklich* so war, wie es überliefert wird. Die beispielhafte Verwirklichung gottvollen Lebens, ihre Demonstration[68] in unserer Welt muß Realität gewesen sein. Andernfalls könnte, was damals geschah, nicht unsere Wirklichkeit, unsere eigentliche Möglichkeit sein. Wiederum hat wohl auch eine Betrachtungsweise Jesu Christi, die den hi-

---

[66] Loci 1587, 425, 11, 17 ff.: »Atque ille divinus Sermo sub ea natura nostra delitescens, tectus tanta iustitia, patientia, temperantia, prudentia, sapientia et animi summissione, tam insignia [Text: insignis] iustitiae exempla perfectissima exhibuit, etc., ut *sola eius vita* (si recte spectetur) sit satis idonea ad bene agendum magistra.« 425, 12, 20 ff.: »Eant ergo dissoluti lascivique Christiani ... contemnant praeclarum illud sanctitatis et iustitiae exemplar, quod *Christus dum in carne vixit* praebuit.« Christi Inkarnation, die hier gedeutet wird, dokumentiert sich in seiner außerordentlich vollkommenen Lebensführung.

[67] Loci 1587, 427, 17, 1 ff.: »Primum id erit, quod ex ratione illa tam dura quam procurandae saluti nostrae inijt Deus, satis *intelligere* possumus quanta esset in nos iusto iudicio e peccatis nostris enata obligatio ... Quod si satis diligenter ex*pendatur*, numquid erit fraenum aptissimum ad coercendas nostras cupitates ...? Certe *fidei oculis animadvertentes*, quam severiter atque acerbe eas Deus in Christo vindicaverit, singuli de ijs prudenter fugiendis debemus esse solliciti.« Martyr hält sich auch hier an die Grundsätze der aristotelischen Wissenschaftslehre. Zwar ist Wissen nicht einfach Wahrnehmung, die nur über das einzelne unterrichtet, ebensowenig ist sie bloße Erfahrung, die nur feststellt, daß etwas ist, sondern zugleich auch die Erklärung der Erscheinungen, insbesondere die Kenntnis ihrer Gründe und ihres Zwecks. Aber Aristoteles verlangt, wie er immer wieder an Beispielen aus der Naturforschung belegt, daß man in allen Wissenschaften *zuerst* die Erscheinungen kenne, nichts von dem Tatsächlichen an den Dingen übersehe und dann erst die Ursachen ergründe. *Aristoteles*, Analytik I, 1. Buch, 30. Kapitel. *Zeller*, Die Philosophie der Griechen, vgl. Anm. 4, S. 161 ff.

[68] Martyr spricht gelegentlich selbst von den Heilsereignissen als einer Demonstration vor der Welt. Oratio de resurrectione Christi (1548?), Loci 1587, 1045, 10: »Mulieribus dicunt primo *demonstratam* resurrectionem.« 1045, 24 ff.: »Angelus descendit de coelo ... resurrectionem nuntiaturus [Mt. 28, 2 ff.]. Eadem opera in eodem *demonstratur* conditio futurae vitae.«

storischen, irdischen Jesus als ihren unproblematischen Anfang, ihr erstes Datum setzt, immer eine Christologie dieser Art zur Folge. Es liegt eine geschlossene Anschauung vor, die man nicht nach einer Seite auflösen kann. Welche die erste Hypothese ist, läßt sich nicht ausmachen.

Wenn man überhaupt nach der letzten Voraussetzung dieser Auffassung von Christus suchen will, ist sie wahrscheinlich in der zugrunde liegenden Bewertung der Schrift zu finden, eben in der humanistischen Art, den heiligen ehrwürdigen Schriften ihre Autorität zu lassen. Da wird einem ausgegrenzten Bereich von geschichtlich Vorgegebenem eine vorzügliche Geltung zugestanden. Wir haben schon gesehen, daß es Martyr nicht auf die formale Autorität der Schrift ankommt. Daß die Schrift geschrieben ist, daß sie Wort, Sprache ist, hat weniger Gewicht, als daß sie heile Überlieferung aus den ersten Zeiten ist. Auf Grund dieser Beurteilung beansprucht die alte Überlieferung in ihrer ganzen Breite grundsätzlich gleiche Geltung, die Geltung des geschichtlich Vorgegebenen, des Historischen. So stehen Inkarnation, Kreuzigung und Himmelfahrt als Daten gleicher Ordnung und Würde nebeneinander, jedes Heilsereignis für sich vollkommene Darstellung des gleichen religiös bedeutungsvollen Sinns. Diese grundsätzliche Ausrichtung des theologischen Erkennens auf historisch Vorgegebenes wird verschärft durch den methodischen Rationalismus und die Anwendung der aristotelischen Wissenschaftslehre.

Wird die Abgrenzung der Heilsgeschichte gegenüber der Fülle von Erscheinungen vergangener Geschichte für Martyr im allgemeinen nicht als schwierige Aufgabe empfunden, so stellt er sich doch gelegentlich dem Problem und zeigt den Weg seiner Lösung. Die Erkenntnis, daß auch die außerchristliche religionsgeschichtliche Literatur von der Inkarnation Christi ähnlichen Erscheinungen weiß, veranlaßt ihn, in seiner Auslegung des Glaubensbekenntnisses zu einigen apologetischen Bemerkungen. »Es ist zwar wahr, daß der Teufel durch seinen lügnerischen Geist die Erfindung aufgebracht und die Götzenverehrer davon zu überzeugen versucht hat, daß die Götter, denen sie huldigten, einst die Gestalt von Menschen angenommen hätten; aber nicht so, daß sie unsere Natur heiligten, vielmehr so, daß sie sie grenzenlos mit unflätigem Schmutz befleckten . . . derartige Erscheinungen . . . tragen nichts anderes aus, als daß . . . sie den Geist der Menschen durch schimpfliche Beispiele zum Bösen verlocken.«[69] Der religionsgeschichtlichen Überlieferung wird ihre Wahrheit bestritten, indem den von ihr behaupteten Vorkommnissen die Tatsächlichkeit ihres Geschehenseins abgesprochen wird. Wichtiger ist das zweite Argument: sie

---

[69] Loci 1587, 425, 8 ff.

haben keinen religiösen, erbauenden Wert. Bei diesem Urteil wird unbegründet ein bestimmtes Menschenbild, Wertvorstellungen, ein vorgefaßtes Bild von der historischen Wirklichkeit des Lebens Jesu samt seiner Bedeutung als kritische Analogie angewendet. In derselben Weise vollzieht sich die Auseinandersetzung mit der klassischen Antike, die den geltend gesetzten Kriterien in großem Maße standhält. Die Problematik des Historismus bleibt natürlich verdeckt wegen des ungebrochenen materialen Biblizismus. Martyr findet die zur Beurteilung der Geschichte herangezogenen Kriterien in der Schrift, die ihm selbstverständlich Offenbarung ist, bestätigt. Er könnte, weil ihm die Wahrheit der christlichen Frömmigkeit im ganzen unzweifelhaft ist, wenn es nötig wäre, die Faktizität einzelner Ereignisse der Heilsgeschichte beweisen, wie er die Gottheit Christi beweisen kann[70]. Martyrs Theologie hat nicht einzelne Fakten, sondern die Bibel als Offenbarung zum Fundament.

Es ist dennoch der Beachtung wert, daß die Bibel so als Offenbarung und der Heilscharakter der Heilsgeschichte so verstanden wird, daß Jesu Tun und Erleiden als tatsächliches Geschehen in Raum und Zeit ausdrückliche und notwendige Bedingung ist. Wir haben das für die Inkarnation schon angedeutet. Die Sündlosigkeit des Menschen Jesus, d. h. die Tatsache, daß er niemals eine Sünde getan hat, ist so gut bezeugt, daß sie keines ausdrücklichen Beweises bedarf. Gott selbst hat durch Wunder Jesu makellose Reinheit bestätigt[71]. Martyr fährt fort: »Darum wird er [Christus] von uns Gott und Mensch geheißen . . .«[72] Das christologische Dogma steht für Martyr auch abgesehen von der historischen Sinnenfälligkeit der göttlichen Reinheit Christi fest. Aber der geschichtliche Aufweis, wenigstens die glaubwürdige Bezeugung, ist doch eine wichtige, wenn nicht gar notwendige Stütze des Dogmas. Das Dogma selbst ist keineswegs ein Resümee der Geschichte Jesu, es bleibt paradox und erhaben über die Einflächigkeit irdischer, geschichtlicher Vorgänge. Trotzdem gibt sich Martyr alle erdenkliche Mühe, jeden Bestandteil des Dogmas für sich an dem geschichtlichen Tatbestand zu verifizieren. So weiß Martyr, daß an dem schmachvoll leidenden Christus nicht jeder seine Unschuld sehen konnte[73]. Das unter dem Kreuz sich einfindende Volk billigte fluchend und höhnend das an ihm vollstreckte Urteil[74]. In diesem Zusammenhang die Gottheit Christi demonstrieren zu wollen, würde das Dogma auflösen. Hier kommt es dar-

---

[70] Vgl. S. 112, S. 172.
[71] Loci 1587, 423, 48 ff.
[72] Loci 1587, 423, 59.
[73] Loci 1587, 426, 16.
[74] Loci 1587, 426, 18.

auf an, die andere Voraussetzung der Erlösung aufzuzeigen, nämlich, daß
Jesus die unüberbietbare Schande und die schwerste erdenkliche Strafe
wirklich erlitten hat. Dazu breitet er alles, was Jesus an Leid zugefügt wurde, kommentierend aus bis zu den Ohrfeigen und den Stichen der Dornen.

Man kann an dieser Stelle recht gut sehen, wie Martyr Theologie treibt.
Die überkommene Lehre gilt ihm ohne Frage, gerade darum sucht er, dem
menschlichen Denkvermögen sich anpassend, sie zu vereinzeln und verständlich zu machen und ihre Wahrheit, so gut es geht, wenigstens ihre
Zuverlässigkeit an den Tatsachen zu erweisen. Er geht in seiner Theologie noch traumhaft selbstverständlich mit gewaltigen Spannungen und un-
verdeckten Widersprüchen um, die später unter konsequenter Anwendung
derselben Prinzipien, die auch bei Martyr die Ungereimtheiten bedingen
und steigern, zur Destruktion des Dogmas führten.

Der Beurteilung des schmachvollen Todes Christi entspricht die seiner
Auferstehung. Die Möglichkeit des christlichen Glaubens hängt davon ab,
daß Christus, sofern er Mensch war[75], mit Leib und Seele in den Himmel
zur Rechten Gottes erhoben wurde. Jetzt muß sich die göttliche Kraft des
Gottmenschen wieder an dem Geschehen in Raum und Zeit erweisen;
denn der Tod des reinen und heiligen Menschen würde nur Verdammnis
bedeuten[76]. »Wenn Christus ... dem Tod erlegen gewesen wäre, ... wie
könnten wir darauf vertrauen, daß wir von ihm gerettet würden...?«[77] Der
Gedanke der heilsgeschichtlichen Steigerung überholt die perspektivische
Betrachtung Christi in den einzelnen Stationen seines Weges vom Ende
her. Durch die Auferstehung vom Tode erlangte er größere Macht, als
wenn er vom Kreuz herabgestiegen wäre[78]. Die vernunftgemäße Durch-
dringung der Wunder der Heilsgeschichte deckt Ungereimtheiten auf, ver-
schleift sie aber auch wieder, indem sie Obersätze von einwandfreiem religiösen Sinn bildet. Für Martyrs Theologie und Frömmigkeit ist es von
grundlegender Wichtigkeit, daß Christi Auferstehung und Himmelfahrt
– beide Ereignisse werden im Kommentar zum Apostolikum zusammen-
genommen – ein einmal gültig vollzogener Akt sind[79]. Durch sie ist die
Welt wieder ins Lot gebracht, Gott mit seiner Ehre und Erhabenheit im
Himmel und auf der Erde der Mensch mit seiner Sehnsucht nach dem geistlichen Leben und der Hoffnung auf den Himmel. Christi Himmelfahrt
begründet seine bleibende Autorität, seine göttliche Erhabenheit und sei-

---

[75] Loci 1587, 430, 5.
[76] Loci 1587, 428, 47.
[77] Loci 1587, 428, 41 ff.
[78] Loci 1587, 428, 51.
[79] Vgl. S. 171 ff.

nen Ruhm, die Voraussetzungen seiner Verehrenswürdigkeit[80]. An seiner Himmelfahrt wird der »Typus« des geistlichen Lebens, das uns nicht nach dem Fleisch, sondern nach dem Geist zu leben gebührt, erkannt[81].

Diese beiden für Martyrs Frömmigkeit unaufgebbaren Hauptsätze hat er nach der Regel, daß jede Tat Christi zur Förderung unseres Heils von größter Bedeutung ist[82], auch schon an der Inkarnation ablesen können. Aber Martyr muß eben die ganze Geschichte Christi als einen dramatischen Ablauf deuten, dabei fällt jedem Glied entscheidende Bedeutung für den Sinn des Ganzen zu. Christi Leben wird jedoch nicht als ein kontingentes, geschichtliches Geschehen angesehen und in seiner Komplexität und Unauflöslichkeit gelten gelassen, sondern als sukzessive Demonstration eines abstrakten Dogmas, dessen Einheit nicht in der Fülle des konkret Begegnenden, sondern in dem logischen Zusammenhang besteht[83]. Gerade darum müssen die Einzelheiten als auf historische Realität gegründet sich erweisen. Die historisierende Betrachtung Christi resultiert darum nicht aus einer zufälligen Neigung, die selbstverständlich als historisch zuverlässig geltende biblische Überlieferung hier und da besonders intensiv auszudeuten. Sie ist in Martyrs Auffassung von Christentum im ganzen begründet und wird durch die rationale Auslegung des christologischen Dogmas verstärkt. Schon bei der ontologischen Betrachtung seiner Christologie zeigt sich die Tendenz, von den Taten und dem Schicksal des Menschen Jesus ausgehend seine Heilsbedeutung und seine göttliche Würde verständlich zu machen.

2. Der soteriologische Aspekt der Christologie

Der ontologische und der soteriologische Aspekt der Christologie werden nur von mir um der geordneten Darstellung willen unterschieden. Für Martyrs Christologie ist es gerade bezeichnend, daß er bei aller sonstigen

---

[80] Loci 1587, 428, 58 ff.

[81] Loci 1587, 430, 47 ff.: »Nam etsi morte Christi, atque unico illo et acceptissimo sacrificio peccata remissa sint, ac in ipsius carne omnia delicta nostra debitas poenas cruci affixa pependerint, attamen vitae illius spiritualis typus illic non deprehenditur, quam vivere nos oportet, non amplius carni sed spiritui, non veteri Adamo, sed Christo . . .«

[82] Loci 1587, 430, 10.

[83] Vgl. als frappierendes Beispiel die Schilderung von Christi Leiden, die mit der Nutzanwendung abgeschlossen wird: »*Iure* igitur *laetari* possumus, tanti beneficii per fidem effecti participes . . .« Loci 1587, 426, 14, 11. Wer so urteilt, versenkt sich nicht schauend in Christi Leiden, sondern taxiert es nach seinem logischen Stellenwert im Gefüge des Dogmas.

Neigung zum Differenzieren Christi Person und Werk nicht voneinander trennt. Was Christus tut und leidet, ist nur eine Darstellung dessen, was er ist, und daß er Gott und Mensch ist, das begründet und verursacht unsere Erlösung. Die Einheit von Sein und Wirken Christi wird hinsichtlich seiner soteriologischen Bedeutung vorzüglich und charakteristisch am Begriff der Herrschaft Christi verständlich gemacht.

a) Christus der zu verehrende Herr

Der Titel »Dominus« kennzeichnet Christi Hoheit in zweifacher Weise. Einmal bedeutet er seine absolute göttliche Überlegenheit gegenüber allen Dingen[84], zum anderen seine »potentia«, seine Gemeinde mit Gütern zu beschenken[85]. Beide Auszeichnungen gründen in Christi Einheit mit Gott oder, sofern sie den Menschen Jesus betreffen, in seiner Sündlosigkeit. Auch der Mensch Jesus kann mit Recht »Herr« genannt werden, weil er von Sünde gänzlich unbefleckt war, und das heißt zugleich, daß er mit allem Guten erfüllt war. Die biblische Aussage, daß Jesus frei von Sünde war, wird durch Identifikationen erweitert und zu der Vorstellung, daß Christus Macht hat, andere reich zu machen, gedehnt. Sünde ist die Knechtschaft schlechthin, wer also ohne Sünde ist, ist Herr und nicht Knecht. Wer ohne Sünde ist, den erfüllt nach Martyrs selbstverständlicher Annahme alles Gute, er ist mit göttlichen Eigenschaften begabt. Wem aber die Fülle göttlicher Güter eigen ist, kann andere daran teilhaben lassen, das ist Christi »potentia«[86]. Christi »potentia« wird analog der früher besprochenen »potentia« Gottes verstanden[87]. Sie besteht eigentlich sogar darin, daß er uns vermöge der »potentia« des Vaters dessen Hilfe zuwendet[88]. Wenn an uns etwas Gutes ist, Freiheit von der Sünde, Reinheit, dann haben wir das Christus zu verdanken, der das alles vor uns hatte, der überhaupt erst die Möglichkeit in die Welt gebracht hat, daß solches in seiner Gemeinde geschieht, und der der bleibende Garant dieser Möglichkeit ist. Christus

---

[84] Loci 1587, 423, 8, 39.
[85] Loci 1587, 423, 8, 45; 424, 9, 35.
[86] Loci 1587, 423, 8, 43: »Ita mihi quidem videtur, quum qui liber est a peccato, nullo modo sit servus; prima enim servitus per peccatum est in mundum ingressa et qui divinis proprietatibus est donatus, is citra dubium potest aliis opitulari.«
[87] Vgl. Kapitel I, 2, a, S. 91 ff.
[88] Loci 1587, 430, 25, 13 ff.: ». . . quum Christus a morte devinci non putuerit, nunc nostrae neccessitati longe melius posse illum subvenire, idque favore et potentia Patris, . . . gratiam illius nobis conciliat, viresque impetrat, quas alia ratione nunquam possemus nobis comparare.«

ist als der erstgeborene unter den Söhnen Gottes ihr Herr. An den nachgeborenen Söhnen wird die Adoption durch die Begabung mit seinem Geist verwirklicht. Indem sie dem Bild des Sohnes ähnlich werden, sind sie seine Brüder und Gottes Söhne. Gott ist ihr Vater, Christus ihr Herr. Die betende Gemeinde weiß, daß sie alles, was sie erbittet und erhält, Gott durch Christus (per Christum) zu verdanken hat[89]. Christus ist der erste, der – zunächst für sich selbst – die Gnade Gottes in Fluß gebracht hat. Als der erste ist er für die nach ihm Begnadeten ihr Herr und Vermittler der Gunst Gottes. Martyr erinnert an die Erfahrung, daß erstgeborene Fürstensöhne die Herrschaft zu übernehmen pflegen[90]. Unter den Menschen ist er die einzigartige Ausnahme wegen der aus Gottes Wohlwollen auf ihn gehäuften Gnadengaben und der ihm verliehenen Sündlosigkeit. Auch diese Unterschiedenheit von den weniger radikal entsündigten und weniger reich begnadeten Menschen drückt der Titel »Herr« aus[91]. Christus ist auch darum unser Herr, weil er uns aus der Gewalt des Satans losgekauft hat[92]. Schon sein Doppelname läßt erkennen, daß ihm die Herrenwürde zusteht. Er ist Jesus, der Retter, der uns von der Sünde und damit zugleich von allem Übel befreit hat. Er ist ferner Christus, der gesalbte König, der die Söhne Gottes durch seinen Geist und sein Wort zum ewigen Leben führt und leitet[93].

An diesen Gedanken zeigt sich deutlich, wie Martyr sich Christi Herrschaft vorstellt. Er ist »Herr« in der Weise, daß wir ihn mit diesem Titel auszeichnen, indem wir ihn unseren Herrn nennen[94]. Der Titel »Herr« ist ein Ehrenprädikat, das Christi Verhältnis zur Kirche ausdrückt. Der Sinn der Prädikation erschöpft sich in dieser Verhältnisbestimmung. Die Kirche erklärt ihr Selbstverständnis als Abhängigkeit und Vertrauen dadurch, daß sie ihn zu ihrem Herrn proklamiert, freilich, wie Martyr sich zu begründen anschickt, zu Recht. Wir haben es Christus zu verdanken, daß wir Sündenvergebung haben. Er ist der Rechtsgrund und die Ursache unserer Sündenvergebung. Martyr beruft sich zur Begründung dieser Sätze in gleicher Wei-

---

[89] Loci 1587, 424, 9, 15 ff.
[90] Loci 1587, 424, 9, 8 ff.
[91] Loci 1587, 423, 8, 61 ff.: »Inter homines vero (quamvis multos habeat adoptivos fratres) potest merito unicus etiam dici, propter gratiarum ex Dei eudokia [Text: griechisch] cumulum, ac propter imaginem et similitudinem aeterni Patris. Aequum est igitur, eum tam propterea quod sit absque peccato, quam propter divinorum donorum cumulum, Dominum nostrum vocari.«
[92] Loci 1587, 424, 9, 4.
[93] Loci 1587, 423, 7, 27 ff.
[94] Loci 1587, 423, 7, 35 ff.: »Ex duobus ergo illis quibus constat naturis, illisque appellationibus duabus, facile intelligitur: titulum *quo a nobis ornatur*, eum Dominum nostrum vocantes, optime ei convenire.«

se auf Christi gottmenschliche Person und auf seine Heilstat als einmaliges
gültiges Faktum. Die sich zu Christus bekennende Gemeinde weiß sich
unter dem Banner eines großmütigen Fürsten stehen, dem niemals Wille
und Möglichkeit (potentia) fehlen, uns zu helfen[95]. Darum »sollen wir
uns ihm in Vertrauen hingeben, da wir keinen anderen Grund unserer
Hilfe finden können, ihm eifrig und von ganzem Herzen dienen, ihn innig
anbeten und verehren. Das ist nämlich unser Amt, und dessen ist er würdig«[96]. Mehrmals bezeichnet Martyr den Glauben an Christi Herrschaft als
Vertrauen (fiducia)[97]. Man erfährt nicht, wie sich das Vertrauen beim
Menschen äußert, ebensowenig, was der Glaubende von Christus erwartet.
Vertrauen heißt, daß der Christ im Hinblick auf Christus überhaupt Hoffnung hat, eine Hoffnung, die von den Menschen und der Welt nichts
erwartet, Christus aber als Bürgen wunderbarer Möglichkeiten ansieht,
von denen alles zu erhoffen ist. Während das Vertrauen sich vor allem
auf die durch Christus verbürgte Macht bezieht, korrespondiert die Verehrung mehr seiner Würde. Beide Momente des Glaubens sind eng miteinander verschlungen. Das Vertrauen faßt Martyr als eine eigentümliche
Weise der Verehrung auf; es ist die einem Herrn wie Christus gebührende
Form der Reverenz. Der Titel »Herr« muß seiner Bedeutung nach diesen
Erfordernissen der Frömmigkeit genügen[98]. Alles, was Christus verehrens-
würdig und anbetenswert macht, ist in dem Namen »Herr« zusammengefaßt. Daß Christus verehrt werden soll, ist die Mitte der christlichen Frömmigkeit. In diesem Hauptsatz liegen alle wichtigen evangelischen Lehren
beschlossen, z. B. daß wir aus Glauben gerechtfertigt werden und unsere
angefangene Vollkommenheit aus Christi Gnade haben. Wer zu der glück-
lichen Versammlung gehört, die Christus als ihren Herrn verehrt, weiß
gleichsam per definitionem, daß alles, was im Leben dieser Gemeinschaft
Wert hat, von Christus herrührt. Seine Herrschaft ist angenehm, weil sie
auf freiwilliger Unterwerfung beruht, die nicht durch Gesetze und Lasten
erzwungen, sondern durch Gnade ermöglicht wird, so daß sie als milde
und leicht empfunden wird[99]. Anders ist sie nicht die eigentümliche Herrschaft Christi, der als unser Führer unsere Feinde schon in die Flucht ge-
schlagen hat[100]. Christus ist das von allen seinen Verehrern gemeinsam an-

---

[95] Loci 1587, 424, 9, 34.
[96] Loci 1587, 424, 9, 35.
[97] Loci 1587, 423, 6, 15 ff.
[98] Vgl. Loci 1587, 422, 5, 50: »... prius videndum quis nam sit, quem Domini titulo
exoramus; post enim facile dijudicari poterit, utrum ei tam insignis praerogativa
conveniat necne.«
[99] Loci 1587, 424, 9, 24.
[100] Loci 1587, 424, 9, 21.

erkannte Lebensprinzip, als transzendentaler Richtpunkt und Instanz der Ableitung ihres frommen Lebens. Diese Frömmigkeit ist konstitutiv an einer jenseitigen Autorität orientiert. Erst beim Jüngsten Gericht wird die Welt einsehen, daß Christus, der Herr der Christen, keine Fiktion war[101]. Nur durch die Ausrichtung auf eine unweltliche Autorität ist die christliche Frömmigkeit Verehrung im reinen Sinn, ohne vordergründige Zwecke, Ziele und Stützen und davor bewahrt, in sich selbst kreisender Kult von Menschen zu ihrer eigenen Ehre und Erbauung zu sein. Christi Vollkommenheit und Überlegenheit sind, sofern sie Ausdruck seiner Transzendenz gegenüber der Gemeinde sind, für Martyr in dem Begriff »Herr« zusammengefaßt. Martyr findet es am leichtesten einsichtig, daß Gott der Schöpfer »Herr« ist[102]. Dabei bedenken wir, daß er in dem Schöpfer die außerweltliche Ursache alles Existierenden sieht[103].

Da Martyr jedoch nicht zum Ausdruck zu bringen weiß, wie Christus seine Herrschaft in der Gemeinde konkret erweist, ermangelt der aus seiner Theologie folgenden Frömmigkeit die besondere, lebendige Ausrichtung auf ein »externum« des frommen Lebens. Sie gerät in Wirklichkeit doch in die Selbstbespiegelung hinein, obgleich das nicht ihr Ziel und ihr theologischer Sinn ist. Das Glück und der Trost der Gemeinde bestehen darin, als Bürger im Fürstentum Christi gerechnet zu werden[104]. Aber diese selige Gemeinschaft muß sich selbst daran erkennen, daß sie sich nicht in die Gewalt eines Tyrannen, eines unrechtmäßigen Herren gibt[105].

b) Christus als exemplum

Christi Bedeutung für die Gemeinde faßt Martyr oft in die einfache und praktikable Vorstellung, daß Christus in seiner persönlichen Reinheit, seiner vollendeten Lebensführung oder in seinem Heilsweg Vorbild der Christen ist. Er ist die urbildliche Darstellung ihres noch unvollendeten Heilsstandes und zugleich das ethische Vorbild ihrer Lebensführung. Diese Anschauung umfaßt die ganze Christologie von einem besonderen, bevorzugten Aspekt her. Es bleibt nichts an Christi Person und Leben übrig, dessen Heilsbedeutung auf andere Weise und mit anderer Terminologie verständlich gemacht werden müßte. Mit dem Begriff »exemplum« wird

---

[101] Loci 1587, 431, 27, 30 ff.
[102] Loci 1587, 423, 8, 39.
[103] Vgl. S. 91.
[104] Loci 1587, 424, 9, 34.
[105] Loci 1587, 424, 9, 20.

andererseits auch nichts anderes von Christus ausgesagt, als was schon mit dem Titel »Herr« an ihm gepriesen wurde, sondern nur um eine Nuance variiert und mit bestimmter Zuspitzung präzisiert.

Häufig stellt Martyr Christi moralische Leistung der Gemeinde als Vorbild hin. Christus war von »solcher Gerechtigkeit, Geduld, Selbstbeherrschung, Bedachtsamkeit, Weisheit und Bescheidenheit erfüllt, gab vollkommene Beispiele einer so hervorragenden Gerechtigkeit, daß nur sein Leben (wenn es recht angesehen wird) tauglich ist, rechte Lebensführung zu lehren«[106]. Martyr kann die Anwendung von Christi Vorbildlichkeit spezialisieren. Dadurch ergibt sich ein Spektrum von in der Struktur gleichen Koordinationen von Christus und der ihn verehrenden Gemeinde. Jeder Tat Christi, jeder Station seines Heilsweges, jeder hohen Eigenschaft seiner Person vermag Martyr eine besondere Vorbildlichkeit abzugewinnen. Selbst der Satz der biblischen Verkündigung, daß Christus dereinst ohne Ansehen der Person richten werde, wird sofort als Kundgabe eines sittlichen Maßstabes verstanden, durch den die Eigennützigkeit und Befangenheit der Verächter des Christentums ins Unrecht gesetzt werden[107]. Das ist Martyrs Art, die christologische Botschaft lebensnah zu applizieren. Er kann die Vorbildlichkeit Christi für jede menschliche Situation und Verhaltensweise passend abwandeln. Christliche Fürsten sollen sich an der sanften Herrschaft Christi ein Beispiel nehmen[108]. Nach der Art dieser Ableitung lassen sich für alle ethischen Entscheidungen Weisungen von Christi Person und Leben her aufrichten. Z. B. ist die Todesfurcht kein Laster, weil Christus den Tod gefürchtet hat; denn alles, was er tat, war recht, heilig, ehrenhaft, und er tat nichts gegen den Willen Gottes, des Vaters[109]. Christus floh nach Joh. 10, 39 vor seinen Feinden, also ist es erlaubt, sich durch die Flucht der Verfolgung um des Glaubens willen zu entziehen[110]. Oftmals, wie auch in diesem Fall, ist Jesu Verhalten klarer und eindeutiger als seine und der Apostel Lehre, und Martyr entscheidet strittige Lehrfragen von Jesu Leben her[111]. Jedoch ist manchmal schwer herauszufinden, welcher Verhaltensweise Jesu in der jeweiligen Situation des Christen nor-

---

[106] Loci 1587, 425, 11, 17; vgl. auch 425, 12, 21 ff.; 427, 18, 21 ff.
[107] Loci 1587, 431, 28, 51 ff.: »Propterea istud de eo praedicatur, quod apud eum non sit acceptio personarum. Quod vitium non patitur verae pietatis hostes recte aut sentire aut loqui de Christianismo. Verum hic privati commodi studio commotus, ille abreptus perversis aliis affectibus Christum cum suis temere condemnat variisque conviciis lacessit.«
[108] Loci 1587, 424, 9, 32.
[109] De fuga, Loci 1587, 1074, 22 ff.
[110] De fuga, Loci 1587, 1076, 50.
[111] De fuga, Loci 1587, 1079, 39: »Ei igitur, qui secundum praescriptos modos fugit, *non scriptura modo*, verumetiam prophetarum multorum, Apostolorum, martyrumque

mative Geltung zukommt. Wenn der christliche Bruder durch Ermahnungen und Trost vor dem geistlichen Tod bewahrt werden kann, gebührt es den Schülern Christi, ihren Lehrer nachzuahmen, indem sie ihr leibliches Leben für das ewige Heil des Bruders hingeben[112].

Erstaunlich ist die fraglose Selbstverständlichkeit, mit der Christus als Vorbild unseres Handelns hingestellt wird, ohne daß eine christliche soteriologische Reflexion angedeutet wird oder auch nur erschlossen werden könnte. Ein allgemeines Schema, das man sich leicht aus der humanistischen Geschichtsauffassung erklären kann[113], scheint gelegentlich speziell soteriologisch angewendet zu werden. Der Übergang vollzieht sich kaum merklich. Christus hat durch seine Menschwerdung die Natur aller, die mit ihm im Glauben verbunden sind, rein gemacht. Er hat, sich unter der menschlichen Natur verbergend, in seinem Leben Beispiele vollkommener Gerechtigkeit gegeben. Ein Muster (exemplar) von Reinheit hat er durch das Anziehen der menschlichen Natur und der Glieder seines Leibes, die er dadurch rein machte, dargestellt[114]. Wenn wir uns erinnern, daß Martyr sich die Inkarnation als gesteigerte ethische Qualifikation des Menschen Jesus veranschaulichte[115], ist der zwischen Soteriologie und Ethik changierende Gebrauch des Begriffs »exemplum« verständlich. Dann ist aber auch deutlich, daß die ethische Anwendung für Martyr die konkretere und am ehesten mit Anschauung zu füllende ist, von der aus die soteriologische auf dem Wege der Abstraktion und der logischen Konstruktion zu erklären ist. Wäre Jesus mit der schimpflichen Bezeichnung »Freund der Zöllner und Sünder« wirklich hinreichend charakterisiert gewesen, hätten seine Gegner recht gehabt, daß er nur verderbliche Beispiele erzeugt hätte[116]. Beispiel sittlichen Verhaltens ist Jesus, abgesehen von seiner soteriologischen Würde, als Mensch, als geschichtlich vorgegebene Gestalt menschlicher Lebensverwirklichung, die immer die Möglichkeit der Nachahmung aus sich heraus setzt. Als Vorbilder wirken auch die Götter der Dichter, denen Martyr nur literarische Existenz zuerkennt[117]. Man wird den für Humanisten bedeutsamen Gedanken, daß menschliche Größe und menschliches Vergehen sich unter den Menschen auf dem Wege der Nachahmung fortzeugen, auch berücksichtigen müssen, um die ernste Sorge um die Aus-

exempla favent, immo Christi servatoris nostri, qui licet non fugerit peccandi metu, fugit nihilominus, *ut exemplo suo doceret* quid nobis liceat. ...«
[112] De fuga, Loci 1587, 1080, 21 ff.
[113] Vgl. Jacob *Burckhardt*, Die Kultur der Renaissance in Italien, Nachdruck der 2. Auflage von 1869, Darmstadt, 1962, S. 116 ff. Vgl. S. 38 ff.; 160 ff.; 183 ff.
[114] Loci 1587, 425, 11, 14 ff.; 12, 20 ff.   [115] Vgl. Kapitel II, 1, a, S. 113 ff.
[116] Loci 1587, 425, 13, 56.   [117] Loci 1587, 425, 11, 11 ff.

scheidung der schlechten Beispiele aus der Gemeinde durch Exkommunikation zu verstehen[118]. Fürsten tragen eine besondere Verantwortung in der Gemeinde, weil das Volk sie nachzuahmen pflegt[119]. Ebenso gibt die sonst recht sonderbar anmutende Auffassung, es sei bei der Glaubensverfolgung besser, zu fliehen, als die Brüder durch die mögliche Verleugnung des Glaubens in ihrem Heil zu gefährden[120], in diesem Zusammenhang einen Sinn und zeigt zugleich, wie intensiv sich Martyr die Wirkung menschlicher Vorbilder vorstellt. Umgekehrt traut Martyr dem Beispiel frommen Lebens eine große stärkende Kraft für den Glauben zu. Aus diesem Grunde ist es so wichtig, in einer unverdorbenen christlichen Gemeinschaft zu leben[121]. Biblische Gestalten von David bis zur Königin von Saba und dem äthiopischen Eunuchen treten als Beispiele heiligen Lebens neben die biblische Lehre[122]. Einen besonderen Rang nehmen natürlich die Apostel ein. Sie haben mit den Märtyrern fast die gleiche Autorität wie Christus[123]; denn sie haben den Geist empfangen, sind exemplarisch vom Geist getrieben[124]. Von hier aus ist der Übergang zu der soteriologischen Verwendung der exemplum-Vorstellung leicht zu vollziehen. An Christus ist wie an den Aposteln erkennbar, was geisterfülltes, geistliches Leben ist[125]; darüber hinaus ist er Urbild unseres zukünftigen Zustandes[126], dessen Element die Kraft desselben Geistes ist, der auch die Erneuerung un-

---

[118] Loci 1587, 440, 46, 3: »Hic tantum ea locum obtinet, quae ad publica scelera pertinet, quae pravo *exemplo* eos ad quos notitia pervenerit, offenderint, iisque scandalo fuerint.«

[119] De fuga, Loci 1587, 1082, 36.

[120] De fuga, Loci 1587, 1080, 35 ff.; 53 f.: »Qui vero abiurant, primum quidem semetipsos in exitiium coniiciunt; deinde malo exemplo Ecclesias desolant et labefactant.«

[121] De fuga, Loci 1587, 1084, 14 ff.

[122] De fuga, Loci 1587, 1081, 29 ff.; 1079, 50 ff. Martyr sagt einmal, alles, was die heiligen Schriften enthielten, sei entweder nur zum Nachahmen oder zum Erkennen da. Die schändlichen Geschichten (Gen. 38; 39) sollen uns nur zur Erkenntnis führen, zu der Erkenntnis nämlich, daß Gott auch Böses zum Guten gebrauchen kann. Wir sollen an solchen Geschichten den Hinweis auf unser Heil erkennen, das Gott den Seinen oft zuwendet, indem er sie durch die Schande führt. Doch sollen sie nicht nachgeahmt werden. Exempel sind alle biblischen Geschichten, nachahmenswerte Vorbilder oder Urbilder göttlichen Heilswirkens. Bei allen muß man fragen, was sie für uns bedeuten. Der christologischen Anwendung des exemplum-Gedankens liegt ein allgemeines hermeneutisches Schema zugrunde. In Genesim, 155 b, 6 ff.; besonders 7 ff.; 25 ff.; 158, 46 f.; 54 ff. Martyr konnte sich mit solcher Geschichtsbetrachtung an damals übliche Anschauungen anlehnen. Vgl. *Luthers* Vorrede zur Historia Galeatii Capellae 1538, Luthers Werke, Weimarer Ausgabe, Bd. 50, S. 381–385.

[123] Vgl. Anm. 111.

[124] De fuga, Loci 1587, 1077, 43 ff.; 21 ff.

[125] Loci 1587, 430, 26, 48 f.: »vitae illius spiritualis typus«, »quam vivere nos oportet, non amplius carni, sed spiritui« a Christi resurrectione »deprehenditur«. Vgl. 425, 12, 21.

[126] Loci 1587, 430, 26, 53: »futuri nostri status exemplar ... in resurrectione conspicue elucet.«

seres irdischen Lebens schafft und der Ursprung unserer Seele ist[127]. Geistliches Leben ist in Christus zuerst und in vollendeter Weise verwirklicht, mit der göttlichen Sinngebung, daß es auf die Gemeinde übergreife[128]. Es entspricht dem Plan Gottes, daß es nachgeahmt werden muß. Da jedoch, wo diese Nachahmung geschieht, Christus als wirksames Urbild, in dem geistliches Leben dargestellt und in die Welt gebracht, die Kraftentfaltung des Heiligen Geistes inauguriert ist, dahintersteht, kann Martyr auch sagen, daß in ihm unsere Heiligung und Erlösung schon geschehen sei, ohne die exemplum-Vorstellung zu sprengen[129]. Eine ganz ähnliche Anschauung hatten wir bei der Deutung der Herrschaft Christi gefunden[130].

Sicherlich hat Martyr durch die Vermittlung des Juan Valdés Anregungen von der spätmittelalterlichen mystischen Christologie erfahren[131]. Doch fehlt bei Martyr das eigentümlich Mystische. Er weiß insbesondere nichts von der meditativen Versenkung in das Leiden Christi und von der Jesusliebe. An ihre Stelle tritt bei ihm das vernünftige Erwägen des Sinnes seines Leidens[132]. Nicht die Demut ist das religiöse Ziel der Nachfolge Christi, sondern die Standhaftigkeit in Anfechtungen[133]. Martyr ist in diesen Gedanken mehr Moralist als Mystiker und Erasmus verwandter als der Mystik und der Devotio moderna[134]. Ein Vergleich von Martyrs Deutung der Passion Christi[135] mit der theologia crucis des jungen Luther[136]

---

[127] Loci 1587, 430, 25, 32 ff.: »Praeterea Christus in coelum abiens singulare illud spiritus donum nobis gratificatus est, cui quemadmodum animarum nostrorum origo et vita regenerationisque Christianae principium debetur, ita etiam resurrectionis corporum . . .« Vgl. 433, 32, 23.

[128] Loci 1587, 425, 12, 23 ff.: »... nequaquam vero hic finis est, quem sibi deus proposuit, quum homo factus est; neque certe hoc consilio inter nos tres et triginta annos vixit. Itaque filios dei divinam vitam vivere esset consentaneum, cum eorum natura facta sit divina.«

[129] Die typologische christologische Deutung des Alten Testaments hat denselben Grund. Vgl. *McLelland*, S. 91 ff. S. 93: »For whatever may be unto pious men and members of Christ, that without controversy is to be related to Christ Himself.« In duos libros Samuelis Prophetae D. Petri *Martyris Vermilii* Commentarii, Tiguri, MDLXIIII (1564), zitiert in der Übersetzung McLellands. Dazu dessen Kommentar: »The basis of this exposition is the fact that Christ is the ›fountain and head‹ of all earthly benefits. . . . Martyr's argument of quemadmodum . . . ita is based on the prior fact that Christ is the archetypus.«

[130] Vgl. oben S. 128–130.

[131] Vgl. *Schmidt*, S. 16.

[132] »Expendere« ist Martyrs Terminus für die Betrachtung des Leidens Christi. Loci 1587, 426, 17, 56 f.; 427, 17, 5; 427, 18, 20.

[133] Loci 1587, 427, 18, 24.

[134] Zum Verständnis der Imitatio Christi bei den Mystikern, bei den Devoten und bei Erasmus vgl. Reinhold *Seeberg*, Lehrbuch der Dogmengeschichte, 3. Band: Die Dogmengeschichte des Mittelalters, 4. neu durchgearbeitete Auflage, Leipzig, 1930, S. 630 ff. und S. 759.

[135] Loci 1587, 425, 13, 40 ff.

[136] Vgl. z. B. die eindrucksvollen Predigten *Luthers* am Karfreitag (2. April) 1518, Luthers Werke, Weimarer Ausgabe, 1. Bd., Weimar, 1883, S. 335 ff.

ist besonders aufschlußreich. Die einzelnen Gedanken und Motive stimmen oft überein. Vor allem sind das Koordinationsschema, durch das Christi Leiden auf die Frömmigkeit der Christen bezogen wird, eben der exemplum-Gedanke, und damit die Betrachtungsweise Christi dieselben. Beide schöpfen aus derselben Tradition. Aber Martyrs gelegentlich schockierend vernünftige nüchterne Analyse der Leidensgeschichte ist weit entfernt von der düsteren Inbrunst, Radikalität und ungestümen Leidenschaftlichkeit der theologia crucis, zu der Luther die Motive der Nachfolge-Christi-Theologie zusammenfügt. Martyr hat die übernommenen Anschauungen seinem eigenen Denken anverwandelt. Seine Theologie ist nicht wie die des jungen Luther von der Anwendung des exemplum-Gedankens im mystischen Verständnis durch und durch geprägt, so daß von Christi demütigem Leiden her der Entwurf einer christologischen Gesamtanschauung zustande kam. Für Martyr ist Christus zwar grundsätzlich Vorbild der Gemeinde, und sein Leiden bildet natürlich die geduldige, demütige leidensbereite Nachfolge in den Fußstapfen Christi vor[137], aber er ist in jedem einzelnen Abschnitt seines Heilsweges Vorbild und Urbild für etwas je Besonderes. Zudem findet Martyr durch Christi Leiden mehr die »tranquillitas animi« gelehrt, als echte Leidensbereitschaft im Sinne der mystischen Selbstauslöschung gefordert[138]. Auch in der Leidensgeschichte ist Christus hauptsächlich Vorbild tugendhaften Lebens[139].

Dasselbe gilt für die Inkarnation, die nach Phil. 2, 5 ff. als Erniedrigung gedeutet wird[140]. Bei der Behandlung der Inkarnation wird wieder einmal gezeigt, wie Christi Bedeutung über die ethische Vorbildlichkeit hinausgeht. Christus hat sich den menschlichen Schwachheiten *für uns* unterworfen; wenn wir ernstlich glauben, daß Christus sie für uns getragen hat, erscheinen sie uns leichter, als ihre Natur es mit sich bringt[141]. Es ist offenbar gemeint wie in der Kalenderblättchenallegorie, in der der Gebirgsbauer den Weg durch den Schnee seinem Sohn vorangeht. Der Sohn muß den Weg zwar selbst gehen, aber den schon ausgetretenen Weg[142]. Martyr sagt an einer anderen Stelle, Christus habe unsere Feinde, gegen die wir strei-

---

137 Loci 1587, 427, 18, 29; 37 ff.
138 Loci 1587, 427, 18, 23; 27; vgl. 442, 39 ff.
139 Loci 1587, 427, 18, 21 ff.: »hic sese nobis exhibet exemplum atque viva omnis perfectionis imago, quum hic liceat intueri qualem patientiam, oboedientiam ac charitatem Christus noster pro nobis moriendo nos docuerit.«
140 Loci 1587, 425, 12, 31.
141 Loci 1587, 425, 12, 28 ff.
142 E. Schweizer verwendet dieses Bild zur Deutung der neutestamentlichen Christologie. Eduard *Schweizer*, Erniedrigung und Erhöhung bei Jesus und seinen Nachfolgern, Zürich, 1955, S. 7.

ten, schon besiegt[143]. Dort ist gemeint, wir sollten uns Christus, dem siegreichen Führer, anvertrauen. Christi Ertragen der Niedrigkeit ist unsere eigentliche Möglichkeit. Um unserer Nachfolge willen hat Christus sie verwirklicht und so für uns überhaupt zur Möglichkeit gemacht. Wir können sie nur durchstehen im Blick auf Christus, ohne Rücksicht auf unsere Schwachheit und die Schwere des Leidens. So wird Christi Beispiel für den verzagenden Glaubenden ein Haftpunkt jenseits der ihn niederdrückenden Erfahrung. Auf diese Weise schließt Martyr in die exemplum-Vorstellung den Heilscharakter (das »pro nobis«) von Jesu Tun und Leiden ein. Dasselbe drückt Martyr in anderer Terminologie aus, wenn er sagt, die Natur aller im Glauben mit Christus verbundenen Menschen sei durch seine Inkarnation gereinigt[144]. Wie er es versteht, führt er bald danach aus. Christus ist das Urbild (exemplar) der Reinigung aller menschlichen Natur[145]. Es liegt in dem Charakter des Urbildes, in der Tatsache, daß es Urbild ist, daß es nachgebildet wird. Alle Nachbildung ist in dem Urbild schon mitgesetzt. Wer angesichts der Inkarnation Christi es gering schätzt, rein zu leben, verachtet Christi Urbild der Heiligkeit; er versäumt es, durch Taten zum Ausdruck zu bringen, daß er in Christus die Teilhabe an der göttlichen Natur (idealiter) erlangt hat[146]. In dem durch die Inkarnation aufgerichteten Vorbild Christi ist das Ziel (finis) grundgelegt, daß die Menschen es als *gehörig* (consentaneum) ansehen, ein göttliches Leben zu führen[147]. Es herrscht ein logischer, unter der Voraussetzung der aristotelischen Metaphysik auch ontologischer Zwang, dem Martyr die faktische Realität gestaltende Kraft zutraut.

Entsprechend interpretiert Martyr Christi Auferstehung. Wir haben an Christus ein lebendiges und wirksames (efficax) Vorbild unserer leiblichen Auferstehung[148]. Wir erkennen an seiner Auferstehung das Urbild (exemplar) unseres zukünftigen Zustandes[149]. Was diese Aussage beinhaltet, hat Martyr kurz vorher gesagt: »wir haben nicht nur das Versprechen des neuen Lebens, sondern in Christus auch dessen sicheres Unterpfand«[150]. In

---

[143] Loci 1587, 424, 9, 22.
[144] Loci 1587, 425, 11, 14.
[145] Loci 1587, 425, 12, 21.
[146] Loci 1587, 425, 12, 20 ff.: »Eant ergo dissoluti lascivique Christiani et parvi esse ducant impure vivere, parvi faciant naturam ac membra quae Christus induendo sanctificavit, contemnant praeclarum illud sanctitatis et iustitiae exemplar, quod Christus, dum in carne vixit, praebuit; cessent etiam factis exprimere, quam naturae divinae participationem in Christo impetraverunt . . .« Fortsetzung Anm. 128.
[147] Vgl. Anm. 128.
[148] Loci 1587, 441, 49, 29.
[149] Loci 1587, 430, 26, 53.
[150] Loci 1587, 430, 25, 44.

diesem Zusammenhang steht die exemplum-Vorstellung in Parallele zu der vom Haupt und den Gliedern, so daß von dort her ihr Sinn genauer beleuchtet wird[151]. Christi Auferstehung ist auch Vorbild (typus) des geistlichen Lebens, genauer: der Typus, die Gestalt, des geistlichen Lebens wird an Christi Auferstehung erkannt[152]. »Wie Christus von den Toten auferweckt wurde und in den Himmel aufstieg, so ist es für uns um seinetwillen Gerechtfertigte schicklich, in unserem Leben nicht mehr nach Irdischem, sondern nach Himmlischem zu trachten«[153].

Martyr will die Wirkung und die prägende Kraft, die Christi Person wie auch sein Weg durch die Welt zur Erhöhung auf die christliche Gemeinde ausübt, intensiv und als ihre ursächliche Voraussetzung gedacht wissen. Doch führt der logische Sinn des Begriffs »exemplum« leicht zur Auflösung dieser strengen, theologischen Beziehung der Christen auf Christus, so daß Christus meistens als im Grunde beliebiges, wenn auch hervorragendes, Beispiel eines Heiligen erscheint. Wie selbstverständlich schiebt sich die Reflexion auf Gottes gleichbleibendes Handeln an den Seinen ein, das Christus und seinen Gliedern in derselben Weise zuteil wird. So mag der Glaubende darauf vertrauen, daß Gott jederzeit kann, was er an Christus getan hat, daß er die Seinen aus dem Schmutz aufrichtet, wie auch Christi Weg zur Erhöhung durch die Schande zum Kreuz führte[154].

Christus als »exemplum« ist Urbild unserer Erlösung, Vorbild christlichen Lebens und Beispiel göttlichen Handelns. Den Vorzug des Begriffs »exemplum« scheint Martyr darin zu finden, daß er diese drei Aussagen zugleich und innig verquickt enthält.

---

[151] Vgl. S. 148 ff.
[152] Loci 1587, 430, 26, 48.
[153] Loci 1587, 430, 26, 60. Vgl. Loci 1587, 431, 26, 2 ff.: »Propterea monebat Timotheum Paulus, Meminisset Jesum Christum resurrexisse ex mortuis; quoniam resurrectionis Christi *recordatio* non levis est ad vitam pie innocenterque traducendam aculeus, ut ita Christum imitemur, qui semel mortuus se a morte in perpetuum vindicavit; Sic etiam nos a peccato ipsius gratia liberati eius peccati iugo denuo nos implicari non convenit.« Später entwickelt *Martyr* diese Ableitung in einem dreifachen Schritt. Oratio de resurrectione Christi (1548 ?), Loci 1587, 1045, 8 f.: »Primo videbimus resurrexisse Christum. Secundo: Nos cum eo una resurrexisse. Tertio: Quid iam suscitatis agendum sit.«
[154] In Genesim, 158, 54 ff.: »Sed ratio haec fere est divinae providentiae agendi cum suis, ut per indignissima eos deducat ad summa rerum fastigia: e pulvere, e stercore suos erigit. Christo ita sublimando, ut ultra omne nomen quod sive in hoc sive in alio seculo nominatur transcenderit, via non alia est parata quam ignominiae, contumeliae et crucis. Hoc in aliis omnibus eius membris quoque ... facile posset ostendi.« Vgl. 158 b, 30 ff.

c) Christus als signum

Wir knüpfen an die exemplum-Vorstellung an, um von ihr aus einen Hinweis für die Bedeutung des Begriffs »signum« zu gewinnen, der Martyrs wichtigster Begriff der Sakramentslehre ist[155]. Da ich hier nicht Martyrs Sakramentslehre diskutieren möchte und der Begriff in den von mir zugrunde gelegten Texten selten vorkommt, muß ich mich auf die Erklärung grundlegender Eigentümlichkeiten beschränken.

Der Sinn eines Zeichens hängt von der Art des ihm zugedachten Verweischarakters ab. Die sakramentalen Zeichen sind für Martyr nicht nur Abbildung von etwas, wie ein Bild oder eine Statue eine Person darstellen[156]. Sie sind auch nicht Zeichen zur sinnfälligen Manifestation unserer Handlungen[157]. Sie sind überhaupt *nicht nur nackte* Zeichen, die irgend etwas bedeuten, sondern die Versiegelung der Verheißung und des Willens Gottes[158]. Sie sind »signa efficacia«[159]. Dennoch ist die Wirkung, die von dem Zeichen ausgeht, nämlich die Sündenvergebung, nicht dem Zeichen selbst zuzuschreiben, sondern sie geht allein aus der Verheißung der Gerechtigkeit und Freigebigkeit Gottes hervor[160]. Darum muß das Zeichen vom Bezeichneten (res significata) streng unterschieden werden[161]. Wie soll man es sich verständlich machen, daß Martyr das Zeichen nicht als bloßen Hinweis auf etwas für sich Bestehendes ansehen möchte und dennoch für das Zeichen deutlich den Charakter der Verweisung auf etwas von ihm selbst Verschiedenes festhalten möchte?

Ich versuche zunächst, einen Zeichenbegriff zu skizzieren, der, wie ich meine, dem Martyrs ähnlich ist, aber unserer Sprachgewohnheit näher liegt. Mir liegt daran, die Selbstverständlichkeit unserer alltäglichen Sprach- und Denkgewohnheit zu überwinden, damit wir nicht von vornherein für sinnlos widersprüchlich halten, was den Rahmen des üblichen[162] sprengt.

Heidegger entwickelt am Beispiel des Winkers eines Kraftwagens seinen Begriff von Zeichen, um dadurch ein existentiales Grundphänomen, die

---

[155] Schon angesichts der Häufigkeit des Begriffs bei der Behandlung der Sakramente ist es zu bedauern, daß McLelland sich der genauen Interpretation durch ein paar allgemeine Bemerkungen entzieht. *McLelland*, S. 221 ff.
[156] McLelland, S. 224, Anm. 5; Loci 1587, 811, 58 ff.
[157] Loci 1587, 811, 60.
[158] Loci 1587, 811, 61.
[159] Loci 1587, 439, 34; 876, 54 f.
[160] Loci 1587, 811, 53 ff.
[161] Loci 1587, 810, 43 ff.
[162] Martyr sagt oft, die Sakramente seien nicht »*vulgaria* signa, sed quae potenter atque efficaciter animum permoveant.« Loci 1587, 876, 54; vgl. *McLelland*, S. 223.

Verweisung, aufzudecken. Alles »Zeug« hat den »Charakter des Um-zu, seine bestimmte Dienlichkeit«[163]. Die besondere Dienlichkeit des Zeichens ist das Zeigen. »Dienlichkeit zu« ist eine ontologisch kategoriale Bestimmtheit des Zeugs als Zeug. »Zeigen ist die ontische Konkretion des Wozu einer Dienlichkeit«, Zeigen ist also nicht »die ontologische Struktur des Zeichens als Zeug.«[164] Das Zeichen wird in seinem eigentümlichen Sinn, seiner besonderen Verweisung, nur erfaßt, wenn es als konkrete Weisung an mein umsichtiges Besorgen aufgenommen wird. Es entdeckt mit seiner konkreten Weisung, dem Zeigen, zugleich das In-der-Welt-Sein des Daseins und bringt dieses vor seine eigentliche Möglichkeit, die Orientierung innerhalb der Umwelt. Das dem begegnenden Zeichen entsprechende Verhalten ist infolgedessen, daß solche Orientierung aktuell vollzogen wird. »Das entsprechende Verhalten (Sein) zu dem begegnenden Zeichen ist das ›Ausweichen‹ oder ›Stehenbleiben‹ gegenüber dem ankommenden Wagen, der den Pfeil mit sich führt. Ausweichen gehört als Einschlagen einer Richtung wesenhaft zum In-der-Welt-Sein des Daseins. Dieses ist immer irgendwie ausgerichtet und unterwegs; Stehen und Bleiben sind nur Grenzfälle dieses ausgerichteten ›Unterwegs‹. . . . Eigentlich ›erfaßt‹ wird das Zeichen gerade dann nicht, wenn wir es anstarren, als vorkommendes Zeitding feststellen. Selbst wenn wir der Zeigrichtung des Pfeils mit dem Blick folgen und auf etwas hinsehen, was innerhalb der Gegend vorhanden ist, in die der Pfeil zeigt, auch dann begegnet das Zeichen nicht eigentlich. Es wendet sich an die Umsicht des besorgenden Umgangs, so zwar, daß die seiner Weisung folgende Umsicht in solchem Mitgehen das jeweilige Umhafte der Umwelt in eine ausdrückliche ›Übersicht‹ bringt. Das umsichtige Übersehen erfaßt nicht das Zuhandene; es gewinnt vielmehr eine Orientierung innerhalb der Umwelt.«[165] »Zeichen der beschriebenen Art lassen Zuhandenes begegnen, genauer, einen Zusammenhang desselben so zugänglich werden, daß der besorgende Umgang sich eine Orientierung gibt und sichert. Zeichen ist nicht ein Ding, das zu einem anderen in zeigender Beziehung steht, sondern ein Zeug, das ein Zeugganzes ausdrücklich in die Umsicht hebt, so daß sich in eins damit die Weltmäßigkeit des Zuhandenen meldet.«[166] »Die Zeichen zeigen primär immer das, ›worin‹ man lebt, wobei das Besorgen sich aufhält, welche Bewandtnis es damit hat.«[167]

---

[163] Martin *Heidegger*, Sein und Zeit, 8. Auflage, Tübingen, 1957, S. 78.
[164] *Heidegger*, Sein und Zeit, vgl. Anm. 163, S. 78.
[165] *Heidegger*, Sein und Zeit, vgl. Anm. 163, S. 79.
[166] *Heidegger*, Sein und Zeit, vgl. Anm. 163, S. 79 f.
[167] *Heidegger*, Sein und Zeit, vgl. Anm. 163, S. 80.

Das Zeichen im Heideggerschen Verständnis übt auf den ihm begegnenden Menschen eine Wirkung aus, nämlich, daß er stehen bleibt und
damit seines In-der-Welt-Seins inne wird, es sogar überhaupt erst eigentlich realisiert. Die Wirkung entspringt aber nicht einer ruhenden Potenz
oder Dignität des Zeichens selbst. Sie beruht vielmehr darauf, daß mit
dem Zeigen die Verweisungsganzheit, die Weltlichkeit der Umwelt und
das In-der-Welt-Sein des Daseins reklamiert werden. Auf diese Weise wird
der Mensch bei seinem Besorgen behaftet, in die Orientierung innerhalb
der Umwelt hineingestoßen, die nicht das Ziel seines alltäglichen, von
der Benommenheit von seiner Welt[168] bestimmten Sorgens ist. Die Wirkung des Zeichens verändert nicht den ontologischen Charakter des Daseins, vielmehr deckt es diesen auf, zeigt »wobei sich das Sorgen aufhält,
welche Bewandtnis es damit hat«[169], im Hinblick auf die ontologische Aus-
gelegtheit und Bestimmtheit des Daseins.

Wir vergleichen damit zuerst einmal Martyrs Gebrauch des Begriffs
»Zeichen« an einer Stelle, wo nicht vom Sakrament und von Christus die
Rede ist, um der Logik des »Zeigens« auf die Spur zu kommen. Wie man
etwa von Paul Tillich nicht erwartet, daß er »Symbol« ganz unbedacht und
in irgendeinem alltäglichen Verständnis verwendet, ohne daß das exakte
Profil seines präzisen Verständnisses des Begriffs sich verriete, auch wenn
er nicht gerade thematisch vom »Symbolismus« handelt, wie man bei
Luther immer aufmerken wird, wenn er »promissio« sagt, so wird man
auch Sätze Martyrs scharf exegesieren dürfen, wenn die Verwendung der
Worte »signum« und »significare« Aufschluß über ihre Bedeutung zu geben verspricht. Zum Beispiel wollte Gott Abraham nach Gen. 17, 5 mit
dem ihm beigelegten Namen etwas bedeuten[170]. Den Sinn des Zeichens,
seine Art der Verweisung, kann man nicht an dem Zeichen selbst ablesen. Es hat Sinn und Funktion durch seine unlösliche Beziehung zu einem bestimmten Sinnganzen, auf das es hinweist, hier die Verheißung
an Abraham und die göttliche Bestimmung über ihn. Dieses Ganze zeigt
es dem, für den es Zeichen ist, dem, welchem Gott den Namen geändert
hat. Es führt ihn in die Orientierung über das Ganze, indem es ihn zwingt,

---

[168] *Heidegger*, Sein und Zeit, vgl. Anm. 163, S. 113.
[169] *Heidegger*, Sein und Zeit, vgl. Anm. 163, S. 80.
[170] In Genesim, 68, 12 ff.: »Cur vero divinitus mutata sint quibusdam nomina facile
patet causa, *quia erant* iam noviter a Deo ad aliquod opus magnificum destinati,
quod illis novo nomine significari Deus curabat, *quo* suo muneri *essent* atten-
tiores.« Das Zeichen bewirkt, daß sie *seien*, was sie *waren;* wobei weiter zu bedenken ist, daß sie *bestimmt* zu einer Aufgabe *waren* und *bedacht werden sollen auf*
ihr Amt. Auf dieser Spannung beruht die hier mit »significare« angezeigte eigentümliche Art der Verweisung. Genauso werden »Zeichen« und »Zeigen« in der Sakramentslehre verstanden. Vgl. In Genesim, 68, 31 ff.

sich überhaupt zu orientieren. Das Ganze ist das, worin der, dem das Zeichen sich zeigt, sich befindet, Abraham in seinem Amt, in der Bestimmung zu seiner Aufgabe, im Strahlungsbereich der zielstrebigen mit Güte verbundenen Macht Gottes. So wird die Orientierung über das Ganze für den, dem das Zeichen gegeben wird, zur Orientierung über sich selbst. Indem Abraham der zweckvoll auf ihn gerichteten Verheißung vermöge des Zeichens inne wird, das seine Funktion von diesem Zweck her hat, verwirklicht er an sich selbst das Zum-Ziel-Kommen der Verheißung. So übt das Zeichen eine Wirkung auf Abraham aus; es macht ihn zu dem, der er in den Koordinaten der über ihn verhängten Bestimmung ist. Es macht ihn zu Abraham, zu dem, dem die Verheißung gilt, zu Abraham, der er kraft der Verheißung immer schon ist, der er immer auf dem Wege ist zu werden, indem er an Hand des Zeichens die Verheißung über sich gelten läßt, durch das Zeichen an der Verheißung orientiert wird.

Der ontologischen Bestimmung alles Zuhandenen, der »Dienlichkeit zu« bei Heidegger, entspricht bei Martyr die Finalität des idealen Seins. Setzungen des Willens Gottes haben in sich die Tendenz, konkrete Gestalt zu gewinnen. Die Sakramente sind sichtbare Zeichen der Gnade und Gerechtigkeit Gottes, nicht aus sich selbst heraus (ex sua natura), sondern auf Grund der Einsetzung Gottes[171]. In der Einsetzung Gottes ist zugleich auch ihr Ziel, daß sie Glauben wecken und im Glauben die Verheißungen Gottes ergriffen werden, festgelegt[172]. Die Konkretisierung der ontologischen Dienlichkeit der Verweisung zum bestimmten Zeigen geschieht durch die jedem Sakrament eigentümliche Analogie von »signum« und »res significata«[173]. Daß etwas Begegnendes von dem ontologischen Charakter der Einsetzung Gottes Glauben fordert und erzeugt, ist von der be-

---

[171] Loci 1587, 810, 26; 811, 10.
[172] Loci 1587, 810, 60.
[173] Loci 1587, 810, 45.
McLelland sucht die Bedeutung des sakramentalen Zeichens durch eine Analyse des Verständnisses von »Analogie« nach der Geschichte der Verwendung dieses Begriffs zu erklären. *McLelland*, S. 79 ff. So erfaßt er nicht den ontologischen Sinn des Zeichens, der sich nicht am Begriff ablesen läßt, sondern sich von der ihm im Zusammenhang der Theologie Martyrs zugedachten soteriologischen Funktion her bestimmt. Zwar beschreibt »Analogie« das Zeigen im Hinblick auf das Verhältnis von »signum« und »res significata«, aber völlig unerklärt bleibt, wie sich das Zeigen auf den Menschen, dem etwas angezeigt werden soll, auswirkt. Erst recht erfährt man nicht, wie sich McLelland jene Wirklichkeit vorstellt, die das Zeichen analog darstellt, also die »res significata«. Die »Analogie« ist eine konkrete Bestimmung aller möglichen Zeichen. Als Kennzeichnung des sakramentalen Zeichens entbehrt sie aller diesem beigelegten Spezifika. Infolgedessen werden die »efficacitas« und die »potestas« des sakramentalen Zeichens, an denen Martyr so viel liegt, in McLellands Darstellung nicht zum Ausdruck gebracht. Dennoch mag die historische Ableitung von dem Verständnis der »Analogie« bei Aristoteles und Thomas zur Erhellung der

sonderen Gestalt des einzelnen Sakraments unabhängig[174]. Dennoch wird
Glaube konkret erweckt erst durch das besondere Hinzeigen etwa der Taufe
auf die Sündenvergebung[175]. Das Sakrament gibt nichts zu dem, was der
ihm begegnende Mensch ist, hinzu. Es vergibt nicht die Sünden, sondern
versiegelt die Sündenvergebung, in der der Glaubende immer schon
steht[176]. Wer ohne Glauben das Sakrament empfängt, nimmt es nicht als
das Zeichen des Willens Gottes gegen ihn, als welches es von Gott eingesetzt ist, er erfaßt nicht den ontologischen Sinn des Zeichens, empfängt
also gar kein Sakrament im eigentlichen Sinn[177]. Das Heilsgeschehen in
Jesus Christus, besser die in ihm der Welt demonstrierte Ausrichtung des
Willens, der Gerechtigkeit und Barmherzigkeit Gottes gegen uns, schließt
schon die Zueignung des Heils für uns ein. Sie braucht nicht erst durch
den Glauben appliziert zu werden. Das Sakrament zeigt *unsere* Rettung
durch Christus[178]. Das Sakrament macht nicht eine Tat Christi oder eine
besondere Verheißung Gottes gegenwärtig, weist auch nicht darauf hin.
Vielmehr stellt es den Christen in den universalen Horizont seines
Heils[179], das von Gott aus für ihn schon feststeht, in den das Zeichen des
Sakraments eingeschlossen ist und von dem her es als sakramentales Zeichen qualifiziert wird. Das Erfassen des Sakraments als Zeichen schafft
eine Orientierung innerhalb der Heilsbezogenheit des Menschen. Gezeigt
wird auf die Verweisungsganzheit der uns umschließenden Heilsveranstal-

---

eigentümlichen Verwendung des Begriffs »Zeichen« bei Martyr beitragen. Ob sie
allerdings zutrifft, kann ich auf Grund der wenigen Zitate, die McLelland aus Martyrs theologischen Schriften beibringt, nicht beurteilen. Fraglich scheint mir ferner,
ob die Darlegungen zum Begriff »Analogie« für die Charakterisierung von Martyrs
Offenbarungsverständnis generell – wie McLelland will – etwas austragen. Vgl. In
Genesim, I, 6 ff.; vgl. oben Kapitel I, 3, a, S. 103 ff.
[174] Loci 1587, 810, 47 ff.
[175] Loci 1587, 821, 14 ff.
[176] Loci 1587, 811, 53 ff.; *McLelland*, S. 33.
[177] *McLelland*, S. 33.
[178] »by both these kinds of word is signified and shown to us the salvation obtained
for us through Christ ... the reception and use of the sacraments is the seal and
obsignation of the promise already apprehended. ... the sacrament effects this, that
pardon of original sin, reconciliation with God, and the grace of the Holy Spirit,
bestowed on them through Christ, is sealed in them, and that those belonging
already to the Church are also visibly implanted in it.« Brief *Martyrs* an Bullinger,
Oxford, 14. Juni 1552, zitiert nach der bei *McLelland* gebotenen Übersetzung, S. 33 f.
[179] Loci 1587, 810, 29 ff.: »Res vero demonstrant et praesentes et praeteritas et futuras.
Mors enim Christi in eis repraesentatur, quae iam praecessit; et promissio ac donum
Dei, quod animo et fide tanquam praesens amplectimur, et vitae puritas, et mortificatio, et charitatis officia, quae a nobis postea *necessario* praestanda sunt. Ex his
liquet cuiusmodi signa ponamus esse sacramenta. Sed satius videri possit, accipere
definitionem ex Paulo, ut dicamus, Sacramenta esse σφραγῖδας, id est, obsigna-
tiones iustitiae fidei; consignant enim promissiones dei, quibus adhibita fide iusti-
ficamur. Quod si quaesiveris, quidnam sit, quod *nobis deus polliceatur*, ut uno
verbo respondeam, hoc est, *ut nobis sit deus*.« In Genesim, 68, 32; 68 b, 10 f.

tung Gottes, die sich darin zusammenfassen läßt, daß Gott Gott *für uns* ist[180]. Da diese Funktion den Glaubenden auch die Sakramente des Alten Testaments erfüllten, billigt Martyr ihnen dieselbe Wirkung wie Taufe und Abendmahl zu, nämlich, daß der Opfernde durch das Essen an Christus teilhatte und er Christus empfing[181].

Nach diesen Ausführungen scheint es mir verständlich zu sein, daß Martyr es ablehnt, die Gegenwart Christi im Sakrament mit der eines abwesenden Freundes, an den man denkt, zu vergleichen. Der im Andenken umfangene Freund, der dann im Geist da ist, verändert keineswegs den, der an ihn denkt, nährt nicht seinen Geist, macht auch nicht sein Fleisch neu, daß er der Auferstehung fähig werde[182]. Das alles vermag aber die durch das Sakrament erzeugte Beziehung zu Christus. Natürlich führt Martyr die Kraft des Sakraments auf die Wirkung des Heiligen Geistes zurück. Aber die Wirkung des Heiligen Geistes vermitteln die Zeichen nicht von sich aus, sondern auf Grund der Einsetzung Gottes, denn z. B. das Abendmahl ist als geistliches Essen eingesetzt[183].

Martyr hat in der Sakramentslehre[184] gegenüber Zwingli einen Fortschritt hinsichtlich der theologischen Reflexion erreicht bei deutlicher Übereinstimmung mit der zwinglischen symbolischen Sakramentsauffassung[185]. Sein Aristotelismus ermöglichte ihm ein Verständnis des Begriffs »Zeichen«, das ihm die genaue Anpassung der symbolischen Sakramentsauffassung an seine Soteriologie erlaubte. Er hat sich vor allem mit Bullinger einig gewußt[186]. Die nach der Darstellung Staedtkes vom Begriff des Bundeszeichens her zu verstehende Anschauung Bullingers stimmt sachlich mit der Martyrs überein, obgleich Martyr nicht die Bundestheologie bemüht, da er die Prävalenz des zukommenden Heils als Horizont der christlichen Existenz in der Christologie ausgedrückt findet[187].

---

[180] Vgl. Anm. 179.

[181] Theses, Loci 1587, 1031, Lev. 1, Necessaria VII: »Quia Christi participatio habebatur edendo quae in sacrificiis oblata fuerant, idcirco fuerunt apta humano esui quemadmodum coenae Dominicae symbola.« 1032, Lev. 2; 3; 4; Necessaria V: »In sacrificio pacificorum exercebatur sancta communio inter fideles; nam Christus ibi non solum proponebatur credendus sed percipiebatur.«

[182] Loci 1587, 875, 51 ff.

[183] Loci 1587, 876, 56 ff.

[184] Vgl. Kapitel III, 3, S. 223 ff.

[185] Vgl. Walther *Köhler*, Zwingli und Luther, Ihr Streit über das Abendmahl nach seinen politischen und religiösen Beziehungen, I. Band: Die religiöse und politische Entwicklung bis zum Marburger Religionsgespräch 1529, Leipzig, 1924, S. 61 ff.; S. 80 ff.

[186] *McLelland*, S. 221.

[187] Vgl. Joachim *Staedtke*, Die Theologie des jungen Bullinger, Zürich, 1962, S. 227 ff.; Martyr galt hinsichtlich seiner Abendmahlslehre in Straßburg als Zwinglianer, so *Schmidt*, S. 139; 140 ff.

Es kam mir vorzüglich darauf an, den Begriff »signum« in seiner theologischen Anwendung auf das Heilsmysterium zu skizzieren. Offensichtlich im gleichen Sinn kann Martyr von Christi Begrabenwerden als Zeichen unserer Erlösung sprechen. Daß gerade bei der Auslegung dieses Lehrstücks der Zeichenbegriff verwendet wird, ist nicht verwunderlich. Es geht um die Deutung der Vorstellung von Röm. 6, 4, daß die Glaubenden in[188] Christus begraben sind, also um das Thema der Tauflehre. Da die ursprünglich gnostische Anschauung, daß in Christus Christi Heil an den Glaubenden vollzogen ist, von Martyr bei der Darstellung der Soteriologie bevorzugt wird, ist es nicht von geringer Bedeutung, daß »in Christo« als »significavit« gedeutet wird[189].

Seiner Neigung entsprechend, jede einzelne Begebenheit der Leidensgeschichte besonders auszulegen, fragt Martyr nach der Bedeutung des Begräbnisses Jesu. Nach Röm. 6, 3 ff. stellt er eine Beziehung zwischen Christi Begräbnis, dem Begrabenwerden der Gläubigen in der Taufe und ihrer Taufe »in Christum« her. In Christus sind wir der Sünde gestorben, so daß wir hinfort keine Mühe mehr mit ihr haben, da Christus sie durch seinen Tod vernichtet hat, so daß sie uns danach nicht mehr zum Tode angerechnet wird[190]. Daß die Sünde der Christen »in Christo« vor Gott nicht angerechnet wird, ist nach der Analogie des Begräbnisses zu verstehen. Die Leiber der begrabenen Toten sind verborgen, man sieht sie nicht[191]. So sind auch unsere Sünden vor Gott (in conspectu Dei) bedeckt, Gott übersieht sie gütig, obgleich sie immer noch vorhanden sind. Für dieses Begrabensein unserer Sünden vor Gott ist das Begräbnis Christi ein Zeichen[192]. Das Begräbnis von Christi Fleisch ist im gleichen Sinn Zeichen, wie die Taufe die uns durch Christi Tod und Auferstehung zuteil gewordene Sündenvergebung bezeichnet[193]. Ein historisches Ereignis aus der Leidensgeschichte Jesu ist Zeichen dafür, was zu unserem Heil »in conspectu Dei« geschehen ist. Dieses Zeichen macht dem, der es versteht, die ganze Heilsbedeutung der Geschichte Jesu gegenwärtig, nämlich, daß uns unsere Sünde vor Gott begraben ist um des Leidens Christi willen. Es drückt also auch das »pro nobis«, den Vollzug des Heils an uns aus; es »zeigt«, daß

---

[188] Martyr spricht bei Röm. 6, 4 vom Begrabenwerden »in Christo«, nicht »mit Christus«.

[189] Loci 1587, 427, 19, 61 ff.: »Quod sic accipi debet: nos in *Christo* ita peccato mortuos esse, ut nihil sit amplius nobis cum eo negotii, . . . Itaque caro Christi post mortem sepulta *significavit*, peccatum nostrum coram iusto tribunali veluti sepultum esse.«

[190] Loci 1587, 427, 19, 60 ff.

[191] Loci 1587, 428, 19, 1 ff.

[192] Loci 1587, 428, 19, 7.

[193] Vgl. Loci 1587, 820, 37 ff.; 821, 14 ff.

wir in Christus der Sünde gestorben sind. Von hier aus wird es verständlich, daß es dem Begriff »signum« nicht widerspricht, ihm »efficacitas« zuzuschreiben[194], wie Martyr auch von »exemplum efficax« sprechen kann[195]. Die Besonderheit der Anwendung des Begriffes »signum« auf Christi Heilswerk liegt darin, daß dieser Begriff deutlicher als andere die Transzendenz des eigentlichen Heilsgeschehens hervorhebt. Christus hat die Sünde für uns so vernichtet, daß wir »in Gottes Augen«, »vor seinem Tribunal«, nicht aber in uns selbst, ohne Sünde sind[196]. Auch Christus weist als Zeichen über sich hinaus. In ihm ist die Sündenvergebung nicht etwa an ein weltliches Phänomen gebunden. Er ist *Zeichen* für des unweltlichen Gottes Vergebung.

In derselben Weise wie Christi Begräbnis versteht Martyr Christi menschliches Leben, seine Menschheit, als Zeichen der Offenbarung Gottes. Die bezeichnendsten Begriffe, welche die Wirksamkeit der Sakramente ausdrücken, werden auch auf die Menschheit Christi angewandt. Der Mensch Christus ist »Medium« der Gottheit; er ist »eine Art Kanal«, durch den unsere Heiligung und die Leben schenkende Gnade von Gott zu uns fließen kann; er ist »Instrument« der Gottheit[197].

Wenn Christus als Zeichen das Bereitstehen der Erlösung anzeigt, hat das Zeichen nahezu die Funktion des Unterpfandes. Auch das Unterpfand hat verweisende Bedeutung. Es ist nicht selbst das, was es verbürgt. Es weist auf eine Sinnganzheit hin, von der her es den Wert des Pfandes hat, etwa einen Vertrag, eine Rechtsordnung. So zeigt es dem, dem es Unterpfand ist, die Gültigkeit oder die Wirklichkeit eines ihn betreffenden komplexen Sachverhaltes an. Es erklärt ihm seine Lage in einer bestimmten Hinsicht, zeigt ihm, woran er ist. In dieser Weise zeigt etwa ein Ring dem, der ihn trägt, die Anwesenheit ihm zugewandter Treue und Liebe an. Er macht ihn zum Geliebten. In genau demselben Sinn sagt Martyr: »Wir

---

[194] Vgl. Loci 1587, 439, 45, 34.
[195] Loci 1587, 441, 49, 30.
[196] Loci 1587, 428, 19, 5; 7.
[197] Belege für diese allgemeinere Anschauung finde ich in den Schriften der Straßburger Zeit noch nicht. Ich beziehe mich hier auf die Defensio doctrinae veteris *Martyrs* (1559); vgl. *McLelland*, S. 103. McLelland nimmt die Analogie von Inkarnation und Sakrament als Deutungsprinzip der Sakramentslehre Martyrs. Auch Thomas versteht Christi Menschheit als Instrument der Gnade, durch das die seine Seele erfüllende Gnade von ihm als dem Haupt auf seine Glieder übergeht. Vgl. *Seeberg*, vgl. Anm. 134, S. 417 ff.; *Thomas*, Summa Theologica, III, Quaestio 2, Art. 6, ad 4; Quaestio 8, Art. 1, ad 1; Quaestio 13, Art. 2; 3; 4; Quaestio 18, Art. 1, ad 2; Quaestio 19, Art. 1, ad 2; Quaestio 43, Art. 2; Quaestio 48, Art. 6; Questio 49, Art. 1. Aus dieser Anschauung folgt, daß alles, was Christus als Mensch tut, immer nur ein Hinweis darauf ist, was Gott an ihm und durch ihn tut. So zeigen seine Wunder die Kraft Gottes in ihm. Quaestio 43, Art. 3.

haben den Sohn Gottes, der uns gegeben ist, zum Unterpfand der Liebe Gottes.«[198] Zwischen Menschwerdung und Tod des Sohnes und Gottes Liebe besteht keine notwendige Entsprechung, denn Gott hätte mit irgend etwas anderem zufrieden sein können[199]. Christus ist Unterpfand der Liebe Gottes dadurch, daß er auf das In-Kraft-Sein eines bestimmten Heilsratschlusses Gottes hinweist[200]. Dieser Heilsratschluß umfaßt zweierlei. Zuerst, daß einer sich für alle Menschen frei entschließt, Gott grenzenlos zu lieben[201]. Sodann, daß Gott den Menschen seine Liebe erklärt[202]. So ist das durch die Sünde zerstörte Verhältnis von Gottes Liebe und der menschlichen Gegenliebe wiederhergestellt[203]. Daß Gott seinen Ratschluß verwirklicht und die Harmonie der Liebe aufgerichtet hat, dafür ist Christus den Christen Unterpfand. Die Analogie von Christi Sein und Tun und Gottes Liebe löst die Realisierung des Hinweises aus. Daß Gott seinen Sohn in den Tod dahingibt, ist gleichsam ein Symbol seiner Liebe. So liest man von treulosen Müttern, daß sie ihre Söhne töteten, um ihren Geliebten ihre brennende Liebe zu beweisen, weil sie kein zuverlässigeres Pfand ihrer Liebe wußten[204]. Christus ist aber nicht an sich selbst das Unter-

---

[198] Petri *Martyris Vermilii* In Epistolam Pauli Apostoli ad Romanos Commentarii, Heidelbergae MDCXII (1612), 4. Auflage, S. 141, 28 f. (Martyr begann mit der Vorlesung 1550; er ließ sie 1558 zum erstenmal drucken): »Quare dilectionis divinae obsidem habemus filium Dei, nobis datum« (Auslegung von Röm. 5, 8).

[199] Ad Romanos (1612), vgl. Anm. 198, S. 141, 34.

[200] Ad Romanos (1612), vgl. Anm. 198, S. 141, 45 ff.: »Nam salus humana multis aliis rationibus et viis, modo ille voluisset, parari poterat. Sed necessarium fuit, Christum mori ex hypothesi divinae providentiae atque concilii, quod Deus ita fore decrevisset. Id autem fecit potissimum ad suam infinitam dilectionem declarandam.« Das ist genau die Lehre des Thomas. Vgl. *Thomas*, Summa Theologica, III, Quaestio 46, Art. 1–3.

[201] Ad Romanos (1612), vgl. Anm. 198, S. 141, 5 ff.; 29 ff.

[202] Ad Romanos (1612), vgl. Anm. 198, S. 141, 37 ff.

[203] Martyr lehnt sich mit dieser Auffassung eng an Thomas an. Daß Christus als Mensch für alle Menschen als Haupt der Kirche die freiwillige Liebe und damit den vollkommenen Gehorsam vollbrachte, dadurch die Menschen provoziert (Martyr sagt: entflammt), Gott zu lieben, und zugleich zu erkennen gibt, daß Gott den Menschen liebt, ist ein Hauptsatz der thomistischen Lehre. Vgl. *Seeberg*, vgl. Anm. 134, S. 438 f. »Per hoc autem quod homo per Christi passionem est liberatus, multa occurrerunt ad salutem hominis pertinentia, praeter liberationem a peccato. Primo enim, per hoc homo cognoscit quantum Deus hominem diligat, et per hoc provocatur ad eum diligendum: in quo perfectio humanae salutis consistit.« Folgt Zitat Röm. 5, 8 f. *Thomas*, Summa Theologica, III, Quaestio 46, Art. 3. Thomas spricht nicht von Christus als dem Unterpfand der Liebe Gottes. Mit der Verwendung dieses Begriffs ballt Martyr zusammen, was Thomas nacheinander systematisch zergliedert darlegt. Wenn aber Thomas an der oben zitierten Stelle sagt, der Mensch erkenne an Christi Passion Gottes Liebe, und wenig später wiederum nach dem Zitat von Röm. 5, 8. ausführt, Christus habe uns durch seine Liebe von der Sünde befreit, weil die Kirche als mystischer Leib Christi mit dem Haupt als eine Person angesehen werde, zeigt sich die sachliche Übereinstimmung im Verständnis der Erlösung durch Christi Passion. Vgl. a.a.O. Quaestio 49, Art. 1.

[204] Ad Romanos (1612), vgl. Anm. 198, S. 140, 57 ff.

pfand der Liebe Gottes auf Grund ihrer sinnfälligen Darstellung durch seine Hingabe, sondern auf Grund der Liebe Gottes selbst, der beschlossen hat, seine Liebe auf diese Weise zu erklären. Insofern ist Christus denen, die sich an ihm orientieren, das Pfand der realisierten Liebe Gottes, ihres Geliebtseins von Gott. Gott kann seine Liebe auch anders erklären und hat es getan. Der höchste Beweis seines Wohlwollens gegen uns war, daß er die Welt um unseretwillen geschaffen hat[205].

d) Christus als Haupt seines Leibes

Nimmt man die wichtigsten Aussagen Martyrs über Christi Herrschaft und über Christus als Vorbild und Urbild zusammen, erhält man die Grundzüge der Anschauung von Christus als dem Haupt seines Leibes. Die soteriologische Korrelation von Christus und der Gemeinde ändert sich im wesentlichen nicht mit dem Wandel der Vorstellungen. Sie wird aber immer wieder von einem anderen Aspekt her beleuchtet, und insofern interpretieren sich die verschiedenen Vorstellungen gegenseitig. Das wird auch daran deutlich, daß sie parallel verwendet und ausgetauscht werden können. Bei den Ausführungen über Christi Auferstehung zum Beispiel wird einmal seine Erhabenheit und Macht gepriesen, also alles, was Martyr sonst in dem Titel »Dominus« zusammenfaßt[206]. Dann wird gesagt, daß in Christus, dem Haupt, die Auferstehung der Gläubigen schon vorweggenommen ist[207], und schließlich, daß an der Auferstehung das Vorbild und Urbild des geistlichen und des zukünftigen Lebens erkannt wird[208].

Martyr nimmt den gesamten Komplex von Vorstellungen, der durch die Formeln »in Christus«, »Leib Christi«, »Haupt und Leib«, »Haupt und Glieder« gekennzeichnet ist, zu einer geschlossenen Anschauung zusammen und subsumiert sie dem Bild von Christus als dem Haupt seines Leibes. Damit rückt er die Lehre vom mystischen Leib Christi ins Zentrum seiner Soteriologie. Was er in diesem Bild ausgedrückt findet, erklärt er an zwei Vergleichen. Wenn ein Mensch, der in einen reißenden Fluß gefallen ist, sein Haupt aus den gefährlichen Fluten herausstreckt, muß man urteilen, er sei der Todesgefahr entronnen, obgleich seine übrigen Glieder noch im Wasser tauchen[209]. Wenn man im Winter einen kahlen Baum

---

205 Ad Romanos (1612), vgl. Anm. 198, S. 141, 2 f.
206 Loci 1587, 428, 22, 58; 430, 25, 16.
207 Loci 1587, 430, 25, 16 ff.   208 Loci 1587, 430, 26, 47–55.
209 Loci 1587, 430, 25, 16 ff. *Martyrs* Oratio de resurrectione Christi (1548 ?), Loci 1587, 1045, 59 f.

sieht, könnte man nach seiner Rinde urteilen, er sei dürr. Aber solange seine lebendige Wurzel in der Erde haftet, kann er nicht für tot gehalten werden. Zweiflern wird das Frühjahr die Wahrheit entdecken, wenn wieder Blätter sprießen (foliis et floribus renascentibus). Dann wird nämlich an handgreiflichen Wirkungen das vorher verborgene Leben des Baumes offenbar[210]. Wieder ist die Art der Darlegung für Martyr bezeichnend. Er geht nicht etwa davon aus, daß wir die Verheißung der Auferstehung haben. Vielmehr setzt er als gültig voraus die Tatsache, daß Christus auferstanden ist, und den biblischen Lehrsatz, daß Christus das Haupt der Gemeinde ist. Will man die Geltung dieser Sätze nicht bestreiten, so ist aus ihnen mit vollem Recht abzuleiten, meint Martyr, daß wir von den Toten auferweckt sind[211]. Die Auferstehungserwartung der Christen gründet sich gleichsam auf einen Rechtsanspruch, der durch die Auferstehung Christi in Geltung gesetzt worden ist und seitdem gilt. Wer sich als Glied Christi bekennt, muß anerkennen, daß unsere Auferstehung in Christus schon in gewisser Weise angefangen hat[212]. Die Bedingung, daß man Glied Christi sein muß, um der Auferstehung gewiß sein zu können, ist logisch in dem vorausgesetzten Lehrsatz enthalten; denn nur die Glieder des Leibes haben an dem Heilsgeschehen, das sich am Haupt ereignet hat, teil[213]. Martyr will an Hand dieser Vorstellung wieder zum Ausdruck bringen, daß für das Heil der Gemeinde in Christus schon alles geschehen ist, daß, was noch aussteht, die selbstverständliche Folge der Heilsgeschichte Christi oder der offenbarten christlichen Lehre ist. So begründet Martyr die Heilsgewißheit der Glaubenden. Man kann diese Ableitung nur verstehen, wenn man voraussetzt, daß für Martyr logische Schlüsse nicht nur Verknüpfungen von Begriffen, sondern Abbildung ontologischer Gesetze und damit realer Verhältnisse sind[213a]. Der logische Schluß entdeckt durch die Verknüpfung gültiger Sätze die Wahrheit, die hinter dem Anschein der erfahrbaren Tatsachen verborgen ist und daher durch die Wahrnehmung nicht in Frage gestellt werden kann[214]. In dieser Richtung deutet Martyr

---

[210] Loci 1587, 430, 25, 23 ff.
[211] Loci 1587, 430, 25, 18 ff. Vgl. *Martyrs* Oratio de resurrectione Christi (1548 ?), Loci 1587, 1045, 57 ff.: »Nos cum *illo resurreximus* (!) . . . Deinde non sibi ipsi surrexit, sed alij, nobis inquam cum sit nostrum caput. Si surrexit ipse, membra quoque cum illo sunt excitata.«
[212] Loci 1587, 430, 25, 22 ff.   [213] Vgl. Anm. 449.
[213a] Nach Aristoteles ist ein Urteil wahr, »wenn das Denken, dessen innere Vorgänge durch die Sprache bezeichnet werden, dasjenige für verknüpft oder getrennt hält, was in der Wirklichkeit verknüpft oder getrennt ist«. Das gilt für alle Urteile, also auch für die als notwendig aus anderen erschlossenen Urteile. Vgl. *Zeller*, vgl. Anm. 246, S. 219 f.
[214] Loci 1587, 430, 25, 28: ». . . hic veluti mortis praeda *videmur*, et in quibus nulla solidae vitae indicia *apparent* . . .«

die Bilder weiter aus. Man sieht es dem Baum im Winter nicht an, daß er in Wahrheit lebt[215], und die Glieder des sich vor dem Ertrinken Rettenden sind noch im Waser untergetaucht[216]. So sind auch die Christen noch in den Zustand der Sterblichkeit eingehüllt, und ihr Leben ist noch in Christus verborgen[217].

Das Bild von Haupt und Leib betont also wieder die Transzendenz des Heils, dessen die Christen schon teilhaftig sind. Zugleich vermag Martyr an dem Bild den Heilscharakter der Geschichte Jesu deutlich zu machen. Was damals geschah, ist nicht ein isoliertes historisches Ereignis, sondern es geschah für die Gemeinde, ja sogar an der Gemeinde. Weil Christus das Haupt der sich zu ihm bekennenden Gemeinde ist, kann ihm nichts widerfahren, das nicht ein Handeln Gottes an der Gemeinde wäre[218]. Der Vollzug des Handelns Gottes an der Gemeinde und der individuelle Nachvollzug der an Christus vorgebildeten Erlösung sind in Christi Heilsgeschichte schon festgesetzt, begründet, enthalten. Wir können mit Recht »Auferweckte« genannt werden[219]. In Christus sind wir der Sünde gestorben, so daß sie uns nicht mehr gefährlich werden kann[220]. Christus, unser Haupt, hat alle Schande, die uns als Strafe für unsere Sünden zugestanden hätte, auf sich genommen und uns statt dessen Ehre und Ruhm vor Gott erworben[221]. Christus, der sind wir im Glauben selbst, die Schande und die Schmach, die er auf sich genommen hat, sind unsere Schande und Schmach, seine Ehre bei Gott ist unsere Ehre. Christus und die Glaubenden sind eins. Sie sind aber nicht identisch. Er ist allein im Besitz der Erlösung. Wir besitzen die Erlösung erst »in Hoffnung«. Die Auferstehungshoffnung gründet sich auf mehr als eine Verheißung, nämlich auf das gewisse und sichere Unterpfand, das wir »in Christo« haben[222]. Die Formel »in Christo« muß als Ausdruck der Inkorporation der Gläubigen in Christus und der Beziehung von Haupt und Leib, die auf die soteriologische Differenz zwischen Christus und der Gemeinde hinweist, verstanden werden. Dabei wird noch einmal die Doppelsinnigkeit der Anschauungen deutlich. »In Christus« heißt: außerhalb der Weltlichkeit der Gemeinde, im Verborgenen, vor Gott[223]. Aber es liegt darin auch, daß die Gemeinde das Unterpfand des neuen Lebens wirklich hat, nämlich so-

---

[215] Loci 1587, 430, 25, 25 ff.   [216] Loci 1587, 430, 25, 18.
[217] Loci 1587, 430, 25, 19 ff. und 31.
[218] So könnte man sich den Satz begründet denken: ». . . nulla sit Christi actio quae ad promovendam nostram salutem non maximi sit momenti . . .« Loci 1587, 430, 25, 10 f. Vgl. das Zitat Anm. 211.
[219] Loci 1587, 430, 25, 21.   [220] Loci 1587, 427, 19, 62.
[221] Loci 1587, 426, 14, 23.   [222] Loci 1587, 430, 25, 45.
[223] Vgl. Loci 1587, 426, 14, 24: ». . . in conspectu Dei . . .«; 427, 19, 61 ff.; 430, 25, 36 ff.

fern sie Gemeinde ist, Christus bekennt, Leib Christi ist. Man kann sagen, daß die Gemeinde sich selbst Unterpfand ihrer Auferstehung ist, sofern sie an sich als den Leib Christi glaubt und sich zu Christus, ihrem Haupt, bekennt. Dort wo sich die Gemeinde selbst darstellt als das Ideal ihrer selbst, also etwa im rechten Kultus, im Bekenntnis zur wahren Lehre, ist sie sich selbst Unterpfand ihrer Erlösung. Das wird daran deutlich, daß der »arrabo resurrectionis in Christo« mit den die Gemeinde als Gemeinde konstituierenden »primitiae spiritus sancti« gleichgesetzt wird[224].

Diese Deutung wird bestätigt durch Martyrs Ausführungen zur Kirchenlehre. Die Kirche wird dort beschrieben als »mysticum« »corpus« »quod a spiritu sancto regatur«[225]. Das Wirken des Geistes äußert sich in der Kirche vorzüglich im Bekenntnis zu dem Herrn Jesus[226]. Es gibt natürlich ein Bekennen, das aus menschlichem Antrieb hervorgeht[227]. Wir *sehen* in der Kirche überhaupt nur eine Menge von Menschen, die äußerlich Christus bekennen, aber wir *glauben,* daß *eben diese* Gemeinschaft von Menschen so zusammenkommt, daß sie keineswegs ein Werk von Menschen ist[228]. Der in der Lehre von der Kirche vollzogenen Identifikation der irdischen Gemeinde mit dem ihr durch Christus erworbenen und erwirkten Heilszustand, also mit dem erlösten Leib Christi, widerspricht es nicht, daß andererseits das Verhältnis des Christen zu seiner Erlösung als Hoffnung beschrieben wird[229]; denn zwischen dem Leib Christi und dem Haupt, an dem die Erlösung des ganzen Christus, von Haupt und Leib, prinzipiell abgeschlossen ist, besteht eine Differenz. Christi Leib, die Kirche, ist nur »in Christo«, ihrem Haupt, erlöst, d. h., sie hat in Christus ein Angeld[230], ein Zeichen[231] ihrer Erlösung. Dem Glauben kommt freilich eine eigentümliche Stellung zu. Der Glaubende ergreift nicht die Heilszusage der christlichen Verkündigung, jedenfalls ist davon nicht die Rede. Er erkennt die christliche Lehre an[232]. Dadurch entsteht eine Gemeinschaft von Menschen des gleichen »sensus fidei«, der gleichen christlichen Gesinnung[233]. Konkret bewährt sich der Glaube, wenn er sich zum Beispiel bei der Beurteilung der Gemeinde nach der Lehre, nicht aber nach der Erfahrung

[224] Loci 1587, 430, 25, 37. [225] Loci 1587, 435, 36, 21 ff. [226] Loci 1587, 435, 36, 27.
[227] Loci 1587, 435, 36, 34 ff. [228] Loci 1587, 435, 37, 41 ff.
[229] Loci 1587, 430, 25, 28 ff.: »Ita nos, qui hic veluti mortis praeda videmur et in quibus nulla solidae vitae indicia apparent, si in Christo, qui nostra est radix, vivo et pro nobis excitato insiti sumus, quid iam de futura nostra resurrectione dubitamus?« Vgl. 426, 14, 24.
[230] Loci 1587, 430, 25, 45. [231] Loci 1587, 428, 19, 7 ff.
[232] Loci 1587, 435, 35, 10 ff.: »Hic autem agitur de corpore fidelium, quod fide syncera Christi doctrinam amplexum ab eo in unum congregatur.« Vgl. 435, 37, 57.
[233] Loci 1587, 435, 35, 20; 435, 37, 56: »... quicumque vere in id corpus aggregati sunt, eodem fidei sensu sunt praediti.«

richtet[234]. Der Glaube des Christen hat seine aktuelle Gestalt, wenn der Christ darauf vertraut, er sei ein Glied jenes Leibes, dessen Haupt Christus ist[235]. Dort gerät er in seine spezifische Krise, wo es darum geht, daß man an seine Zugehörigkeit zur wahren Kirche glaubt. Wer zur Kirche gehört, darf aus der christlichen Lehre wissen, daß Christus, das Haupt der Kirche, auch *sein* Unterpfand des Heils ist. Es bedarf nur noch der sichtbaren Gestaltung der empirischen Realität des Lebens der Gemeinde nach dem Gesetz, nach dem sie überhaupt Gemeinde ist. Dazu muß die Gemeinde anfangsweise mitwirken, um so sich selbst als Gottes Geschenk zu empfangen.

Zuletzt ist der Heilige Geist Kriterium der Kirche wie des Glaubens; denn die Kirche »besteht aus denen, die durch den Heiligen Geist zum christlichen Glauben gerufen werden, und aus ihr werden ausgeschlossen, die durch irgendeinen menschlichen Antrieb oder eine menschliche Überzeugung mit zwiespältigem Herzen oder durch irgendeinen anderen Zufall, ohne vom Heiligen Geist getrieben zu sein, sich ihr anschließen«[236]. So wird die Kirche charakterisiert als die Gemeinschaft, deren Seele und einigendes Band der Heilige Geist ist[237], als der Leib Christi, der vom Heiligen Geist regiert wird[238]. Zwar kommt im Zusammenhang der Ausführungen über den Leib Christi dem Geist nur die Aufgabe und Kraft zu, zum Glauben an die Lehre Christi[239] und zum Bekenntnis[240] zu führen. Aber die Wirkung des Heiligen Geistes ist sonst auch an der Erneuerung des Lebens erkennbar[241]. Infolgedessen bedeutet durch die Kraft des Heiligen Geistes »in Christo« erneuert werden[242] auch, daß Gottes Geist uns innerlich verwandelt[243]. So gewinnen Formulierungen wie »nos in illo [Christo] excitamur«[244] den Klang von: wir werden zu neuem, geistlichem Leben erweckt. Die Paradoxie, daß die Glaubenden in Christus schon auferstanden und erlöst sind[245] trotz ihrer irdischen Schwach-

---

[234] Loci 1587, 435, 35, 17 ff.; 435, 37, 42 ff.
[235] Loci 1587, 435, 36, 28 ff.
[236] Loci 1587, 435, 35, 12 ff.; vgl. 435, 36, 28 ff.: »... quicumque eo spiritu vacui sunt, non pertinere ad istud corpus. Etenim qui spiritum Christi non habet, qui confidet se esse ipsius corporis membrum, cuius Christus caput est et cui nulla alia anima inest quam divinus ipse Spiritus? Certe non sufficit, non sufficit inquam praetextus quosdam induere, quibus illius corporis membra hominum iudicio aestimemur.«
[237] Loci 1587, 434, 35, 62 ff.
[238] Loci 1587, 435, 36, 21 ff.
[239] Loci 1587, 435, 35, 10 ff.
[240] Loci 1587, 435, 36, 34 ff.
[241] Loci 1587, 434, 33, 10 ff.
[242] Loci 1587, 433, 32, 24.
[243] Loci 1587, 433, 32, 45 ff.: »Verum spiritus ille Dei hic se interponens ita animos nostros conformat ut quicquid eius opera a nobis profluit, sit praecipue gratum et acceptum Deo, idque quia intus reformat nos, ut Deo fiamus amici gratissimi ...«
[244] Loci 1587, 430, 25, 17.   [245] Loci 1587, 430, 25, 40 ff.

heit wird zu einer geistlichen Belebung des inneren Menschen verein-
facht[245a].

Im übrigen erweist sich die Vorstellung vom Leib Christi gegen die
sonst bei Martyr übliche Verquickung von Soteriologie und Ethik als wi-
derspenstig. Mit ihr drückt Martyr deutlich die Transzendenz des Heils
aus und hebt hervor, daß die Erlösung der Christen geglaubte Erlösung
außerhalb von ihnen ist. Nun kann aber Martyr Transzendenz nur nach
dem Modell der einzelne Erscheinungen bestimmenden bewegenden Ursache denken. Danach zeitigt die Ursache eine erfahrbare Wirkung, wenngleich die Erkenntnis der Ursache nicht von der Wahrnehmung der Wirkung abgeleitet werden kann. So ruft also die geglaubte Erlösung der
Christen, wenn sie wahr ist, eine wahrnehmbare Verwandlung der Christen hervor, teilt ihnen eine Bewegung auf die Vollendung und individuelle Verwirklichung ihrer Erlösung hin mit[246].

e) Christi Versöhnungswerk, die Aufhebung der Sündenstrafen
für die Kirche

Bei Martyrs Ausführungen zur Soteriologie fällt auf, daß Christi Werk
beiläufig und wie selbstverständlich erwähnt wird, während Christi Person, die Erlösergestalt, im Vordergrund steht. Das wird dokumentiert durch
die Behandlung der Satisfaktionslehre. Sie wird in der Auslegung des Glaubensbekenntnisses nur an einer Stelle erwähnt, als Martyr sich bei seinen
Erörterungen zur Passion Christi die Frage stellt, ob Gott das Menschengeschlecht nicht auf andere Weise mit sich habe versöhnen können[247]. Martyr sagt: »Hier könnte ich (possem) antworten, der göttlichen Gerechtigkeit hätte auf andere Weise nicht genuggetan werden können. Diese Antwort ist sowohl wahr als auch allgemein angenommen.«[248] Damit ist die
Satisfaktionslehre abgetan, und Martyr führt lang aus, was er selbst für
den Grund des Leidens Christi hält[249]. Vorher hat er noch betont, Gott

---

[245a] *Martyrs* Oratio de resurrectione Christi (1548?), Loci 1587, 1046, 28 f.: »Nunc
videndum est, in quo nostra haec resurrectio constet. Primum in bonis operibus,
quae nihil aliud sunt, quam inchoationes et initia vitae aeternae.«
[246] Martyr ist in seinem Denken der Aristotelischen Metaphysik verpflichtet. Zur Lehre
von den Ursachen vgl. Eduard *Zeller*, Die Philosophie der Griechen in ihrer geschichtlichen Entwicklung, Zweiter Teil, Zweite Abteilung: Aristoteles und die alten
Peripatetiker, Photomechanischer Nachdruck der 4. Auflage, Leipzig, 1921, Darmstadt, 1963, S. 327 ff.
[247] Loci 1587, 426, 17, 59 ff.
[248] Loci 1587, 426, 17, 62 f.
[249] Loci 1587, 427, 17, 1 ff.

hätte irgendeinen anderen Weg unserer Versöhnung mit ihm wählen können[250]. Mit dieser Bemerkung hat er die Satisfaktionslehre ohnehin in ihrem Kern entwertet und sie zugleich mit dem allgemeineren Thema unserer Versöhnung mit Gott gleichgesetzt[251]. Von der Satisfaktionslehre behält er einzig den Gedanken bei, daß Christus um der Sünden der Menschen willen gelitten hat. Er gewinnt dem stellvertretenden und unschuldigen Leiden Christi[252] auf seine Weise einen theologischen Sinn ab. Daß Gott diesen Weg wählte, uns das Heil zu besorgen, läßt erkennen, wie schwer unsere Sündenschuld war[253]. Außerdem gewährt die harte Verurteilung Christi den von ihrem Sündenbewußtsein zerschlagenen Gewissen Trost, weil Christus die Strafen für alle unsere Sünden schon erlitten hat. Niemals könnten die Menschen in ihrem Gewissen vor der Verdammung sicher sein, zumal sie immer den höchst gerechten Gott vor Augen haben, wenn nicht das harte Urteil über Christus vorhergegangen wäre[254]. Es klingt so, als wolle Martyr sagen, Gottes Zorn habe sein Opfer gefunden und sich an ihm verbraucht. Schließlich tröstet Christi Vorbild, wenn es darum geht, zur Ehre Gottes Leiden und Not mit Gleichmut zu ertragen; denn auch Christus, unser Haupt und Fürst, hat diesen Kelch freudig getrunken[255]. Nicht einmal bei der theologischen Bewertung der Leidensgeschichte führt Martyr die Lehre von Christi Genugtuung und Versöhnung rein durch. Er bedient sich sogar in diesem Zusammenhang immer wieder der vorher dargestellten soteriologischen Anschauungen. Christus erweist sich als Herr, indem er uns von der Sünde losgekauft hat[256]. Christus hat als unser Haupt Schande und Schmach, die

---

[250] Loci 1587, 426, 17, 60 f.

[251] Vgl. *McLelland*, S. 111. McLelland zeigt, daß Martyr auch in seinen späteren Schriften bei dieser Auffassung geblieben ist. Gott hat Christus nicht sterben lassen, um sich an seiner Bedrängnis und Qual zu weiden, sondern weil er auf diese Weise am überzeugendsten seine Liebe zu den Menschen erklären konnte. Ad Romanos (1612), vgl. Anm. 198, S. 141, 32 ff. Auch Bonaventura betont, Gott habe nicht nach Christi Blut gedürstet. *Seeberg*, vgl. Anm. 134, S. 436. Ebenso bestreitet Thomas die absolute Notwendigkeit der Satisfaktion, denn Gott habe die Freiheit, barmherzig zu sein. *Thomas*, Summa Theologica, III, Quaestio 46, Art. 2; vgl. Art. 1. Um die Angemessenheit (conveniens esse) der Erlösung gerade durch Christi Passion zu beweisen, zählt Thomas wie Martyr eine Reihe von Vorteilen außer der Befreiung von der Sünde auf: Christi Passion läßt die Liebe Gottes erkennen; sie ist ein Beispiel des Gehorsams; durch sie hat Christus die »gratia iustificans« verdient; sie erlegt dem Menschen die Verpflichtung auf, sich von der Sünde unbefleckt zu erhalten; sie dient der Förderung der Ehre des Menschen, weil dadurch der Mensch den Teufel ebenso besiegt, wie er von ihm betrogen worden war. Quaestio 46, Art. 3.

[252] Loci 1587, 425, 13, 40 ff.

[253] Loci 1587, 427, 17, 1 ff.

[254] Loci 1587, 427, 17, 9 ff.

[255] Loci 1587, 427, 18, 20 ff.

[256] Loci 1587, 424, 9, 4 ff.

uns für unsere Sünden zugestanden hätten, auf sich genommen (in se susceperit) und völlig ausgelöscht[257]. Auf die tröstende und ermunternde Wirkung des Leidens Christi als »exemplum« habe ich soeben hingewiesen. Obgleich die Person Christi Martyr mehr interessiert als sein Werk, kann er seine Soteriologie auch einmal von Christi Genugtuung und Versöhnung her entfalten, ohne dieser Lehre allerdings einen bestimmten systematischen Ort anzuweisen. Wenn Martyr auch an den abstrakten Theorien über Christi Leiden und Tod nicht viel gelegen ist, nimmt er doch die Passionsgeschichte als Gegenstand christologischer Erkenntnis sehr ernst. Der Erlöser ist der geduldig und überlegen leidende Christus. Martyrs Vorstellung haftet an diesem Bild Christi. Aber die Erlösung der Christen beruht nicht so sehr darauf, daß er gelitten hat, als darauf, daß ihm dieses ihm vorübergehend auferlegte Schicksal nichts anhaben konnte, daß er es durch seine Auferstehung endgültig überwunden hat und dadurch Herr, Urbild, Zeichen, Haupt ist. Bei seiner Behandlung des Leidens und Sterbens Christi streicht Martyr heraus, daß Christus wirklich die höchst mögliche Schande getragen[258], alle erdenkliche Strafe erlitten[259] und die Vorhersagen der Propheten erfüllt hat[260]. Er hat die den Menschen für ihre Sünden nach Gottes gerechtem Urteil zustehenden Strafen auf sich genommen[261]. Darum verurteilt Gott sie nun nicht mehr[262]. Sie stehen bei Gott in Ehre[263]. Sie sind mit Gott versöhnt[264], haben Vergebung der Sünden erlangt[265].

Martyr spricht meistens von »Sündenvergebung«, wenn er den Erfolg von Christi Leiden beschreibt, kann aber die Bereinigung der Beziehung zwischen Mensch und Gott auch anders aussagen, ohne dem Wechsel der Begriffe und Vorstellungen erhebliche sachliche Bedeutung beizumessen. »Sündenvergebung« heißt, daß Gott die Sünde nicht mehr zum Tode anrechnet[266], daß Gott nicht mehr verdammt[267]; daß er sich als barmherzig

---

[257] Loci 1587, 426, 14, 21.   [258] Loci 1587, 426, 14, 11 ff.   [259] Loci 1587, 426, 15, 25 ff.
[260] Loci 1587, 426, 16, 55.   [261] Loci 1587, 426, 15, 25 ff.   [262] Loci 1587, 427, 16, 10 f.
[263] Loci 1587, 426, 14, 23 f.
[264] Loci 1587, 426, 17, 58 ff.; 439, 44, 6 f. Martyr vertritt die für den Sozinianismus charakteristische »subjektive Wendung« der Versöhnungslehre. Deus genus humanum sibi per Christum reconciliavit, nicht: Christus nobis Deum reconciliavit. Vgl. Hans Emil *Weber*, Reformation, Orthodoxie und Rationalismus, Zweiter Teil: Der Geist der Orthodoxie, unveränderter reprographischer Nachdruck der 1. Auflage, Gütersloh, 1951, Darmstadt, 1966, S. 192 f.
[265] Loci 1587, 424, 9, 6 ff.; 430, 26, 47 f.; 438, 44, 44 ff.
[266] Loci 1587, 428, 19, 1.
[267] Loci 1587, 427, 17, 10; vgl. De fuga, Loci 1587, 1075, 62 ff.: ». . . primi illi motus ijs, qui per Christum iusti facti sunt, condonentur nec ad exitium imputentur, propterea quod integra et vera fides, per quam promissae salutis consortes fiunt, in ipsis non extinguitur.«

erweist[268]. Martyr hat dabei die Grundvorstellung, die er beständig ab-
wandelt: Vor dem Tribunal des gerechten Gottes wird die Schändlichkeit
unserer Sünde gütig übersehen[269], die Sünde wird um Christi Leiden willen nicht mehr bestraft[270].

Bei einem solchen Verständnis von Christi Heilswerk muß man fragen,
wem dieser Straferlaß zugute komme. Diese Frage behandelt Martyr bezeichnenderweise im Zusammenhang der Ekklesiologie, ohne eine Beziehung zu Christi Tod und Auferstehung aufzuzeigen. Man kann darin
wiederum einen Hinweis dafür sehen, wie wenig seine Theologie von der
Vorstellung des Werkes Christi her geprägt ist. Sündenvergebung kann
man nur in der Kirche erhoffen[271]. Wer zu dieser Gemeinschaft nicht gehört, kann keinesfalls der Sündenvergebung teilhaftig werden[272]. Martyr
scheint empfunden zu haben, daß der Grundsatz »sola gratia« durch diese
Auffassung ein wenig eingeschränkt wird. Er beeilt sich festzustellen: »Obgleich sie [die Sündenvergebung] uns nämlich allein durch Gottes Gnade
und Freigebigkeit zugestanden wird, können wir sie dennoch nur in Christi Namen erlangen«[273]; das heißt, sie wird nur denen geschenkt, die mit
Christus, dem Haupt der Kirche, im Glauben geeint sind[274]. Sofort hat
Martyr zu seiner bevorzugten soteriologischen Anschauung von Christus
dem Haupt der Kirche zurückgefunden. Mit ihrer Hilfe wird die biblische
Bindung der Sündenvergebung an Christus mit der Bindung der Sündenvergebung an die Kirche identifiziert. Erst über die Kirche kommt die
Sündenvergebung den einzelnen Gliedern Christi zu[275]. Es versteht sich,
daß die Glieder des Leibes Christi die Glaubenden sind, daß Glaube Empfangen des Angebots der göttlichen Barmherzigkeit ist[276] und daß der
Glaube durch die Predigt der Kirche hervorgerufen wird[277]. Nachträglich
begründet Martyr die Bindung der Sündenvergebung an die Kirche noch
damit, daß nur in der Kirche das Wort Gottes bekanntgemacht wird, das
der Anfang der Sündenvergebung ist[278]. Das darf keineswegs so verstanden werden, als sei für Martyr die Bindung der Sündenvergebung an die

---

[268] Loci 1587, 439, 44, 3; 438, 44, 53.
[269] Loci 1587, 428, 19, 1 ff.
[270] Loci 1587, 430, 26, 48; 426, 15, 25 ff.; 427, 17, 1 ff.
[271] Loci 1587, 438, 44, 44 f.
[272] Loci 1587, 438, 44, 46 f.
[273] Loci 1587, 438, 44, 45 f.
[274] Loci 1587, 438, 44, 47.
[275] Loci 1587, 438, 44, 48 f.: »Unde potest solide concludi eorum esse peculiare donum,
        qui vera sunt sub Christo capite huius corporis membra.«
[276] Loci 1587, 438, 44, 51 ff.
[277] Loci 1587, 439, 44, 5 ff.
[278] Loci 1587, 439, 44, 9.

Predigt mit ihrer Bindung an die Kirche identisch. Die Kirche entsteht nicht *allein* durch die Predigt der Sündenvergebung und hat nicht im Empfangen der Sündenvergebung *allein* ihren Bestand. Vielmehr ist die Kirche zunächst eine Gesinnungs- und Kultgemeinschaft, die den in den göttlichen Schriften vorgeschriebenen inneren und äußeren Gottesdienst zu vollbringen sich bemüht[279]. Zu solchem Gottesdienst gehört auch der Glaube an Gottes sündenvergebende Barmherzigkeit[280], wie zu ihm die Predigt[281] und der Gebrauch der Sakramente[282] und daneben die brüderliche Ermahnung[283] und die Kirchenordnung gehören[284]. Die Vorordnung der Lehre von der Kirche vor die Rechtfertigungslehre wird besonders eindrücklich, wenn man erfährt, daß die Exkommunikation ein Mittel der Sündenvergebung sei[285]. Der Exkommunikation korrespondiert die Vollmacht der Kirche, die von den Frommen[286] ausgeübt werden soll, reuige Sünder wieder aufzunehmen[287]. Durch die Wiederaufnahme versöhnt die Kirche den Exkommunizierten mit sich selbst[288] und fügt ihn so dem geheilten Leib Christi wieder ein[289]. Die Versöhnung mit der Kirche fällt mit der Versöhnung mit Christus zusammen, weil Christus das Haupt der

---

[279] Loci 1587, 436, 38, 25 ff.; 437, 41, 30 ff. Nach dem Gutachten, ob evangelische Christen am katholischen Kultus teilnehmen dürfen, macht es die Besonderheit der christlichen Zusammenkünfte aus, daß bei ihnen Sakramente empfangen und Gebete dargebracht werden (Sp. 627 f.). Die Versammlung hat einen gewissen Wert an sich (»videant ut *aliquem* ... inter se habeant sanctum conventum.« Sp. 628). Natürlich soll man sich neben den Gebeten auch dem Wort Gottes »widmen« (Sp. 628). Nur in dieser Allgemeinheit wird des Wortes Gottes gedacht, was man in einem thematisch vom christlichen Kultus handelnden Gutachten nicht als Zufall ansehen kann. Vgl. Corpus Reformatorum, Bd. XXXIV, Sp. 627 f.

[280] Loci 1587, 439, 44, 3 ff.

[281] Loci 1587, 437, 41, 32; 439, 44, 2 ff.

[282] Loci 1587, 437, 42, 59 ff.; 439, 45, 11 ff.

[283] Loci 1587, 438, 42, 10 ff.

[284] Loci 1587, 438, 43, 19 ff. Martyr begründet seine Flucht aus Lucca damit, daß er, obwohl er habe predigen können und Vorlesungen halten, täglich unzählige abergläubische Gebräuche habe durchgehen lassen müssen und daß er die Kirche nicht habe regieren können, wie es die christliche Wahrheit erfordere. Was er durch Predigten und Vorlesungen habe erreichen können, das habe er geleistet. Predigt ist also für den Anfang gut und wichtig. Doch gehört zur rechten Kirche vor allem, daß sie ordentlich geleitet wird und ihr Kultus der Lehre entspricht und von Aberglauben rein ist. »Innumeris quotidie superstitionibus conivendum erat, superstitiosi ritus non mihi solum peragendi, verum etiam ab aliis importune exigendi, multa faciunda aliter quam sentiebam et docebam. Pastor vester eram, quod concionibus et praelectionibus assequi potui, id praestiti, cum non possem Ecclesiam regere, quemadmodum veritas christiana postulat, satius esse duxi tam ardua provincia supersedens me aliquo proripere ...« Brief Universis Ecclesiae Lucensis, Argentorati octavo calendas Ianuarias, Anno MDXLIII., Loci 1587, 1073, 4 ff.

[285] Loci 1587, 439, 46, 35 ff.

[286] Loci 1587, 439, 46, 61 f.

[287] Loci 1587, 439, 46, 48 ff.

[288] Loci 1587, 439, 46, 51; 56.

[289] Loci 1587, 439, 46, 52.

Kirche ist, oder auch, weil er ihr die Schlüsselgewalt gegeben hat[290], ihr
Gebetserfüllung zugesagt[291] und seine Gegenwart der Versammlung der
Glaubenden verheißen hat[292]. Die Vorstellung von Christus, dem Haupt
seines Leibes, scheint Martyrs soteriologisches Interpretament aller Voll-
machtsverheißungen an die Kirche zu sein, denn diese erwähnt er nur am
Rande als biblische Belege für seine auch unabhängig von ihnen verständ-
liche Grundanschauung. Wenig später belehrt er darüber, daß die Kirche,
gemeint ist die Kirche, sofern sie wahre Kirche, Leib Christi, ist, bei
sich schlechthin (generaliter) Vergebung aller Sünden hat[293]. Die Sorge um
das Heil fällt also wieder mit der Frage nach der Zugehörigkeit zur wahren Kirche zusammen[294]. Von dieser Auffassung her hat Martyrs Leiden-
schaft für die wohlgeordnete Kirche ihren religiösen Sinn[295].

Wenn Martyr von unserer *Versöhnung* mit Gott spricht, denkt er sich
die Versöhnung nicht auf die Kirche bezogen, sondern auf das Menschengeschlecht[296]. Er läßt keinen Zweifel daran, daß außerhalb der Kirche kein
Mensch einen Gewinn von der Versöhnung hat[297]. Von Gott aus gesehen,
ist jedoch jeder Mensch mit Gott versöhnt, er braucht diese Versöhnung
nur über sich gelten zu lassen, sich ihrer zu getrösten[298]. Wie wir schon
oft festgestellt haben[299], möchte Martyr durch die Betonung der Objektivität und der Universalität des Heilsgeschehens den Synergismus aus-
schließen[300]. Das scheint ihm auch theoretisch zu gelingen, solange die
Voraussetzungen seines Denkens unbestritten bleiben, daß nämlich die
Idee, die Realität bei Gott, zu ihrer konkreten Gestaltwerdung keiner Potenz niederer Realität, also keiner Potenz außer ihrer eigenen, bedarf. Je-

---

[290] Loci 1587, 439, 46, 48.
[291] Loci 1587, 439, 46, 55.
[292] Loci 1587, 439, 46, 56.
[293] Loci 1587, 440, 46, 3.
[294] Vgl. S. 131, S. 151 ff. u. ö.
[295] Vgl. z. B. De fuga, Loci 1587, 1075, 20 ff.: ». . . puro corde illi (deo) serviamus, idola-
latrias atque superstitiones relinquamus, in abiurationis periculum temere nos non
coniiciamus, sancti coniugii beneficio impolluti vivamus, deum pura conscientia
invocemus, melius in iis, quae ad divinum cultum pertinent, ab eruditis viris insti-
tuamur, sanctorum societatem visamus, in Ecclesia bene reformata vitam traducamus, ut nos denique sic roboremus, quo opportuniori tempore alios ad aedificationem erudire possimus, prout deus nos vocaverit spirituque suo impulerit.«
[296] Loci 1587, 428, 20, 35; 426, 17, 59.
[297] Loci 1587, 439, 44, 5 f.: »Ecclesia . . . reconciliationem per Christum offerens remissionem peccatorum donat.«
[298] Loci 1587, 427, 17, 9 ff.
[299] Vgl. z. B. S. 143 f.; S. 149 ff.
[300] Loci 1587, 428, 20, 32 ff.: »Tanto autem beneficio a Deo in Christi morte et sepultura
donati, non levi illum afficeremus iniuria, siquidem ad nostram cum eo reconciliationem opera nostra aliquid conducere arbitraremur, quum eum potius generi
humano pacatum unica Christi morte atque acerba cruce in hoc fidei articulo pro-
fiteamur.«

doch entsteht der Impuls des religiösen Lebens aus der Ermahnung, mit Gottes zu erbittender Hilfe die Begierden zu verachten[301], der Wahrheit und gewissen Gültigkeit der Verheißungen Gottes nicht zu widerstehen[302] und nach dem himmlischen Leben zu trachten[303]. Die Ermahnung tritt mit unüberbietbarer Gewichtigkeit auf, denn am Verhalten des Menschen der genannten Forderung gegenüber entscheidet sich, ob er sich die Anwartschaft auf die Gemeinschaft der Heiligen erwirbt[304] oder sich selbst ein Zeugnis der gerechten Verdammung gibt[305]. So ist es doch wieder verständlich, daß die Versöhnung mit Gott in ihrer den existierenden Menschen angehenden Form, der Sündenvergebung, an der Kirche ihre Mittelinstanz hat. In ihr ist die Synthese von subjektivem Verhalten und objektiver Bestimmung verwirklicht. Der einzelne Christ gliedert sich ihr aktiv ein, um ihr zuzugehören, und gewinnt dadurch teil an der ihr schon vor seiner Initiative und unabhängig von ihr zugeeigneten Versöhnung. Denn die Kirche, die Gemeinschaft der Gläubigen, repräsentiert in ihrer Existenz und ihren Funktionen die objektiv in Christus und durch Christus vollbrachte Versöhnung der Menschheit mit Gott, und in Einheit damit ist sie, gleichsam als in der Gestalt der gläubigen Gemeinschaft verobjektivierter Glaube, sich selbst ein Zeichen des vollzogenen Glaubens an die Heilsverheißung, der Hoffnung und der Glaubensgesinnung[306].

Für Martyrs Verständnis dürfte kein Widerspruch aufbrechen, wenn er einmal bei etwas sorgloser, jedoch nicht unbedachter Redeweise, von der Versöhnung des Menschengeschlechts spricht, andererseits bei streng dogmatischer Überlegung die aktuelle Gültigkeit der Versöhnung allein der Kirche vorbehält. Vielmehr sind beide Aussagen in einer sinnvollen Spannung verbunden. Die Kirche, die er meint, ist die weltweite Gemeinschaft der Glaubenden, die durch denselben »sensus fidei« geeint werden[307]. Wie Gott der Gott der ganzen Erde ist, so soll sich auch der Leib seines Sohnes,

---

[301] Loci 1587, 428, 20, 28.   [302] Loci 1587, 428, 20, 30 f.   [303] Loci 1587, 428, 20, 32.
[304] Loci 1587, 428, 20, 12.   [305] Loci 1587, 428, 20, 12 f.; 25.
[306] Loci 1587, 436, 38, 26: »Etenim nihil aliud ea [ecclesia catholica] denotat quam universale corpus ex omnis generis ac conditionis hominibus collectum, qui quamcumque terrarum partem incolant eandem retinent fidem atque gratiam, iustitiam, sanctitatem, beatitudinem, omne denique bonum in Christo oblatum amplexantur; atque ita, ut ab ea veritate, quam nobis Dei spiritus literis sacris patefecit ne latum quidem unguem se abduci patiantur; verum unicum illum cultum legitimum Deoque acceptum statuant, quem divinis illis Scriptis praescripsit.«
[307] Loci 1587, 435, 35, 17 ff.: »Ita hic quidem in terra sanctorum communionem reperiri agnoscimus, id est fidelium congregationem, quae non humana voluntate aut mundano ullo artificio, sed unius Christi spiritu in unum recollecta sit; non quidem ut eodem simul loco contineatur, sed ut eundem fidei sensum retineat.« 435, 37, 55 ff.: »Verum praeterea nobiliori etiam societate praestat, quae huiusmodi est, ut quicumque vere in id corpus aggregati sunt, eodem fidei sensu sunt praediti.«

die Kirche, überallhin erstrecken[308] und eine Gemeinschaft von Menschen aller Völker, Nationen, Geschlechter und Stände sein[309]. Es geht um die Versöhnung der Menschheit mit Gott, die, wo die Versöhnung in der Geschichte wirksam wird, zur weltweiten Kirche sich vereint[310].

f) Die Bedeutung von Auferstehung und Himmelfahrt Christi

Die Entfaltung der Bedeutung von Christi Auferstehung und Himmelfahrt ist das Herzstück von Martyrs Soteriologie, denn Christi Auferstehung ist seine wichtigste Heilstat[311]. Das ist nicht etwa so zu verstehen, daß Christi Auferstehung die Heilsbedeutung seines Todes begründet und bestätigt. Die Auferstehung krönt und vollendet nicht sein Heilswerk, sondern wird als Gegensatz und Überwindung seines Leidens und Sterbens verstanden, sie ist die Erhöhung nach der Erniedrigung. Wir haben vorher festgestellt, daß Christi Heilswerk nicht im Zentrum von Martyrs Soteriologie steht[312]. Um so größeres Gewicht fällt der Auferstehung als der Demonstration göttlicher Heilswirksamkeit an der Person Christi zu. Bei der Deutung der Auferstehung Christi werden alle christologischen Aussagen zusammenge-

---

[308] Loci 1587, 435, 37, 50 f.

[309] Loci 1587, 435, 35, 2 ff.: »Sic fidelium coetus, qui vulgo ecclesia dicitur, quantumcumque ex diversis populis conflatus sit et patres habeat longo inter se terrarum spatio dissita (si credentes quatemus terreni sunt homines consideruntur) idque quantum ultima mundi plaga ab alia orbis parte regionum intervallis distat, interea tamen coniunctus, colligatus atque coagmentatus est.« 435, 37, 49 f.: ». . . ex omni natione eos eligit [Deus] quos visum est. Itaque ecclesia est universale corpus, quod ex omnis generis ac conditionis hominibus componitur.«

[310] Diese Gedanken erinnern an Zinzendorf. »Da der liebe Heiland gestorben ist und sein Blut ausgeschüttet hat, . . . so ist der Heilige Geist als ein unaufgehaltener Strom wieder herausgebrochen. . . . Er hat die *ganze Erde* zu seinem Bette gemacht, . . . Er hat wieder einmal geschwebet über der *ganzen Welt* wie zur Zeit der Schöpfung.« »Die eigentliche Gemeine Jesu Christi ist unsichtbar und auf den *ganzen Erdboden* ausgestreut.« »Weil in ihr Christus seine Herrschaft aufrichtet und sie bezeugt wird, umspannt ihr Anspruch und ihre Verheißung den *ganzen Erdkreis*, die *ganze Völkerwelt*« (Beyreuther). Aber diese weltweite Kirche wird sichtbar in der hier und da verwirklichten Gemeinschaft der Gläubigen. »Die unsichtbare Kirche kann der Welt sichtbar werden durch verbundene Glieder.« Die Zitate wurden entnommen: Erich Beyreuther, Mission und Kirche, in: Ev. Missionszeitschrift, III, IV, 1960, Stuttgart; Bruderschaft und Schau der Gemeinde. Beide Aufsätze sind jetzt gedruckt in: Studien zur Theologie Zinzendorfs, Gesammelte Aufsätze, Neukirchen, 1962. Vgl. S. 149; 174 f.; 183.

[311] Loci 1587, 430, 25, 10 ff.: »Quum enim nulla sit Christi actio quae ad promovendam nostram salutem non maximi sit momenti, istud reputare nos oportet ex hac [resurrectione], quae inter caeteras facile eminet, maximas ac praecipuas utilitates ad nos redire.« Vgl. *McLelland*, S. 112: ». . . Martyr agrees with Augustine that faith chiefly consists in the Resurrection by which we are justified.«

[312] Vgl. Kapitel II, 2, e, S. 153 ff.

faßt und legitimiert. Wenn Christus als »exemplum« oder als Haupt seines Leibes das Unterpfand unseres Heils ist, muß er selbst einen Stand jenseits der Relativität alles Irdischen erlangt haben. Wenn er unser Herr im absoluten Sinn sein soll, muß er den Rang der höchsten denkbaren Ehre innehaben. Die von Martyr der Christologie gestellte Aufgabe, daß man entscheiden müsse, ob Christus die Auszeichnung zukomme, Gottes Sohn und unser Herr zu sein[313], läßt sich gültig nur von der Auferstehung her erledigen.

Es ist konsequent, daß Martyr die Bedeutung der Auferstehung vorzüglich in der »exaltatio« Christi sieht[314]. Auch wenn er der größeren Häufigkeit im biblischen Sprachgebrauch entsprechend vom Auferwecktwerden (excitari) Christi spricht, ist ihm auferwecken mit erhöhen synonym[315]. Der Tod am Kreuz ist die höchste Steigerung der Schande und des Leidens[316], nicht einfach Verlust des Lebens. Man muß vielleicht bedenken, daß für Martyr das Sterben nicht das mit letzter metaphysischer Schwere aufgeladene Problem ist. Es ist als »separatio animae a corpore«[317] rational neutralisiert und religiös und moralisch entwertet. Entsprechend ist nicht das Leben das Heilsgut schlechthin; es ist fast selbstverständlich, denn die Seelen sterben nicht mit den Leibern[318] und aller Menschen Leiber haben an der Auferstehung des Fleisches teil[319]. Leben nach der Auferstehung mit Christus ist nicht nur Leben, sondern glückliches Leben, seine Besonderheit besteht darin, daß Leib und Seele himmlischer Vollkommenheit teilhaftig werden[320]. Als Christus vom Tode frei wurde, hat er sich zugleich aller Schwachheiten und Leiden entledigt[321]. Christi Auferstehung steht in extremem Gegensatz zu der Schande seines Todes[322]; sie ist Erhebung zur höchsten Würde, zu himmlischem Ruhm, zum Stand der höchsten und erhabensten Herrschaft[323]. Seine Auferstehung ist nicht nur seine Überwindung des Todes, sondern die unvergleichliche Überbietung irdischen Le-

---

[313] Loci 1587, 422, 5, 51 f.
[314] Loci 1587, 422, 5, 48; 428, 21, 55: »Ex quo fidei nostrae articulo, suavissimam nunc consolationem elicimus, Christum in salutem nostram exaltatum esse.«
[315] Loci 1587, 428, 22, 58: »... in quantam altitudinem Christus excitatus est.«
[316] Loci 1587, 425, 13, 40 f.: »... Christi mors ... duo habuit: unum quod valde fuerit ignominiosa; alterum quod supra modum acerba.« Vgl. 426, 14, 11 ff.
[317] Loci 1587, 426, 16, 54; vgl. 427, 19, 55 ff.; 428, 20, 10 ff.; 428, 22, 62 ff.
[318] Loci 1587, 428, 20, 11 ff.
[319] Loci 1587, 440, 47, 21 ff.
[320] Loci 1587, 440, 48, 51 ff.; 441, 49, 28 ff.; 441, 50, 57 ff.; 429, 24, 50 ff.; 432, 30, 41 f.
[321] Loci 1587, 429, 23, 39 ff.
[322] Loci 1587, 428, 22, 58 ff.
[323] Loci 1587, 429, 22, 16 ff.: »quum a tam infima servitute ad tam sublimem ac excelsum dignitatis gradum, e conditione terrena ad coelestem gloriam ... conscenderit, num vobis nobili progressu in altum evectus videtur.«

bens[324]. Indem er auferstand, hat Christus größere Macht erwiesen, als wenn er vom Kreuz herabgestiegen wäre[325]. Auferstehung schließt die Himmelfahrt ein und ist Himmelfahrt[326]. Durch die Verbindung mit der Himmelfahrt wird die Auferstehung erst in die rechte Dimension gerückt. Martyr hat die Erörterung des christologischen Sinnes der Auferstehung unter die Frage gestellt, was die Erhöhung und die neue Ehre Christi sei[327]. Wenig später sagt er, so weit wie der Himmel von der Erde entfernt sei, so sehr sei Christi erhabener neuer Stand und Zustand (status) seinem irdischen Leben überlegen[328]. Er übertreibe mit solchen Worten weniger als Paulus, wenn er 1. Kor. 15, 44 den Auferstehungsleib zwar nicht himmlisch, aber geistlich nenne. Paulus will nach Martyrs Darstellung nicht sagen, Christus und die Heiligen, die mit ihm auferstehen, würden nicht Fleisch, Knochen, Blut und unterschiedene Glieder, also einen wirklichen Leib, haben. Ohne Zweifel bleibt nämlich die echte Eigentümlichkeit (veritas ac proprietas) der menschlichen Natur erhalten. Paulus nennt den Leib geistlich, weil jene vortreffliche Wirklichkeit (hypostasis ac forma), zu der er wiederhergestellt wird, nicht aus einem irdischen Prinzip, sondern aus der Kraft des göttlichen Geistes hervorgeht. Außerdem wird der Leib mit neuen Eigenschaften geschmückt, die zur Natur des Geistes und nicht der Erde passen (accedent). Die Bezeichnung »geistlich« ist noch etwas mehr, als wenn man »himmlisch« sagt. Darum ist Christus mit der Auferstehung nicht nur in den Himmel aufgestiegen, sondern über ihn erhoben worden und sitzt dort zur Rechten Gottes, des allmächtigen Vaters[329]. Von der Rechten Gottes wird bildlich gesprochen, da Gott nicht Leib, Hände und Seiten hat. Durch die bildhafte Redeweise soll zum Ausdruck gebracht werden, daß Christus, sofern er Mensch ist, nach der Auferstehung von Gott mit solcher Ehre und Würde beschenkt worden ist, daß in seinem ganzen Reich ihm nichts vorgezogen oder auch nur verglichen werden kann[330]. Die Auferstehung begründet Christi unermeßliche Hoheit. Martyr stellt sie sich als ein Geschehen vor, auf das die üblichen Kriterien der Realität angewendet werden können; es findet eine

---

[324] Loci 1587, 429, 23, 40 ff.: »Nemo est, qui satis non intelligat, quam longo coelum a terra distet intervallo; sic etiam cogitare nos oportet, sublimem illum, in quem Christus nunc evectus est, statum, tantundem distare ab eo, cui se dum hic inter homines ageret, summisit.«

[325] Loci 1587, 428, 21, 51 f.

[326] Loci 1587, 428, 21, 53 ff.: »Propterea hic confitemur, illum excitatum esse tertio die, secundum Scripturas, idque ex Patris decreto, ascendisse in coelos, ac sedere ad dextram Patris.«

[327] Loci 1587, 428, 21, 56 f.   [328] Loci 1587, 429, 23, 41; vgl. Anm. 324.

[329] Loci 1587, 429, 24, 44 ff.   [330] Loci 1587, 430, 24, 4 ff.

Verwandlung des irdischen Leibes Christi statt, bei der die Eigenschaften der menschlichen Natur erhalten bleiben, während das Wesen des irdischen Menschen völlig erneuert wird. Die Erneuerung betrifft hauptsächlich den Kernbereich der Person, die Affekte und die seelischen Fähigkeiten. Die Erhaltung der natürlichen Eigenschaften gewährleistet die Kontinuität des irdischen mit dem himmlischen Leib und nach Martyrs Auffassung offenbar zugleich die Realität der Verwandlung.

Wieder einmal ergibt sich für Martyr aus dem Bestreben, die in der biblischen Verkündigung eingeschlossenen Wahrheiten als eine Realität aufzufassen, die analog der Wirklichkeit, mit der Menschen den Umgang der Erfahrung haben, logisch zergliedert und überschaubar gemacht werden kann, eine Aporie. Die rationale Konstruktion verträgt keine Begrenzung, wenn sie die Orientierung an dem ihr entsprechenden Begriff von Realität nicht aufgeben will. So muß der Auferstehungsleib ein wirklicher Leib sein und zugleich ein wirklich verwandelter Leib. Ganz entgegen der ursprünglichen Intention wird die Verwandlung aus der Kraft des Geistes Gottes materialisiert und die Vorstellung eines Leibes aus Fleisch und Blut gefolgert, dem Gewicht und Dichte nur vermindert eignen[331]. Diese Erdenschwere würde die radikale Erneuerung der Affekte gefährden. Soll die Verwandlung wahr und wirklich sein, muß im Gefälle dieses sich positivistisch ausnehmenden Rationalismus das Undenkbare gedacht werden. Freilich, innerhalb der aristotelisch gefärbten Metaphysik Martyrs entbehren solche Operationen nicht des Ernstes. Martyr betont ausdrücklich, daß er die leibliche Auferstehung aus dem religiösen Gegensatz des geistlichen zum irdischen, sterblichen und versuchlichen Leben heraus begreifen und sich dem simplen metaphysischen Dualismus von Geist und Leib entschlagen möchte[332]. Den Begriff »corpus spirituale« faßt er als theologisches Paradox auf, das die Spannung, welcher der wirkliche, individuelle, leibliche Mensch durch die überwältigende verwandelnde Macht des Geistes Gottes ausgesetzt wird, mehr etikettiert als beschreibt. Jedoch die einmal zugelassene Logik erlaubt ihm nicht, einzuhalten, und sobald die Folgerungen formuliert sind, stehen sie gleichen Ranges neben dem, woran ursprünglich das Interesse hing. Das Ganze ist die verstandene Wahrheit, der man kein Stück ausbrechen kann, nachdem sie einmal konsequent ausgelegt ist.

---

[331] Loci 1587, 429, 24, 55 ff.: »Nullae sunt in corpore excitato infirmitates aut animales motus, qui spiritui reluctentur, nulla tanta gravedo aut crassities, ut alacriter rectis spiritus affectibus non pareat.«

[332] Loci 1587, 429, 24, 52 f.: »Ita qui recte Apostoli verba expendet, dum corpus spirituale vocat, illud non corporali, sed terreno et mortali corruptibilique opponet.«

Martyrs zweite, die Behandlung der Auferstehung gliedernde Frage heißt, welcher Nutzen den Gläubigen von ihr zukomme[333]. Unter diesem Gesichtspunkt führt er alle ihm wichtigen soteriologischen Anschauungen vor und gibt sie auf diese Weise als in der Auferstehung begründet aus. Da die Auferstehung alle anderen Taten Christi überragt, muß man schließen, daß uns durch sie ganz besondere Vorteile zukommen[334]. Zuerst denkt man daran, sagt Martyr, daß Christus uns jetzt, da er vom Tode nicht überwunden werden konnte, viel besser helfen kann auf Grund der Güte und Macht des Vaters, zu dem er so vertrauten Zugang hat, den er beständig für uns bittet und so für uns Kräfte erlangt, die wir uns sonst niemals beschaffen könnten[335]. Zweitens, weil Christus, der unser Haupt ist, von den Toten auferweckt wurde, werden wir auch in ihm auferweckt[336]. Dieser Gedanke wird breit ausgeführt. Wir finden dadurch bestätigt, daß Martyr ihn wichtiger als andere nimmt. Außerdem hat Christus uns die Gabe des Geistes geschenkt, als er in den Himmel wegging[337]. Der Geist ist streng nur historisch an Christus gebunden, sofern es ihn nur seit seiner Himmelfahrt gibt. Darüber hinaus ist die Stiftung des Heiligen Geistes keiner bestimmten christologischen Anschauung zugeordnet.

Martyrs gleichbleibendes soteriologisches Schema läßt sich mit der Vorstellung von der Spendung des Heiligen Geistes genauso wie mit jeder anderen beschreiben. Dem Geist kommt die Urheberschaft und das Gestaltungsprinzip der Seele, des christlichen Lebens und der leiblichen Auferstehung zu[338]. Martyr fragt vom vorfindlichen Seienden nach dessen ontologischem Grund, in diesem Fall nach der »origo« und dem »principium« zurück. Dieser Bewegungsrichtung seines Denkens sind wir immer wieder begegnet, besonders bei der Untersuchung über die »potentia dei«[339]. Die Frage ist zum Beispiel, woher die Seele ihr unvergängliches Wesen hat, nicht etwa, wie sie es erlangt; denn jede Seele hat immer schon ihre überirdische Qualität. Desgleichen stellt sich nicht die Frage, wie Christus auferstehen konnte, denn Christus *ist* auferstanden. Jedoch sind der Welt an Christi Auferstehung über ihr einmaliges Geschehen hinaus

---

[333] Loci 1587, 428, 21, 57.

[334] Loci 1587, 430, 25, 12.

[335] Loci 1587, 430, 25, 12 ff. Vgl. Kapitel II, 2, a, S. 128 ff. zum Thema der Herrschaft Christi.

[336] Loci 1587, 430, 25, 16 ff. Vgl. Kapitel II, 2, d, S. 148 ff. zur Vorstellung von Haupt und Leib Christi.

[337] Loci 1587, 430, 25, 32 ff.

[338] Loci 1587, 430, 25, 33: »... cui quemadmodum animarum nostrarum origo et vita regenerationisque Christianae principium debetur, ita etiam resurrectionis corporum.« Vgl. 429, 24, 49 ff.

[339] Vgl. Kapitel I, 2, a, S. 91 ff.

gültige Gesetze erkennbar geworden, die es zu erschließen und zu entfalten gilt[340]. Wiederum will Martyr nicht erklären, wie es dazu kommt, daß Wiedergeburt sich konkret ereignet; er redet und denkt vielmehr vom Standpunkt derer aus, die des Geistes Erstlinge haben[341]. Er will deutlich machen, was den Christen zuteil geworden ist, wenn sie zu einem christlichen Leben wiedergeboren sind, daß sie nämlich ihr Christsein dem Heiligen Geist zu verdanken haben (debetur)[342] und daß sie darauf Hoffnung gründen können, weil an ihnen eine Kraft wirksam ist, deren Art und Ausmaß man an der Auferstehung Christi ansichtig wird[343]. In diesem Sinne heißt es, wir werden zum Glauben gebracht durch die Wirkung der Kraft des Geistes, welche Wirkung Gott an Christus hat in Erscheinung treten lassen, als er ihn von den Toten auferweckte[344]. Glaube und Auferstehung sind analoge Vorgänge, der Sinn der Analogie wird mit dem Hinweis auf die Wirkung des Geistes angegeben, für ihre Wahrheit garantiert die biblische Lehre, in diesem Fall Eph. 1, 12 f. Die Beziehung zwischen dem Heilsgeschehen in oder an Christus und dem Glauben stellt der logische Schluß her, der das Gesetz der biblisch begründeten Entsprechung anwendet. Mit Christi Auferstehung und Himmelfahrt *ist* uns die Glauben schaffende, Wiedergeburt erzeugende und auferweckende Kraft geschenkt worden und zugleich hervorgetreten. Seitdem weiß man, daß der Geist Glauben wirkt, und indem man davon weiß, entfaltet der Geist seine Wirkung. So wird verständlich, daß Martyr das Haben des Geistes indikativisch und imperativisch zugleich auslegen kann. Auf Röm. 8, 23 f. anspielend, sagt er: »Wir sind schon heil gemacht worden. Es ist wahrlich für einen nicht geringen Vorteil zu achten, daß wir durch Christus vom Tode befreit werden, so daß wir nicht nur ihm, sondern auch allem anderen Unglück tapfer mit Hohn begegnen können«, weil wir in Christus ein sicheres Pfand des neuen Lebens haben[345]. Mit dem Angeld des Geistes (pri-

---

[340] Das ist besonders deutlich an der wahrscheinlich 1548 in Oxford gehaltenen Predigt, De resurrectione Christi, zu erkennen, Loci 1587, S. 1045 f. Vgl. Loci 1587, 429, 23, 25 ff.: »Apostolus . . . in epist. ad Phil. [2, 7 ff.] . . . ex voluntariae exinanitionis Christi ad sublimem illius gloriam progressu *utilem ac praeclaram doctrinam colligit* iis verbis.« Aus dem Geschehen gewinnt man die unveränderliche Lehre, indem man dessen logische Gesetzmäßigkeit erhebt.

[341] Loci 1587, 430, 25, 37: »Quum igitur primitias Spiritus . . . habeamus.«

[342] Vgl. Anm. 338.

[343] Loci 1587, 430, 25, 36: »Quum igitur primitias Spiritus, cuius virtute Christus resurrexit a mortuis, habeamus, quem iam ad gloriosum illum, ad quem contendebat, finem scimus pervenisse, animo hilari esse nos oportet, atque in concesso nobis dono acquiescere.«

[344] Loci 1587, 430, 25, 35: »pro efficacitate fortis illius roboris, quam exeruit Deus in Christo, quum excitavit eum a mortuis et collocavit ad dextram suam in coelis, nos ad fidem adduci.«

[345] Loci 1587, 430, 25, 40: »Iam salvi facti sumus, inquit Paulus in epist. ad Rom.

mitiae, arrabo)³⁴⁶ haben die Christen in nuce, das heißt anfänglich und im
Glauben – »in Christo« bedeutet beides³⁴⁷ – das Leben jenseits des Todes.
Aber Martyr sagt zugleich: Darum *müssen* wir heiter sein, weil eine solche Verwirrung der Dinge nicht mehr eintreten kann, daß sie uns in Trauer
und Angst befangen halten könnte³⁴⁸. »Oportet« kann die Aufforderung
zu dem logischen Schluß bedeuten, daß es keinen objektiven Grund mehr
zur Trauer gibt. Man wird darin zugleich die Ermahnung finden, das Leben so zu gestalten, daß es der über ihm geltenden Wahrheit entspricht,
Dasein im Schatten der Auferstehung Christi zu sein, also die Freiheit
vom Tode als innerliche Freiheit von der Angst vor dem Leid erst zu ver-
wirklichen³⁴⁹. Und doch ist dieses Wirksamwerden des Geistes im Leben
des einzelnen nur die Konkretion der Kraft und der Norm des Geistes, die
von Christi Auferstehung her schon über ihn verhängt sind.

Ich habe Martyrs Aussagen über den Heiligen Geist breiter ausgelegt, um
sein soteriologisches Schema auch im Zusammenhang mit der Auferstehung Christi an diesem Anschauungsmittel stellvertretend aufzuzeigen
und um diese bisher nicht im Zusammenhang dargestellte soteriologische Anschauung nicht zu vernachlässigen. Die Anschauung von der Spendung des Heiligen Geistes ist aber für Martyr nur eine keineswegs bevor-
zugte Weise unter anderen, die Bedeutung der Auferstehung zu erklären.

Er fährt fort mit der Vorstellung, daß an Christi Auferstehung das Vorbild unseres geistlichen Lebens und das Urbild unseres zukünftigen Standes erkennbar wurden³⁵⁰. Aus diesem Verständnis der Auferstehung folgt,
daß unser angemessenes Verhalten sein muß, in unserem ganzen Leben
nach Himmlischem und nicht mehr nach Irdischem zu trachten, nicht mehr

[Röm. 8, 23 f.]. Profecto parvo in lucro non deputandum est, nos per Christum a
morte liberari, ut iam non tantum ei, sed reliquis etiam calamitatibus ac infortuniis,
quae sunt veluti illius satellites, audacter insultare possimus, atque adversus carnis
nostrae impetus animum erigere ac consolari, quae huiusmodi angustiis constricta,
perpetuo obmurmurat, quum novae vitae non tantum facta sit nobis promissio, sed
certum ipsius ac firmum arrabonem in Christo habeamus.«

³⁴⁶ Loci 1587, 430, 25, 36; vgl. Anm. 343; 430, 25, 45; vgl. Anm. 345.
³⁴⁷ Vgl. Kapitel II, 2, d, S. 148 ff.
³⁴⁸ Loci 1587, 430, 25, 38: »animo hilari esse nos oportet, atque in concesso nobis dono
acquiescere. Quaenam igitur nobis in hac vita degentibus tanta rerum perturbatio
incidere potest, ut nos in moestitia ac animi anxietate retineat?«
³⁴⁹ Das wird vollends deutlich, wenn man zu den Texten Anm. 345 und Anm. 348
hinzunimmt, was Martyr unmittelbar anschließend schreibt: 430, 26, 49: »vitae illius
spiritualis typus . . ., quam vivere nos *oportet*, non amplius carni, sed spiritui . . .«
³⁵⁰ Loci 1587, 430, 26, 47 ff.: »vitae illius spiritualis typus . . . in vita illa apparuit, quam
Christus potentissima sua resurrectione recepit.« 430, 26, 52 ff.: »Morte quidem Christi reconciliati fuimus Deo: attamen futuri nostri status exemplar illic non agnoscitur: At vero in resurrectione conspicue elucet.« Vgl. Kapitel II, 2, b, S. 137 f. zur
Vorstellung von Christus als exemplum und exemplar.

dem Fleisch, sondern dem Geist zu leben, nicht mehr dem alten Adam, sondern Christus, nicht mehr uns selbst, sondern Gott, unserm Vater[351]. Die Erinnerung an die Auferstehung Christi ist ein Stachel, ein frommes und rechtschaffenes Leben zu führen. Wir sollen nämlich Christus nachahmen. Wie Christus sich vom Tode für immer befreit hat, nachdem er einmal gestorben ist, so ist es unsere Pflicht, uns nicht mehr mit der Sünde einzulassen, nachdem wir durch Christi Gnade von ihr befreit sind[352].

Am Ende des Abschnitts über die Auferstehung resümiert Martyr alle Gnadengaben und Vorteile, die uns durch Christi Auferstehung zuteil werden. Dann faßt er, ihre Auswirkungen überblickend, zusammen, das ganze Christentum bestehe darin, daß wir innerlich immer erneuert werden und äußerlich nach Kräften unseren Nächsten dienen und ihnen Gutes tun. Diese Skizze vom Wesen des Christentums begründet er damit, daß Christus von den Toten auferstanden sei und uns alle vorher genannten Gaben habe zukommen lassen[353], unter denen die soteriologischen Einsichten, wie mir scheint, die wichtigsten sind. So sagt er noch einmal mit aller Deutlichkeit, daß Christi Auferstehung allein das Christentum begründe und ermögliche.

Um die Bedeutung von Christi Auferstehung und Himmelfahrt recht würdigen zu können, müssen wir noch die Eschatologie, die für Martyrs Verständnis des Christentums zum Wesentlichen gehört, berücksichtigen. Sie kommt dem apostolischen Glaubensbekenntnis gemäß in dessen Auslegung unter zwei Aspekten zur Sprache, dem des Jüngsten Gerichts und dem der leiblichen Auferstehung zum himmlischen Leben.

Christi Erhöhung durch die Himmelfahrt gelangt zur Vollendung, wenn er sich öffentlich aller Welt als Herrscher und Richter zur Schau stellt[354]. Dann werden uns die menschliche Vernunft und die ganze Schar der Gottlosen nicht mehr vorwerfen können, wir hätten uns einen Gott uns zum

---

[351] Loci 1587, 430, 26, 60 f.; 430, 26, 49 f.

[352] Loci 1587, 431, 26, 3 ff.: »quoniam resurrectionis Christi recordatio non levis est ad vitam pie innocenterque traducendam aculeus, ut ita Christum imitemur, qui semel mortuus se a morte in perpetuum vindicavit: Sic etiam nos a peccato ipsius gratia liberati eius peccati iugo denuo nos implicari non convenit.«

[353] Loci 1587, 431, 26, 13 ff.: »In hoc tota Christianismi summa versatur, ut interius semper renovemur, exterius autem proximos quosque pro virili officiis beneficiisque prosequamur: quum Christus excitatus a mortuis perpetuis nos beneficiis usque fuerit prosequutus, ... Propterea nostrum est in id omni cura ac solicitudine incumbere, ut eum pie colamus, non terrenis caeremoniis aut variis hominum commentis, sed spirituali cultu, quique coelesti illi ac spirituali statui, in quem nunc Christus receptus est, conveniat.«

[354] Loci 1587, 431, 31 ff.: »Etenim postquam confessi sumus eum gloriose sedere ad Patris dextram, subiicimus *eundem* tandem perspicue se exhibiturum mundo, quum in regnum suum venturus est Iudicis partibus defuncturus.«

Herrn und Herrscher erdichtet, der sich niemals habe erblicken oder von
unseren Sinnen erfassen lassen, gemeint ist Jesus Christus, unser Erlöser[355].
Martyr konfrontiert seine Theologie oft einer immanenten Weltbetrachtung, nach der Gott und der zur Rechten Gottes herrschende Christus
als Fiktion gelten[356]. Er gibt dieser Anschauung innerhalb ihrer beschränk-
ten Perspektive recht. Wenn man die Welt als Natur und nach ihren natürlichen Kräften ansieht, ist Gott und seine Kraft weder erkennbar noch
erfahrbar. Um so mehr liegt Martyr an der Realität der von ihm behaupteten Übernatur. Die Lehre von der »omnipotentia« Gottes ist ein theologischer Kernsatz, der die reale Transzendenz Gottes vorstellbar macht; er begründet die Dignität des Glaubens an die Verheißungen Gottes[357]. Sodann
dokumentiert Christi Auferstehung aus dem Vermögen transzendenter
Kräfte die Durchbrechung der Natur und ist damit Grund und Beweis für
die Gratuität der Wiedergeburt[358]. Daß so gewichtige Folgerungen an sie
geknüpft sind, weist auf den theologischen Rang der Vordersätze zurück.
Wieder tritt die zentrale Bedeutung der Auferstehung Christi ans Licht;
denn es gehört zu den wesentlichen Zügen von Martyrs theologischem
Denken, daß der christliche Glaube daran seine Eigentümlichkeit hat, der
Beurteilung der Welt als in sich abgeschlossener Natur zu widerstreiten.

Wenn Christus wiederkommt, wird nicht nur seine Majestät univer-
sal offenbar, sondern auch die Gerechtigkeit zur Vollkommenheit gebracht
werden, nachdem sie in der Welt infolge der korrupten menschlichen Urteile dezimiert wurde. An Christi Person selbst wird sie zur Geltung gebracht, indem er, der Verurteilte, zum Richter eingesetzt wird und so seine
mißachtete Autorität und Gerechtigkeit vor aller Welt offenbar macht.

---

[355] Loci 1587, 431, 27, 29 ff.: »Non perpetuo pervicaciter exprobrabit caro nostra, . . . nos
Deum nobis Dominum ac Principem effinxisse, . . .«
[356] Vgl. Anm. 355; vgl. Loci 1587, 421, 1; 29 ff.: »qui ex consilii sui vanitate . . . sibi
quosdam bonorum fines constituerunt . . . proculdubio eiusmodi homines non
Deum proprie, sed Dei loco phantasmata et sui cerebri inventa colunt.« Vgl.
422, 4, 15 ff.: » . . . Philosophorum scholae persuadere conantur mundum scilicet ab
aeterno fuisse fierique nulla ratione posse, ut ex nihilo sit. . . . Absurdum enim
fuerit certe naturalium operum modulo Dei omnipotentis opera metiri.« Vgl.
440, 47, 14 ff.: ». . . Philosophi scribunt non dari, ut ab eiusmodi privatione [a morte]
ad pristinum habitum redeatur. Qua quidem in re minime falluntur, siquidem vim
tantum naturae consideres.« Vgl. Anm. 363.
[357] Loci 1587, 422, 3, 2 ff. Vgl. Kapitel I, 2, a, S. 93 f.
[358] Loci 1587, 430, 26, 54 ff.: »Neque enim praeter naturam fuit carnem Christi, quae
iisdem nobiscum infirmitatibus esset obnoxa, mori. Verum resurrectio ita naturam
ipsam superavit, ut quum caro nulla ex se virtute esset instructa, qua seipsam in
novam vitam asseret, id totum mera Dei gratia ac benignitate ei fuerit concessum.
Nos etiam quantum ad novam illam et iustificatam regenerationem attinet, nulla
nostrorum operum virtute aut merito, eam nobis comparare possumus, sed eam
nobis Deus . . . gratia sua . . . largitus est.«

Auch über die ungerechten Leiden, Verfolgungen und Schmähungen der Glieder Christi wird er bei seinem unbestechlichen Gericht ein gerechtes Urteil fällen[359]. Dann wird die Zielvorstellung aller christlichen Frömmigkeit rein verwirklicht werden: die reine Kirche, die unbeschränkte Herrschaft Christi und die gesunde und vollkommene Gemeinschaft der Erwählten[360]. Die so beschriebene Hoffnung ist für Martyr ein wesengebendes Moment der christlichen Frömmigkeit. Es bedarf keines Beweises, daß er sie allein durch Christi Auferstehung und Himmelfahrt begründet sieht; Christus kommt wieder als der zur Rechten Gottes Thronende[361].

Die Lehre von der leiblichen Auferstehung derer, die sich im Glauben Christus anschließen, drückt die christliche Hoffnung unter dem individuellen Aspekt aus. Wieder wird der christliche Glaube einer immanenten Weltsicht entgegengestellt[362]. Die christliche Anschauung ist gerade dadurch gekennzeichnet, daß sie von Christi Auferstehung her urteilt und mit den durch sie begründeten Wirkungen rechnet[363]; denn wer immer am Auferstehungsleben teilgewinnt, erlangt es nur durch Christus, der zuerst auferstanden ist[364]. Die Auferstehung Christi ist innig mit der Auferstehung der Glaubenden verbunden, wie es im Bild von Haupt und Leib anschaulich wird. Der Geist Gottes, der Christus, das Haupt, auferweckte, wird vermöge derselben Kraft an den Gliedern seines Leibes dieselben Wirkungen der Auferstehung hervorbringen[365]. Diese glückliche Auferstehungshoffnung entbirgt und konkretisiert sich zu einem getrösteten

---

[359] Loci 1587, 431, 27, 33 ff.
[360] Loci 1587, 432, 28, 14 ff.: »Quicumque igitur puram Ecclesiam sitit, sincerumve Christi regnum, integramque ac perfectam electorum societatem, aut praestantissimam illam sponsam sine macula videre expetit, non potest non suavissima ac gratissima illius diei recordatione gaudio perfundi.«
[361] Vgl. Anm. 354.
[362] Loci 1587, 440, 47, 14 ff.; vgl. Anm. 356; vgl. 441, 48, 7 ff.: »scelerati ... pro nihilo ducunt, ut aliquando corpus habeant liberum et a necessitatibus naturalibus solutum, ut qui id esse impossibile iudicant, quia Dei potentiam metiuntur ex earum rerum cursu, quae continuo inter nos hic fiunt et producuntur. Contra vero pii, qui ex resurrectione maximum illud donum sperant...« Fortsetzung Anm. 370.
[363] Loci 1587, 440, 47, 24 ff.: »... impii resurrecturi sunt, id minime vi ipsius naturae, sed per Christum obtinere. ... Quapropter impii velint nolint Christi virtutem in seipsis sentient.«
[364] Loci 1587, 440, 47, 26 ff.: »... par est nos admittere, ut quotquot secundae huius vitae fiunt participes, per unum etiam Christum, qui primus excitatus est id consequantur.«
[365] Loci 1587, 440, 47, 42 ff.: »Idem evenit in sancto credentium corpore, in quo Dei spiritus, Christum verum omnium caput excitavit; Idem postea spiritus eadem vi, qua Christum excitavit in nobis omnibus, qui chara sumus corporis ipsius membra, eadem resurrectionis effecta producet, ut habetur Ephes. 1, 19 et eodem articulo explicavimus, quo de resurrectione Christi agebatur.« Vgl. 441, 49, 30 f.: »... nobis vivum exemplum et efficax in resurrectione Christi extare, quales futurae sint corporum nostrorum coelestes proprietates.«

und zuversichtlichen christlichen Leben[366]. Angesichts dieser Grundhoffnung müssen alle unsere Hoffnungen wieder aufleben, wenn wir einmal
wegen der auf uns liegenden Last des Fleisches träge werden und sichtlich
langsam auf dem Wege des Herrn voranschreiten[367]. Diese Hoffnung muß
unseren Geist stark machen, Mühen zu ertragen, die unserem Leib und
unserem Geist zu schwer erscheinen. Durch sie müssen wir in dem Bemühen bestärkt werden, unsere Sinne und Begierden zu töten[368]. Wer dem
Zustand solcher Herrlichkeit entgegengeht, muß die Lasten und Mühen,
die er im Namen Christi erträgt, leicht nehmen[369]. Die Auferstehungshoffnung der Frommen aktualisiert sich in ihrer Anstrengung, ihre Seele
von der Tyrannei der Laster und Affekte zu befreien, eben dieses Mühen
wiederum bestärkt sie mehr und mehr in der Hoffnung, einen freien Leib
zu gewinnen, mit dem die schon durch Christus befreite Seele bekleidet
wird[370]. Die Hoffnung auf das ewige Leben, in dem wir bei Gott sind als
Söhne und Hausgenossen[371], hat aller irdischen Lust und Wonne weit überlegene Freude und Trost bei sich. Sie ist die Grundstimmung des christlichen Lebens und überlagert alle Weisen des frommen Verhaltens, nämlich, daß man mit geistlicher Bewegtheit die Schriften liest, inbrünstige
Gebete zu Gott ausstößt, vor ihm in tiefem Schmerz über das Leid, das man
erduldet, stöhnt oder innerlich gerührt wird durch die wirkmächtige Predigt des Wortes[372]. Die Erfahrung der aus ihr fließenden Freude ist aber
erst der Anfang des ewigen Lebens, auf Grund deren wir ahnen können,
wie die zukünftige, reine, heile und ungeteilte Glückseligkeit sein wird[373].

---

[366] Loci 1587, 440, 48, 47 ff.: »Quantam autem consolationem piis spes illa beata adfert ...«
[367] Loci 1587, 440, 48, 52 ff.: »Hic spes omnes reviviscere debent ...«
[368] Loci 1587, 440, 48, 54 ff.
[369] Loci 1587, 441, 48, 4 ff.: »Quisquis igitur ad tam gloriosam et nobilem conditionem
contendit, parvi facere debet molestias omnes et sudores quos Christi nomine perfert.«
[370] Loci 1587, 441, 48, 10 ff.: »Contra vero pii, qui ex resurrectione maximum illud
donum sperant, ut nec mors nec aliae naturales infirmitates amplius possint corpori molestiam exhibere, totis viribus adniti debent, ut animos suos a tyrannide
vitiorum et affectionum liberent; quo magis ac magis confirmentur in spe recuperandi corporis liberi, quo superinduatur animus, iam per Christum victoriam ex
cupiditatibus et peccatis adeptus, quae per corpus et carnem spiritum opprimunt.«
[371] Loci 1587, 442, 51, 38: »Quid ergo nobis futurum est, ubi aeternum apud illum
filiorum et domesticorum locum obtinuerimus?« Fortsetzung Anm. 372.
[372] Loci 1587, 442, 51, 39 ff.: »Si quando contingat, ut hic cum aliquo spiritus motu
Scripturas legamus, si preces attentas ad Deum fundimus, si apud illum pro malis
quae patimur magno affectu ingemiscimus, aut ex verbi praedicatione efficaci intus
permovemur, annon gaudium delectationem, consolationem percipimus, quae delitias omnes, lusus, voluptates mundi superet?« Fortsetzung Anm. 373.
[373] Loci 1587, 442, 51, 42 ff.: »Atqui hoc tantum est initium vitae aeternae, ex quo tamen
conijcere possumus, qualis sit futura, pura illa, integra et numeris omnibus absoluta
foelicitas.«

Wieder schattet sich nach Martyrs Verständnis die Hoffnung auf die verheißene Zukunft zu lebendigem Hoffen in individuellen Vollzugsformen
des Daseins ab, und diese konkrete Hoffnung als Lebensdynamik erneuert
den Ausblick auf das verheißene Ziel, als dessen Vorschein sie ist, was sie
ist. Dieses wonnevolle Ergriffenwerden unseres Geistes tröstet und er-
quickt uns in den Wechselfällen dieses Lebens, indem es uns mitten in
den Stürmen dieser Welt einen Hafen solchen Glücks anzeigt[374]. Die zuletzt dargebotenen Gedanken Martyrs stehen am Schluß seines Katechismus, sie krönen seine Entfaltung des Glaubens an das ewige Leben, zugleich fassen sie den Sinn des christlichen Glaubens überhaupt zusammen,
wie der summarische, doxologische Schlußsatz zeigt[375]. Alles, was wir von
Gott und Christus glauben, hat den Sinn, uns in der Hoffnung auf jenes
unfaßliche ewige Glück hinzuordnen und uns dessen endlich teilhaftig
werden zu lassen.

Martyrs religiöses Pathos hängt daran, daß uns durch Christi Himmelfahrt, seinen Aufstieg zu der Sphäre göttlicher Vollkommenheit, der Weg
zum Himmel, dem Ort der Söhne und Hausgenossen beim Vater[376], in aller denkbaren Realität eröffnet ist. Es ist wohl nicht billige Polemik, wenn
er vor seinem Tode auf die tröstenden Worte Bullingers, daß unsere Heimat im Himmel sei, antwortet: »Ja, aber nicht im Himmel des Brenz, der
nirgendwo ist.«[377]

Mit Christi Himmelfahrt ist gleichsam eine neue Religion konstituiert
worden, eine neue Epoche der Gottesverehrung heraufgekommen. Eine
geistliche Frömmigkeit (cultus) hat Geltung erlangt, deren Nerv die bare
Hoffnung ist, die am Himmel, dem Ort der Himmelfahrt Christi, ihren
Haftpunkt hat[378]. Die Himmelfahrt setzt ein Vorher und ein Nachher, und

---

[374] Loci 1587, 442, 51, 47 f.: »Atque suaves istae animi comprehensiones nos in huius
vitae calamitatibus solantur et recreant, in mediis huius mundi procellis tantae
foelicitatis portum indicantes.« Fortsetzung Anm. 375.
[375] Loci 1587, 442, 51, 48 ff.: »Ad quam nos omnes perducat, is qui nobis eam peperit
morte sua preciosa; Eoque per spiritum suum deducat, quotquot per eum ab aeterno
Patre regenerati sunt; cum quo vivit, triumphat et regnat in perpetuum. Amen.«
[376] Loci 1587, 442, 51, 38; vgl. Anm. 371; vgl. *Martyrs* Oratio de resurrectione Christi
(1548 ?), Loci 1587, 1045, 61 ff. Gott hat uns nicht nur mit Christus lebendig gemacht,
sondern uns auch mit ihm den Sitz zur Rechten Gottes im Himmel gegeben
(Eph. 2, 1; 6). Martyr bevorzugt die Christologie des Epheser- und des Kolosserbriefes.
[377] *Simler*, Oratio, Loci 1587, c 6, 45 ff.: »Alio item die cum Bullingerus inter alia con-
solationis causa e Paulo dixisset, nostram politiam in coelo esse, agnosco inquit ille,
sed non in coelo Brentii quod nusquam est.«
[378] Loci 1587, 431, 26, 23 ff.: »Priusquam ad nos ille venisset, et quamdiu in mundo
humano more versatus est, umbrae ac figurae Legis cultus corporales ac mundanae
caeremoniae vigebant; nunc autem excitatus cum Christo, quemadmodum eum et loco
et gradu in quo nunc constitutus est contemplamur, ita etiam aequum est, nos
erectis sursum mentis oculis spem nostram in eo defigere.«

sie sanktioniert die definitive Scheidung von Himmel und Erde. Auf diese
Weise begründet sie den christlichen Dualismus der Äonen und der Sphä-
ren, indem sie die Demonstration dieses Dualismus ist. Um die Funktion
des verbürgten Aufweisens erfüllen zu können, wird die Himmelfahrt
ihrer mythischen Fülle der Aussage und ihrer Anschaulichkeit entkleidet
und auf ihren kategorialen Gehalt reduziert. Sie wird zur Scheidemarke
der Zeiten und dabei selbst zu einem historischen Fixpunkt. Sie begründet die Entwertung des Irdischen zugunsten des überirdischen Göttlichen
und kommt infolgedessen selbst vorzüglich als Überschreitung des irdischen Raumes in den Blick. Es kommt Martyr darauf an, dem Gegensatz
von Gesetz und Geist, von fleischlich-irdischem und geistlich-himmlischem
Kultus ein festes Fundament zu geben, jedoch nicht so, daß das Fundament
erst die Gültigkeit der diastatischen Spannung beweisen müßte. Vielmehr
könnte er den Beweis umgekehrt führen, wie er es in einem früheren Abschnitt andeutet. Aus grundlegenden Sätzen der christlichen Lehre geht
hervor, daß Christus auferstehen mußte. Nach der von Christus selbst aus-
gesprochenen Regel gilt: wer sich erniedrigt, wird erhöht. Danach mußte
man aus Christi Erniedrigung folgern, daß ihm eine unvergleichliche Hoheit zuteil würde[379]. Wenn man Christi Himmelfahrt so zum Fundament
der christlichen Frömmigkeit erhebt, daß man von ihr aus die Notwendigkeit einer bestimmten Form der christlichen Lebenshaltung dem vernünftigen Urteil demonstrieren kann, wird ihre Historizität[380] und räumliche
Erstreckung zum Postulat, das freilich zunächst noch nicht das ganze, ihm
der theologischen Konstruktion nach zufallende Gewicht zu tragen erhält.
Die apologetische Gegenüberstellung der christlichen Weltbetrachtung und
der immanent natürlichen setzt ebenfalls die historische Faktizität von
Christi Himmelfahrt wegen des konsequent rationalen Aufbaus der Argumentation voraus. Jeder der beiden Betrachtungsweisen ist ein anderer
Erfahrungsbereich zugeordnet. Insofern schließt die eine die andere aus.
Sie stimmen aber überein hinsichtlich des Begriffs von Realität. Dadurch
wird allein die rationale, apologetische Widerlegung der »natürlichen«

[379] Loci 1587, 429, 23, 30 ff.: »Quod optimo quidem iure ei competit, iuxta regulam ab
ipsomet alibi praescriptam: Qui se demiserit, extolletur. Unde etiam colligi potest
pro voluntariae demissionis ratione magnificam ac sublimem oportere esse gloriam.«
Vgl. *Martyrs* Oratio de resurrectione Christi (1548 ?), Loci 1587, 1045, 53 ff.: »Si
Christus non surrexit, ... qui mortui sunt in Christo, perierunt [1. Kor. 15, 18],
Christus non esset Dominus vivorum et mortuorum. Et ad Romanos dicitur in hoc
resurrexisse« (Röm. 14, 9]. Vgl. Anm. 381.
[380] In *Martyrs* Predigt, De resurrectione Christi (1548 ?), heißt es: Loci 1587, 1045, 10:
»Mulieribus dicunt primo *demonstratam* resurrectionem ...«; 1045, 39: »Surrexit,
non est hic, corpus Christi non ubique.« 1054, 52: »*Probavit* per 40. dies suam
resurrectionem apparendo.«

Weltanschauung möglich. Entsprechend hat Martyr die christliche Hoffnung auf das Sitzen Christi zur Rechten Gottes im Raum des Himmels begründet. Martyr hat es nicht darauf abgesehen, den Himmel vorstellbar zu
machen oder die Himmelfahrt nach der Analogie überschaubarer irdischer
Vorgänge zu begreifen. Das liegt ihm gerade fern. Sein Interesse gilt der
kategorialen Versiegelung des fundamentalen Heilsereignisses. Wie Christus zum Himmel aufgefahren ist, was damals geschah, ist eine wunderbare Durchbrechung der Naturgesetze und kann und braucht nicht näher
erklärt zu werden. Aber alles hängt davon ab, *daß er wirklich* aufgefahren
ist und jetzt im Himmel thront. Damit kommen die Kriterien von Wirklichkeit überhaupt ins Spiel und bestimmen die Auffassung von der Art
und Weise der Himmelfahrt und des Seins Christi im Himmel. Martyr
versucht, seinem durchaus irrationalen religiösen Anliegen Geltung zu
verschaffen, indem er den irrationalen und transzendentalen Ursprung
und Orientierungshorizont des Glaubens zu beweisen sich anschickt[381].
Man trifft seine Intention auch nicht, wenn man ihm eine Spirituali-
sierung der biblischen Aussagen zu kategorialen Bestimmungen vorwirft,
obwohl dieses Urteil zutreffend ist. Vielmehr zielt sein Bemühen darauf,
den Realismus der biblischen Mythologie auf seine Weise zu wahren[382].

---

[381] Martyr stellt ganz verschiedenartige Beweisgründe nebeneinander, wenn sie nur die
feste Überzeugung fördern, daß der christliche Glaube einen sicheren Grund habe.
Daß Christus auferstanden ist, wird bewiesen: durch das Zeugnis des Engels, der
Frauen und des Evangelisten; im A. T. wird auf seine Auferstehung hingewiesen;
Christus selbst hat sie vorhergesagt und sie durch sein Erscheinen während der
40 Tage unter Beweis gestellt. Dazu kommt das Zeugnis des Paulus und zuletzt das
logische Argument: wenn Christus nicht auferstanden wäre, wären die in Christus
Gestorbenen verloren (1. Kor. 15, 18), also wäre Christus nicht Herr über die Leben-
den und die Toten, was er aber nach Röm. 14, 9 ist. *Martyrs Oratio de resurrectione
Christi* (1548 ?), Loci 1587, 1045, 45 ff. Vgl. Anm. 379.

[382] Um Martyrs Anschauungen nicht so eilig geistesgeschichtlich zu relativieren, mag es
nützlich sein, auf Karl *Barth* hinzuweisen. Besonders instruktiv scheint mir für
unseren Zusammenhang der Abschnitt: »Jesus der Herr der Zeit«, in: Die Kirchliche
Dogmatik, Dritter Band: Die Lehre von der Schöpfung, Zweiter Teil, 2. Auflage,
Zollikon-Zürich, 1959, S. 524 ff., zu sein. »Man kann die Leibhaftigkeit der Auferstehung Jesu mit seiner Existenz als Auferstandener darum nicht streichen, ... weil
an seiner Leibhaftigkeit dies hängt, daß das in der Ostergeschichte so entscheidend
handelnde Subjekt Jesus *selbst* und also eben der *Mensch* Jesus war. Aber nun geht
es allerdings darum, daß er, der Mensch Jesus, in diesen Tagen [zwischen Auferstehung und Himmelfahrt] *offenkundig in der Weise Gottes* unter ihnen war« (S. 538).
»Dieses Faktum mußte die evangelische Erzählung zur unveräußerlichen Voraussetzung der apostolischen Verkündigung machen« (S. 545). Indem »der Herr der Zeit«
insbesondere in der Osterzeit selber »zeitlich wurde«, hat er »die Zeit als wirklich
behandelt« (S. 546). Die Zeit ist die »reale Form« des »Daseins und Soseins« der geschaffenen Welt (S. 525). Christi Auferstehung setzt erst die Kategorie der Zeit, das
Kriterium der Realität alles kreatürlichen Seins, in Geltung. Gerade dadurch gerät
sie selbst unter das Urteil dieses Kriteriums, und die Wirklichkeit und Gültigkeit
der Auferstehung kann nur als räumlich-zeitliche Faktizität verstanden werden. So
behauptet sich am Ende bei Barth wohl ebenso wie bei Martyr ein der theologischen

Wenn man die soeben angedeuteten systematischen Konsequenzen bedenkt, gewinnen Martyrs den Abschnitt über die Auferstehung einleitende Gedanken beachtliches Gewicht. Um die Schlüsselstellung des Glaubenssatzes von der Auferstehung und Himmelfahrt Christi herauszuarbeiten, sagt er: »Wenn Christus, jener einzige Sohn Gottes … im Grab eingeschlossen geblieben wäre, wie die anderen Menschen, wie könnten wir darauf vertrauen, von ihm gerettet zu werden, der sich selbst nicht retten konnte.«[383] Es wäre genauso, wie wenn einer einem Ertrinkenden ins Wasser nachspränge und dabei selbst von den Strudeln verschlungen würde. Das Unglück würde verdoppelt. Je reiner und heiliger der Helfende wäre – wenn er gar der einzige Sohn Gottes wäre –, um so verhängnisvoller wäre der Unfall[384]. Keine Spur von Anfechtung spricht aus solchen Sätzen, sondern der Lobpreis der logischen Ökonomie des Glaubensbekenntnisses. Martyr gründet den Glauben auch nicht auf das historische Vorkommnis der Auferstehung Christi und seiner Himmelfahrt zur Rechten Gottes als eine Wahrheit jenseits des christlichen Bekenntnisses. Vielmehr ist es der Artikel unseres Glaubens, der uns süßen Trost gibt[385]. Wieder zeigt sich, daß die apologetisch rationale Auslegung des Glaubensbekenntnisses die historisierende und kategorial realistische Auffassung der Glaubenssätze birgt und nach sich zieht, ohne daß die Prinzipien dieser Art, der christlichen Wahrheit ihre Geltung zu lassen, sich oberflächlich zur Schau stellen, zur ausdrücklichen Bedingung oder gar selbst zum Inhalt der Lehre erhoben werden.

Deutlicher als an der soeben besprochenen Stelle wird an einer anderen erkennbar, daß Auferstehung und Himmelfahrt nicht als ein konstatierbares Wunder überhaupt gelten, das dem christlichen Glauben einen festen Grund gibt. Die Auferstehung ist als Durchbrechung der Natur das Symbol, das Bild (typus) des geistlichen Lebens[386]. Soviel ist von der konkreten Gestalt des damals Geschehenen unaufgebbar, daß Christus zum

Reflexion vorgängiger Begriff von Realität, nach dem Erstreckung von Raum und Zeit konstitutiv für Realität überhaupt ist. Es macht wenig aus, wie Raum und Zeit genauer definiert werden, in jedem Fall wird alle Realität denselben wesengebenden Kategorien unterstellt, in denen die der menschlichen Erfahrung zugängliche Wirklichkeit als Wirklichkeit erfaßt wird.

[383] Loci 1587, 428, 21, 42 ff.   [384] Loci 1587, 428, 21, 45 ff.

[385] Loci 1587, 428, 21, 53 ff.: »Propterea hic confitemur illum excitatum esse tertio die secundum scripturas, idque ex Patris decreto, ascendisse in coelos, ac sedere ad dexteram Patris. *Ex quo fidei nostro articulo* suavissimam nunc consolationem elicimus Christum in salutem nostram exaltatum esse.«

[386] Loci 1587, 430, 26, 46 ff.: »Praeterea etiam nobilis illa resurrectio plurimum proculdubio salutem nostram promovit. Nam etsi morte Christi atque unico illo et acceptissimo sacrificio peccata remissa sint, … attamen vitae illius spiritualis typus illic non deprehenditur … At hoc postea in illa vita apparuit, quam Christus potentis-

Himmel gefahren ist und dort zur Rechten Gottes seinen Ort hat als in jeder Weise reales Unterpfand der Grundstruktur der christlichen Frömmigkeit, des »miditari coelestes« und »spem defigere in Christo eo loco et gradu constituto«. Man wird also schließen dürfen, daß Martyrs Vorstellung von Christi Auferstehung und Himmelfahrt mitsamt der historisierenden und in der beschriebenen Art verobjektivierenden Betrachtung ihrer Wahrheit eng mit seinem Verständnis der christlichen Frömmigkeit zusammenhängt, mehr aber noch mit seiner Weise, die Verbindlichkeit seiner Auffassung vom Christentum zu begründen.

3. Die Vorordnung der ekklesiologischen Bedeutung Christi in der Soteriologie

»Gott entscheidet sich in seinem Sohne für das Heil aller Menschen durch die Kirche«, so beschreibt Küng die katholische Auffassung von dem »Erlöser Jesus Christus«[387]. Der Satz könnte eigens zur Kennzeichnung von Martyrs Soteriologie formuliert worden sein. Wir haben immer wieder beobachtet, daß Martyrs Theologie zufolge das in Christus konstituierte und offenbar gewordene Heil für alle Menschen den einzelnen Menschen durch die Vermittlung der Kirche zuteil wird[388]. Dabei stellt er sich die Kirche nicht als sakramentale Heilsanstalt vor[389]. Die Vermittlung geschieht auch nicht, jedenfalls nicht im prägnanten Verständnis, durch die Verkündigung als Funktion oder gar als Amtsvollmacht der Kirche[390]. Vielmehr ist die Kirche die Verkörperung des durch Christus heraufge-

sima sua resurrectione recepit ... attamen futuri nostri status exemplar ... in resurrectione conspicue elucet ... Verum resurrectio ita naturam ipsam superavit ... Praeterea quemadmodum Christus excitatus a mortuis ascendit in coelum, sic nos eius gratia iustificati, tota nostra vita, non amplius res terrenas, sed coelestes meditari par est ...« 431,26,19 ff.: »Propterea nostrum est in id omni cura ac sollicitudine incumbere, ut eum pie colamus, non terrenis caeremoniis aut variis hominum commentis, sed spirituali cultu, quique coelesti illi ac spirituali statui, in quem nunc Christus receptus est, conveniat.« Fortsetzung Anm. 378.

387 Hans *Küng*, Rechtfertigung, Die Lehre Karl Barths und eine katholische Besinnung, 4. erweiterte Auflage, Einsiedeln (1964), S. 138.

388 Vgl. Kapitel II, 2, a, S. 131; Kapitel II, 2, d, S. 148 ff.; Kapitel II, 2, e, S. 156 ff.

389 So wird die scholastische Ekklesiologie gekennzeichnet, wenn man etwa sagt: »Nun ist klar, daß die Priester Mittler zwischen Gott und der Gemeinde sind, die durch die Sakramente das göttliche Leben in der Christenheit hervorbringen und erhalten.« Seeberg, vgl. Anm. 134, S. 567. Vgl. auch Martin *Grabmann*, Die Lehre des heiligen Thomas von Aquin von der Kirche als Gotteswerk, Ihre Stellung im thomistischen System und in der Geschichte der mittelalterlichen Theologie, Regensburg, 1903, S. 287 ff.

390 Vgl. CONFESSIO AUGUSTANA, Artikel V, Die Bekenntnisschriften der evangelisch-lutherischen Kirche, 4. durchgesehene Auflage, Göttingen, 1959, S. 58.

führten Heilszustandes in der noch unerlösten Welt. Die Kirche ist selbst
die Gestalt, in der die Wirkungen des Heils in dieser Welt erscheinen. Sie
ist weder Institution noch Träger heilschaffender Funktionen, sie ist der
sich in der geschichtlichen, irdischen Welt abzeichnende Schatten des transzendenten Heils. Die Eigenschaft der Heilsvermittlung kommt ihr nur
insofern zu, als sie der Raum, der Bereich ist, an den die verbürgte Anwartschaft auf die Erlösung gebunden ist[391]. Die Kirche ist das »Haus
Gottes«[392]. Sie ist das »Haus Gottes«, der »Tempel Gottes«, weil
Christus das Haus Gottes ist, der Joh. 2, 19 von sich als dem Tempel Gottes spricht. Weil Christus der Kirche, seiner Braut, alles mitteilt, was ihm selbst eigen ist, ist sie das Haus Gottes. In derselben Weise
werden andere soteriologische Aussagen von Christus auf die Kirche übertragen. In ihm wohnt die Fülle der Gottheit leibhaftig (Kol. 2, 9)[393]. Er ist
für uns die Bundeslade, der Tempel, das Haus Gottes, das Versöhnungs-
mittel selbst (Röm. 3, 25)[394]. Das alles ist auf Grund der Kommunikation
mit Christus auch die Kirche. Sie ist daher der angemessene »Ort« zum
Beten, wie der Stein, auf dem Jakob (Gen. 28, 11) schlief, und wie der
Tempel der Juden. In ihr wohnt Gott. Die Kirche ist aber weder ein Ort im
eigentlichen Sinn noch sonst eine objektiv umgrenzbare Größe. Sie ist
überall, wo man auf Christus blickt[395]. Christen können darum überall
beten im vollen Vertrauen, daß sie im Tempel Gottes sind, sofern sie mit
Christus Gemeinschaft haben und daher selbst Tempel Gottes sind[396]. Sie
sind aber mit Christus verbunden, wo immer Christen in seinem Namen
versammelt sind[397] und wo sie untereinander verbunden sind oder eine
heilige Zusammenkunft halten[398]. Da die Kirche also eine Anzahl von
Menschen ist, die Christus dienen, ist sie als solche konkrete Gemeinschaft, zumal als gottesdienstliche Versammlung, immer jeweils an einem
bestimmten Ort. Aber an dem Ort selbst liegt nichts, er kann nach den Bedürfnissen der Kirche verändert werden[399]. Die Kirche ist nach diesen Ausführungen Martyrs die Gemeinschaft vieler einzelner Glaubender. Diese
Schar frommer Leute ist die Braut Christi und als solche das Haus Gottes,

---

[391] Vgl. *McLelland*, S. 88: »The Church is the *sphere* of this ingrafting into Christ on
the basis of His union with humanity by Incarnation and by His Spirit.«
[392] In Genesim, 114, 14 ff.
[393] Martyr beruft sich gern auf die Christologie des Epheser- und des Kolosserbriefes.
Vgl. Anm. 376.
[394] In Genesim, 114, 17 ff.
[395] In Genesim, 114, 21.
[396] In Genesim, 114, 30 ff.
[397] In Genesim, 114, 46 ff.
[398] In Genesim, 114, 33 ff.
[399] In Genesim, 114, 34 ff.

in der, weil sie Christus bei sich hat, die Fülle der Gottheit leibhaftig wohnt. Sie ist selbst kraft ihrer Kommunikation mit Christus gleichsam der erlöste Erlöser, indem sie die Erlösungspotenz, die in Christus zuerst Gestalt gewonnen hatte, verkörpert und durch ihre eigene Expansion zur Wirkung bringt, dadurch daß sie immer mehr Menschen in ihre Gemeinschaft hineinzieht. Martyr stellt die Konkretion der Erlösung durch Christus in der geschichtlichen Wirklichkeit nicht in der Korrelation des einzelnen Christen zu Christus dar. Der einzelne ist nur in abgeleiteter Weise Empfänger des Heils, nämlich als Glied der Kirche. Jedoch wird die Kirche nicht einfach als dem Glaubensvollzug des einzelnen empirisch vorgegeben gedacht. Eher könnte man von einem logischen und theologischen Vorrang der Kirche in der Soteriologie reden[400].

Auch die christliche Hoffnung richtet sich nicht auf ein persönliches, individuelles Heil. Die endgültige Erlösung des einzelnen ist aufgehoben in seinem Teilhaben an der vollkommenen Gemeinschaft der Erwählten. Obgleich jeder für sich ein gerechtes Gericht wird zu bestehen haben, geht doch aus ihm hervor die reine Kirche, das unverfälschte Reich Christi, die gesunde und vollkommene Gemeinschaft der Erwählten[401].

Wir wollen Martyrs christologische Vorstellungen rückblickend nach dem Zusammenhang der Christologie mit der Ekklesiologie befragen. Luthers Auslegung des zweiten Artikels unter dem Gesichtspunkt der Herrschaft Christi betont, daß Christus sei *mein* Herr, der *mich* erlöst hat[402]. Martyrs Gedanken über Christi Herrschaft gipfeln in der Aussage: ». . . wir wollen uns untereinander freuen, daß es durch Gottes Güte geschehen ist, daß wir zu einer so seligen Gemeinschaft gerechnet werden, die unter dem Banner eines so edlen Fürsten und großherzigen Bruders steht, dem niemals Wille noch Möglichkeit, uns zu helfen, mangeln wird«[403]. Hier ist Christus der Herr der auserwählten Gemeinde, von der der einzelne Christ glauben und hoffen darf, daß er zu ihr gerechnet wird. Christus und die auserwählte Gemeinde gehören zusammen in einer dem geschichtlichen Wandel enthobenen Relation[404]. Sie ist mit ihm eins über

---

[400] Vgl. *McLelland*, S. 90: »Christ is present as spiritual nourishment, He is grasped in a *union* which is a communion.«

[401] Loci 1587, 432, 28, 14 f.

[402] Der große Katechismus (1529), *Luthers* Werke, Weimarer Ausgabe, Bd. 30, I. Abteilung, Weimar, 1910, S. 378.

[403] Loci 1587, 424, 9, 34 ff. Zu Martyrs Vorstellung von der Herrschaft Christi vgl. Kapitel II, 2, a, S. 128 ff.

[404] Vgl. *Martyrs* Oratio de resurrectione Christi (1548 ?), Loci 1587, 1045, 46 ff.: »In oppressione piorum et liberatione, quae legitur in veteri Testamento habemus Christi mortem et resurrectionem, non in figura, sed vere, quia Christus vere in suis membris patitur, ut: Saule, Saule, quid me persequeris« (Ag. 9, 4).

Zeiten und Räume hinweg, vor Christi Geburt und nach seinem Tod lebt
Christus in ununterbrochenem Fortgang in seiner Gemeinde, so daß sein
Geschick sich in der Gemeinde fortsetzt und was ihr widerfährt, ihm
selbst geschieht[404a]. Die Verbindung zwischen der seligen Gemeinde Christi und der irdischen Christengemeinde besteht in der »Zurechnung«, der
idealen Identifikation. Martyr dürfte mit dem Begriff »Zurechnung«
kaum anzeigen wollen, daß er sich die Gläubigen als einsame Individuen
vorstellt, die wegen ihrer Heilsungewißheit keiner Gemeinschaft von soteriologischer Dignität fähig sind. Sicherlich soll »Zurechnen« ausdrücken,
daß der sich zur Verehrung seines Herrn zusammenfindende »coetus fidelium« seiner Identität mit der transzendenten Gemeinde Christi nur im
Glauben gewiß ist[405]. Die Transzendenz des Heils spricht auch aus der
Formulierung, daß Christus, dem Herrn, niemals »*Wille und Möglichkeit*« fehlen werden, uns zu helfen. Wenig früher hat Martyr sich eines
anderen Bildes bedient: Wir alle, die glauben, sind durch die göttliche
Adoption Brüder, unter denen Christus der erstgeborene ist[406]. Die Bruderschaft der Glaubenden ist nicht selbst die Erlösung, diese besteht in der
unweltlichen Adoption, die zugleich objektive Beziehungen, ein Rechtsverhältnis der Zusammengehörigkeit, sogar der Einheit[407] umfaßt, das
nach der Gestaltwerdung im Leben der Gemeinde drängt. Die Adoption
stellt sich in der Welt in dem, was die Kirche konkret ist, dar, sie ist der
Grund und das Formprinzip des Gemeindelebens. Für Martyrs Soteriologie ist es bezeichnend, daß er das Bild der Adoption, das einen den einzelnen erwählenden Akt beschreibt, sofort in eine gemeinschaftsbezogene
Vorstellung übersetzt. Soteriologische Aussagen geraten ihm immer zu
solchen über die Gemeinde. Was Christi Herrschaft ist, wie er seine Herrschaft ausübt, kann Martyr gar nicht sagen. Er vermag wohl Christus als
mit Ehre und »potentia« ausgestatteten Herrn zu preisen, also Christi
Herrschaft als rein christologische Aussage zu fassen. Wenn er Christi Herrschen über die Gemeinde ausdrücken will, fällt er sofort in eine Charakteristik des sich seiner Herrschaft unterwerfenden Volkes. Sein Volk unter-

---

[404a] Loci 1587, 431, 27, 36 ff.: ... iustitia Christi, »quae non tantum ubi mortis sententiam subiit Christus, damnata fuit, sed posterioribus aetatibus veluti continuo successu ab humana sapientia et carne eadem iuditia pertulit; neque tantum in persona Christi, verum etiam in sanctis illius membris ac fratribus, sive ii mortem iam obierint, sive adhuc in terra peregrinentur, qui variis probris ac contumeliis impetuntur, persequutiones ac omnis generis iniurias sustinent, ut nullus sit pene mundi angulus, qui piorum gemitibus non personet.« Vgl. Anm. 404.

[405] Loci 1587, 435, 37, 44 f.: »Sed credimus quidem istam hominum societatem ita coire, ut tamen humanum minime sit opus.«

[406] Loci 1587, 424, 9, 15 f.

[407] Vgl. Loci 1587, 435, 36, 25 ff.

wirft sich ihm freiwillig, und das geschieht hauptsächlich dadurch, daß es allen anderen Herren absagt[408]. Martyrs Soteriologie steht unter der Frage, wer Christus ist und welche Möglichkeiten mit seinem Sein der Menschheit eröffnet und verpflichtend vorgelegt sind. Sein Volk zu sein ist die christologisch begründete Möglichkeit und Aufgabe der Gemeinde. Seine Herrschaft als sein Tun zu verstehen, das den einzelnen Menschen ergreift, seine Lebenszusammenhänge zerreißt, um eine virtuelle Kohaerenz zwischen ihm und dem Glaubenden zu erzeugen, liegt Martyr völlig fern. Wie anders nehmen sich dagegen Spitzenformulierungen Luthers zur Christologie aus, nach denen Christus predigt, Gerechtigkeit austeilt, »lebt, schafft, denkt, spricht alles bei uns«[409].

Auch die Vorstellung von Christus als »exemplar« und »exemplum« wird in ihrem soteriologischen Sinn erst durchsichtig, wenn man die Zuordnung der Gemeinde zu Christus beachtet[410]. Wir erinnern, um ein Beispiel für diese Anschauung zu geben, an Martyrs Deutung der Inkarnation. Der göttliche »Sermo« hat die »natura« eines Menschen angenommen und damit unsere Natur rein gemacht. Das ist nicht nur von dem einen Menschen zu verstehen, den Christus in die Einheit seiner gottmenschlichen Person aufgenommen hat, sondern von allen, die mit ihm im wahren Glauben als seine Glieder verbunden sind[411]. Kurz vorher sagt Martyr, alle, die durch Christus wiedergeboren seien, sollten sich ins Gedächtnis rufen, daß Christus unsere Natur angezogen hat, um uns der göttlichen teilhaftig zu machen[412]. Wenig später verlangt er von den wahren Gliedern Christi, daß sie die Teilhabe an der göttlichen Natur, die sie in Christus erlangt haben, durch Taten zum Ausdruck bringen[413]. Zwischen diesen Sätzen spricht er davon, daß Christus in seinem Dasein als »Sermo incarnatus« Beispiele von Gerechtigkeit gegeben habe und sich als »exemplar sanctitatis et iustitiae« dargeboten habe. Die Einordnung der »exemplum«-Vorstellung in den skizzierten Zusammenhang dürfte nach der S. 131 ff. gegebenen Erklärung so herzustellen sein, daß der inkarnierte Christus nicht nur Vorbild der gläubigen Existenz ist, was er selbstverständlich auch ist, sondern zugleich die urbildliche Darstellung seiner

---

[408] Loci 1587, 424, 9, 20 ff.: »... quis nostrum patiatur se spreto tanto Domino, qui et idem frater sit, in ullius tyranni potestatem redigi? ...« 26 ff.: »Haec subiectio voluntaria est, ut Propheta (si veritas Hebraea spectetur) declarat Psal. 110, 3, quo dicitur Messiae, ›populus tuus spontaneus‹.«

[409] Praelectio D. Martini *Lutheri* in psalmum XLV., Luthers Werke, Weimarer Ausgabe, Bd. 40, II. Abteilung, Weimar, 1914, S. 519, 3 f.

[410] Vgl. Kapitel II, 2, b, S. 131 ff.; 134 f.

[411] Loci 1587, 425, 11, 15 ff.

[412] Loci 1587, 425, 11, 5 ff.

[413] Loci 1587, 425, 12, 22 f.

der Gemeinde zukommenden Erlösung verkörpert. Die Reinigung der menschlichen Natur und die Teilhabe an der göttlichen Natur sind den Wiedergeborenen und Glaubenden, den Gliedern Christi, zuteil geworden. Beides wird nicht erst durch das fromme Verhalten realisiert. Das Leben der Glaubenden, ihre Taten, sind nur Ausdruck der an ihnen in Christus vollzogenen Erlösung. Nachdem Christus unsere Natur durch seine Inkarnation gereinigt hat, kann der einzelne Glaubende diesem über ihn verhängten Schicksal nur noch die ihm gebührende Wertschätzung und Anerkennung gewähren. Christus hat in seiner Inkarnation die Natur der Söhne Gottes göttlich gemacht[414]. Die Söhne werden von den Ungläubigen unterschieden, ihre Auszeichnung dürfte also ihr Glaube sein[415]. Von der dem Verhalten der einzelnen vorgängigen in Christus geschehenen Erlösung kann Martyr nur reden, indem er vom Standpunkt der Gemeinde aus urteilt, die offenbar als der Existenz des einzelnen Gläubigen, in einer nicht genauer erklärten Weise soteriologisch vorgängig und verrangig gedacht wird[416]. In der Rede von den Gliedern Christi klingt die Vorstellung an, daß die Gemeinde als der Leib Christi in Christus, ihrem Haupt, ihr Heil hat. Sie kann ja wohl als die klassische Form der engen Verknüpfung von Christologie und Ekklesiologie gelten.

Auch Martyrs Anschauung vom sakramentalen Zeichen und der Zeichenfunktion des Begräbnisses Christi setzt sachlich die Haupt-Leib-Christologie voraus, nach der bei Martyr die Ekklesiologie schon in der Christologie enthalten ist[417]. Wenn das Zeichen den Glaubenden das an ihnen durch Christus vollzogene Heil versiegelt, indem es ihnen die über ihnen geltende Erlösung anzeigt, wird vom Boden der ihrer selbst gewissen Kirche aus gedacht, die in der christologischen Lehre immer wieder die Bestätigung ihrer eigenen Erlösung findet. Darum kann Martyr den Sakramenten innerhalb der Kirche eine objektive Effektivität zuschreiben, während bei der Betrachtung des Sakramentes als solchem allein der Glaube über seine Wirkung entscheidet[418].

---

[414] Loci 1587, 425, 12, 25.
[415] Loci 1587, 425, 12, 26.
[416] Vgl. *McLelland*, S. 90: »Christ is present as spiritual nourishment, He is grasped in a *union* which is a *communion*. The *Incarnation* is the great pattern and source of this union and communion, ... He is the substance of their faith, His human nature the mediating term in revelation, the communication of His qualities their sanctification.«
[417] Vgl. Kapitel II, 2, c, S. 139 ff.; 145 ff.
[418] Wir zitieren einmal mit Vorbehalt einen späteren Brief, in dem diese Auffassung deutlich zum Ausdruck kommt. *Martyr* an Bullinger am 14. Juni 1552, zit. nach der englischen Übersetzung von *McLelland*, S. 33 f.: »nothing more is to be granted to the sacraments than to the external word of God, for by both these kinds of word is signified and shown to us the *salvation obtained for us through Christ*, wich as

Für die Vorstellung von Christus als dem Haupt der Kirche ist oben[419] genügend deutlich dargetan worden, daß nach ihr die Soteriologie ganz von der Ekklesiologie aufgesogen worden ist. Es sei nur noch einmal hervorgehoben, daß sie alle anderen soteriologischen Anschauungen überstrahlt. In ihr kommt Martyrs Soteriologie, wenn man von ihrem ethischen Aspekt absieht, am reinsten zum Ausdruck.

Auch die Lehre von der Rechtfertigung und der Versöhnung ist bei Martyr ganz in die Lehre von der Kirche einbezogen worden, und zwar so, daß sie keine kritische und normierende Funktion gegenüber der Ekklesiologie hat. Die Rechtfertigungslehre hat überhaupt nur periphere Bedeutung. Wo sie zur Sprache kommt, drückt auch sie die unmittelbare Übersetzung der Christologie in die Ekklesiologie aus. Nachdem ich schon vorher[420] versucht habe, diesen Zusammenhang zu erläutern, begnüge ich mich hier mit der voranstehenden Zusammenfassung.

Martyr betitelt die Kirche einerseits als »mysticum corpus Christi«, andererseits als »communio sanctorum«. Während die Bezeichnung »mysticum corpus Christi« auf ihren soteriologischen Rang deutet und zugleich die Verbundenheit der Glieder untereinander nach der Analogie des menschlichen Körpers ausdrückt[421], wird sie nach ihrer Erscheinungsform als »communio sanctorum« charakterisiert. Beide Betrachtungsweisen sind so miteinander verbunden, daß der Heilige Geist sowohl den Leib Christi regiert als auch die Gemeinschaft der Glaubenden stiftet[422]. Sie ist eine irdische Gemeinschaft, deren Glieder sich aber nicht aus eigener Spontaneität zusammenschließen, so daß sie als eine weltliche Körperschaft angesehen werden könnte[423]. Sie wird durch dieselbe Glaubensgesinnung

many are made partakers of as believe these words and signs, not indeed by the virtue of the words or of the sacraments, but by the efficacy of faith. . . . But in the case of children, when they are baptized, since on account of their age they cannot have that assent to the divine promises which is faith, in them the sacrament effects this, that pardon of original sin, reconciliation with God, and the grace of the Holy Spirit, *bestowed on them through Christ, is sealed in them, and that those belonging already to the Church* are also visibly implanted in it. Although of those that are baptized, whether children or adults, it is not to be denied that much advantage and profit comes to them from the invocation of the Father, the Son and the Holy Spirit, which takes place over them. For God always hears the faithful prayers of *His Church.*«

[419] Vgl. Kapitel II, 2, d, S. 148 ff.; besonders S. 151 ff.
[420] Vgl. Kapitel II, 2, e, S. 153 ff.; besonders S. 156 ff.
[421] Loci 1587, 435, 35, 2 ff.
[422] Loci 1587, 435, 36, 21: »Ecclesiam mysticum esse corpus, quod a spiritu sancto regatur.« Loci 1587, 435, 35, 17 ff.: »Ita hic quidem in terra sanctorum communionem reperiri agnoscimus, id est fidelium congregationem, quae non humana voluntate aut mundano ullo artificio, sed unius Christi spiritu in unum recollecta sit; non quidem ut eodem simul loco contineatur, sed ut eundem fidei sensum retineat.«
[423] Vgl. Anm. 422. Loci 1587, 435, 37, 43 f.

(sensus fidei) geeint, die sich in dem übereinstimmenden Bekenntnis zur Glaubenslehre ausdrückt[424]. Es ist die vorzügliche Aufgabe des Heiligen Geistes, zu lehren, zur innerlichen Erkenntnis und Anerkennung der Wahrheit zu führen, den echten Glauben zu schaffen, den Anschluß an die Gemeinde durch das Bekennen des Glaubens herbeizuführen[425]. Nun ist freilich das Bekenntnis ein zweifelhaftes Zeichen der Zugehörigkeit zur Kirche, denn man kann sich zum Bekenntnis ohne den Antrieb des Heiligen Geistes entschließen[426]. Ein äußerliches, womöglich vorgebliches, Bekenntnis genügt nicht zur Gliedschaft am Leibe Christi[427]. Ihm gehört nur an, wer auch von seiner Seele, dem Heiligen Geist, bewegt wird[428]. Die Problematik des echten Bekenntnisses nimmt Martyr nicht allzu ernst. Im Grunde kann er sich ein überzeugtes Bekenntnis und ein Vertrauen auf die Zugehörigkeit zum Leibe Christi gar nicht ohne die Wirkung des Geistes vorstellen[429]. So ist also die Selbstgewißheit des Glaubenden der Ausdruck seines Ergriffenseins vom Geist[430]. Für die Beurteilung der Gemeinde bleibt das Bekenntnis dennoch ein fragwürdiges Indiz. Man kann es ihr nicht ansehen, ob sie nur äußerlich Christus bekennt[431]. Martyr unterscheidet die christliche von der philosophischen Sicht. Christen glauben, daß diese Menge von Menschen, die sich zu Christus bekennt, so zusammenkommt, daß diese Versammlung ein Werk des Heiligen Geistes ist[432]. Obgleich ungläubige Augen ihr Wesen, das Prinzip ihrer Entstehung und ihre geistliche Einheit nicht wahrnehmen, ist die Kirche doch eine anderen Verbänden vergleichbare Gemeinschaft, die man auf der Erde ausfindig machen, konstatieren, kann[433]. Sie ist die reale Abbildung ihres eschatologischen Vorbildes, als deren Kriterium, so darf man wohl folgern, man auf der Erde das Bekenntnis gelten lassen muß, hinter dem der Glaubende immer den Sog der Anziehung Gottes zu gewahren geneigt ist.

Wie die Kirche, so ist auch das Bekenntnis die irdische Gestalt überir-

---

[424] Loci 1587, 435, 37, 53 f.: »... quicumque vere in id corpus aggregati sunt, eodem fidei sensu sunt praediti. Et sane inanis fuerit quaelibet alia consensio, si in doctrina fidei animi dissentiant.«
[425] Loci 1587, 434, 33, 2 ff.; 435, 35, 9 ff.
[426] Loci 1587, 435, 35, 13 ff.; 435, 36, 34 ff.: »Ex quibus locis [Matth. 16, 17; 1. Kor. 12, 3] manifestum sit, quae demum confessio in Ecclesia requiratur; nempe non quae ex humano sensu prodeat, sed quae a Dei spiritu excitetur atque producatur.« 435, 37, 38 ff.
[427] Loci 1587, 435, 36, 27 ff.
[428] Loci 1587, 434, 35, 62 ff.; 435, 35, 16 f. In Lamentationes, 110, 29 f.
[429] Loci 1587, 435, 36, 28 f.
[430] Vgl. unten S. 249 ff.
[431] Loci 1587, 435, 37, 41 ff.
[432] Loci 1587, 435, 37, 43 ff.
[433] Loci 1587, 435, 35, 17 ff.; 435, 37, 38 ff. In Genesim, 114, 33 ff.

discher Wirkungen. Es ist Glaube, Ergreifen der Lehre Christi[434], insofern ein nicht objektivierbares, unerfahrbares Band der Gemeinde. Aber es ist zugleich die prototypische Form selbstbewußten frommen Verhaltens und tritt als solches neben andere Handlungen des Glaubenden, deren Urheber der Geist ist[435]. Es drückt die Glaubensgesinnung und die Verehrung Christi aus; den christlichen Glauben bekennen und Christus Ehre erweisen ist nahezu dasselbe[436]. Die Kirche ist eine Bekenntnis-, Gesinnungs- und Kultgemeinschaft. Außerdem ist sie nach der Analogie des menschlichen Organismus eine Gemeinschaft zur gegenseitigen Erbauung und Unterstützung[437]. Die in demselben Glauben und durch den einen Geist geeinte Gemeinde ist ganz selbstverständlich und notwendig zugleich eine Gemeinschaft gegenseitiger Verbundenheit[438]. Auf dem Grunde des angenommenen ekklesiologischen Existenzmusters werden die Einheit auf Grund des Glaubens und die Einheit auf Grund des wechselseitigen sozialen Verhaltens offenbar ohne Begründung schlicht identifiziert. Die so verstandene Kirche kann phänomenologisch beschrieben werden. Freilich entsteht so das Bild einer utopischen Kirche. Martyrs Ausführungen zur Ekklesiologie sind oft eine solche Beschreibung. Wie Christus seinen Leib erbaut und regiert, darüber erfährt man nicht mehr, als daß es durch den Heiligen Geist und die innere Gnade geschieht, wodurch auf die Unerklärbarkeit des Vorgangs hingewiesen wird und zugleich die Aufmerksamkeit auf die Wirkungen des Geistes in der Gemeinde gelenkt wird. Die theologische Darstellung widmet sich der Entstehung und Erbauung des überschaubaren »corpus Ecclesiae«, der frommen Herde, durch die Mittel der phänomenalen Welt, denn als solche werden Glaube, Schrift, Ermahnungen und Predigten aus dem Worte Gottes in diesem Zusammenhang verstanden[439]. Dagegen entzieht es sich den Möglichkeiten dieser Theologie, durch eine spezifische Zuordnung der Kirche zu Christus, diese konkret in unmittelbarer Offenheit zur Transzendenz und unter Aufgabe ihrer phänomenalen Abgeschlossenheit als Schöpfung Christi erscheinen zu lassen. Die Kirche ist der Leib Christi auf Grund der Gel-

---

[434] Loci 1587, 435, 35, 10 ff.; 435, 37, 55 ff.; 436, 38, 15.
[435] Loci 1587, 434, 33, 1 ff.
[436] Loci 1587, 435, 36, 34 ff.; vgl. 436, 38, 14 ff.
[437] Loci 1587, 436, 39, 33 ff.: »Neque in alium finem hac invicem societate colligantur, quam ut sese mutuo pro virili aedificent, quemadmodum quae in humani corporis membris coniunctio inest, in singulorum subsidium ac conservationem maxime est constituta.« Vgl. 435, 35, 2 ff.; 437, 40, 2 ff.
[438] Loci 1587, 436, 38, 27 ff.; 436, 39, 33: »universale corpus ... qui ... eandem retinent fidem ... hac invicem societate colligantur.« Vgl. Anm. 440 und 437.
[439] Loci 1587, 437, 41, 30 ff.

tung des Dogmas. Sie verehrt in Christus zudem den Urheber ihres Heilsstandes, indem sie an der Wahrheit der Schrift und der schriftgemäßen
Frömmigkeit festhält[440]. Wer also durch sein Bekenntnis und sein bekennt-
nisgemäßes inneres und äußeres Verhalten zur Kirche gehört, kann wissen, daß er auch zu Christus gehört und daß seine Frömmigkeit eine Auswirkung des Schicksals Christi durch den Heiligen Geist ist. Christologie
und Ekklesiologie sind zwei Lehrstücke, die durch die Einheit der christlichen Wahrheit und die Logik einzelner Lehrsätze, wie dem vom Haupt
und Leib Christi, verbunden sind. Die Heilsbedeutung Christi wird in der
Ekklesiologie dargestellt durch die dogmatisch begründete logische Identifikation der irdischen Gemeinde der Heiligen mit ihrem dogmatischen
Idealbild. Die Vereinigung mit Christus, deren Zeichen das Abendmahl
ist, geschieht so, daß die Christen durch das Sakrament *unter dem Haupt
Christus zum Leib der heiligen Kirche* zusammenwachsen[441]. Der Christ
schließt immer zurück von dem, was er in der Kirche ist oder was ihm in
der Kirche widerfährt, auf dessen dogmatische Bedeutung und identifiziert
im Glauben sich selbst mit dem, was das Dogma ihm zuschreibt. So dürfen wohl die folgenden Sätze zu verstehen sein: »Wenn wir bekennen,
daß wir seine [Christi] Glieder sind, müssen wir auch mit Notwendigkeit
anerkennen (agnoscamus necesse est), daß unsere Auferstehung in seiner
Auferstehung irgendwie angefangen hat.«[442] Die Notwendigkeit ist die
zwingende logische Folgerung aus der als gültig vorausgesetzten christlichen Lehre. Entsprechend ist der folgende Schluß organisiert. Wer im Namen der Trinität getauft wird, ist verpflichtet zu bekennen, daß der Vater
und der Sohn und der Heilige Geist ihm Heil bringen[443].

Sowohl von der Christologie wie von der Ekklesiologie aus zeigt sich,
daß Christi Erlösung der Kirche gilt und der einzelne Glaubende sie sich
zurechnen darf, sofern er den Kriterien der »membra ecclesiae« bzw. des
»corpus Christi« standzuhalten glaubt. Die wichtigsten Mittel zur Erbauung der Kirche sind darum außer der inneren Gnade, dem Glauben

---

[440] Loci 1587, 436, 38, 26 ff.: »Etenim nihil aliud ea [ecclesia] denotat ... quam universale corpus ex omnis generis ac conditionis hominibus collectum, qui quamcumque
terrarum partem incolant, eandem retinent fidem atque gratiam, iustitiam, sanctitatem, beatitudinem, omne denique bonum in Christo oblatum amplexantur;
atque ita, ut ab ea veritate quam nobis Dei spiritus literis Sacris patefecit, ne latum
quidem unguem se abduci patiantur; verum unicum illum cultum legitimum, Deoque acceptum statuant, quem divinis illis Scripturis praescripsit.«
[441] Loci 1587, 436, 39, 55 f.: »... Sacramentum ..., efficacissima tessera eius unionis,
qua sub ipso Christo capite in sanctum Ecclesiae corpus simul coalescunt, ...«
[442] Loci 1587, 430, 25, 22 ff.
[443] Loci 1587, 433, 31, 8 ff.: »Ite et baptizate in nomen Patris, Filii et Spiritus sancti.
Quod non aliud significat, quam eos, qui baptismo tincti sunt, ad hanc confessionem obligari; nempe Patrem, Filium et Spiritum sanctum salutem eis conferre.«

und der äußeren Schrift, deren Notwendigkeit sich von selbst versteht, beständige Ermahnungen und Zurechtweisungen[444]. Zur Unterstützung der »fraterna correctio« hat die Kirche das Recht und die Autorität der Exkommunikation, die als ein Gnadenmittel angesehen wird[445]. Durch sie versöhnt die Kirche hartnäckige Sünder *mit sich selbst*, um sie dadurch dem Leibe Christi wieder einzufügen[446]. Der Exkommunikation treten in ähnlicher Funktion die der Bewahrung des Leibes Christi dienenden Kirchengesetze zur Seite, die über die rechte Form der Verehrung Christi wachen[447]. Sie zu verachten gilt als schweres Vergehen[448].

Martyrs Soteriologie ist im wesentlichen, insbesondere in der Grundstruktur, nämlich der ekklesiologischen Auslegung der Soteriologie, katholisch. Man kann Martyr nicht streng auf eine bestimmte mittelalterliche Schultheologie festlegen, obwohl auch hier seine Gedanken thomistischen Anschauungen oft nahekommen. Er teilt natürlich nicht die kirchenrechtlichen Konsequenzen der katholischen Auffassung[449]. Wenn man

---

[444] Loci 1587, 437, 41, 30 ff.; 55 ff.; 438, 42, 10 ff.

[445] Loci 1587, 438, 42, 15 ff.; 439, 46, 36 ff.: »Sed iam videamus, quod nam sit tertium huius *remissionis medium*. Habet Ecclesia ex Christi dono et gratia singulari ius et authoritatem, ut a se contumaces excommunicatione excindat, ...«

[446] Loci 1587, 439, 46, 51 f.

[447] Loci 1587, 438, 43, 19 ff.: »Denique sanctum illud corpus aequis rectisque legibus conservatur, quibus, quantum ad externa illa exercitia attinet, regi atque gubernari debet, qualia sunt, commodis locis ac temporibus convenire ad preces publicas, canendas Deo laudes, agendas Christo gratias atque ad sacramentorum administrationem ...«

[448] Loci 1587, 438, 43, 33 f.: »... leges hac ratione constitutae non sine gravi delicto sperni aut contemni possunt.« Martyr vermeidet es, den Begriff Sünde zu verwenden, obwohl er ganz sicher den Verstoß gegen die Kirchengesetze, wenn auch nicht formal, da sie menschliche Verordnungen sind, so doch der Sache nach als schwere Verfehlung gegen Gott ansieht.

[449] Die zentrale Idee der Erlösungslehre der Hochscholastik ist, daß Christus als Haupt der neuen Menschheit bzw. der Kirche dieser das in seiner gottmenschlichen Person erworbene Heil zugute kommen läßt. Mit dem Hervortreten dieses Gedankens verliert – wie auch bei Martyr – die anselmsche Satisfaktionslehre an Bedeutung, ohne doch eliminiert zu werden. Die absolute Notwendigkeit der Satisfaktion fällt dahin, indem man betont, Gott hätte nach seiner Allmacht auch einen anderen Weg zur Versöhnung der Menschheit einschlagen können (z. B. Bonaventura). Die Erlösung wird jetzt als Christi freie Tat des Gehorsams und der Liebe verstanden. *Seeberg,* S. 439. Indem das Haupt der Menschen diesen Gehorsam und diese Liebe vollbringt, ist Gott wirklich versöhnt, nicht nur seiner beleidigten Ehre genuggetan, und der Fluß seiner Gnade und der Liebe in Gang gebracht »per modum meriti, per modum exemplaris, per modum capitis« (Alexander von Hales). *Seeberg,* S. 434. Das Teilhaben an dem neuen Aufschwung der Liebe wird der Sündenvergebung übergeordnet, sie ist die Folge der von Gott dem Menschen zugewandten Gnade. Auf diese Weise werden die Sünden nicht nur vergeben, sondern getilgt, der Mensch in seiner ursprünglichen Unschuld wiederhergestellt. »Remissio peccatorum est deletio culpae et naturaliter sequitur infusionem gratiae tanquam effectus suam causam« (Wilhelm v. Auxerre). *Seeberg,* S. 433. Die »Betrachtung Wilhelms lehrt auch, die gratia infusa als den Haupteffekt des Werkes Christi zu verstehen und daher die Sündenvergebung hinter ihr zurücktreten zu lassen.« *Seeberg,* S. 434. Diese Gedanken bringt

Thomas von Aquin zu einem gewissen systematischen Abschluß. Durch diese Lehre
wird dreierlei erreicht. Erstens: Die Erlösungslehre empfängt *»Einheit* durch die Idee,
daß der Gottmensch zum *Haupt* der neuen Menschheit bestimmt ist«. *Seeberg,* S. 434.
Rechtfertigung, Versöhnung, Erlösung werden eng miteinander verbunden und auf
die Christologie hin konzentriert. Außerdem werden Inkarnation, Tod und Auferstehung Christi als das eine in seiner Person verwirklichte Heilsereignis verstanden.
»Der Fortschritt dieser Lehre besteht einmal darin, daß die verschiedenen Gedanken
über die Versöhnung und Erlösung einheitlich zusammengefaßt werden unter dem
Gesichtspunkt der Wirkungen Christi als des Hauptes der Gemeinde.« *Seeberg,*
S. 444; vgl. S. 434. Zweitens: Die Lehre, daß Christus das Haupt der Kirche ist, bringt
unmittelbar die Teilhabe der Glaubenden am Heil zum Ausdruck. Das »Werk Christi« ist »versöhnend«, »sofern er es als Glied [nämlich als Haupt] der Menschheit
ausführt, d. h., sofern durch ihn die gute satisfaktorische Leistung in dem Menschengeschlecht gefunden wird«. *Seeberg,* S. 440. »Quia enim ipse est caput nostrum, per
passionem suam, quam ex caritate et obedientia substinuit, liberavit nos, tanquam
membra sua, a peccatis, quasi per pretium suae passionis: sicut si homo per aliquod
opus meritorium quod manu exerceret, redimeret se a peccato quod pedibus com-
misisset. Sicut enim naturale corpus est unum, ex membrorum diversitate consistens,
ita tota Ecclesia, quae est mysticum corpus Christi, computatur quasi una persona
cum suo capite, quod est Christus.« »Christus sua passione a peccatis nos liberavit
causaliter, idest, instituens causam nostrae liberationis, ex qua possent quaecumque
peccata quandocumque remitti, vel praeterita vel praesentia vel futura: sicut si
medicus faciat medicinam ex qua possint etiam quicumque morbi sanari, etiam in
futurum.« *Thomas,* Summa Theologica, III, Quaestio 49, Art. 1, ad 3. »... tantum
bonum fuit quod Christus voluntarie passus est, quod propter hoc bonum in natura
humana inventum, Deus placatus est super omni offensa generis humani, quantum
ad eos qui Christo passo coniunguntur secundum modum praemissum.« *Thomas,*
Summa Theologica, III, Quaestio 49, Art. 5. Durch diese Anwendung der Lehre vom
»corpus mysticum« Christi drückt Thomas auf seine Weise das sog. »pro nobis« des
Heilsgeschehens aus und weiß dabei zugleich dessen »extra nos« zu wahren, da alle
Sündenvergebung ihre »causa« allein in Christus hat. Daraus folgt aber weiter, daß
die Aufhebung des »reatus poenae« *nur* denen zuteil wird, »die mit Christus verbunden werden, und dies geschieht eben durch die Fortschaffung der Sünde«, »die
Erneuerung des Sünders«. *Seeberg,* S. 440. »Also kooperieren zur Aufhebung der
Strafe im wirklichen Leben die Gott von Christus dargebrachte Satisfaktion und die
von Christus zur Erneuerung auf das Menschengeschlecht ausgehenden, die Sünde
tilgenden Gnadenwirkungen sowie auch die durch letztere gewirkten verdienstlichen
Werke des Menschen.« *Seeberg,* S. 441. Drittens wird durch die Lehre von Christus
als dem Haupt der Kirche die enge Verbindung von Soteriologie und Ekklesiologie
vollzogen. Das geistliche Wesen der Kirche besteht darin, daß Christus mit der
Kirche »una persona mystica« ist. Er »leitet und heiligt die Menschheit. Das tut er
zusammen mit dem hl. Geist, indem dieser in der Art des Herzens seine unsichtbare
belebende Wirkung in der Kirche ausübt, während Christus nach der Art des Hauptes
sie leitet.« »So ist die Kirche der Leib Christi, in dem die Gnadenkräfte wirken und
walten.« »In diesem Gedankenzusammenhang ist also festgestellt, daß die Kirche
ihrem Wesen nach der mystische Leib Christi ist, dessen Glieder vom Geist Christi
durchdrungen sind. Das ist der Gedanke Augustins von jener durch Geist und Liebe
geeinten Gemeinschaft, in der sich das Wesen der Kirche verwirklicht. Indessen
während bei Augustin der Zusammenhang dieser Gemeinschaft zu der organisierten
Kirche nur ein schwankender war, wird er jetzt sicher hergestellt.« *Seeberg,* S. 555 ff.
Das corpus Christi wird zugleich als Organismus verstanden. Der Organismus wird
auf Grund naturrechtlicher Anschauungen als »politia ordinata« nach bestimmten
Vorstellungen beschrieben und auf diese Weise die Notwendigkeit der hierarchischen
Verfassung bewiesen. *Seeberg,* S. 567 ff.; vgl. Gerhard *Hennig,* Cajetan und Luther,
Ein historischer Beitrag zur Begegnung von Thomismus und Reformation, Stuttgart,
1966, S. 18 ff.
Die Übereinstimmung zwischen Martyrs Theologie und der scholastischen Lehre
hinsichtlich der Verquickung von Soteriologie und Ekklesiologie mit dem Über-

aber Martyrs Soteriologie mit der gemeinkatholischen Grundanschauung, wie sie zum Beispiel in der Enzyklika »Mystici Corporis« formuliert wird, vergleicht, findet man eine frappierende Übereinstimmung. Für das in unserem Kapitel im Vordergrund stehende Problem kann man wieder ohne den geringsten Zwang Martyrs Theologie mit Formulierungen Küngs charakterisieren: »Die Gnade hat wesentlich *ekklesiologischen Charakter*. Die Gnade Gottes in Jesus Christus ist uns geschenkt durch den Heiligen Geist in der Kirche, ausstrahlend in die Welt, hineinziehend in die Kirche, zum Wachsen in der Kirche.«[450]

gewicht, das dabei die Vorstellung von der Kirche gewinnt, ist frappierend. »In der Kirche, als der Arche Noäh, ist Rettung vorhanden.« *Seeberg*, S. 567 f. Dieser Satz kennzeichnet die Soteriologie des Thomas ebenso wie die Martyrs. Bei der Beurteilung der hierarchischen Verfassung der Kirche weicht Martyr von der thomistischen Auffassung ab. Jene Theorie der optimalen Ordnung einer Gemeinschaft durch das »regimen monarchicum« zur Erhaltung von Einheit und Frieden war zu seiner Zeit fragwürdig geworden. Vgl. *Hennig*, a.a.O. Hubert *Jedin*, Zur Entwicklung des Kirchenbegriffs im 16. Jahrhundert, in: Relazioni del X Congresso Internationale di Science Storiche (Roma 4–11 Sett. 1955), Bd. IV (Rom 1955), 59–73, jetzt abgedruckt in: H. Jedin, Kirche des Glaubens – Kirche der Geschichte, Ausgewählte Aufsätze und Vorträge, Bd. II: Konzil und Kirchenreform, Freiburg/Baden/Wien, 1966, S. 9 ff. Nach Martyrs Vorstellung müßten Einheit und Frieden in der Kirche besser gewährleistet sein, wenn der Konsensus aller Glieder der Gemeinschaft wenigstens als Korrektiv zum monarchischen Absolutismus Beachtung fände. An die Stelle der aristotelisch-scholastischen naturrechtlich begründeten Anschauungen treten bei ihm moderne, humanistische Ideen, zu denen neben dem Gedanken, daß der Konsens die Einheit der Gemeinschaft konstituiere, vor allem gehört, daß die Orientierung an der ursprünglichen, einfachen Lehre Einheit und Frieden der Kirche garantiere. Bemerkenswert ist die innere Geschlossenheit der thomistischen Lehre. Die Übersetzung der Soteriologie in Ekklesiologie ist nur dann sinnvoll durchführbar, wenn der Erfolg der Erlösung in der Erzeugung der einheitlichen Glaubensgesinnung und der Verbundenheit in der tätigen Liebe der Glieder der Kirche besteht, wenn also eine effektive Verwandlung der Menschen geschieht, so daß die Erlösung prinzipiell korporierende Wirkung hat und aus diesem Grunde als Beschreibung der Kirche dargestellt werden kann. Nur, wenn der Erfolg der Erlösung die Hervorbringung einer solchen Gemeinschaft ist, die ein Phänomen in der Welt ist, wenn sie kein platonischer Staat ist, wie Martyr sagt, können der Ekklesiologie Vorstellungen über ideale Gesellschaftsformen amalgamiert werden. Daher kann man sagen, daß im Kirchenbegriff des Thomas »das spirituelle Moment das hierarchische in sich schließt und fordert«. *Grabmann*, vgl. Anm. 489, S. 107. Martyr konnte aus dieser dicht verschweißten Lehre, wenn er sie übernahm, kein wesentliches Stück herausbrechen. Vgl. zur ganzen Anmerkung *Seeberg*, vgl. Anm. 134, S. 432 ff.; S. 564 ff.

[450] *Küng*, vgl. Anm. 387, S. 199. Hervorhebung so auch bei Küng.

III. Ermöglichung und Verwirklichung des christlichen Lebens

Nach der Darstellung der Christologie und der Entfaltung ihrer soteriologischen Bedeutung bleibt ein Rest nicht ganz homogener Gesichtspunkte, die noch der Behandlung bedürfen, wenn die materiale Darbietung von Martyrs Theologie einigermaßen vollständig sein soll. Der Eigenart der Soteriologie Martyrs entsprechend mußte vom Heiligen Geist, von der Sündenvergebung, vom Glauben, von der Wiedergeburt, von der Kirche und den Sakramenten schon im Zusammenhang der Christologie gesprochen werden. Diese Theologumena haben ihre Bedeutung innerhalb der Christologie, deren Auslegung sie dienen. Es entspricht nicht Martyrs Anschauung, die Dogmatik in drei Hauptteilen abzuhandeln. Er gliedert das Apostolische Glaubensbekenntnis in zwölf Artikel. Der dreiteilige Aufbau meiner Arbeit charakterisiert also nicht schon Martyrs Theologie. Dennoch scheint es mir angebracht zu sein, einen Theologen der Reformationszeit nach seiner Rechtfertigungslehre im engeren Sinn, nach ihren Elementen im einzelnen und nach dem Zusammenhang, in dem sie bei ihm steht, zu befragen. Diesem systematischen Interesse kommt die sachliche Notwendigkeit entgegen, dem, was Martyr die »fructus« des Heilsgeschehens nennt, die angemessene Beachtung widerfahren zu lassen. Aber, um es noch einmal zu betonen, diese »fructus« sind nicht Heilsgüter, die von Christus herrührend durch bestimmte theophore Mittel, wie die Sakramente, auf die Gemeinde übertragen werden können, und insofern nicht von Christi Person und Werk ablösbar. Vielmehr sind sie der ekklesiologische Aspekt der Christologie. Sie sind das, was die Gemeinde immer schon, solange Christus der Grund alles Heils der Menschen ist, vor jeder Zeit in Christus und an Christus hat. Eine gewisse sachliche Selbständigkeit kommt der Ethik zu. Sie steht unter der Frage, was wir zu tun verpflichtet sind angesichts dessen, was wir als Christen sind, welches die rechte Verehrung Gottes und das ihm wohlgefällige Leben ist. Die Ethik leitet zur aktuellen Verwirklichung des Christianum an. Die Realisierung der Befreiung von der natürlichen, weltverfallenen Existenz und des auf Gott ausgerichteten Lebens ist der unmittelbare Zweck und das nächste Ziel der Sendung Christi und insofern für Martyrs kategorial realistische Denkweise in Christi Sendung begründet, mitgesetzt und durch sie hervorgerufen. So ist auch die Ethik der Soteriologie integriert. Sie gewinnt trotzdem eben als das Ziel, auf das die Erlösung gerichtet ist und auf das die dogmatische Erörterung hinführt, auf das es bei der Bewährung der christlichen Existenz ankommt, eigenes Gewicht, so daß sie sogar die Soteriologie prägt. Auch davon wird in diesem dritten Abschnitt in verschiedenen Zusammenhängen die Rede sein müssen.

Ich will darauf verzichten, die Ekklesiologie im Zusammenhang vorzutragen, weil sie schon mehrmals berücksichtigt wurde und mir außer der kurzen, klaren Übersicht in der Auslegung des Glaubensbekenntnisses keine Äußerungen Martyrs zur Lehre von der Kirche aus der Zeit seines ersten Aufenthaltes in Straßburg bekanntgeworden sind, wenn man von den gelegentlichen Bemerkungen in den Vorlesungen absieht. Obgleich Martyrs reformatorischer Eifer von der Vorstellung einer Kirche nach apostolischer Reinheit und Wohlgeordnetheit geleitet ist und die Ekklesiologie zudem im Mittelpunkt seiner Soteriologie steht, hat er auch später die Lehre von der Kirche keiner Abhandlung gewürdigt, ihr jedoch in seinen exegetischen Vorlesungen gelegentlich ausführliche Exkurse gewidmet[1]. Martyrs dogmatische Schriften sind alle aus dem Anlaß einer aktuellen Kontroverse entstanden. Die sachliche Bedeutung eines Lehrstückes und der äußere Aufwand der theologischen Bearbeitung entsprechen einander nicht. Das Fehlen eines Dokuments zur Ekklesiologie aus der Zeit von Martyrs erstem Straßburger Aufenthalt kann nicht als Indiz dafür gewertet werden, daß ihm die Ekklesiologie nicht wichtig gewesen sei. Wir entsprechen seinem Verhalten zur Ekklesiologie, wenn wir seine Auffassung von der Kirche nicht isoliert entwickeln, sondern seine Reflexion auf die Kirche überall darlegen, wo sie für seine Theologie Bedeutung hat.

Anders als mit der Ekklesiologie verhält es sich mit der Prädestinationslehre. Martyr behandelt sie nur ganz am Rande. In der Auslegung des Apostolikums erwähnt er sie nicht einmal. Sie hat in der von mir berücksichtigten Periode seiner theologischen Arbeit nicht die Bedeutung eines Fundamentaldogmas. Natürlich ist in den Vorlesungen, besonders in der Genesisvorlesung, ab und zu von der »providentia dei« die Rede und aus Anlaß der Auslegung von Gen. 25, 23 ff., der Geburtsgeschichte Esaus und Jakobs, auch von der Prädestination[2]. Selbst Schmidt, der sehr gerne zeigen

---

[1] Vgl. *Schmidt*, S. 193 ff.

[2] In Genesim, 99 ff. Der Exkurs zu Gen. 25, 23 ff. über die Prädestinationslehre ist ein knapper Abriß, in dem Martyr die »Orthodoxa et Catholica« »definitio« (100 b, 43) unter einigen häufig verhandelten Gesichtspunkten auslegt. Er zitiert zustimmend Augustin, die Väter allgemein und Thomas und umgeht jede im Streit über die Prädestination vertretene exponierte Stellungnahme. Er selbst möchte sich der Meinung der Väter anschließen, die lehren, von Gott würden die Menschen prädestiniert, von denen er wisse, daß sie seine Gaben und den freien Willen zum

möchte, daß das Dogma der Prädestination schon früh zu Martyrs unaufgebbaren theologischen Überzeugungen gehört habe, findet keinen
Hinweis für Martyrs Interesse an dieser Lehre[3]. Jedoch bringt auch schon
seine frühe Theologie manche der Ausbildung der Prädestinationslehre
günstige Voraussetzung, wie die Überzeugung von der absoluten Gerechtigkeit des Richters Christus, der auf Untergang der Gottlosen erkennt[4].
Doch bleibt die Offenbarung seines Urteils und die Unterscheidung von
scheinbarem und echtem Glauben seiner Wiederkunft vorbehalten. Solange kann man sich nur an den Glauben halten und allein das eine wissen, daß nach Joh. 3, 18 schon verdammt ist, wer nicht glaubt, und daher
nicht mehr ins Gericht kommt[5].

Guten gebrauchten. Wenn einige Leute behaupten, der gute Gebrauch der Gaben
Gottes und des freien Willens sei die »causa praedestinationis«, so möchte er diese
Auffassung nicht unterschreiben, denn auch die »prima gratia«, der rechte Gebrauch
des freien Willens und die guten Werke werden uns auf Grund von Gottes Vorherbestimmung geschenkt (100, 47 ff.; 18 ff.; 32 ff.). Man kann nach Martyrs Meinung
nur von einem allgemeinen Prädestinationsratschluß ausgehen, daß Gott nämlich
den Reichtum seiner Güte kundtun wolle (Röm. 9, 23). Aber wir können keinen
Ratschluß über die Prädestination eines einzelnen Menschen vorweisen. Warum der
eine oder der andere erwählt wird, ist nur in Gottes freiem Vorsatz begründet
(100 b, 11 ff.). Martyrs Problem bei der Prädestinationslehre ist, wie es zu verstehen
sei, daß Gott nach biblischen Sätzen ohne Rücksicht auf Verdienste, Werke und
Umstände erwählt (100, 16 ff.; 100 b, 33 ff.). Er löst die Frage vom Gottesbegriff aus.
Allgemeine Voraussetzung ist, daß nichts, was geschieht, sich zufällig und ohne
Grund ereignet und darum die Vorsehung Gottes bedacht werden muß (158 b, 8 f.).
Wenn die Prädestination ein Akt des Geistes Gottes ist, kann sie keinen materiellen
Grund haben, da Gott einfach ist (vgl. *Thomas*, Summa Theologica, I, Quaestio 3,
Art. 2: »Deus est actus purus« etc.). Gottes Wille wäre auch nicht die »prima causa«,
wenn etwas außer ihm ihn bewegen und antreiben könnte (100, 26 ff.). Martyrs Ausführungen halten sich im Rahmen der thomistischen Lehre, sind aber augustinisch
gefärbt, indem er Augustin folgend die Prädestination als »propositum Dei miserendi
alicuius« versteht (100, 25) und diesen Gedanken so sehr hervorkehrt, daß der Eindruck der unbarmherzig logischen, deterministischen Theorie zerstreut wird.

[3] *Schmidt*, S. 63 ff. Schmidts einziges Argument ist die Überlegung: »Bei dem Stande
der Lehre in Straßburg »und unter dem Einfluß Bucers ... sowie sicher auch (!)
durch das immer tiefere Eindringen in Calvin's Institution der christlichen Religion
... mußte Martyr's ernst religiöses Gemüth sich zur Annahme der Prädestination
hingedrängt fühlen ...« S. 63.

[4] Loci 1587, 431, 28, 56 ff.; vgl. 28, 52 ff.; 432, 28, 5 ff. Der deutlichste Satz in diesem
Zusammenhang ist: »Supremus ille Iudex nulla destituitur vi aut facultate ad
exequendum ea quae sive in piorum gratiam sive in impiorum exitium ipse sta-
tuerit ...« Folgt Zitat Matth. 28, 18. Loci 1587, 431, 28, 56 f. Daß Martyr einen
solchen biblischen Satz in harmloser Kürze bei der Rede von Christi endzeitlichem
Gericht hinstellt, ohne ihn für die Prädestinationslehre auszumünzen, spricht eher
gegen sein Interesse an dieser Lehre. *Schmidt* findet hier »die Prädestination angedeutet«. S. 40.

[5] Loci 1587, 432, 29, 26 ff.

1. Die Vergebung der Sünden [5a]

Das Lehrstück von der Sündenvergebung zerteilt Martyr in seiner Auslegung des Glaubensbekenntnisses in drei Abschnitte[6]. Im ersten behandelt er die Bindung der Sündenvergebung an die Kirche und den Glauben, im zweiten die Predigt und die Sakramente, im dritten die Exkommunikation. Der zweite Abschnitt ist der kürzeste, der dritte der längste. Was Martyr von der Sündenvergebung im engeren Sinne, was nämlich die Vergebung sei und wie man sie erlangt, auszuführen für wichtig hält, ist mit herkömmlichen Formeln schnell gesagt, offenbar unproblematisch und sowieso jedermann verständlich. Martyr verzichtet auch im ersten Abschnitt ganz auf Polemik und die Abgrenzung gegen andere Auffassungen von der Sündenvergebung. Zu Anfang weist er darauf hin, daß sich der Artikel von der Sündenvergebung geschickt der Lehre von der Kirche anfüge. Die dogmatische Erörterung der Sündenvergebung gilt als ein erläuternder Anhang zur Ekklesiologie[7], was verständlich wird, wenn man von der Wichtigkeit der Exkommunikation in diesem Zusammenhang erfährt[8].

Was Sünde und was Sündenvergebung sei, wird gewöhnlich nicht erklärt, sondern den Begriffen Evidenz zugetraut. Martyr kennzeichnet seine Vorstellung von der Sündenvergebung meistens mit recht allgemeinen Formulierungen. Alle sind dem Satz ähnlich, daß uns Gott durch Christus unsere Sünden umsonst vergibt[9]. Der Satz ist nicht als eine Aussage über die Hoheit des einzelnen Glaubenden gemeint, wie die Rede von der Rechtfertigung in Luthers »Von der Freiheit eines Christenmenschen«, so daß »vergeben« heißten würde: der Glaubende *erlangt* und *hat* Vergebung, und in der Gewißheit seiner Vergebung *ist* er ein freier Herr über alle Dinge[10]. Der Satz ist auch nicht in Beziehung auf die seligmachende Kraft des verkündigten Evangeliums (Röm. 1, 17) zu verstehen. Vielmehr belehrt er über Gottes Barmherzigkeit und bringt zum Ausdruck, daß Gott verzeihlich gesinnt ist. Daß Gott sich so verhält, ist durch Christus bewirkt worden. Der Satz »Gott vergibt« sagt nicht eine Tätigkeit Gottes aus, sondern bezeichnet ein Sich-Befinden, Sich-Verhalten Gottes, er ist eine gül-

---

[5a] Vgl. auch das Referat über Martyrs Rechtfertigungslehre in der Einleitung, Kapitel II, S. 59 ff.
[6] Loci 1587, 438, 44, 43 ff.
[7] Loci 1587, 438, 44, 43 ff.: »Ad superiorum articulum de coniunctione et unione fidelium in unum corpus Ecclesiae nunc *apposite* fidei doctrina de remissione peccatorum *adijcitur*, quae nusquam alibi quam in Ecclesia sperari debet.«
[8] Vgl. Kapitel III, 3, S. 240 ff.
[9] Loci 1587, 439, 44, 3 f.
[10] Vgl. Martin *Luther*, Von der Freiheit eines Christenmenschen, Abschnitt 1 und 14 ff.

tige Sentenz, ein verbindliches Statut, ein ontologisches Gesetz. Was Sündenvergebung für den glaubenden Menschen konkret bedeutet, kann und
darf im Sinne Martyrs wohl gar nicht extensiv bestimmt werden. Da die
Freiheit von der Sünde die radikale (ab radice) Überwindung alles Unwer-
tigen (malum) ist[11], kann Sündenvergebung nicht vom Verständnis der
Sünde her erklärt werden. Dem Verständnis der Sünde entspricht das Verständnis der Rechtfertigung. Aber Rechtfertigung und Vergebung sind bei
Martyr nicht identisch. Die Sünde wird überhaupt nur in bestimmter Hinsicht vergeben. Der Christ erlangt durch Glauben und Buße den Erlaß der
ihm für die Beleidigung Gottes zustehenden Strafe[12]. Da andererseits die
christliche Existenz nur ein verzerrter Vorschein ihres eschatologischen
Gegenbildes ist, nach dem Christus sein Volk von den Sünden befreit hat[13],
und da Gottes Verzeihung nicht durch eine wesenerhaltende Mediatisie-
rung dem Glaubenden übereignet werden kann, wie man es sich wohl von
der durch Wort und Sakrament übertragenen Reinheit Gottes und seiner
ergreifenden Liebe vorstellen mag, sondern nur dessen christliche Existenz als Grund ermöglicht, kann die existentielle Gestalt der Sündenvergebung auch nicht von Gottes Barmherzigkeit her bestimmt werden[14]. Von

---

[11] Loci 1587, 423, 7, 28 ff.: »Jesus nihil aliud significat quam Servatorem, qui filios Dei
liberarit a peccatis eorum *ac proinde ab omni malo*. Iussus enim fuit ab Angelo vir
Mariae Iosephus eum appellare Iesum; quia, inquit, populum suum servabit a peccatis eorum. Ego vero praeterea addidi, *ab omni malo*, quod nullum sit malum a
peccato ortum non habens, ita ut, qui gloriari possit mali radicem esse a se ablatam,
iure etiam possit affirmare, se omne malum sustulisse. Hoc autem, si prefecte adhuc
non sentimus, tandem tamen in foelici illa resurrectione experiemur.«

[12] Petri *Martyris Vermilii* In Epistolam Pauli Apostoli ad Romanos Commentarii,
Heidelbergae MDCXII. (1612), 4. Auflage (Martyr begann mit der Vorlesung 1550;
er ließ sie 1558 zum erstenmal drucken), S. 146, 13 f.: »... quum per fidem et
poenitentiam obligatio ad poenam seu Dei offensa remittatur, ...« (Auslegung von
Röm. 5, 12).

[13] Vgl. Anm. 11.

[14] Martyrs Auffassung entspricht sachlich einem wichtigen Anliegen der katholischen
Gnadenlehre, nämlich daß die Gerechtigkeit des Glaubenden nicht »formaliter«
identisch sei mit der Gerechtigkeit Christi, daß sie vielmehr nur eine analoge Abbildung und eine Wirkung der Gerechtigkeit Christi sei. Vgl. ENCHIRIDION SYMBO-
LORUM definitionum et declarationum de rebus fidei et morum, quod primum
edidit Henricus *Denzinger*, et quod funditus retractavit, auxit, notibus ornavit Adol-
fus *Schönmetzer* SJ, editio XXXII, Barcinone, Friburgi Brisgoviae, Romae, Neo-
Eboraci, MCMLXIII (1963), Nr. 1560; vgl. Nr. 1523, 1529, 1547; vgl. Michael *Schmaus*,
Katholische Dogmatik, dritter Band: Christi Fortleben und Fortwirken in der Welt
bis zu seiner Wiederkunft, zweiter Teil: Die göttliche Gnade, 5. erweiterte Auflage,
München, 1956, S. 96 f. Das Problem der Verhältnisbestimmung von »iustitia Christi«
und »iustitia fidei« tritt bei Martyr hier nicht deutlich zutage, weil er von »remissio
peccatorum«, nicht aber von »iustitia« und »iustificatio« spricht. Er bringt gerade mit
seinem Verständnis der Vergebung, daß nämlich Christus der Ermöglichungsgrund
des bei Gott dem Glaubenden bereitstehenden Straferlasses ist, das katholische Anliegen zum Ausdruck, die Transzendenz Gottes und Christi und damit zugleich auch
das Selbstsein des Christen unverletzt zu wahren.

solchen Versuchen, zu verstehen, was Sündenvergebung sei, ist bei Martyr gar nicht erst die Rede. Was sie ist, erklärt sich indirekt durch den Charakter der kirchlichen Existenz des Glaubenden. Der Sündenvergebung kann nur teilhaftig werden, wer zur Gemeinschaft der Kirche gehört. Daraus kann man schließen, meint Martyr, daß Sündenvergebung die den wahren Gliedern des Leibes Christi eigentümliche Gabe ist[15]. Man wird also von den Merkmalen der Christen, die ihre Kirchengliedschaft bezeugen, auf die von ihnen angenommene Sündenvergebung zurückschließen. Die Sündenvergebung wäre danach genau zu bestimmen als die von Gott eröffnete Möglichkeit, Glied der Kirche zu sein. Die Gewißheit über die empfangene Sündenvergebung fällt für den einzelnen Glaubenden mit der Zuversicht, dem mystischen Leib Christi, der Kirche, eingegliedert zu sein, zusammen. Es wäre immerhin das Gegenteil denkbar, daß die soteriologische Auszeichnung der Gemeinde in ihrem Empfangen der Sündenvergebung gesehen und durch sie charakterisiert würde, so daß die Kirche die Schar der Vergebung erlangten Sünder wäre, die allein auf Grund des absolvierenden Wortes der Vergebung gewiß wären. Das entscheidende Kennzeichen derer, die zur Kirche gehören, ist bei Martyr, daß sie vom Heiligen Geist geleitet werden[16], zum echten christlichen Bekenntnis[17] und zur Verwandlung ihres Geistes, die sich in der Leistung guter Werke dokumentiert[18]. Nach dieser Auffassung haben die guten Werke eine nicht geringe Bedeutung zur Begründung der Heilsgewißheit. Zwar sind sie nicht »causae salutis«, aber man kann doch auf Grund eines Billigkeitsurteils schließen, daß Gott den Menschen, denen er gute Werke schenkt, auch das Heil gewährt[19].

Natürlich denkt sich Martyr etwas bei dem Begriff »remissio peccatorum«. Gerade weil er selbst ihn nicht diskutiert und seine Evidenz voraussetzt, obliegt es uns, seine Bedeutung zu erschließen. Wir müssen dazu Gedanken zusammentragen, die sachlich zur Rede von der Sündenverge-

---

[15] Loci 1587, 438, 44, 46 ff. Vgl. Theses, Loci 1587, 1005, Proposita ex octavo et nono capite Geneseos, Necessaria, Th. XIII.: »In his qui ad Christum non pertinent, peccatum originis gehennae parit damnationem.«

[16] Loci 1587, 435, 36, 21 ff.: »Ex iis igitur intelligitis, Ecclesiam mysticum esse corpus, quod a spiritu sancto regatur. Hinc etiam satis perspicuum est, qui ad eam pertineant, quive extra ipsius communionem agant.«

[17] Loci 1587, 435, 36, 27 ff.

[18] Loci 1587, 434, 33, 12 ff. Vgl. zu diesem Abschnitt Kapitel II, 2, e, S. 153 ff., besonders S. 156 ff.; II, 3, S. 175 ff., besonders S. 181 ff.; III, 4, S. 244 ff., besonders S. 254 ff.; S. 267.

[19] Theses, Loci 1587, 1005, Proposita ex VI. VII. et VIII. capite Geneseos, Necessaria, Th. VII.: »Bona opera non sunt causae salutis, sed bene concedimus, par esse, ut quibus Deus illa dedit, eisdem quoque salutem largiatur.«

bung in Beziehung stehen, von Martyr aber nicht immer streng und ausdrücklich mit der Sündenvergebung verbunden werden. Bei ihm selbst ist das Schema: Urstand – Sündenfall – Restitution des Urstandes dominant.

Die Menschen waren ursprünglich als Gottes Abbild geschaffen, in göttlicher Vollkommenheit ihrer Affekte und ihrer geistig seelischen Begabung überhaupt[20]. Nach dem Sündenfall deckt sich ihr konkretes Leben nicht mehr mit ihrer geschöpflichen Prägung. Der von Gott den Menschen aufgeprägte Charakter, sein Bild und Stellvertreter zu sein, bleibt als ideale Form ihres Menschseins erhalten, so daß die Menschen ausgerichtet sind auf die Wiedererlangung ihres geschöpflichen Wesens. Christus bringt sie wieder zu ihrer eigentlichen Daseinsform. Er tut das zunächst dadurch, daß er sie einlädt, vollkommen zu sein, wie ihr Vater im Himmel vollkommen ist (Matth. 5, 48)[21]. Die Sünde ist dementsprechend die dem Willen Gottes und dem wahren Menschentum widersprechende, tief eingewurzelte Unvollkommenheit des Menschen. Durch sie weicht der Mensch nämlich von seiner ihm anerschaffenen Natur, von der Idee, zu der er erschaffen war, ab[22]. Der Begriff Sünde umfaßt sowohl die Erbsünde, die Verderbnis der Natur und der leiblichen und seelischen Kräfte, als auch alles Schlechte, was daraus folgt, die Neigung zum Verbotenen, verderbte Gedanken, schlechte Gewohnheiten. Sünde ist die Wurzel mit allen ihren Früchten[23]. Wenngleich mit dem Begriff »Sünde« der Totalaspekt von der Idee, dem Skopus und Telos des Menschen her intendiert ist, sind doch die Elemente der Sünde im Hinblick auf die Sündenvergebung zu isolieren. Die »materia« der Erbsünde, die schlechte Veranlagung, bleibt erhalten. Vergeben (remittitur, condonatur) wird lediglich die durch die Einzelsünden erwirkte Verschuldung gegenüber Gott[24]. Die zurückbleibende Verderbnis

---

[20] Loci 1587, 421, 2, 43 ff. Theses, Loci 1587, 1000, Disputatio, Th. VIII.; 1001, Proposita ex primo capite Geneseos, Probabilia, Th. I.

[21] Loci 1587, 421, 2, 55 f.

[22] Ad Romanos (1612), vgl. Anm. 12, S. 144, 43 ff.: »Per hoc enim ab institutione naturae et ab idea, ad quam homo conditus est, recedit.« 145, 1: ».. . peccare hoc est a scopo et a fine nobis proposito aberrare.« Wegen der Kargheit von Martyrs Äußerungen über sein Verständnis der Sünde aus der frühen Zeit ziehe ich zur Verdeutlichung einige Stellen aus dem Römerbriefkommentar heran, der auf einer 1550 begonnenen Vorlesung beruht und 1558 gedruckt wurde. Ich nehme nur Gedanken auf, die sich im Rahmen der in den frühen Schriften belegten Vorstellungen halten. Vgl. Theses, Loci 1587, 1005, Proposita ex octavo et nono capite Geneseos, Necessaria, Th. VIII.: »Peccatum originale est totius hominis depravatio ab imagine Dei post lapsum primi hominis inducta.« Vgl. Kapitel I, 2, b, S. 96 f.

[23] Ad Romanos (1612), vgl. Anm. 12, S. 144, 48 ff. Vgl. In Lamentationes, 31, 4 ff.

[24] Theses, Loci 1587, 1005, Proposita ex octavo et nono capite Geneseos, Necessaria, Th. III.: »Poenitentia et fide, qua praediti fuerunt sancti hoc vitio absoluti, naturae corruptio non tollitur.« Vgl. Kapitel II, 2, e, S. 155 f. Wo Martyr es genau nimmt, ist die Sündenvergebung eben nicht die Rechtfertigung. Die Sündenvergebung ist die

der Natur wird aber den Glaubenden nicht angerechnet (non imputatur).
Sie wird in den wiedergeborenen heiligen Menschen zudem gebrochen
und geschwächt[25].
Martyr verwendet die Begriffe im prägnanten Sinn. Wo immer sie vorkommen, lassen sie sich dem ihnen nach der soeben dargebotenen Skizze
eigentümlichen Zusammenhang eingliedern[26].
Erklärt wird auf diese Weise die Bedeutung des Begriffs »Sündenvergebung« und der dogmatische Ort der Rede von der Sündenvergebung im abstrakten logischen Gefüge der Lehre, nicht aber, was der Christ an der
Sündenvergebung hat. Konkrete, existentielle Bedeutung hat die Sündenvergebung auch nicht für den Menschen. Sie ist vielmehr für Gott die Voraussetzung, dem Menschen seine gerechtmachende Gnade zu schenken,
durch die dieser erst von der Sünde anfangsweise frei wird und durch die
er auch der Vergebung erst auf dem Wege des logischen Rückschlusses gewiß wird, da Gott nur den Menschen die Kraft der Heiligung schenkt, denen er zuvor vergeben hat. In diesem Sinne gilt der Satz: »Antea quis-
piam Deo est acceptus, quam eius opera illi grata sint.«[27] Martyr lehrt
nicht ausdrücklich so, wie ich zuletzt entwickelt habe. Doch lassen sich
seine sporadischen Äußerungen über die Sündenvergebung verständlich
zusammenfügen, wenn man sich den für ihn offenbar selbstverständlichen Zusammenhang so rekonstruiert. Manche Sätze legen diese Auffassung sehr nahe[28]. Die Rechtfertigung ist ein komplexes Geschehen, das
Gottes Erwählung und Adoption, das rechte Leben auf Grund der Gnade
Gottes und die Belohnung der guten Taten umfaßt. Die Sündenvergebung
ist nur der erste, freilich fundamentale Teil, der von den anderen nur
theoretisch unterschieden werden kann[29]. Martyrs religiöses Interesse richtet sich mehr auf die Heiligung als auf die Sündenvergebung. Die theolo-

---

notwendige Voraussetzung der Rechtfertigung, aber die Rechtfertigung ist die eigentliche Heilsgabe, sie ist eng verbunden mit der Regeneration. Bei der Rede von der
Rechtfertigung und von der Erneuerung ist der Ort, die Gnade Gottes, die nicht
verdient werden kann, und die Gaben des Geistes zu preisen. Vgl. Loci 1587,
430, 26, 46 ff.; 54 ff. Vgl. In Genesim, 60 b, 40 ff.

[25] Ad Romanos (1612), vgl. Anm. 12, S. 146, 8 ff. Es ist erstaunlich, wie selbstverständlich Martyr scholastisch argumentiert. Vgl. Johannes Calvin, Institutio Christianae
Religionis, 1559, III, 3, 10 ff. Auch Calvin verwendet die scholastischen Termini, geht
aber viel vorsichtiger mit ihnen um und legt sie in eigenen und biblischen Anschauungen aus.

[26] remissio peccatorum: Loci 1587, 424, 9, 6; 439, 44, 3; 439, 44, 10 f.; 439, 45, 24; condo-
nari: De fuga, Loci 1587, 1076, 1; non imputari: De fuga, Loci 1587, 1076, 1; Loci
1587, 428, 19, 1

[27] Theses, Loci 1587, 1003, Proposita ex tertio et quarto capite Geneseos, Necessaria,
Th. X. Vgl. zum Verständnis der »acceptatio« Kapitel III, 4, S. 253 f., Anm. 292.

[28] Vgl. Anm. 19.

[29] Vgl. In Genesim, 59, 45 ff.

gische Bedeutung der Sündenvergebung als des ersten Teils der Rechtfertigung beruht darauf, daß sie die Gratuität der Rechtfertigung am deutlichsten zum Ausdruck bringt.

Das Subjekt der Sündenvergebung, die vergebende Instanz, ist Gott[30]. Das folgt schon aus dem Verständnis der Sünde. Da Sünde Verfehlung gegen Gott ist, muß sie auch in bezug auf Gott vergeben werden. Martyr denkt nicht an eine Aktivität Gottes beim Vollzug der Vergebung. Darum kann häufig ohne Angabe eines Subjektes im Passiv von der Sündenvergebung und der Nichtanrechnung der Sünden gesprochen werden[31]. Sünden werden vergeben, ganz allgemein, es gibt Sündenvergebung – für bestimmte Menschen unter bestimmten Voraussetzungen.

Die Zuordnung der Sündenvergebung zur Christologie ist recht unbestimmt[32]. Martyr begnügt sich meistens mit dem Hinweis, daß uns Sündenvergebung und Versöhnung durch Christus (per Christum) zuteil werden[33]. »Per Christum« bringt zum Ausdruck, daß Christus der Heilsmittler ist. Über Christus kommt der Kirche Sündenvergebung zu, durch ihn ist die Möglichkeit der Sündenvergebung geschaffen worden, weil er uns von der Sünde und vom Satan losgekauft hat[34], weil er als unser Haupt alle Schande, die uns für unsere Sünden zugestanden hätte, auf sich genommen hat[35], weil ihn das harte Urteil Gottes an unserer Statt getroffen hat[36], weil er sterbend die Sünde vernichtet hat[37], weil er durch seinen Tod Gott ein angenehmes Opfer dargebracht hat[38], weil uns auf Grund seiner Gnade und seines Geistes Sündenvergebung zukommt[39]. Ganz gewiß und sehr wichtig ist, daß Sündenvergebung nur denen gegeben wird, die mit Christus im Glauben geeint sind[40]. Dieser Gedanke ist bei der Verhältnisbestimmung von Christus, Glauben und Sündenvergebung dominant[41]. Dabei

---

[30] Loci 1587, 439, 44, 3.
[31] Loci 1587, 428, 19, 1; De fuga, Loci 1587, 1076, 1. Ad Romanos (1612), vgl. Anm. 12, S. 146, 15 ff.; Loci 1587, 424, 9, 6; 430, 26, 47; 433, 32, 30 ff. Theses, Loci 1587, 1005, Proposita ex octavo et nono capite Geneseos, Necessaria, Th. X.
[32] Vgl. Kapitel II, 2, e, S. 153 ff.
[33] Loci 1587, 439, 44, 3; 6; 424, 9, 6. Theses, Loci 1587, 1005, Proposita ex octavo et nono capite Geneseos, Necessaria, Th. X.: »Peccatum originis remittitur fide per Christum.«
[34] Loci 1587, 424, 9, 6; 436, 39, 48.
[35] Loci 1587, 426, 14, 21 ff.
[36] Loci 1587, 427, 17, 9.
[37] Loci 1587, 427, 19, 62.
[38] Loci 1587, 430, 26, 47.
[39] Loci 1587, 438, 44, 50.
[40] Loci 1587, 438, 44, 47. Theses, Loci 1587, 1005, Proposita ex octavo et nono capite Geneseos, Necessaria, Th. XIII., vgl. Anm. 15.
[41] Vgl. Kapitel II, 2, d, S. 148 ff.; II, 2, e, S. 153 ff., besonders S. 156 ff.; II, 3, S. 175 ff., besonders S. 181 ff.

richtet sich der Glaube nicht in einer spezifischen Weise auf Christus. Er ist zunächst nichts weiter als das Zeichen der Gliedschaft am Leibe Christi, der Kirche[42].

Dem Glauben kommt jedoch bei der Sündenvergebung noch eine andere Bedeutung zu. Da die Sündenvergebung die in Gottes Verzeihung gründende, allgemein bereitstehende Möglichkeit ist, muß sie zur Gabe genommen, angeeignet werden. Wir werden der Sündenvergebung teilhaftig auf Grund und vermittels der Gnade und des Geistes Christi[43]. Die Formel von der Gnade und dem Geist Christi wird wieder ganz allgemein zu verstehen sein. Es sind die Gnade und der Geist, die zu Christus gehören, für die der Name Christi steht. Der Weg und die Weise, wie Gott diese Gnade und diesen Geist gewöhnlich spendet, ist zu definieren als: durch den Glauben[44]. Denn es ist billig, daß, wer die Gaben des Wohlwollens Gottes, die er selbst uns anbietet, genießen will, sie annehmen muß. Der Glaube kann aber nichts anderes sein als die Annahme der Barmherzigkeit Gottes, die er uns entgegenbringt[45]. Damit solche Annahme zustande kommt, ist zweierlei erforderlich, einmal, daß uns vorgehalten, angeboten, empfohlen wird (offeratur), was für uns gut ist; zum andern, daß wir zustimmen[46]. Zur Annahme und Zustimmung ist der Heilige Geist nötig, der den Geist des Menschen innerlich bewegt. Sonst würde sich der Mensch wegen seiner angeborenen Verderbnis abwenden, weil er diese Verheißungen Gottes, diese ihm vorgehaltene Barmherzigkeit, diese Sündenvergebung für wertlos und für unwahrscheinlich achten, ja sie nicht einmal verstehen würde[47]. Die innere Bewegung, die der Heilige Geist hervorruft, besteht aus zwei Gaben: der Anerkennung der angebotenen Gabe und Barmherzigkeit Gottes und der zustimmenden Annahme[48]. Diese geistige Erhebung wird uns meistens nicht anders zu genießen

---

[42] Loci 1587, 438, 44, 46 ff.
[43] Loci 1587, 438, 44, 50 f.: »... nos gratia et spiritu Christi remissionis peccatorum nostrorum participes fieri.«
[44] Loci 1587, 438, 44, 51 f.: »Sed hic videndum est, qua via et ratione soleat dominus hanc gratiam et spiritum largiri, quam aliter non possumus nisi fide definire.«
[45] Loci 1587, 438, 44, 52 ff.: »Etenim, quae nobis ipse offert beneficia, par est eum, qui frui velit, excipere. Fides autem nihil aliud esse potest quam divinae misericordiae, quae nobis ab ipso offertur, acceptio.«
[46] Loci 1587, 438, 44, 54 f.: »Quam ad rem duo necessario requiruntur: Unum, ut, quod nobis bonum est, offeratur, alterum, ut assentiamur.« Martyrs Auffassung stimmt mit dem augustinisch-thomistischen Glaubensverständnis überein: »credere est cum assensione cogitare.« *Thomas*, Summa Theologica, II, 2, Quaestio 2, Art. 1. Quaestio 6, Art. 1: »... ad fidem duo requiruntur. Quorum unum est ut homini credibilia proponantur: ... Aliud autem quod ad fidem requiritur est assensus credentis ad ea quae proponuntur.«
[47] Loci 1587, 438, 44, 55 ff.
[48] Loci 1587, 438, 44, 62 ff.

gegeben, als daß uns aus Gottes Wort vor Augen gestellt wird, welcher Art und wie groß die Barmherzigkeit Gottes ist, in der er uns durch Christus unsere Sünden umsonst vergibt[49]. In dieser Weise ist das Wort Gottes der Anfang der Sündenvergebung[50]. Den Christen wird in der Predigt eindrücklich vor die Augen gestellt (so wird offerre und proponere in dem zuletzt referierten Abschnitt zu verstehen sein), wie barmherzig Gott ist, daß er ihnen verzeiht, ihre Sündenschuld übersieht. Sie werden so vor die Entscheidung gestellt, anzuerkennen, daß Gott so barmherzig ist, wie von ihm gesagt wird. Zur äußeren, intellektuellen Anerkennung muß die innere Zustimmung hinzukommen. Der Christ soll also die Wahrheit der Predigt ernstlich auf sich beziehen, die innerliche Überzeugung gewinnen, daß Gott verzeiht, und sein ganzes Leben bewußt nach dieser Wahrheit ausrichten. Beides zusammen, die intellektuelle Erkenntnis und der willentliche Entschluß, dieser Erkenntnis beizupflichten und an ihr festzuhalten, macht offenbar den Glauben aus[51]. Der Glaube ist freilich nicht der freie Entschluß des Menschen, jedenfalls nicht des natürlichen Menschen, sondern die Gabe des Geistes und der Gnade Christi. Aber auch Geist und Gnade Christi werden durch den Glauben empfangen. Außerdem besteht im Glauben die Zugehörigkeit zu Christus, dem Haupt der Kirche, in der Sündenvergebung überhaupt nur erhofft werden kann. Es scheinen drei unterschiedliche Glaubensbegriffe nebeneinander gestellt zu sein: Glaube als existentieller Entschluß, Glaube als Aufnahmeorgan des Geistes Christi, Glaube als Einheitsgesinnung der Glieder Christi. Wie entsteht solcher Glaube? Auf diese Frage läßt sich von Martyrs Ausführungen her keine Antwort geben. Sie ist offenbar angesichts seiner Theologie falsch gestellt. Martyr kennt, wie es scheint, keine konkreten Entstehungsbedingungen des Glaubens. Man befindet sich auf Grund der übernatürlichen Einwirkung des Heiligen Geistes glaubend oder nicht glaubend. Martyr denkt eben nicht mit strenger Beziehung auf die Verhältnisse der konkreten

---

[49] Loci 1587, 439, 44, 2 f.: »Quod nobis ut plurimum non aliter fruendum conceditur, nisi quum nobis ex verbo Dei proponitur, qualis et quanta est illa dei misericordia, qua nobis per Christum gratis peccata nostra remittit.« Quod bezieht sich auf die ganze Aussage des vorhergehenden Satzes, das Zustandekommen der Anerkennung und Zustimmung. Vgl. 442, 51, 39 ff. Die Ausführungen über die »misericordia Dei« als Gabe an den Christen lassen sich nur verstehen, wenn man beachtet, daß der »motus animi« die Gestalt der anerkannten Barmherzigkeit im Leben des Glaubenden ist. In dieser Betrachtungsweise sind die Gabe des Geistes Christi, nämlich der »motus animi«, die zustimmende Annahme der Barmherzigkeit Gottes und die Gabe Gottes, die Sündenvergebung auf Grund der Barmherzigkeit Gottes, identisch. Die Predigt ist demzufolge »initium remissionis peccatorum«, insofern sie den »motus animi« hervorruft.

[50] Loci 1587, 439, 44, 9 ff.

[51] Vgl. Anm. 58.

Wirklichkeit. Seine theologischen Sätze entstehen als abstrakte Konstruktionen von verschiedenen Richtungen her. Die Entwicklung seiner Gedanken hält sich im Feld der biblischen Lehre und geht von ihr aus. Worin soll die Einheit der Glieder des corpus Ecclesiae anders bestehen als im Glauben? Wie sollen der Geist und die Gnade Christi anders im Leben der Christen aufgenommen werden als im Glauben? Was sollten Anerkennung und Zustimmung gegenüber Gottes Barmherzigkeit anders sein als Glauben? Die Identifikation dieser drei Glaubensbegriffe führt zu dem komplexen Abstraktum, dessen Komponenten Martyr je und dann hervorheben kann. An dem so verstandenen Glauben sind Intellekt und Wille in gleicher Weise beteiligt, doch uneigentlich, insofern die für die Betätigung beider eigentümliche Spontaneität des Menschen vom Einfluß des Heiligen Geistes überformt wird. Im Zusammenhang des jeweiligen Teilaspektes redet er dogmatisch korrekt und widerspruchsfrei vom Glauben.

Der Glaube ist als ein Wunder vorgestellt, er überkommt den Christen[52]. Wenn man den Glauben hat, kann man aus der christlichen Lehre wissen, was solcher Glaube sei[53]. Durch die theologische Erklärung des Glaubens wird das religiöse Leben des Christen ausgelegt als Wirkung des Heiligen Geistes im Glauben. Wenn man die Theorie über das Zusammenspiel von Glauben und Geist als Darstellung des Glaubensvorgangs zu begreifen versucht, muß man feststellen, daß Martyr eine psychologische Aporie konstruiert. Der Glaube ist die Anerkennung einer Lehre, die Bildung einer Überzeugung und Gesinnung, die Haltung des Empfanges, also etwas, was nicht ohne des Menschen Aktivität sein kann. Zugleich wird er dargestellt als etwas, was durch keine Aktivität des Menschen hervorgebracht werden kann, sondern allein von der Willkür des Heiligen Geistes erzeugt wird. Selbst wenn der Mensch glaubt, weiß er nicht, ob dieser Glaube nicht nur eine unechte, zufällige menschliche Regung ist[54]. Martyrs Glaubensverständnis entspricht der katholischen Unterscheidung von »fides informis« und »fides formata« bzw. von »fides acquisita« und »fides infusa«[55]. Einerseits ist der Glaube die Entscheidung des menschlichen Intellekts, andererseits der Inbegriff des von Gottes Geist erweckten from-

---

[52] Loci 1587, 435, 35, 12 ff.: »... quoniam composita est [Ecclesia] ex iis, qui per Spiritum sanctum ad Christianam fidem vocantur, a qua excluduntur qui humano quodam motu aut persuasione, corde duplici, aut alia quacumque occasione, nullo divini spiritus instinctu ei se adiungunt.«
[53] Vgl. zu dieser Denkrichtung Kapitel II, 2, f, S. 164–166.
[54] Vgl. Anm. 52.
[55] Vgl. *Thomas*, Summa Theologica, II, 2, Quaestio 2, Art. 1; Quaestio 4, Art. 1; 2; 3; 4; Quaestio 6, Art. 1.

men Lebens. Martyr kann auch sagen, das eine werde *wegen* des anderen gegeben, die Rechtfertigung wegen des Glaubens, so daß der Glaube als die vom Menschen zu erfüllende Bedingung der Rechtfertigung erscheint. Doch ist diese Unterscheidung so zu verstehen, daß ein Geschenk Gottes dem anderen folgt. Alles wird uns geschenkt auf Grund der Vorherbestimmung Gottes, die erste Gnade ist unverdient[56]. Martyr schränkt die mit diesem katholischen Glaubensbegriff notwendig verbundene Vorstellung von der Kooperation dadurch ein, daß er behauptet, der *ganze* Glaube werde durch den Heiligen Geist gewirkt[57]. Mit diesem Verfahren vergibt er die Möglichkeit, seine Aussagen psychologisch einsichtig machen zu können. Martyr liegt aber an etwas anderem, und so lichten sich die Schwierigkeiten, solange man Martyrs Perspektive nicht sprengt. Glaube ist für ihn vor allem die feste Überzeugung von der Wahrheit der Worte Gottes, und solche zweifelsfreie Überzeugung ist keine menschliche Möglichkeit. Wo dem Menschen solche unwandelbare Gewißheit gelingt, kann er getrost sein, daß sie aus Gott hervorgegangen ist[58]. Mit dem Hinweis auf Gott und den Heiligen Geist ist nicht eine konkret vermittelte Wirkung reklamiert. Gottes Geist und Seele garantieren vielmehr als transzendentaler Grund Möglichkeiten, die man nach der christlichen Wahrheit nicht aus dem Vermögen des natürlichen Menschen ableiten kann.

Im Mittelpunkt der Erörterung über die Sündenvergebung stehen die Begriffe: Glaube, Gnade, Barmherzigkeit Gottes. Die Predigt hat nur eine nebengeordnete Bedeutung. Der Glaube ist nicht speziell auf die Predigt

---

[56] In Genesim, 100, 30 ff.: »... unum propter alterum dari non negabimus, ut per fidem iustificationem.« Martyr folgt der Lehre des Thomas. Vgl. *Thomas*, Summa Theologica, I, 2, Quaestio 114, Art. 5.

[57] So auch *Thomas*, Summa Theologica, II, 2, Quaestio 6, Art. 1 und 2.

[58] Ich habe in der Römerbriefvorlesung keinen merklichen Fortschritt hinsichtlich der Klärung des Glaubensverständnisses gefunden. So mag sie noch einmal zitiert werden dürfen. Ad Romanos (1612), vgl. Anm. 12, S. 81, 9 ff. (Auslegung von Röm. 3, 22): »Quid est proprium fidei? Respondet, Indiscreta certitudo veritatis verborum dei, quae nulla ratiocinatione, neque ex naturali necessitate inducta, neque ad pietatem efformata concutitur. Et addit: Credentis esse in tali certitudine coaffici ad potentiam dictorum et nihil audere reprobare aut insuper addere. ... 81, 32 ff.: Distat fides ab opinione; nam ea etsi propendere nos facit in alteram partem, attamen id et cum ratione facit, et non sine metu veritatis alterius partis. ... 81, 53 ff.: Multum siquidem conferremus, si ex nobis manaret credendi facultas. Et locus iste (Eph. 2, 8) aperte docet rem non sic esse accipiendam, quia Apostolus subdit: Iustificati gratis. ...Concesserim quidem, nostrum intellectum et voluntatem assentiri divinis promissionibus. Sed id ut faciat aut facere possit a Deo proveniat necesse est.« Vgl. *Thomas*, Summa Theologica, II, 2, Quaestio 6, Art. 1: »Quia cum homo, assentiendo his quae sunt fidei, elevetur supra naturam suam, oportet quod hoc insit ei ex supernaturali principio interius movente, quod est Deus. Et ideo fides quantum ad assensum, qui est principalis actus fidei, est a Deo interius movente per gratiam.« Vgl. Kapitel II, 3, S. 182.

bezogen. Er richtet sich auf Gottes Barmherzigkeit, welche die Predigt den Christen vorhält, zur Kenntnis bringt. Er ergreift eine geltende Wahrheit. An der Predigt entsteht der Glaube auch nicht eigentlich, vielmehr bewährt er sich ihr gegenüber. Die Sorge des Christen ist, wie ihm die innere Bewegtheit durch Christi Gnade und Geist zuteil wird. Diese Ergriffenheit kann unter anderem die aktuelle Gestalt der festen Überzeugung von der gepredigten Wahrheit annehmen. Solche Überzeugung gehört freilich immer zum Glauben, aber sie braucht nicht im Gegenüber zur Predigt realisiert zu werden. Bei einer theologisch-grundsätzlichen Erörterung ist die Predigt wichtig, denn dogmatisch ist sie das »initium remissionis peccatorum«[59]. Im Leben der Christen hat sie, so muß man wohl schließen, fundamentale Bedeutung nur für den Idealfall der ersten Bekehrung – als »*initium* remissionis peccatorum«. Man muß einmal von dem Schulderlaß Gottes erfahren. Der soteriologische Prozeß beginnt erst danach mit »agnitio« und »assensus«. Im Glauben verbinden sich die Elemente der Sündenvergebung: der Geist wirkt den Glauben, der Glaube empfängt den Geist und nimmt die Barmherzigkeit Gottes an. Der Sündenvergebung werden wir insofern auf Grund der Gnade und des Geistes Christi teilhaftig, als sein Geist den Glauben ermöglicht, der die Sündenvergebung annimmt.

Man kann an dieser Skizze einer Rechtfertigungslehre beobachten, wie der objektiv-transzendentale Ansatz, daß Sündenvergebung für die Kirche »in conspectu dei« durch Christus erlangt worden ist, in einen krassen Subjektivismus des frommen Selbstbewußtseins umschlägt. Faktisch ist der Mensch mit der Leistung, die er an sich selbst vollbringt, zur Erlangung der Sündenvergebung allmächtig. Widerstand hat er nur an sich selbst, indem ihm sein Verstand und sein Wille nicht gefügig sind. Martyr hebt immer wieder hervor, daß *Glaube und Buße* zur Erlangung der Sündenvergebung notwendig sind, um zu betonen, daß es vor allem darauf ankommt, daß die Abwendung von der Sünde beim Menschen selbst stattfindet[60]. Wenn es ihm gelingt, sich selbst in die Gewalt zu bekommen, hat er die Wirkungen des Heiligen Geistes in seiner Verfügung. Christus hat auf der Seite der Menschen um die Besänftigung Gottes gerungen, jetzt muß der Mensch noch mit seiner eigenen Glaubenslosigkeit zurechtkommen, um an der Versöhnung teilzuhaben. Freilich, Martyr redet immer von der Hilfe, die der Heilige Geist dabei gewährt. Da aber der Heilige

[59] Loci 1587, 439, 44, 10.
[60] Theses, Loci 1587, 1005, Proposita ex octavo et nono capite Geneseos, Necessaria, Th. III.: »Poenitentia et fide, qua praediti fuerunt sancti hoc vitio absoluti ...« Ad Romanos (1612), vgl. Anm. 12, S. 146, 13 f.

Geist nach Martyrs Verständnis nicht konkret vermittelt werden kann und nach der Grundauffassung seiner Theologie, insbesondere seiner Pneumatologie, nicht vermittelt werden darf, bedeutet solche Rede im Hinblick auf ihre tatsächlichen Folgen nichts anderes als den Hinweis auf die Unfähigkeit des Menschen zugleich mit der Aufforderung zu dem Unmöglichen. Selbst wenn man mit der mirakulösen Kraft des Geistes ernsthaft rechnen will, wird sie niemals erkennbar, da ihre Wirkung ja im Hervorrufen von Regungen der menschlichen Innerlichkeit besteht. So hat sie an der Vieldeutigkeit der Phänomene des inneren Menschen teil. Eine wichtige Komponente des Glaubens wird faktisch die Phantasie, welche die vermeintlichen oder wirklichen Wirkungen des Geistes produziert oder reproduziert.

Diese Problematik wird durch die Einbettung der Rechtfertigungslehre in die Ekklesiologie neutralisiert. Alles, was von der Rechtfertigung gesagt wurde, gilt von Gliedern der Kirche. Wer wollte im Blick auf sich und andere ohne evidenten Grund bezweifeln, daß, wer die Lehre der Kirche bekennt, am christlichen Kult und am kirchlichen Leben teilnimmt, mit den Gaben des Geistes gesegnet sei, zumal Gott jedem ein verschiedenes Maß des Glaubens zuteilt[61]! Es ist ja nicht das Ziel der Geistlehre Martyrs, zur Introspektion einzuladen und zum Aufspüren wunderhafter Wirkungen anzuregen. Vielmehr hat der Hinweis auf den Geist den Sinn, daß man sein kirchliches Leben als Gottes Geschenk annimmt, in allem Gottes Fügung anerkennt und dankbar ist für das Maß an geistlicher Kraft, das einem gewährt wird, und getrost den Weg seine Bestimmung nennt, den man auf Grund gewissenhafter Entscheidungen geht[62]. Aber auch so läßt sich der Subjektivismus nicht wirklich bannen. Letzten Endes ist es in das Urteil jedes einzelnen Kirchenglieds gestellt, ob es sich zu der Schar derer,

---

[61] Loci 1587, 442, 51, 46 ff.
[62] Vgl. De fuga, Loci 1587, 1076, 43 ff. Wenn bei der Glaubensverfolgung einem Menschen ein Weg zur Flucht offensteht, kann er gewiß sein, daß er diese Möglichkeit zur Flucht nicht ohne Gottes Willen hat, wenn er aber gefangen wird, ist für ihn nach Gottes Willen die Stunde des mutigen Bekenntnisses gekommen. Vgl. 1077, 55 ff. u. ö. Bei der Wahl seiner Bestimmung, sei es der Entscheidung zur Flucht oder zum Martyrium, ist es angebracht, seine Kräfte abzuschätzen. Man darf Gott nicht durch blinde und willkürliche Entschlüsse versuchen. 1083, 20 ff. Vgl. für die Haltung im ganzen das Gebet eines Fliehenden: »Cum erga me tam benigne egeris, Domine mi, ut veritatis tuae participem facere mihique mundi servatorem Iesum Christum, redemptorem meum, patefacere volueris, da praeterea, rogo, ut thesaurus hic sancti Euangelii cordi meo pridem (!) inscripti apud me conservetur, crescat et fructus proferat quacumque ratione tibi visum fuerit. Quod ad me attinet, ecce meipsum tibi offero, de me statuas prout tuae voluntati adlubet, citius aut tardius tua causa mori non magnopere curo. Fiat voluntas tua, non mea, adsis mihi, meque sic regas, ut in instituto hoc nihil peccem. Me totum tibi dedo et committo. Scio (!) non exortum nec patefactum praesens periculum tua absque voluntate, nec sine te viam

denen Gott verzeiht, rechnen will oder nicht[63]. Es wird sich seine kirchliche Aktivität, seine geistliche Sensibilität oder aber auch seine vernünftige Nüchternheit und seine Mäßigung als Zeichen göttlicher Begabung anrechnen. Diese Konsequenz ist genau nach Martyrs Sinn. So erfüllt der Mensch seinen göttlichen Auftrag, daß er sein Menschentum vervollkommnet, die Idee, zu der er geschaffen ist, verwirklicht. Das geschieht nicht auf einerlei Weise[64]. Die Überhöhung und Erneuerung des verderbten Menschseins hat Christus ermöglicht.

Wenn man auszulegen versucht, was Martyr über die Sündenvergebung im forensischen Sinn schreibt, und dabei Martyrs eigenen Gedanken folgt, gleitet die Erörterung unwillkürlich von der streng forensischen Auffassung der Sündenvergebung ab zu der umfassenderen Vorstellung von der Mitteilung der Gnade Gottes durch den Heiligen Geist zur Erneuerung der geschöpflichen Konstitution des Menschen.

2. Die Regeneration

Die »regeneratio« ist die anthropologische Konkretion des dem Christen zukommenden Heils. Den Begriff verwendet Martyr nicht allzu häufig. Er variiert seine Sprache, hält aber beharrlich an der mit dem Gedanken der Wiedergeburt verbundenen Sicht der Erlösung fest. Die Wiedergeburt ist bei Martyr nicht ein selbständig verhandeltes Lehrstück neben anderen, sondern die für seine Theologie bezeichnende Auffassungsweise der Rechtfertigung. Wieder sei darauf hingewiesen, daß Martyr die christliche Wahrheit nicht in gegeneinander abgrenzbare Sachbereiche aufteilt. Meine systematisierende Darstellung spiegelt nicht direkt Martyrs eigene Art, die

ad effugium patentem invenire me posse confido. Cum itaque sic dubius et incertus sim, ne me carnis et prudentiae meae sensu duci patiaris, misericordiarum pater, voluntatem omnem et iudicium meum bonae tuae voluntati submittas, ne errem neve infeliciter res mihi succedat. Me ut exaudias precor per unicum filium tuum Iesum Christum Dominum nostrum, Amen.« 1077, 25 ff.

[63] In Lamentationes, 117, 30 ff.: »Definitio Ecclesiae ex omnibus causis haec est. Quod ad materiam, coetus hominum. Efficiens, spiritus Christi congregans. Finis, ad vitam aeternam. Forma, pietas recta, fides integra, lex sancta, ordo congruus. Qui ad hanc pertinent, non disperduntur, uti tunc est servatus Hieremias, . . . et qui ad Ecclesiam veram pertinebant, et illam ita repararunt, ut tunc non sit extincta.«

[64] De fuga, Loci 1587, 1077, 13 ff.: »Debet autem quilibet spiritus sancti afflatum sequi, qui intus quemque ad salutem impellit per eam viam, quae conveniat magis viribus et donis a se tributis, non secundum voluntatem nostram, sed secundum prudentissimum et sapientissimum iudicium suum. Qui vero praesenti ad martyrium subeundum animo praeditus est, hucque a spiritu impellitur is contemnere . . . eum non debet, qui vitandae abiurationis causa fugit . . .«

Themen zu behandeln. Wie in anderen werden auch in diesem Kapitel Aussagen Martyrs zusammengetragen, die bei ihm unter einer bestimmten gemeinsamen Perspektive entwickelt werden. Die Perspektive bewirkt ihre Zusammengehörigkeit und zugleich die Einseitigkeit, die in der Konzentration auf den Teilaspekt liegt; sie ermöglicht ebenso den bei Martyr stets, wenngleich nicht immer vordergründig, auch realisierten Ausblick auf das Kontinuum der christlichen Frömmigkeit und auf die christliche Wahrheit im ganzen, weil ja unter dem Thema »regeneratio« das *Ganze* in einer bestimmten Hinsicht betrachtet wird.

Die Wiedergeburt des Menschen im Christentum und die Erneuerung des menschlichen Lebens zum christlichen Leben ist wie bei einer Fuge das »Thema« von Martyrs Frömmigkeit, das sich stets gleich bleibt und sich in der »Durchführung« vielgestaltig entfaltet; sie ist als anthropologisches Pendant zum Transzendentalismus seiner Soteriologie der rote Faden seiner Theologie. Sie mußte ihrer überragenden faktischen Bedeutung wegen schon oft in verschiedenen Zusammenhängen erwähnt werden. Im vorigen Kapitel bildete sie den durchscheinenden Hintergrund der Ausführungen zur Sündenvergebung und erwies so diesem Theologumenon gegenüber ihr größeres sachliches Gewicht. Mit diesem Anliegen, die lebensverwandelnde Kraft der christlichen Frömmigkeit hervorzuheben, kann Martyr sich in ungebrochener Kontinuität zu seiner katholischen Jugend wissen und wird auch von der Seite des Protestantismus unmittelbar durch keine Kontroverse beengt oder provoziert. So mag es verständlich sein, daß er diese wichtige, auf das Grundsätzliche gesehen allerdings recht einfache Vorstellung wenig aufwendig diskutiert, sie aber um so häufiger beiläufig anklingen läßt. Daß er diesen Gedanken so hohen Rang einräumt, wird viel zur Begründung des ihm oft angetragenen Ruhms der Ökumenizität beigesteuert haben[65].

---

[65] Er ist darin Bucer sehr ähnlich. Sein Interesse an der sittlichen Erneuerung der Christen aus dem Glauben war ein wichtiges Motiv seiner Bemühungen um die Einigung der Christenheit im ganzen. Diesem Anliegen entsprach auch seine Lehre von der doppelten Rechtfertigung, »einer aus dem Glauben und einer aus der tatsächlichen Erneuerung des göttlichen Ebenbildes in uns«, über die man auf dem Regensburger Religionsgespräch 1541 mit den katholischen Gesprächspartnern eine gemeinsame Formel aufzustellen vermochte. »Bucer hat keiner Kirche allein gehört, sondern der Ökumene.« Heinrich *Bornkamm,* Martin Bucers Bedeutung für die europäische Reformationsgeschichte, Vortrag bei dem Festakt der Theologischen Fakultät Heidelberg am 25. Februar 1951 anläßlich des 400. Todestages Bucers, in: Schriften des Vereins für Reformationsgeschichte, Nr. 169 (Jahrgang 58, Heft 2), Gütersloh, 1952, S. 29; 36. Ganz ähnlich wie Martyr betrachtet Bucer das »Erlösungswerk Christi« »unter dem Gesichtspunkt der ›Restitutio‹«. Zu Bucers Lehre von der Restitutio Christianismi vgl. den kurzen Überblick bei Karl *Koch,* Studium Pietatis, Martin Bucer als Ethiker, Neukirchen, 1962, S. 28.

Die Lehre von der »regeneratio« ist zweifach mit fundamentalen Dogmen verwachsen, mit der Erbsünden- und Urstandslehre und mit der Eschatologie. Mit dieser Zuordnung ist zugleich die existentielle Spannung der Erneuerung im Glauben angezeigt. Sie ist die im Vollzug begriffene Überwindung der kreatürlichen Schwachheit des von Adam abstammenden Menschen und seiner Entfremdung gegenüber Gott und dem eigenen Urbild in eins mit dem noch unvollendeten Gestaltwerden des zukünftigen, von Gottes Geist durchtränkten Menschen.

Die Reflexion über den Urstand ist Martyr interessanter als das Bedenken der Erbsünde. Dem entspricht, daß Christi Auferstehung und das mit ihr verbundene geistliche Leben und die von Gott gnädig gespendete Regeneration ihm mehr gelten als Christi Kreuzigung und Tod, wodurch er unsere Sündenvergebung bewirkt hat[66]. Die Sünde ist die »depravatio« der menschlichen Natur[67], aber die Natur des Menschen zu erkennen ist die faszinierende Aufgabe einer Theologie, welche die Erneuerung des Menschentums erstrebt. Die Verteilung der Gewichte bringt die Auslegung des Apostolikums beispielhaft zum Ausdruck, in dem die Sünde nur nebenbei erwähnt wird[68]. Da die Schöpfung »natura«, »scopus« und »finis«[69] des Menschen bestimmt, ist die Geschichte der Sünde im Hinblick auf die ganze Heilsgeschichte eine zwischen hineingekommene, wenn auch folgenreiche Episode. Es entspricht dem Transzendentalismus von Martyrs Theologie, daß die faktischen, in der Zeit sich entwickelnden Verhältnisse im Schatten der ontologischen Strukturen und der idealen Form des Menschseins stehen, in dem sie zu Nichtigem verblassen.

Der Mensch ist zu Gottes Bild geschaffen. Er hat nicht nur Erkenntniskräfte, durch die er mit Gott verbunden ist, sondern ist auch mit einer vorzüglichen, ja göttlichen Beschaffenheit ausgestattet, nämlich mit Weisheit, Barmherzigkeit, Selbstbeherrschung, Liebe[70]. Von dieser Aussage schlägt Martyr regelmäßig den Bogen zur Christologie und zur Soteriologie. Zu diesem Abbild Gottes sollen wir erneuert werden, zu jenem Menschen, der Gott gemäß (secundum Deum) geschaffen wurde in Heiligkeit und Wahr-

---

[66] Loci 1587, 430, 26, 46 ff.; 57 ff. Vgl. Kapitel II, 2, f, S. 160 ff.

[67] In Genesim, 37 b, 23 ff. »Nihil magis vires exhaurit, quam peccatum, atque illo ita debilitamur, ut non possimus ferre.« In Lamentationes, 31, 4 f.

[68] Loci 1587, 421, 2, 52 ff.

[69] In Genesim, 37 b, 28 ff.; Loci 1587, 421, 46.

[70] In Genesim, 7, 8 f. Theses, Loci 1587, 1001, Proposita ex primo capite Geneseos, Probabilia, Th. I.: »Homo dicitur ad imaginem et similitudinem Dei creatus. Quoniam cum sit conditus rationali natura, praeditus omnibus virtutibus quibus Deum referret, dominatum a Deo habuit in creaturas.« Th. III.: »Corpus nostrum divinae imaginis est particeps, quia organum est quo *per nostras actiones exprimimus divinas proprietates.«*

heit[71]. Die Gottebenbildlichkeit des ursprünglichen Menschen wird näher gekennzeichnet als die vollkommene Verfassung seines Denkens und seines Willens; sein Denken war von der wahren Erkenntnis Gottes erleuchtet, sein Wille von aufrichtigem Gehorsam durchdrungen[72]. Christus ist das vollkommene Bild Gottes nach seiner göttlichen Natur, soviel in ihr von Gottebenbildlichkeit sein kann[73]. Sogleich wird der finale Sinn der Schöpfung hervorgehoben: wir sind so geschaffen, damit wir solche Menschen seien[74]. Unter diesem Gesichtspunkt erscheint die Ebenbildlichkeit als Intelligibilität und Eignung für göttliche Vollkommenheiten. Die Vollkommenheiten selbst sind durch die Sünde verloren. Die Sünde hat sie aufgezehrt[75]. Jedoch wird die existentiale Verfassung nicht von der Sünde zerrüttet. Nur, damit der Mensch seine Möglichkeiten realisiert, dazu braucht er die Hilfe und das Beispiel Christi. Wie weit wir wieder Gottes Bild sind, offenbart unser Glück, das wir in Liebe und Erkenntnis mit unserem Gott gemeinsam haben[76]. Sofern die »imago Dei« das Ziel des Menschen ist, begründet diese ontologische Grundbefindlichkeit sein Handeln. Indem er seiner Beschaffenheit, zu der er erschaffen wurde, gemäß lebt, drückt er in Taten die Gottebenbildlichkeit aus. So verwirklicht er sein Glück[77]. Glück ist wohl die gelebte Harmonie mit der eigenen Bestimmung, das Kommen zu sich selbst, die Verwirklichung seiner Eigentlichkeit, von dem Martyr annimmt, daß der Mensch es selbst empfindet.

[71] In Genesim, 7, 10 f. Theses, Loci 1587, 1000, Disputatio, Th. VIII., vgl. Anm. 72.

[72] Theses, Loci 1587, 1000, Disputatio, Th. VIII.: »Imago enim Dei, secundum quam hominem Deus creaverat, erat ipsa mens in homine, in qua lucebat vera notitia Dei, et in voluntate, vera obedientia.«

[73] In Genesim, 7, 11 ff. Theses, Loci 1587, 1001, Proposita ex primo capite Geneseos, Necessaria, Th. VII.: »Quaecumque de imagine Dei ac similitudine dicuntur in hominis creatione, Christo plenissime conveniunt et nobis per illum restituuntur.«

[74] Theses, Loci 1587, 1001, Proposita ex primo capite Geneseos, Probabilia, Th. I.: »Quoniam cum sit conditus rationali natura, praeditus omnibus virtutibus quibus Deum *referret*, . . .« Vgl. Anm. 76.

[75] Vgl. Anm. 67.

[76] In Genesim, 7, 14 ff.: »Ut tales essemus conditi sumus: nam sumus intelligentes et capaces divinarum perfectionum: in illis conditi fuimus, sed ad eas, nisi auxilio et exemplo Christi non possumus restitui, qui prima et vera est imago. Quam simus imago Dei patet ex nostra foelicitate, quam habemus eandem cum Deo nostro, inquam, amando et cognoscendo.« Vgl. Theses, Loci 1587, 1001, Proposita ex primo capite Geneseos, Probabilia, Th. IV.: »Ex hac ratione, quod imagine et similitudine Dei homo est insignitus, declaratur natura vel *foelicitatis*, virtutum et legum omnium, quosque Ecclesia debeat habere cives.« Wieder stoßen wir auf eine bezeichnende Übereinstimmung mit Bucer. »Die ›foelicitas‹ nimmt in dem bucerschen Schrifttum eine beachtliche Stellung ein. . . . Das Glück besteht in der Gotteserkenntnis und der daraus folgenden Gottesliebe.« K. *Koch*, Studium Pietatis, vgl. Anm. 65, S. 108.

[77] In Genesim, 7, 52 ff.: »Habes itaque hic hominis veram notitiam, homo est creatura Dei ad sui conditoris imaginem condita: ex qua declaratione non solum agnoscitur eius rationalis natura, sed quae sint proprietates, qui finis: Foelicitas, ut secundum hanc sui constitutionem vivat actionibus quibus exprimat Dei imaginem.«

Diese Gedanken muten romantisch an, sind es aber insoweit nicht, als die »imago Dei« für Martyr eine bestimmte, wenn auch vage, äußere Norm ist, die aus der Schrift erhoben werden soll und an der Gotteslehre und der Christologie orientiert wird, obgleich sie der Sache nach eher das stoische Ideal beschreibt[78]. Dennoch haftet an den Gedanken romantisches Flair. Die Menschheitsidee realisiert sich in dem die Entfremdung von sich selbst überwindenden harmonischen Glück des einzelnen, in dem er mit Gott gleich und eins wird. Doch widerfährt ihm solches Glück nur in der Kirche, er wächst also einer Gemeinschaft zu[79]. Von der Gottebenbildlichkeit hängen die natürlichen und menschlichen Rechte ab, deren Sinn ist, daß die Gottebenbildlichkeit wieder aufgerichtet und bewahrt werde[80]. In dieser vorzüglichen Verfassung der menschlichen Natur haben alle Tugenden ihren Ursprung[81]. Die Gottebenbildlichkeit gemahnt den Menschen immer an seine Pflicht und weist ihn darauf hin, welcher Art Taten ihm obliegen. Er soll von ihnen bei sich sagen können, daß sie den Vater widerspiegeln[82]. Martyr fordert ein »vivere ex imagine«. So wird noch einmal deutlich, daß die »imago« als ursprüngliche und teleologische Prägung des Menschen zugleich Norm und Ermöglichung seines Handelns ist[83]. Schließlich erweist sich wieder einmal die Ökonomie der Heilsgeschichte. Wie gut paßt unsere Erlösung durch Christus zu den im Wesen des Menschen angelegten Möglichkeiten und Bedürfnissen. Denn wenn unsere Vollkommenheit darin

---

[78] Vgl. zu Martyrs Vorstellung von dem Gottes Vollkommenheit abbildenden erlösten Christen einen Ausschnitt aus der Beschreibung des stoischen Ideals des Weisen: »Er ist der vollkommene Mensch. ... Er ist erhaben über alles, was die Toren fürchten und erstreben. Er braucht nichts, ist autark; denn in der *Erkenntnis und der Tugend* (bei Martyr: notitia et oboedientia, vgl. Anm. 72) besitzt er das einzige Gut, das dem Vernunftwesen zuteil werden kann. *Und dieser Besitz stellt ihn der Gottheit gleich.* ... Aber er darf auch das Vertrauen haben, daß die Gottheit ihr Wohlgefallen an dem Menschen hat, der ihr eigenes Wesen auf Erden in reinster Form darstellt. Er ist selbst ein ›göttlicher‹ Mensch. *Eudämonie im höchsten Sinne ist sein Teil.*« Max *Pohlenz*, Die Stoa, Geschichte einer geistigen Bewegung, Göttingen, 1948, S. 156.
[79] Vgl. Kapitel II, 3, S. 177 ff.; Loci 1587, 440, 47, 38 ff. Auch zu diesem Gedanken ist die stoische Parallele offensichtlich, daß nämlich der Mensch »nur innerhalb der Gemeinschaft seine Bestimmung erreichen kann.« Vgl. M. *Pohlenz*, Die Stoa, vgl. Anm. 78, S. 112; 131 ff.
[80] In Genesim, 7, 56.
[81] In Genesim, 7 b, 1 f.
[82] In Genesim, 7 b, 7 ff.
[83] Martyrs Auffassung der Imago-Dei-Lehre ähnelt auffallend dem Bucerschen Verständnis. Die Theologie beider kennzeichnet die Verwendung dieser Lehre zur Begründung ihrer Anschauung von der Erlösung als Restitution und die Verbindung von Sein und Sollen des Christen. Beide Theologen messen dieser Lehre große Bedeutung im Rahmen ihrer Theologie bei. Hier zeigt sich der Einfluß humanistischer Gedanken auf ihr Verständnis des Christentums. Koch weist auf Bucers Abhängigkeit von Erasmus hin. K. *Koch*, Studium Pietatis, vgl. Anm. 65, S. 94 ff., besonders S. 96 f.

besteht, daß wir Gottes Bild in uns bewahren, das durch den Fehltritt der
ersten Eltern verdunkelt wurde, war es sehr passend, daß durch Christus,
der wirklich Gottes Bild ist, und durch seinen Geist den Menschen jenes
Bild erneut eingeprägt wurde[84]. Von hier aus wird die Würde der Kirche
erkennbar. Sie repräsentiert die erneuerte Menschheit, die in der Kirche zu
sich selbst kommt, indem sie die Vollkommenheit erlangt, zu der sie bestimmt ist[85]. Sie hat und erfordert Bürger, die Gott gleichförmig sind[86].

Dem Verständnis des Urstandes entspricht die Auffassung der Sünde,
sie ist die Negation und Auslöschung der ursprünglichen Begabung und
das Abirren von der Regel und dem gesteckten Ziel[87]. Selbst die durch
Christus herbeigeführte Erneuerung ist vorweg bestimmt als die Restitution jener ersten Konstitution des Menschen[88]. Martyr orientiert seine
Theologie an dem Idealbild des ursprünglich erschaffenen Menschen und
richtet sein Verständnis der Sünde und der Erlösung auf diesen Grundgedanken aus. So setzt sich ein an der theologischen Anthropologie haften-
des vitales Anliegen von Martyrs Frömmigkeit durch. Wenn von der »regeneratio« als dem durch Christus erlangten Heilsstand die Rede ist,
kommt natürlich auch bei dieser soteriologischen Anschauung die Eschatologie ins Spiel[89]. In diesem Zusammenhang weitet sich der ohnehin wenig präzis gefaßte Begriff, so daß er durch viele andere Begriffe vertreten
werden kann, ohne daß eine wesentliche Verschiebung der Aussage eintritt. Am Ende ist mit sachlicher Berechtigung durch den Begriff »regeneratio« alles gedeckt, was zur Ermöglichung und Verwirklichung des christlichen Lebens gehört. Wir haben auch bisher schon sinnverwandte Wörter
neben »regeneratio« im Gebrauch gefunden, wie »restitutio«[90], »instauratio«[91], »restauratio«[92], »nova generatio«[93], »reformatio«[94], das Verb »re-
nasci«[95]. Wenn jedoch »regeneratio« neben »coniugi Christo«[96] und »re-

---

[84] In Genesim, 7 b, 9 ff.: »Habemus et ex hoc quam congrua sit nostra per Christum
liberatio: nam cum nostra perfectio sita sit ut imaginem Dei retineamus, quae vitio
primorum parentum fuit obfuscata, valde fuit congruum ut per Christum et illius
spiritum, qui vere est imago Dei, rursus illa in hominibus imprimeretur.«
[85] Vgl. Kapitel II, 2, e, S. 159 f.
[86] In Genesim, 7 b, 13 f.
[87] In Genesim, 37 b, 21 ff. In Lamentationes, 31, 4 ff.
[88] In Genesim, 61, 14 f.
[89] Loci 1587, 430, 26, 57 ff.
[90] In Genesim, 38, 33; 17, 37; Theses, Loci 1587, 1001, Proposita ex primo capite Geneseos, Necessaria, Th. VII.; Probabilia, Th. II.; In Genesim, 7, 15; 7, 56.
[91] In Genesim, 38 b, 37; 61, 15; 25; 49.
[92] In Genesim, 38 b, 37.
[93] In Genesim, 36 b, 22 f.
[94] In Genesim, 7, 10; 17, 35; 61, 15.
[95] In Genesim, 36 b, 21 f.
[96] In Genesim, 61, 11.

missio peccatorum«[97] steht, so wird jedenfalls mit diesen Begriffen nicht die Vorstellung verbunden, daß etwas Ursprüngliches wiederhergestellt wird. Der sachlichen Aussage nach stimmen die Begriffe zusammen. »Regeneratio« kann gelegentlich einfach das Heilwerden des Menschen bedeuten, andererseits denkt Martyr auch bei dem Begriff »Sündenvergebung« daran, daß die Verderbnis des Menschen seiner geschöpflichen Bestimmung gemäß beseitigt wird, und versteht sie als Vorspiel der endzeitlichen Wiederbringung der ursprünglichen Vollkommenheit des Menschen und der Schöpfung. Obgleich jeder Begriff etwas Spezifisches zur Gesamtanschauung beiträgt, stehen sie für das Ganze in Parallele zueinander. Alles, was den Glaubenden auf Grund ihrer Verbindung mit Christus zukommt, sind Güter, die Gott ihnen von der Schöpfung an zugedacht hat. Die Erlösung steht in mehreren Korrelationen, die sich überlagern, ohne sich auszulöschen. Infolgedessen braucht, was sachlich in den Umkreis der »regeneratio« gehört, nicht immer vordergründig eine bestimmte Entsprechung von Endzeit und Urzeit, Erlösung und Schöpfung auszudrücken.

Die »regeneratio« bezeichnet den Heilsstand der Christen[98]. Ist damit die Freiheit von der Sünde im forensischen Sinn gemeint oder die vollkommene Wiederherstellung seiner Natur, die der Christ erhofft, oder die Verwandlung seines Lebens durch Glauben und Gnade? Oft unterscheidet Martyr die »regeneratio« von dem neuen Leben, jedoch so, daß er dann beides nebeneinander im selben Atemzug nennt[99]. So verstanden, ist die »regeneratio« identisch mit dem Erlaß der Sündenstrafen, dem Freispruch vor Gottes Gericht[100], sie wird auch mit der Adoption zu Söhnen gleichgesetzt[101]. In diesem Sinn wird der Begriff am häufigsten gebraucht. »Regeneratio« ist also die Wiedereinsetzung des Menschen in seine Würde. Damit hat er seine paradiesische Gerechtigkeit noch nicht wieder erlangt. Sie wird erst bei der Parusie Christi vollkommen wiedergegeben[102]. Die »regeneratio« im engeren Sinn ist auch noch nicht das neue, mit Tugenden geschmückte Leben und vortreffliches und heiliges Handeln[103]. Jedoch hält Martyr die Unterscheidung nicht streng durch. Sie wird in der Genesis-

---

[97] In Genesim, 60 b, 45.
[98] Loci 1587, 421, 2, 44; 50; 430, 26, 57 ff.; 431, 26, 1.
[99] In Genesim, 60 b, 43 ff.: »non ergo fides est ipsa iustitia, pro ut nunc de illa loquimur, sed illud est quo a Deo rem oblatam nobis remissionem peccatorum et regenerationem apprehendimus: atque illa eadem facultate fidei secundum apprehendimus iustitiam, cum scilicet nobis Deus iam regeneratis offert novam vitam ...« Vgl. 61, 11; 61 b, 48.
[100] In Genesim, 59, 45 f.; 50 ff.
[101] In Genesim, 59, 46; vgl. In Genesim, 99, 39.
[102] In Genesim, 38, 34.
[103] In Genesim, 61, 7 ff.

vorlesung sorgfältiger beachtet als früher, vielleicht unter dem Eindruck der verfeinerten theologischen Fragestellung in der deutschen und schweizerischen Theologie, mit der er in Straßburg immer mehr bekannt wurde[104]. Man kann bei Martyrs Verwendung des Begriffs »regeneratio« ein weiteres, die Erneuerung des Lebens einschließendes Verständnis von einem engeren abheben, das die Sündenvergebung und die Versetzung in den Stand der Gnade bezeichnet. Dabei scheint Martyr die speziellere forensische Bedeutung zu bevorzugen. Er erklärt sich selbst zu dieser Frage nicht. Deutlich ist aber, daß er mit der »regeneratio« immer die fortschreitende effektive Erneuerung zusammendenkt. Wie die Buße vom Glauben nicht getrennt werden kann[105], so gehört zur Rechtfertigung bzw. zur »regeneratio« mit innerer und äußerer Notwendigkeit die habituelle Verwandlung des Menschen[106]. Sie ist heilsnotwendig[107]. Die äußere Notwendigkeit besteht darin, daß wir gehalten sind, Gott zu gehorchen in dem, was er von uns verlangt; er fordert ein heiliges Leben und Gerechtigkeit. Wenn wir uns Gott nicht widersetzen wollen, ist es notwendig, daß wir uns diese Gerechtigkeit beilegen[108]. Außerdem erfordern unser Heil und unsere Erneuerung es (aus sich heraus), daß wir wieder zu Gottes Ebenbild gestaltet werden, d. h. daß wir durch unsere Taten, die wir durch den Glauben als dessen Ausdruck hervorbringen, Tugenden erwerben, den Geist wiederherstellen und die bis dahin verunstaltete Natur wieder zum Leuchten bringen[109]. Obgleich diese Gerechtigkeit der Gerechtigkeit Gottes

---

[104] Auch andere Theologen der beginnenden Orthodoxie trafen beim Begriff »regeneratio« diese Unterscheidung. Die Tendenz war auch bei ihnen, Rechtfertigung und Wiedergeburt, »renovatio« und »regeneratio« zusammenzudenken. Vgl. Hans Emil *Weber*, Reformation, Orthodoxie und Rationalismus, zweiter Teil: Der Geist der Orthodoxie, unveränderter reprographischer Nachdruck der 1. Auflage, Gütersloh, 1951, Darmstadt, 1966, S. 38 ff. »Da man die Verwurzelung der fortschreitenden Erneuerung in der Wiedergeburt nicht bestreiten kann, so muß man sich helfen, indem man von einem weiteren, die renovatio einschließenden Begriff der Wiedergeburt den engeren, eigentlichen unterscheidet; diesem kann man dann seinen Inhalt aus der Rechtfertigung geben: Wiedergeburt ist selber der Empfang der Vergebung und Gerechtigkeit. Aber auch so hebt man mit der Gleichsetzung die Lebensbedeutung der Rechtfertigung heraus: . . .« S. 38 f.

[105] In Genesim, 61 b, 43: »poenitentia . . . est enim individua fidei comes . . .«

[106] In Genesim, 61, 10 ff.

[107] In Genesim, 61, 16: »Iigitur quoad istius salutis necessitatem, opus est ut sancte vivamus.« Theses, Loci 1587, 1008, Proposita ex decimaquinto capite Geneseos, Necessaria, Th. VIII.: »Inhaerentem ac acquisitam iustitiam et Deo gratam et Necessariam ad salutem fatemur.«

[108] In Genesim, 61, 12 ff.

[109] In Genesim, 61, 14 ff.: »Praeterea ut aliud caput exponam, nostra salus et vera instauratio id videtur exigere, ut reformemur ad Dei imaginem. Igitur quoad istius salutis necessitatem opus est, ut sancte vivamus: ad quod nostrae actiones, cum iam in Christo sumus renati et illas fide exprimimus, summopere conducunt, cum instrumenta facultates et organa sint acquirendarum virtutum, animi reparandi et naturam hactenus deformem bonis habitibus illustrandi.«

nicht genugtun kann, gefällt sie Gott doch und hat seine Empfehlung[110]. Es darf uns nicht beunruhigen, daß wir, solange wir hier leben, nur Mangelhaftes tun, weil wir durch Christus schon sicher wissen, daß dieser angefangene Gehorsam Gott angenehm sein werde[111]. Forensische und effektive Rechtfertigung, »regeneratio« und »instauratio« sind beides Gaben des Heiligen Geistes[112] und werden im Glauben empfangen[113], sind also auch so eng miteinander verbunden. Das eine kann niemals ohne das andere vorkommen. Der Glaube wird sogar selbst als frommes Verhalten angesehen. Im Anschluß an 1. Kor. 13 sagt Martyr, die Liebe sei dem Glauben vorzuziehen, insofern sie gibt, der Glaube nur empfängt[114]. Martyr denkt wohl bei der Regeneration an eine geistige Prägung, von der das leibliche Leben nicht unberührt bleibt, sondern verklärt und geläutert wird, ohne daß diese doch mit dem Leib eine leibliche Verbindung eingeht; so ist es, wenn er etwa sagt, die Regeneration mache der göttlichen Natur teilhaftig[115]. Als vernunftbegabtes Wesen kann der Mensch hinsichtlich seines Denkens Gott gleich sein. Der Leib ist das Organ, mit dessen Hilfe wir die göttlichen Eigenschaften durch Taten ausdrücken[116]. Martyr versteht den menschlichen Intellekt wie die Stoa als Hegemonikon. Wenn nach dieser Auffassung der Verstand ein sittliches Ziel erkennt und ihm zustimmt, geht in ihm selbst aus diesem wertenden Urteil unmittelbar der Antrieb zur Tat hervor. Die Erkenntnis der »regeneratio« im forensischen Sinn prägt danach notwendig die geistige Verfassung des Menschen, wenn sie überhaupt zustimmend angenommen wird. Sie setzt sich unmittelbar und notwendig in die effektive »regeneratio« des menschlichen Geistes um. Wenn man also die Regeneration zunächst auf das Denken des Menschen bezieht und erst indirekt auf den ganzen geistig-leiblichen Menschen, ist der Unterschied zwischen dem forensischen und dem effektiven Verständnis der »regeneratio« faktisch unbedeutend und wird die wechselweise Verwendung des Begriffs bei Martyr verständlich.

Die Aneignung und Verwirklichung der Wiedergeburt bewirkt der Hei-

---

[110] In Genesim, 61, 19 f.; vgl. 61, 8 ff.
[111] In Genesim, 61, 27 ff.
[112] In Genesim, 99, 38; Loci 1587, 430, 25, 33; 434, 34, 10 ff.
[113] In Genesim, 60 b, 43 ff.; Loci 1587, 431, 26, 1.
[114] In Genesim, 61 b, 27 ff.
[115] In Genesim, 71, 12.
[116] Theses, Loci 1587, 1001, Proposita ex primo capite Geneseos, Probabilia, Th. I.: »Homo dicitur ad imaginem et similitudinem Dei creatus. Quoniam cum sit conditus *rationali natura*, praeditus omnibus virtutibus quibus Deum referret, dominatum a Deo habuit in creaturas.« Th. III.: »Corpus nostrum divinae imaginis est particeps, quia organum est quo per nostras actiones exprimimus divinas proprietates.«

lige Geist[117]. Hier hat die Rede von den Gaben des Heiligen Geistes ihren systematischen Ort. So gewinnt Martyr die Begründung der christlichen Ethik. Als Gabe des Geistes kann jede menschliche Vollkommenheit verstanden werden, denn die Ethik ist an einem Bild des Menschen orientiert, das von dem zukünftigen Menschen nichts anderes als gottähnliche Vollkommenheit aussagt. Christus hat uns eingeladen: »Seid vollkommen, wie eurer Vater im Himmel vollkommen ist«[118], und die Erfüllung dieses Gebotes ermöglicht. Das Gesetz drückt vorwiegend Gottes Willen aus, daß er überhaupt die sittliche Anstrengung der Christen verlangt[119]. Es gehört offenbar nicht wesentlich zum Gesetz, daß es in bestimmten Geboten artikuliert wird[120]. An ihre Stelle tritt die normative Anthropologie, die in der Imago-Dei-Lehre grundgelegt ist und durch andere Theologumena gestützt werden kann, wie z. B. die Auffassung von Christus als »exemplum« des geheiligten Christenlebens[121]. Als materiale Füllung kann in den so markierten Rahmen jedes humanitäre Ideal aufgenommen werden[122]. Martyrs christlicher Humanismus ist seiner Zeit und Bildung entsprechend merklich stoisch gefärbt.

Es ist leicht verständlich, daß sich die Frömmigkeit, wenigstens aber das sittliche Leben, von dem theologischen Zentrum des Christentums, das Martyr gewiß in der Christologie sah, löst. Wir haben früher schon beob-

---

117 In Genesim, 71, 14 f.: »huiusmodi regenerationem aliter non posse fieri, quam spiritus sancti accedente opera.«
118 Loci 1587, 421, 2, 54 f.; vgl. Loci 1587, 431, 12 ff.: »In hoc tota Christianismi summa versatur, ut interius semper renovemur, exterius autem proximos quosque pro virili, officiis beneficiisque prosequamur, quum Christus excitavit a mortuis perpetuis nos beneficiis usque fuerit prosecutus, impertito suis ab eo tempore pretioso illo Spiritus sancti dono . . . Renovata in se per resurrectionem vita liberaliter in electis suis dona sua cumulate adauget . . . ab omni malo nunc nos protegit atque omni bono implet.« An diesem Satz ist zweierlei interessant, einmal, daß die innere Erneuerung und ihre Veräußerung in der Nächstenliebe die Summa des Christentums ist; sodann, daß die Bestimmung, wie auch sonst bei Martyr, so locker gehalten ist, daß ihr alle möglichen individuellen Formen innerer Erneuerung genügen.
119 In Genesim, 61, 12 f.: ». . . quia tenemur singuli Deo parere in his, quae a nobis requirit, sed sanctam vitam et iusta a suis exigit.«
120 Auch diese Eigentümlichkeit paßt zu der stoischen Grundstimmung von Martyrs Ethik. Nach stoischer Auffassung besteht die Gerechtigkeit »nicht etwa im Gehorsam gegen das positive Gesetz.« Der Mensch kann »rein durch Entfaltung seines Wesens seine höchste Bestimmung erfüllen.« »Die Weltordnung, mit der die menschliche Natur gesetzt ist, ist selbst göttlich . . . Ein Zeus, der durch einen Dekalog Sittlichkeit schafft, wäre für den Hellenen undenkbar.« M. Pohlenz, Die Stoa, vgl. Anm. 78, S. 132; 134; 135.
121 Vgl. Kapitel II, 2, b, S. 131 ff.
122 In Genesim, 29 b, 7 ff.: »Lex vero naturae, ut alias expressimus, a Dei imagine ad quam conditi sumus, est derivata: quae enim divinis proprietatibus adversantur, et nostrae quoque iustitiae naturae minime conveniunt: unde qui ea faciunt [scelesta factitare] pergunt seipsos destruere, neque foeliciter vivere censendi sunt, cum id sit ex natura, non contra illam, vitam degere.«

achten können, daß sich die Frömmigkeit von der Gotteslehre aus ebenso begründen läßt wie von der Christologie her. Wenn sie einmal begründet ist, bekommt sie aus sich heraus ihr eigenes Gewicht und neigt dazu, aus sich selbst für sich selbst zu bestehen. Sinn und Maß ist die eigene Glückseligkeit[123]. Die einzige zentrierende Kraft ist der Heilige Geist. Da dieser als inneres Zeugnis[124] und in einzelnen Gaben in der Gestalt sittlicher Taten oder Qualitäten[125] objektiv wird, verleiht der Hinweis auf den Geist dem sich verselbständigenden frommen Leben die Würde der göttlichen Abkunft und damit die Bestätigung des erlangten Glücks. Die Inanspruchnahme des Heiligen Geistes als Urheber der gottgefälligen Bildung und der täglichen Arbeit an der eigenen Tüchtigkeit bewirkt deren Ergänzung durch eine neue Eigenschaft, die Dankbarkeit, rundet sie ab und macht sie in der Dankbarkeit selbstbewußt. Die Dankbarkeit ist bei Martyr freilich nicht das Motiv der Heiligung und auf diese Weise eine alle anderen umgreifende Tugend wie im Heidelberger Katechismus, sondern schlicht die Haltung des Empfangenden, der weiß, daß man alles, was man an Gutem bei sich findet, Gott, Christus und dem Heiligen Geist verdankt (debetur)[126].

Die letzten Sätze bedürfen einer Einschränkung. Das fromme Leben mit dem in ihm geborgenen Glück ist insofern nicht selbstgenügsam in sich abgeschlossen, als es nur Anwartschaft und Vorschein der erst im ewigen Leben zu erlangenden Seligkeit ist[127]. In diesem Zusammenhang muß auch das im Glauben beschlossene Wissen um die Zukunft der Christen und das ihnen zugut durch Christus heraufgeführte Heil bedacht werden. Es hat neben den anderen Wirkungen des Heiligen Geistes, die sich unter dem ethischen Aspekt zeigen, auch seinen Niederschlag in der Frömmigkeit. Sie ist nicht nur tugendhaftes Leben, sondern auch die ganze Person betreffendes Sich-Verstehen von Christus und der durch ihn eröffneten Zukunft her. Zu der »transformatio animi«, die sich in guten Werken kundtut[128], gehört auch die »hilaritas«, in der die Angst vor der Zukunft überwunden wird[129]; zu dem Erarbeiten des eigenen Heils[130] gehört, sich

---

[123] In Genesim, 7, 16 f.: »Quam simus imago Dei patet ex nostra foelicitate, quam habemus eandem cum Deo nostro, inquam, amando et cognoscendo.« Vgl. Loci 1587, 434, 22; 39; 430, 39 ff.; In Genesim, 7 b, 5; 29 b, 9; vgl. Anm. 122.

[124] Loci 1587, 434, 25; 30 f.

[125] Loci 1587, 434, 13 ff.; In Genesim, 61 b, 47 ff.

[126] Loci 1587, 430, 25, 32 ff. In diesem Sinne stimme ich dem Urteil McLellands zu, »that man's attitude to God will be primarily one of *thankfullness*, and this is precisely the keynote of Martyr's whole theology, . . .« *Mc Lelland*, S. 110.

[127] Loci 1587, 442, 51, 42 ff.

[128] Loci 1587, 434, 33, 12 ff.

[129] Loci 1587, 430, 25, 38.

[130] In Genesim, 61, 46 ff.

mit der zuteilgewordenen Gabe der durch Christi Auferstehung begründeten Anwartschaft auf das Heil zufriedenzugeben[131]. Diese Frömmigkeit ist unter anderem auch eschatologische Existenz, Leben von außerhalb seiner selbst her[132]. Nun ist Martyr einfach zu nüchtern, aus der Beziehung zu Christus und dem idealen Sich-Vorweg-Sein des Glaubenden in Christo eine Überschreitung der Grenzen des irdischen Lebens werden zu lassen. Christus ist außerhalb unseres Lebensraumes; er wirkt hinein durch den Heiligen Geist, unser endgültiges Heil ist jenseitig, das Ziel unseres frommen Lebens und ein Grund zur Hoffnung. Vor den Augen liegt zuerst das irdische Leben als Möglichkeit und Aufgabe, in dem der Christ ein zwar nicht ungetrübtes, aber doch bei einiger Anstrengung und Begünstigung durch den Heiligen Geist hohes persönliches Glück erlangen kann: Heiterkeit, Zufriedenheit, Gleichmut, Ruhe des Gemüts, Freude und Tüchtigkeit in jeder Weise. Und dieses Glück ist nicht ein vergängliches Gut zweifelhaften Wertes, sondern als Gottes Gabe Abglanz seiner Eigenschaften und Erfüllung unseres Lebens nach seinem Willen ein Wert allerersten metaphysischen Ranges. Den Wert des gottwohlgefälligen Lebens nicht zu schmälern, ist wohl auch das Motiv, das Martyr bewegt, am Lohngedanken festzuhalten[133]. So ist die Imago-Dei-Lehre nicht nur die Verheißung auf die Wiederherstellung des Menschen in seiner ursprünglichen Vollkommenheit jenseits des Todes, sondern auch ein Hinweis auf seine irdischen Möglichkeiten und ein Urteil der Wertschätzung über die mit der Regeneration verbundene Heiligung. Um diese Anwendung zu ermöglichen, unterscheidet er von der »Imago Dei« die »Similitudo«, welche die Christen mit Gott haben[134]. Die Unterscheidung wird nicht sehr deutlich durchgeführt. Martyr scheint durch sie ausdrücken zu wollen, daß der wiedergeborene Christ in Wirklichkeit Gott ähnlich ist, daß seine relative Vollkommenheit der Vollkommenheit Gottes analog ist, während der ursprünglich erschaffene Mensch, zu dessen Vollkommenheit jeder Christ

---

131 Loci 1587, 430, 25, 39.
132 Loci 1587, 430, 25, 27 ff.: »Ita nos, qui hic veluti mortis praeda videmur, et in quibus nulla solidae vitae indicia apparent, si Christo, qui nostra est radix, vivo et pro nobis excitato insiti sumus, quid iam de futura nostra resurrectione dubitamus?«
133 In Genesim, 61, 19 ff.: »Et licet iustitia haec Dei iustitiae non possit satisfacere, qualis qualis tamen est, et Deo placet, et suas ab illo commendationes habet. Multos enim legimus in sacris literis a Deo praedicatos et commendatos ex illorum operibus, ut Abraham ex promptitudine suum mactandi filium. ...« 61, 30 ff.: »Cum vero tertia iustificandi significatio nil sit aliud quam a Deo iudice commendari, et ob aliqua benefacta mercede et praemio ornari. ...« 61 b, 36 ff.
134 Loci 1587, 421, 2, 43 ff.: »Similitudo vero quam cum Deo Patre suo habent, qui regenerati sunt, est posita in sapientia, iustitia, animi simplicitate ac magnanitate atque charitate, aliisque eiusmodi coelestibus ac divinis animi affectionibus, quibus indicant se ad Dei imaginem, ut initio creati fuerant esse conditos.«

nach dem Urbild Christi wiederhergestellt zu werden hofft, ein makelloses Abbild Gottes ist. Der Mensch ist hinsichtlich seiner Bestimmung, seiner geschöpflichen Prägung, seiner Eignung zur Wiedergeburt »imago Dei«, genauer: »conditus ad Dei imaginem«. Der Wiedergeborenen »similitudo cum Deo« bezeichnet ihre faktische Gerechtigkeit, Weisheit und Liebe; in diesen himmlischen Eigenschaften sind sie wie Gott[135]. Martyr bescheinigt dem frommen Christen, daß er in dem, was seine Frömmigkeit ausmacht, in der Beschaffenheit seines Geistes, Gott ähnlich ist.

Martyrs Vorstellung von der christlichen Frömmigkeit meint ebensowenig die quietistische, kontemplative Seelenruhe wie die »Entäußerung in diese Welt«[136] in christlicher Aktivität. Sie scheint eher dem ähnlich zu sein, was wir unter Bildung verstehen. Sie führt zur Entfaltung der im Menschen angelegten Kräfte und zur Verwirklichung der im Menschenbild begriffenen ontologischen Möglichkeiten. Obgleich sie zunächst auf das Individuum bezogen wird, strahlt sie doch aus auf die menschliche Gemeinschaft und auf die Menschheit. Die »regeneratio« und »instauratio« des Menschen stehen im Zusammenhang mit der Erneuerung der Welt. Die ganze Schöpfung wird zu dem Zustand zurückgebracht werden, in dem sie angelegt war[137]. Die Welt leidet hauptsächlich daran, daß ihre ursprüngliche Ordnung zerstört wurde[138], eine Folge des Sündenfalls des Menschen. Entsprechend ist mit der Erneuerung des Menschen (nach Röm. 8, 19 ff.) die Zielvorstellung verbunden, daß mit ihr auch der verdorbene Zustand der Welt wieder zurechtgebracht werde[139]. Wenn auch Martyr nicht daran denkt, die Verheißung eines neuen Himmels und einer neuen Erde[140] auf einen innergeschichtlichen Aufschwung zu deuten, so liegt ihm doch offensichtlich daran, die Verwandlung des Menschen durch die Gnade in diesem weiten Horizont zu sehen. Bei der Auslegung der Sintflutgeschichte fragt er sich, warum Gott nach der Flut nicht neue Menschen gemacht habe. Er antwortet, was damals geschehen sei, sei ein Vorbild der Erneuerung der Welt durch Christus. Er formuliert genau wie sonst, spricht von »regeneratio« und »instauratio« wie in bezug auf den einzelnen Men-

---

[135] In der dogmatischen Überlieferung werden »similitudo« und »imago« »Dei« seit Irenäus in ähnlicher Weise unterschieden. Vgl. Emil *Brunner*, Der Mensch im Widerspruch, Die christliche Lehre vom wahren und vom wirklichen Menschen, 3., unveränderte Aufl., Zürich, 1941, S. 523 ff.

[136] Jürgen *Moltmann*, Theologie der Hoffnung, Untersuchungen zur Begründung und zu den Konsequenzen einer christlichen Eschatologie, München, 1964, S. 312.

[137] In Genesim, 38 b, 36 ff.

[138] In Genesim, 38 b, 38.

[139] Theses, Loci 1587, 1003, Proposita ex tertio et quarto capite Geneseos, Necessaria, Th. V. In Genesim, 17, 30 ff.; 38 b, 36 ff.

[140] In Genesim, 17, 38.

schen, wenn er von der radikalen endzeitlichen Wiederbringung des Zustandes der Welt spricht, den sie bei der Schöpfung hatte[141]. Die Erneuerung der Welt durch Christus geschieht nicht aus dem Nichts, sondern
Gott wollte aus den *Menschen* der ersten Welt die *Welt* wiederherstellen.
Das geschieht so, daß Menschen aus dem ersten, sündigen Menschengeschlecht in die Kirche kommen und regeneriert werden[142]. Hier spricht Martyr einmal deutlich aus, daß er sich den Zusammenhang zwischen der
Wiedergeburt des Menschen und der Wiederherstellung der Welt auch so
vorstellt, daß die Menschheit von der sich zunächst im Leben des einzelnen konkret erweisenden Erneuerung, die von Christus ausgeht, ergriffen
wird[143].

3. Die Medien der Sündenvergebung

So prall wie in dem Abschnitt seiner Auslegung des Apostolikums über das
Wort Gottes und die Sakramente sind Martyrs Sätze sonst nicht mit re-
formatorischem Vokabular gefüllt. Vom Glauben ist immerzu die Rede.
Er ist nach Röm. 10, 17 »fides ex auditu«. Die Bedeutung des »externum
ministerium« der Wortverkündigung wird hervorgehoben, Christus will
die Wirkung des Geistes nicht anders bei den Glaubenden zum Ziel kommen lassen als durch das äußere Wort, das Wort ist »promissio«. Durch die
Predigt wird »remissio peccatorum« geschenkt, Vergebung wird den Glaubenden »per Christum« »gratis« zuteil. Die Sakramente sind »verba visibi-
lia«. Durch sie wird den Glaubenden dieselbe Absolution und Vergebung
der Sünden zuteil wie durch das Wort[144]. Diese Aussagen meint Martyr
ganz offenbar so, wie sie klingen, und sie sind ihm ernst. Er trägt sie nicht
mehr wie etwa der junge Luther und der junge Melanchthon als Ent-

---

[141] In Genesim, 30 b, 47 f.: »... quod haec nova mundi instauratio regenerationis per
Christum fuit typus.«
[142] In Genesim, 30 b, 46 ff.: »Quod si opponas, potuisset Deus creare novos homines, uti
ab initio fecerat. Id concedo, noluisse tamen hoc agere eo consilio puto, quod haec
nova mundi instauratio regenerationis per Christum fuit typus: at illi qui ad Ecclesiam veniunt atque regenerantur, non fiunt ex nihilo, sed assumuntur a priori
generatione carnali ac renovantur, qua ratione Deus voluit ex hominibus prioris
seculi mundum restituere.«
[143] Christus ist nach einer späteren Formulierung Martyrs der Erlöser der *Menschheit*.
Zit. nach der Übersetzung bei *McLelland*, S. 91: »the common deliverer of man-
kind«. Diese Verbindung von »regeneratio« des Menschen, »restitutio« der Kirche
und »instauratio« der Welt ist die Grundidee des christlichen Humanismus und ein
Leitgedanke auch von Bucers Theologie. Vgl. K. *Koch*, Studium Pietatis, vgl. Anm. 65,
S. 28.
[144] Loci 1587, 439, 44, 1 ff.

deckungen vor, sondern erwähnt sie, oft in Nebensätzen und als Voraussetzungen von Folgerungen, als den selbstverständlichen Besitz und Sprachgebrauch seiner Generation. Wenn man den Rahmen beachtet, in dem
diese Formulierungen angeordnet sind, und wahrnimmt, wie sie zueinander gefügt und durch Zusätze präzisiert werden, wandelt sich der erste
Eindruck und tritt Martyrs eigenes Verständnis der Begriffe und Lehrsätze
hervor.

In seiner Auslegung des Apostolikums weist Martyr bei der Behandlung
der Sündenvergebung zuerst darauf hin, daß diese Gabe nur in der Kirche
erhofft werden kann und daß sie nur denen geschenkt wird, die im Glauben mit Christus, dem Haupt der Kirche, geeint sind[145]. Die Erörterung der
Sündenvergebung, des Wortes und der Sakramente hat ihren genuinen Ort
innerhalb der Ekklesiologie, die durch die Corpus-Christi-Vorstellung unmittelbar mit der Christologie und der Soteriologie verwachsen ist. Die
Lehre von der Sündenvergebung, dem Wort und den Sakramenten ist eine
Apposition zur Ekklesiologie[146]. Die Ekklesiologie setzt von vornherein die
Abmessungen der Rechtfertigungs- und Sakramentslehre fest, grenzt ihren
Bedeutungsspielraum ein und ihre Valenz[147].

Danach bestimmt Martyr den Grund und Ursprung der Sündenvergebung. Wir werden ihrer teilhaftig auf Grund und kraft der Gnade und des
Geistes Christi[148]. Er fährt fort: »Aber hier gilt es zu sehen, auf welchem
Weg und auf welche Weise der Herr diese Gnade und diesen Geist zu
spenden pflegt«[149]. An dieser Stelle erwartet man von Luthers Theologie

---

[145] Loci 1587, 438, 44, 43 ff. Hinter dieser Auffassung steht die thomistische Lehre, daß
die »Aufhebung des reatus poenae ... nur denen zuteil« wird, »die mit Christus
verbunden werden«. Vgl. Reinhold *Seeberg*, Lehrbuch der Dogmengeschichte, 3. Bd.:
Die Dogmengeschichte des Mittelalters, 4. neu durchgearbeitete Auflage, Leipzig,
1930, S. 440. *Thomas*, Summa Theologica, III, Quaestio 49, Art. 1: »Secundo, passio
Christi causat remissionem peccatorum per modum redemptionis. Quia enim ipse
est caput nostrum, per passionem suam, ... liberavit nos, tanquam membra sua, a
peccatis, ... Sicut enim naturale corpus est unum, ex membrorum diversitate consistens, ita tota Ecclesia, quae est mysticum corpus Christi, computatur quasi una
persona cum suo capite, quod est Christus.« Quaestio 69, Art. 2: »... poena passionis Christi communicatur *baptizato, inquantum* fit membrum Christi, ...« Vgl.
Kapitel II, 3, S. 175 ff., besonders S. 184 ff., Anm. 449. Ich muß in diesem Zusammenhang schon früher dargelegte Gedanken Martyrs wiederholen. Vgl. Kapitel III, 1,
S. 191 ff.
[146] Loci 1587, 438, 44, 43 ff.: »Ad superiorem articulum de coniunctione et unione fidelium in unum corpus Ecclesiae nunc *apposite* fidei doctrina de remissione peccatorum adijcitur, quae nusquam alibi quam in Ecclesia sperari debet.«
[147] Vgl. Kapitel III, 1, S. 193.
[148] Loci 1587, 438, 44, 50 f.: »... nos gratia et spiritu Christi remissionis peccatorum
nostrorum participes fieri.«
[149] Loci 1587, 438, 44, 51 f.: »Sed hic videndum est, qua via et ratione soleat Dominus
hanc gratiam et spiritum largiri, quam aliter non possumus nisi fide definire.«

her den Hinweis auf die Predigt und die Sakramente als die Mittel, an denen der Glaubende der Zuteilung von Geist und Gnade gewiß wird. Die Erwähnung der Heilsmittel wird jedoch noch um eine Stufe zurückgestellt. Weg und Weise, wie der Herr Gnade und Geist schenkt, kann nicht anders bestimmt werden als: »durch den Glauben«. Der Glaube ist Annahme der Barmherzigkeit Gottes und hängt dieser Definition zufolge von zwei notwendigen Voraussetzungen ab: daß angeboten wird, was für uns gut ist, und daß wir zustimmen. Zustimmen ist mit dem Annehmen identisch, beides ist der Glaube. Daß etwas angeboten werden muß, um angenommen zu werden, ist ebenso logisch wie selbstverständlich und problemlos. So ist zunächst wieder nicht vom Angebot selbst, von der Verheißung, dem Gegenstand des Glaubens die Rede, sondern von den inneren Entstehungsbedingungen des Glaubens, der geistigen Bewegung. Also muß noch einmal vom Heiligen Geist gesprochen werden, der soeben noch die angebotene Gabe selbst genannt wurde. Der Geist ist zweimal Voraussetzung des Glaubens, zuerst ist er die dargebotene Gnade, dann die Befähigung zum Empfang, er ist das Ganze in unterschiedenen Momenten. Der menschliche Geist ist für Göttliches so blind wie der Maulwurf für die Sonne. Er würde sich wegen der angeborenen Verderbnis abwenden, weil ihm die Verheißung Gottes, die Barmherzigkeit und die Sündenvergebung als wertlos und unwahrscheinlich erscheinen würden und er sie bei weitem nicht richtig erkennen würde. Die innere Ergriffenheit, die der Glaube ist, beschließt in sich zwei Gaben, »agnitio« und »assensus«[150].

Nach alledem kommt Martyr schließlich auf das Wort zu sprechen: Dieses Empfangen der Barmherzigkeit Gottes wird uns meistens nicht anders zu genießen gegeben, als wenn uns aus Gottes Wort vorgehalten wird, welcher Art und wie groß diese Barmherzigkeit Gottes ist, in der er uns durch Christus unsere Sünden umsonst vergibt[151]. In diesem Satz muß jede Formulierung gewogen werden. Das Wort ist *gewöhnlich* die Voraussetzung des Glaubens, es ist aber für die Entstehung des Glaubens weder notwendig noch hinreichend. Die Predigt hat den Charakter einer »propositio«, sie stellt eine These hin, deren Richtigkeit und Bedeutung man anerkennen kann und die man zustimmend annehmen kann. Dem entspricht die Kennzeichnung des Inhalts der Predigt. Sie stellt dar, welcher Art und wie groß Gottes Barmherzigkeit ist. Daß sie auf Grund ihres Inhalts eine

---

[150] Loci 1587, 438, 44, 52 ff.
[151] Loci 1587, 439, 44, 2 ff.: »Quod nobis ut *plurimum* non aliter fruendum conceditur, nisi quum nobis ex verbo Dei proponitur, qualis et quanta est illa Dei misericordia, qua nobis per Christum gratis peccata nostra remittit.«

werbende Rede ist, die eine wertende, engagierte Stellungnahme provoziert, wird in der Formulierung »qualis et quanta« ausgedrückt. Sie ist auch Ermahnung und Zurechtweisung. Durch diese Mittel werden die Glaubenslosen zu Gott hingewendet, die Gläubigen aus ihrer Trägheit und Stumpfheit aufgeweckt, und sie empfangen Trost in den Wogen der Anfechtung[152]. Ihrem Inhalt entsprechend fordert sie die entschiedene Zustimmung, denn die Barmherzigkeit Gottes ergreift die Herzen, wo immer sie bekannt und verstanden wird. Gott, nicht Christus, ist Subjekt dieser Zuwendung der Barmherzigkeit. In dem Glauben erzeugenden Vorgang, den die Predigt auslöst, hat Christus keine direkte Funktion. Erst wenn man nach dem Grund dieses göttlichen Tuns, nach dem Grund von Gottes Barmherzigkeit sucht, stößt man auf Christus, *durch* den uns Sündenvergebung zukommt. Die Predigt ist nicht etwa selbst Gottes Wort, so daß sie ihre Autorität auf Grund des in ihr wirksamen Heilschaffens Gottes hätte. Vielmehr wird »ex verbo Dei« gepredigt[153]. Wort Gottes ist nach diesem Satz die Offenbarung in der Gestalt der Heiligen Schrift. Die Bibel hat eine prinzipiell höhere Würde als alle kirchliche Predigt. Das Merkmal der Predigt ist die Indirektheit in jeder Weise. Sie ist Rede aus dem Wort Gottes. Sie spricht über die Barmherzigkeit Gottes, zeigt, wie sie ist, so daß man sie erkennen und schätzen kann[154]. Sie schafft auch nicht den Glauben, sondern ist nur der Anfang des wunderbaren Geschehens, in dem der Heilige Geist den Glauben hervorruft. Der Glaube haftet nicht an der Predigt, sondern transzendiert sie, nachdem er von ihr angeregt wurde, um der Barmherzigkeit Gottes unmittelbar innezuwerden. Zum Beleg für seinen oben zitierten[155] Satz führt Martyr Ag. 10, 44 an: »*Während* Petrus noch redete, sei der Heilige Geist auf die [»alle« ist ausgelassen!], die hörten, gefallen.« Danach verweist er auf Röm. 10, 17[156].

---

[152] Loci 1587, 437, 41, 32 ff.; 55 ff.: »Non dico indulgentiis, bullis aut benedictionibus, sed verbo Dei, admonitionibus et correctionibus assiduis, quibus mediis infideles ad Deum convertuntur, fideles ex pigritia et torpore excitantur et in afflictionum aestu consolationem accipiunt.« »Admonitio« dürfte neben »correctio« die mahnende Erinnerung sein. Die Predigthörer werden an etwas gemahnt, an die auf sie ausgerichtete Heilsgeschichte oder auch, wenn sie Gläubige sind, an ihren Heilsstand. Martyr verbindet mit der Verkündigung immer die Vorstellung einer bestimmten Art des Verweisens.

[153] Dreierlei zählt Martyr auf, was zur Erbauung und Festigung der Kirche notwendig sei; jedes muß offenbar vom anderen als etwas wesentlich Andersartiges unterschieden werden: interna gratia, fides ac Scriptura externa [Glaube und Schrift sind verschieden, aber gleichartig, beides Produkte des Heiligen Geistes in der zweideutigen Gestalt irdischer Erscheinungen], admonitiones et sacri *ex Dei verbo* conciones. Vgl. Loci 1587, 437, 41, 31 f.

[154] Vgl. Loci 1587, 438, 44, 57 f.

[155] Vgl. Anm. 151.

[156] Loci 1587, 439, 44, 4 ff.

Es folgt ein zusammenfassender Satz, der wie die Ergänzung der beiden Bibelverse durch eine reformatorisch orthodoxe Formulierung klingt[157]. Jetzt preist er das von der Kirche fortgesetzt ausgeübte Predigtamt, setzt die Predigt mit dem Wort Gottes gleich und sagt, sie schenke Vergebung der Sünden. Das kann vom Amt der Kirche aber nur gesagt werden, *soweit* sie Sündenvergebung durch das äußere Amt aus den Worten der Schrift *vorträgt*. Von den Worten der Schrift, welche die Predigt nur darbietet, geht die Wirkung aus, daß Christi Geist und Gnade »durch gespannte Ohren wie durch ein Rohr« bis zum Herzen fließen. Das durch die Predigt vergegenwärtigte Bibelwort ist »initium« »remissionis peccatorum«[158]. Es leitet die Entstehung des der Vergebung gewissen Glaubens ein, aber der Glaube hängt nicht an dem Wort und lebt nicht aus ihm, sondern sein Movens ist der ungebundene Heilige Geist[159]. Die Predigt hat die ganz nüchterne, selbstverständliche Funktion, die in der Schrift beschlossene Offenbarung bekanntzumachen und zu aktualisieren. Wenn Martyr allerdings auf die Kirche sieht, in deren Obhut und Verwaltung der Schatz der Offenbarung gegeben ist, erhalten auch Aussagen über die Predigt teil an dem der Kirche, dem Wunder der Erlösung, eigenen Glanz geheimnisvoller Mächtigkeit. Im Raum der Kirche, dem Hort des Heiligen Geistes, ist die Predigt eine Macht, insofern Gottes Barmherzigkeit immer wieder Glauben findet, indem in der Kirche gepredigt wird. Mit und bei und im Gefolge der Predigt wird Vergebung der Sünden geschenkt, nicht aber durch die Predigt, sondern durch den Glauben und den Heiligen Geist. Die Predigt ist an sich so kraftlos wie die sakramentalen Zeichen, sofern sie aber wie diese eine Orientierung in der Kirche, dem Kraftfeld des göttlichen Heils, hervorruft, entfesselt sie alle Wirkungen, die in Christus gründen.

Für sich genommen, ist die Predigt nur der Klang, in dem das Wort er-

---

[157] Loci 1587, 439, 44, 5 ff.: »Ecclesia igitur continuo per suos ministros verbum Dei praedicans atque ita in suis concionibus reconciliationem per Christum offerens remissionem peccatorum donat, *quatenus* illam externo ministerio ex verbis Scripturae *proponit*, quibus per attentas aures tanquam per canalem et gratia et spiritus Christi ad cor usque nostrum influunt.«

[158] Loci 1587, 439, 44, 9 ff.: »Firmissime igitur concluditur verbum Dei eo quo diximus modo remissionis peccatorum esse initium, quod quum in Ecclesia sola proponatur nusquam alibi peccata remitti.«

[159] So lehrt auch Bucer. »Die Wirkung des Wortes ist nicht unbedingt: nur wenn Gott es bestimmt, dann übt das Wort auf den Hörer einen bestimmten Eindruck aus. Es muß ein neuer Wirkungsfaktor hinzukommen, der den Glauben und zugleich die Zugehörigkeit zu Christus bestimmt: das ist der Geist. Während Bucer so Wort und Geist in ihrer Wirkung trennt, ... Allein ist das Wort zwar immer inefficax, durch den Geist aber wird es wirkungskräftig; ...« Robert *Stupperich*, M. Bucers Anschauung von der Kirche, in: Zeitschrift für systematische Theologie, 17. Jahrgang, Berlin, 1940, S. 133.

schallt, so daß es gehört wird[160]. Wort ist hier offenbar die sinnerfüllte Rede oder der Sinn solcher Rede selbst. Es ist auf die »vox« angewiesen, um in ihr laut zu werden. Jedoch ist die »vox« nur die Erscheinung, von der das wahre Wort unterschieden wird. Man kann sich nicht an die Stimme klammern in der Meinung, in ihr das Wort zu haben, sondern muß den Klang als Zeichen für die mögliche Anwesenheit des Wortes nehmen, um so für die geistige Erhebung bereit zu werden, in der das Wort einleuchtet[161]. Dieses der Predigt als Sprache eigentümliche »Hinweisen auf« und »Anzeigen von« bedeutsamen geistigen Gehalten wie der Barmherzigkeit Gottes oder unserer Erlösung durch Christi Tod und Auferstehung ist bei Martyr die logische Struktur der »promissio«. »Promittere« und »significare« sind in diesem Zusammenhang synonym[162]. Wer dem Hinweis folgt und sich von der Stimme zum Wort, vom äußeren, dinglichen Zeichen zum Sakrament leiten läßt, erhält die Sache selbst, die Sündenvergebung. Martyr trifft manchmal eine dreifache Unterscheidung: 1. »vox«; 2. »verbum«; 3. die mit innerlicher Zustimmung angeeignete Bedeutung des Wortes; ebenso: 1. »res, quae est symbolum sacramenti«; 2. »sacramentum«; 3. die existentielle Aneignung und subjektive Verwirklichung des Heils. Auf die Sache selbst richtet sich der Glaube, ihr wird Glauben geschenkt[163]. Die sinnliche Erscheinung wird platonisch abgewertet.

Das Wort der Bibel hat im Unterschied zu der von ihm abgeleiteten

---

[160] Loci 1587, 439, 45, 13 ff.: »Quemadmodum enim verbum in voce resonat et auditur, sic in signo visibili et conspicuo loquitur atque nos admonet Sacramentum, cui fidem habentes id quod promittit et significat reipsa obtinemus.«

[161] In Wort und Sakrament zeigt sich (exstat) die Sündenvergebung in der Kirche, die sie bei sich hat. »Duo igitur media hactenus explicavimus, quibus extat in Ecclesia peccatorum remissio ...« »... Ecclesia penes se generaliter remissionem habet omnium peccatorum.«

[162] »... signum ... promittit et significat.« Vgl. Anm. 160. Vgl. *McLelland*, S. 88: »... all the Divine promises *point* ... *towards* ... namely the Birth of Christ.« »Promissio« ist die Anzeige der einem Menschen zugedachten, noch unwirklichen Gestalt seines Lebens. In ihr wird dem Menschen seine von Gott verbürgte Utopie eröffnet, in deren Sog sein Leben Form, Sinn und Wert erhält. Martyr kennzeichnet einmal den Sinn der Josephsgeschichten mit dem Begriff »promissio«. Josephs Träume (Gen. 37) sind die ihm zuteil gewordene »promissio«. Von nun an ist er, der als Sklave verkaufte Knabe, der designierte Herrscher. Alles, was ihm widerfährt, scheint dem verheißungsvollen Präludium zu widersprechen, doch seine Geschichte insgeheim auf dieses Ziel hin orientiert, das Gott ihm im Traum gezeigt hat. In Genesim, 158, 51 ff.: *Indicaverat illi* Dominus visis et somniis eum ad principatum sive regnum promovendum, fuerantque ista somnia adeo clara, ut vel fratres eius et pater aperte senserint quid illis indicaretur. Quamquam vero tales ac tantas teneret *promissiones*, videbat tamen ...« Vgl. Kapitel II, 2, c, S. 141 f.

[163] »... in signo visibili ... loquitur atque nos admonet Sacramentum, cui fidem habentes. ... Nec aliter huius significationi fidem adhibemus quam eiusdem Christi spiritus motu, quem supra exposuimus.« Loci 1587, 439, 45, 13 ff. Vgl. Theses, Loci 1587, 1033, Proposita ex IIII. et V. capite Levitici, Necessaria, Th. IIII.

kirchlichen Verkündigung einen besonderen Rang, es ist die in höchstem Maße adäquate Darstellung seines Sinnes, der Weisheit und des Glücks Gottes. In diesen beiden Begriffen kann Martyr den Gehalt der biblischen Offenbarung zusammenfassen[164]. Martyr scheint zuerst an die Schrift zu denken, wenn er vom »äußeren Wort« als Medium der Sündenvergebung spricht. Wenn er gar feststellt, Christus wolle, daß die Wirkung des Geistes nicht anders in den Glaubenden zum Ziel komme als durch das äußere Wort der Schrift, hebt er damit hervor, daß wir auf die Bibel angewiesen sind, daß sie die Quelle der Erkenntnis Gottes und seiner Barmherzigkeit ist, weil Gott sich so offenbaren und uns seine Gnade zugänglich machen wollte[165]. Daß eine solche Offenbarung durch die Predigt vergegenwärtigt werden muß, versteht sich von selbst. Darum ist die Predigt nicht so sehr das theologische Problem wie die Schrift. Alle Vollmacht, die der Predigt eignet, hat sie in abgeleiteter Weise von der Dignität der Schrift. Diese ist ein Abbild, ein Ausdruck der Weisheit Gottes, in der er bei sich selbst weise und glücklich ist. Wer die Schrift versteht, wird selbst weise und glücklich. In ihr wird uns Gottes Weisheit angedeutet. Aber nicht seine ganze Weisheit wird uns ausgebreitet, sondern sie wird nur so weit preisgegeben, wie wir schwachen Menschen sie aufnehmen können[166]. So prägt der Urheber der Schrift, der Geist Gottes, den Charakter der Schrift selbst[167]. Die Vollstrecker des göttlichen Auftrags hat die Gnade Gottes so erleuchtet gemacht, daß sie sogar in ihrem Stil die menschlichen Grenzen überschreiten und daher keine alltäglichen Sätze äußern, vielmehr überall die wirksame Kraft Gottes ausdrücken[168]. Andererseits »erniedrigt sich« der Heilige Geist, allerlei Formen menschlicher Rede zu gebrauchen, wie z. B. Lieder[169]. Das Wort Gottes ist lebendig und wirksam[170]. Mit diesem wirksamen Wort scheint Martyr aber nun doch nicht das geschriebene Wort selbst zu meinen. Obwohl die Schrift nicht einfach ein Erzeugnis von Menschen ist, nicht ohne Einschränkung Menschenwort ist wie andere Sprache,

---

[164] In Genesim, 1, 1 ff.

[165] Loci 1587, 439, 45, 27 ff.: »Nec mirum cuiquam videri debet, quare Sacramenta a Christo constituta sint: Quum ijs non secus atque *externo Scripturae verbo* spiritus efficacitatem in credentibus permeare velit, ut ipsi quotidiana experientia edocemur.«

[166] In Genesim, 1, 1 ff.: »Sacrarum literarum dignitas inde pendet, quod sunt quoddam simulacrum sive expressio divinae sapientiae, qua in seipso Deus et sapiens est et beatus; qui fit ut eas qui assequuntur et sapientes fiant et beati. Ibi nobis adumbratur illa eius sapientia; nec ea quidem nobis illic tota exponitur, sed ut infirmi sumere possumus.«

[167] In Genesim, 1, 5 ff.

[168] In Genesim, 1, 8 ff.

[169] In Lamentationes, 2, 4 ff.

[170] In Genesim, 1, 12: »Vivus enim est sermo Dei et efficax.«

hat doch auch sie an dem Hinweis-Charakter der menschlichen Sprache teil. Sie deutet die Wahrheit, die in ihr zur Sprache kommt, an, weist auf sie hin, drückt sie aus, aber die Wahrheit inhäriert ihr nicht, sie ist nicht in diesem Wort. Martyr erklärt das Verhältnis von Bibelwort, Predigtwort und dem vom äußeren Klang verschiedenen wirksamen Wort nicht genauer und ausdrücklich. Er entwickelt bezeichnenderweise keine komplizierte und detaillierte Worttheologie. Deutlich ist nur zweierlei, die Unterscheidung von »verbum« und »vox« und die Unterscheidung von Predigt und Schrift.

Im übrigen preist Martyr weitere Vollkommenheiten der Schrift, die ihren Inhalt betreffen, um aus ihnen zusätzliche Argumente für ihre Inspiration zu gewinnen[171]. Sie enthält die vollkommene Lehre in jeder Weise[172]. Selbst mathematische Sätze übertrifft sie an Gewißheit[173]. Sie wird schließlich eingeteilt in Gesetz und Evangelium. Diese Unterscheidung bezieht sich auf den Inhalt, die »facultas«, der Schrift, kennzeichnet aber nicht die verschiedene Weise ihres Wort-Seins[174], wie etwa bei Luther der Zuspruch der Sündenvergebung ein spezifisch anderes Wort ist als das Gebot. Unter »Wort« verstehe ich bei dieser Formulierung im Gegensatz zu Martyr die jeweils konkrete Verkündigung, bei der Inhalt und Form sich synthetisch einen und in dieser Einheit das sind, was zur Sprache kommt. Das Gesetz ist die *Lehre* von den Geboten, die Gott den Menschen übergeben hat, um sie zu Christus zu treiben. Das Evangelium ist die *Ankündigung* der Sündenvergebung durch Christus[175].

Wenn man von Martyrs Grundbestimmung der Sakramentslehre ausgeht, nach der Sakramente sichtbare Worte sind[176], läßt sich aus dem, was er über das Wort ausgeführt hat, die Sakramentslehre leicht entwickeln. Die Bedeutung der Sakramente ist der des Wortes genau entsprechend. Das erhellt schon die Definition des Sakraments: Es ist ein von Gott eingesetztes Zeichen, das auf die Gnade durch Christus hinweisen und sie denen darbieten soll, die sie aus dem Glauben heraus annehmen[177]. Das

---

171 In Genesim, 1, 12 ff.
172 In Genesim, 1, 24 f.: »Est itaque haec doctrina perfecta. Perfectum dicitur, cui nihil deest. Si excutias omnes illius causas et effecta, nil ibi requires.«
173 In Genesim, 1, 30 f.
174 Vgl. In Lamentationes, 4, 11 ff.
175 In Genesim, 1, 57 ff.: »Lex est doctrina mandatorum a Deo tradita ad homines impellendos ad Christum. Evangelium vis Dei in salutem; explicatior annuntiatio remissionis peccatorum per Christum.«
176 Loci 1587, 439, 45, 12; 438, 42, 6.
177 In Genesim, 69, 8 ff.: »In primis ita definio Sacramentum, quod est signum a Deo institutum ad gratiam per Christum designandam et exhibendam recipientibus ex fide.«

Verständnis und die Definition des Sakraments wird generell im Blick auf alle Sakramente und vergleichbaren Zeichen des Alten und Neuen Testaments entwickelt. Am einzelnen Sakrament wird die Bestätigung des allgemeinen Begriffs erwiesen. Das exemplarische Sakrament ist die Taufe, der christliche Ersatz für die Beschneidung[178]. Das Abendmahl erwähnt Martyr gelegentlich, behandelt es aber in seinen frühen Schriften nie thematisch oder ausführlicher. Es ist die christliche Entsprechung zum alttestamentlichen Opferkult[179]. Martyrs durchgehendes Motiv bei der Behandlung der Sakramentslehre ist die Bestreitung jeglicher Wirkung des »opus operatum«[180], verbunden mit dem Bemühen, den Sakramenten als sinnenfälligen religiösen Symbolen eine eigentümliche Bedeutung zu erhalten. Letzten Endes sind sie ihm wegen ihrer psychologischen und pädagogischen Wirkung wichtig[181].

In seiner Auslegung des Apostolikums entwickelt Martyr die Sakramentslehre am Beispiel der Taufe, weil die Taufe das Sakrament der Sündenvergebung ist und darum in den Zusammenhang der Erörterung der Sündenvergebung paßt. Er stellt sofort die Parallelität von Wort und Sakrament heraus. Sie leitet sich von der gleichen hinweisenden Funktion beider her. »Wie nämlich das Wort in der Stimme erklingt und gehört wird, so spricht in dem sichtbaren und augenfälligen Zeichen das Sakrament und ermahnt uns.« Wenn wir ihm Glauben schenken, erhalten wir in Wirklichkeit, was es verheißt und bedeutet[182]. Natürlich muß der Heilige Geist uns dazu bewegen, der Bedeutung des Sakraments Glauben entgegenzubringen[183]. Der Glaube richtet sich wie beim Wort auf die Bedeutung, nämlich die für uns bereitstehende Sündenvergebung. Er läßt die Zeichen hinter sich, nachdem sie ihm die Möglichkeit seiner Aktualisierung angezeigt haben. Sofern der Glaube die Verwandlung der sündigen Art zu urteilen zur Bereitschaft, sich Gottes Barmherzigkeit schenken zu lassen, ist, ist er latent beim Empfang des Sakraments vorauszusetzen. Das

---

178 In Genesim, 68, 55 f.
179 In Genesim, 36, 13 ff.; Theses, Loci 1587, 1031, Proposita ex primo capite Levitici, Necessaria, Th. VII. Später ist Martyr zum Spezialisten der Abendmahlslehre geworden, dessen Schriften zu diesem Thema über tausend Folioseiten füllen.
180 Loci 1587, 439, 45, 16; In Genesim, 68 b, 37 f.
181 In Genesim, 69, 29 ff. Zu einer ähnlichen Auffassung kam Zwingli bei der ältesten Fassung seiner Sakramentslehre. Er schätzte die Sakramente als »sinnliche Anschauungsmittel« von »ästhetischem Wert«. Walther *Köhler*, Zwingli und Luther, Ihr Streit über das Abendmahl nach seinen politischen und religiösen Beziehungen, I. Band: Die religiöse und politische Entwicklung bis zum Marburger Religionsgespräch 1529, Leipzig, 1924, S. 24.
182 Loci 1587, 439, 45, 13 ff. Vgl. Anm. 160.
183 Loci 1587, 439, 45, 15.

Zeichen gibt dem Glauben Anlaß, sich zu bewähren, in Erscheinung zu treten, so ruft es den Glauben hervor[184]. Darum werden die Sünden nicht kraft der vollzogenen Handlung, durch den Empfang des Sakraments vergeben. Vielmehr erlangen wir die Vergebung durch den Glauben, wenn wir nämlich auf Grund der Einsetzung Christi glauben, was das Sakrament uns sichtbar lehrt[185]. Wie die Predigt ihre Autorität von der besonderen Würde der Schrift herleitet, die dieser als geschichtlichem Dokument von erhabener Vollkommenheit eigen ist, so das Sakrament von der historisch verbürgten Willenskundgabe Christi in der Einsetzung des Sakraments. Martyr kann sogar den Wert der Sakramente überhaupt darin sehen, daß wir an diesen äußeren Handlungen, Symbolen, Zeichen, unseren Glauben bezeugen, indem wir gehorsam tun, was Gott geboten hat, denn sie sind ja nicht irgend etwas, und wir haben sie nicht selbst erfunden, sondern sie sind von Gott eingesetzt worden. Hier wird vom Nutzen der Sakramente gesprochen und dabei ausdrücklich von der Gnade (die sie nach der herkömmlichen Lehre spenden) abgesehen[186]. Die bloße Tatsache, daß es um eine Einsetzung Gottes geht, genügt, um der bloßen Anerkennung dieser Tatsache und der dementsprechend gehorsamen Beachtung der Einsetzung einen ganz hohen Wert zu verleihen. Die konsequent rationale Klärung der Sakramentsauffassung und die historisierende Betrachtungsweise bedingen einander. Diesen Zusammenhang haben wir schon bei der Christologie beobachtet[187]. Martyrs humanistischem Biblizismus bei der Lehre vom Wort Gottes entspricht der ebenfalls biblizistische Ansatz der Sakramentslehre. Eine Einsetzung hat einen Sinn, das liegt im Begriff, sie ist eine Manifestation des Willens Gottes. Sofern es darauf ankommt, den Sinn des Sakraments zu erfassen und sich entsprechend zu verhalten, ist das Sakrament von vornherein als eine besondere Art von Sprache verstanden. Das sakramentale Zeichen ist nicht selbst Gottes Handeln. Gottes Tat ist die Einsetzung des Sakraments. Sie ist einmalig und in sich abgeschlossen. Mit ihr setzt Gott seiner Absicht und Bereitschaft zu zukünftigem Handeln ein Denkmal. Diese wartende Bereitschaft Gottes, seine Barmherzigkeit, muß mitgeteilt werden, man kann über sie »belehren«, unterrichten. Dazu taugen Wort und Sakrament grundsätzlich

---

[184] Zur Klärung von Martyrs Zeichenbegriff vgl. Kapitel II, 2, c, S. 139 ff.
[185] Loci 1587, 439, 45, 16 ff.: »Neque vero existimatote operis operati virtute, ex Sacramenti perceptione nobis peccata remitti. Id enim fide consequimur, dum quod nos docet visibiliter, ex Christi instituto credimus; ut tantundem Sacramentum quantum Dei verbum valeat.«
[186] In Genesim, 69, 31 ff.
[187] Vgl. Kapitel II, 1, c, S. 123 ff.

gleichviel[188]. Die »Sprache« des Sakraments kann »sichtbares Reden« genannt werden[189]. Sie ist Zeichensprache. Umgekehrt ist das gesprochene
Wort ebenso Zeichen wie das sakramentale Zeichen. Das Zeichen ist so
wenig wie die Stimme beim Wort das, was die Kraft des Sakramentes ausmacht und was den Glaubenden tröstet[190]. Soviel Martyr daran liegt, dem
Sakrament keine ihm inhärierende und an die äußeren Zeichen gebundene Wirkung zuzuschreiben, so wichtig ist ihm doch auch, daß, wer das
Sakrament glaubend empfängt, wirklich der verheißenen Gabe teilhaftig
wird[191]. Er betont immer wieder, daß die Taufe die Sündenvergebung
darreicht (exhibet) und schenkt (donat) und das Sakrament ein »signum
efficax« ist[192]. Neben »donare« steht »significare«, und »exhibere« scheint
mit »repraesentare« = vergegenwärtigen, veranschaulichen gleichbedeutend zu sein[193]. Die Formulierungen bleiben schwebend, gewiß absichtlich.
Eins haben alle gemein, daß sie eine Verweisung vom Sakrament auf etwas von der äußeren Handlung Verschiedenes ausdrücken. Repräsentiert,
gezeigt, geschenkt, verheißen wird die Sündenvergebung. Sie wird wirklich
zuteil den Glaubenden[194]. Ohne Glauben kann weder Wort noch Sakrament etwas nützen[195]. Das versteht sich und wird von Martyr so selbstverständlich immer wieder gesagt und vorausgesetzt. Da aber Sakramentsvollzug und Glaube nicht streng aufeinander bezogen sind, das sinnlich
wahrnehmbare Sakrament nicht einmal der Gegenstand des Glaubens ist,
entsteht hier eine Spannung. Ist es dem Sakrament oder dem Glauben
zuzuschreiben, wenn uns Gottes Gnade zuteil wird? Bei dieser Frage zögert
Martyr nicht zu antworten, die Sakramente seien nicht »causae gratiae«.
Die wirkliche »causa gratiae« ist Gott selbst und Christus. Die Sakramente
sind nur Instrumente, die Gott zu unserer Erlösung benutzt. Sie haben
eine Funktion zu unserem Heil, aber nicht so, daß dieses mit ihnen ursächlich verbunden ist. Vielmehr besteht nach Eph. 5, 26 im Glauben die
Kraft des Sakraments. Die Notwendigkeit des Glaubens beim Wort wird

---

[188] Loci 1587, 439, 45, 17 f.; zitiert Anm. 185.
[189] Loci 1587, 439, 45, 19 ff.: »... sic Baptismus fide perceptus remissionem peccatorum,
quam *visibiliter loquendo* promittit, et significat et exhibet credenti.«
[190] Loci 1587, 439, 45, 25 f.: »... quoties verbis, quibus ea [remissio] nobis significatur,
fidem habemus; sive id voce fiat, sive signo visibili, perinde est.«
[191] In Genesim, 69, 14 ff.
[192] In Genesim, 69, 14 ff.; Loci 1587, 439, 45, 18 ff.; 439, 45, 34; 438, 42, 5 ff.
[193] Loci 1587, 439, 45, 19; Theses, Loci 1587, 1031, Proposita ex primo capite Levitici,
Necessaria, Th. I. Vgl. Loci 1587, 438, 42, 7 f.
[194] Loci 1587, 439, 45, 18 f.: »Quemadmodum enim hoc *credentibus* reipsa significat et
donat, quicquid pollicetur; sic Baptismus *fide perceptus* remissionem peccatorum,
quam visibiliter loquendo promittit, et significat et exhibet *credenti*.«
[195] Loci 1587, 439, 45, 30: »Sed ita ut neutrum horum sine fide cuiquam prodesse possit.«

analog auf das Sakrament übertragen; Eph. 5, 25 heißt es: ».. . ut illam sanctificaret et purgaret lavacro aquae in verbo.« Gott kann ohne die Sakramente dasselbe tun. Martyr wendet selbst ein, ob sie dann nicht überflüssige Erfindungen seien. Er entkräftet den Einwand nur so, daß er auf zwei »nicht zu verachtende« Vorteile der Sakramente, abgesehen von der Gnade, hinweist[196]. Die uns von Gott geschenkten Sakramente bringen uns ein, daß wir Gott Gehorsam leisten. Er will nämlich, daß wir durch äußere Handlungen, Symbole, Zeichen, die er eingesetzt hat, unseren Glauben bezeugen[197]. Zudem werden wir dabei zu rechter Lebensführung erzogen. Das Kennzeichen des Sakraments, das wir an uns tragen, verpflichtet uns, daß wir unser Leben ihm gemäß einrichten, daß wir uns nicht vulgär gesittet geben, da wir wissen, daß wir wiedergeboren und von Gott zu Söhnen adoptiert sind[198]. So führt also die Betonung des Glaubens zur völligen Abwertung des Sakraments. Martyr zieht diese Konsequenz sehr klar, und er scheint Gefallen an ihr zu haben. Wichtig ist ihm das Sakrament trotzdem als religiöses Symbol wegen seiner erzieherischen und erbaulichen Wirkung. Die Symbole sichern die Ganzheitlichkeit der religiösen Existenz. Sie demonstrieren Gottes Anspruch auch auf das leibliche Leben und wehren dem Intellektualismus. Durch die Teilnahme an der symbolischen Handlung wird der Glaube zur Tat. Diese Anschauung stimmt zu Martyrs Frömmigkeit[199].

Martyr bemerkt mit regelmäßiger Wiederholung die Schwierigkeit seiner Sakramentslehre, die darin besteht, daß die Sakramente einerseits die Gnade verschaffen und sie nicht nur verheißen[200], daß diese Gabe aber andererseits nur bei den Glaubenden zum Ziel kommt. Wenn nun aber

---

[196] In Genesim, 69, 21 ff.

[197] Vgl. Loci 1587, 433, 31, 7 ff.: »Christus . . . Apostolos suos alloquutus est: Ite et baptizate in nomen Patris, Filii et Spiritus sancti. Quod non aliud significat, quam eos, qui baptismo tincti sunt, ad hanc *confessionem obligari:* nempe Patrem, Filium et Spiritum sanctum salutem eis conferre.«

[198] In Genesim, 69, 31 ff.: ».. . nam afferunt donata nobis a Deo Sacramenta duo praeter gratiam non contemnenda commoda, scilicet obedientiae oblationem Deo gratissimam, non enim leviter is delectatur hac piorum quamvis inchoata et non absoluta obedientia, qua nobis mandavit ut ita externis actionibus symbolis et notis protestaremur nostram fidem, rebus inquam non quibusvis, sed a se institutis, non quae ipsi invenimus. Altera deinde est utilitas, quod ibi erudimur non modo de munificentia Dei in nos, verum et de agendis, quo pacto nos gerere debemus, vitam enim admonemur ut instituamus non alienam ab hac nota Sacramenti quam gestamus, ut, cum scimus nos esse regeneratos et a Deo adoptatos in filios, non moribus ostendamus nos degeneres.«

[199] Einen ähnlichen Einfluß wie die »signa« üben allerlei »exempla« aus. Vgl. Kapitel II, 2, b, S. 131 ff.

[200] In Genesim, 69, 16 ff.: ».. . Vetera [sacramenta] videlicet tantum significasse et promisisse gratiam, sed non praestitisse, Nova et significasse et praestitisse.«

Martyr das Sakrament als Symbol auffaßt und die Bedeutung des Glaubens so einseitig hervorkehrt, kann von einer spezifischen Wirkung des Sakraments jedenfalls nicht die Rede sein. Auch in der Auslegung des Glaubensbekenntnisses erscheint ihm bei dieser Überlegung die Bedeutung des Sakraments vorübergehend fragwürdig. Den verlangten Glauben versteht er hier als Glauben an das Wort Christi. Wir versuchen zunächst, uns das Problem, vor dem Martyr zu stehen scheint, klarzumachen. Der Glaube richtet sich nicht auf den konkreten Vollzug des Sakraments, sondern auf dessen Bedeutung, die Sündenvergebung, auf die das Sakrament über sich hinaus hinweist. Diese Bedeutung ist erschlossen in der Verweisungsganzheit, dem Heilswillen Gottes, der in der Einsetzung des Sakraments konkretisiert ist. In diesem Sinne bedeutet die Einsetzung der Taufe, daß die Getauften verpflichtet sind zu bekennen, Vater, Sohn und Heiliger Geist bringe ihnen Heil[201]. Die Bedeutung der Taufe beruht also auf der Rückbeziehung auf den allgemeinen und umfassenden Gehalt des christlichen Bekenntnisses, daß der dreieinige Gott uns Heil bringt. Die Bedeutung für den Glauben erschließt sich in der Wahrnehmung der wechselseitigen umfassenden Verweisung, der Verweisung von der Einsetzung der Taufe auf den allgemeinen Heilswillen Gottes, der wiederum in der Einsetzung konkret dokumentiert wird, aber in ihr nicht ausschließlich und besonders, und der Verweisung von der vollzogenen Taufe auf die Einsetzung. Umgekehrt ist das Heilbringen Gottes nicht anders Wirklichkeit als dadurch, daß unter anderem getauft wird und der Taufe Glauben entgegengebracht wird, so daß der allgemeine Heilswille Gottes durch den Hinweis auf die empfangene Taufe zur Erkenntnis gebracht wird; denn das Bekenntnis des einzelnen Christen, daß Gott ihm Heil bringt, gründet sich auf seine Taufe. Doch weist seine Taufe wiederum auf die Einsetzung der Taufe und den in ihr verbürgten allgemeinen und umfassenden Heilswillen Gottes hin. Dieses komplexe Verweisungsgefüge begründet die Bedeutung der Taufe als Zeichen des mich betreffenden Heilbringens Gottes. Diese Verweisungsganzheit muß aber als Verstehenshorizont der einzelnen Verweisung des bestimmten Sakramentsvollzugs offenbar sein, wenn der Glaubende sich vom Sakrament auf dessen Bedeutung für ihn hinweisen lassen soll. Dem Glaubenden muß beim Empfang des Sakraments der Zusammenhang des einzelnen Sakramentsvollzugs mit der Einsetzung des Sakraments und der mit ihr verbundenen Sinngebung Gottes, die auf die Kirche, deren Glied er ist, gerichtet ist, aufgehen können. Bei der ersten Bekehrung wird, wie es scheint, die dezidierte Desorientiertheit, die

---

[201] Loci 1587, 433, 31, 7 ff. Vgl. Anm. 197.

»innata corruptio«, durch die Wirkung des Heiligen Geistes überwunden. Die einmal gewonnene Orientierung an dem Heilswerk Gottes, auf das jedes Sakrament hinweist und von dem es seine Funktion herleitet, kann dann bei jedem Empfangen des Sakraments erneuert werden, weil sich der Verweisungszusammenhang, in dem das Sakrament steht, wieder einstellt, wieder offenbar wird. Andernfalls wird die Verweisung des Sakraments nicht wirksam. Nun ist aber solcher Glaube, in dem der Christ sich von Gottes Heilswerk her versteht, immer ganz bestimmter Glaube, also etwa Glaube an das Wort Christi. Solcher Glaube ist auch Glaube an die Sündenvergebung. So entsteht für Martyr das Problem: Wenn den Glaubenden durch das Wort Christi, das uns durch die Predigt vorgehalten wird, die Sünden vergeben werden, wie können sie dann durch die Taufe erneut vergeben werden[202]? Zwischen Wort und Sakrament scheint der Unterschied zu bestehen, daß die erste Bekehrung immer durch das Wort, die Predigt aus der Schrift, bewirkt wird. Martyr antwortet jetzt, die Sündenvergebung werde durch die Taufe bestätigt und erneuert. Mit der Einschränkung, daß Martyr vom Sakrament nicht erwartet, es könne seine Kraft auch an Ungläubigen erweisen, weil der Verweischarakter des Sakraments die Voraussetzung eines allgemeinen Glaubens bedingt, betont er wieder nachdrücklich die genaue Entsprechung von Wort und Sakrament. Was Gott angeht, so ist seine Absolution bei Wort und Sakrament dieselbe. Wenn man auf unsere Sünden sieht, so ist auch die Sündenvergebung dieselbe. Sie wird in uns so oft erneuert und bestätigt, wie wir den Worten Glauben schenken, durch die sie uns angezeigt wird, sei es durch das gesprochene Wort (voce) oder durch ein sichtbares Zeichen. Sooft wir also das Wort hören oder die Sakramente im Glauben erfassen, wird uns die Sündenvergebung bestätigt (sancitur). Daher werden wir von außerordentlicher Freude durchdrungen[203]. Beim Wort kann Martyr zur Not von Hören sprechen und damit den Glauben meinen, beim Sakrament muß er die Notwendigkeit des Glaubens viel deutlicher betonen. Sein Bemühen, dem Sakrament denselben Effekt wie dem Wort zuzuschreiben und darum die hinweisende Bedeutung des Sakraments herauszukehren, führt zu der faktischen Entwertung des Sakraments gegenüber dem Wort. Es gelingt ihm nämlich nicht, Wort und Sakrament völlig gleichzustellen. Das Wort hat den natürlichen Vorteil, den Martyr entgegen seiner Intention doch nicht

---

[202] Loci 1587, 439, 45, 21 f.: »Sed enim mihi obijci posset si verbo Christi credentibus, quod nobis praedicatione proponitur, peccata uti dictum est remittuntur, qui possunt iterum deinde Baptismo remitti?«

[203] Loci 1587, 439, 45, 23 ff.

übersieht, daß es seinen Sinn verstehbar preisgibt, wenn es erklingt, während das als Zeichen aufgefaßte Sakrament normalerweise mißverstanden wird, da die äußere Handlung seine Bedeutung nicht evident macht, sondern diese nur im Zusammenhang der Verweisungsganzheit verifiziert wird[204]. Um den Satz aufrechtzuerhalten, daß das Sakrament wirklich Sünden vergibt, muß er bei seinem Ansatz eine erste Bekehrung voraussetzen. – Martyr spricht nicht ausdrücklich von der ersten Bekehrung. – Das heißt aber, daß durch das Sakrament zwar wirklich den Glaubenden ihre Sünden vergeben werden, daß aber nicht die Sünden wirklicher Sünder, deren angeborene Verderbtheit und Verblendung noch nicht gebrochen ist, vergeben werden.

Dieser Vorwurf dürfte Martyr nicht den geringsten Eindruck gemacht haben. Sündenvergebung kann man nur in der Kirche haben, also auch die Sündenvergebung durch das Sakrament[205]. Dazu ist das Sakrament da, die Glieder der Kirche ihrer Sündenvergebung zu vergewissern. Durch das Sakrament wie durch die Predigt wird der Leib Christi bewahrt[206]. In der Kirche ist der Verweisungszusammenhang, den das Sakrament repräsentiert, objektiv wie subjektiv gegenwärtig. Die Kirche ist der Leib Christi, die Schar der Erwählten, sie hat bei sich Vergebung aller Sünden kraft der göttlichen Verheißung und des Werkes Christi. Wer zu ihr gehört, hat an allem teil, auch wenn er nicht gerade davon glaubend Gebrauch macht. Sofern sie auch eine ihrer selbst bewußte Gemeinschaft von Menschen ist, ist in ihr so viel Wissen um Gottes Barmherzigkeit, Vergebung, Erwählung vorhanden, daß das Verstehen der Verweisung des Sakraments eine offenstehende Möglichkeit ist, in deren Verwirklichung der Christ das wird, was er immer schon sein will und latent und von Gottes Werk aus ist. Die Kirche garantiert alle Bedingungen für die Wirksamkeit des Sakraments.

Wenn Martyr feststellt: Wer nicht in die Gemeinschaft der Kirche kommt, kann der Sündenvergebung keineswegs teilhaftig werden, da sie ja allein denen gegeben wird, die durch den Glauben mit Christus, dem

[204] Martyr schreibt in diesem Sinne an die Lucenser: »Longe maiorem profecto fructum ex quotidianis concionibus, publicisque Sacrarum literarum praelectionibus perciperetis, quam ex tot missis, neque a sacrificis, qui illas peragunt, neque ab auditoribus plerumque intellectis.« Brief: Universis Ecclesiae Lucensis, Argentorati octavo calendas Ianuarias MDXLIII. Loci 1587, 1072, 12 ff.
[205] Loci 1587, 438, 44, 44 ff.; vgl. 439, 45, 10; 31 ff.
[206] Loci 1587, 437, 42, 59 f.: »Eae sunt exquisitae illae artes [verbum Dei, admonitio, correctio], quibus Christi corpus conservatur, quibis adijci debet Sacramentorum usus, . . .« Wenig vorher wird der Erfolg von Predigt und Sakrament mit folgenden Worten angezeigt: ». . . sanctissimum illud Ecclesiae corpus stabiliatur, aedificetur atque accrescat.«

Haupt der Kirche, geeint sind[207], erscheint der Glaube, der beim Empfang des Sakraments verlangt wird, unter einem Aspekt, den ich bisher nicht erörtert habe. Der so verstandene Glaube ist der Inbegriff der kirchlichen Existenz des Christen. Auch von dieser Seite vermag Martyr das Problem seiner Sakramentslehre, das ich oben skizziert habe, anzugehen. Er stellt dann nicht den subjektiven Entschluß des Glaubenden in den Vordergrund, sondern nimmt den Ausgang seiner Überlegungen bei dessen In-der-Kirche-Sein, Im-Raume-der-Erwählung-Stehen. Diese Betrachtungsweise wählt er bei der Behandlung der Kindertaufe. Man darf die Erwägungen nicht als einen Kunstgriff zur Rettung der Kindertaufe abtun, obgleich die Folgerungen manchmal gezwungen sind. Martyr kehrt vielmehr zu Anschauungen zurück, die er in der Auslegung des Glaubensbekenntnisses der Sakramentslehre vorangestellt hat, wo er die Kindertaufe gar nicht behandelt. Sie sind ihm von seiner Soteriologie und Ekklesiologie her vertraut und sehr wichtig. Sie prägen seine Sakramentslehre und schwingen bei allen seinen Aussagen, die wir bisher dargeboten haben, mit. Sie treten bei seinen Ausführungen zur Kindertaufe besonders deutlich ans Licht und werden deshalb in diesem Zusammenhang referiert. Martyr behandelt in einem Exkurs zu Gen. 17 die Beschneidung und mit ihr die Taufe, die in der Kirche mit der genau entsprechenden Funktion die Stelle der jüdischen Beschneidung einnimmt.

Zwei Schwierigkeiten treten auf[208]. Wir sagen, schreibt Martyr, daß die Kinder der Christen kraft des Bündnisses zu Gott gehören. Wie soll man den Fall beurteilen, wenn der Vater oder die Mutter oder beide nur dem Namen nach den Glauben haben oder ihr Glaube tot oder zeitlich ist, daß er also nicht rechtfertigt? Das ist das erste Problem. Ohne Zweifel gehören sie dann nicht zu Gott, also scheint es, daß man ihr Kind nicht taufen dürfe. Der Glaube wird jetzt als eine objektive Korrelation angesehen, als »pertinere ad Deum«. »Aber wir urteilen hier milder«, schreibt Martyr. Diese Kinder sind vornehmlich Söhne der Gemeinde oder des Staates, in dem sie geboren werden. Wenn dort der Glaube öffentlich bekannt wird und die Kirche, der sie zugefügt werden, Christus bekennt, so gehören sie als Glieder dieser Gemeinschaft schon zu Gott, wie diese Kirche selbst[209].

---

[207] Loci 1587, 438, 44, 47 ff.: »Quisquis igitur in huius societatem non venerit, illius esse particeps nullo modo poterit, quandoquidem ijs solis donatur, qui fide Christo Ecclesiae capiti uniti sunt.«

[208] In Genesim, 70 b, 9 ff.

[209] In Genesim, 70 b, 17 ff.: »... cogitemus filios illius potissimum esse communitatis et Reipublicae in qua nascuntur, quod si ibi sit verae fidei professio et Christum Ecclesia cui offeruntur confiteatur, iam ad Deum ut ipsa attinent.«

Von Martyrs Soteriologie aus ist der Schluß zwar nicht ganz zwingend, aber die Tendenz völlig verständlich. Bemerkenswert ist das Verständnis der Kirche, das sich hier zeigt. In ihm durchdringen einander die humanistische Utopie der christlichen Gesellschaft und ein hochreflektierter, aus scholastischen Wurzeln gewachsener Kirchenbegriff[210].

Denselben Grundgedanken wendet Martyr auch bei der Lösung des zweiten Problems an, nur konstruiert er ihn in einseitiger Konsequenz weiter. Da die Sakramente nicht »ex opere operato« die Vergebung oder die Gnade beschaffen, sondern nur durch den Glauben wirksam sind, die Kinder aber mit ihm nicht begabt sind, wie können sie Christus eingeleibt und mit Gott verbunden werden, wenn sie die Sakramente empfangen[211]? Ihnen werden diese Gaben auf Grund der puren Barmherzigkeit Gottes verliehen, die aus sich selbst heraus Bestand hat, auf daß nach Gottes Beschluß die Kinder der Christen heilig seien, Gottes Volk, und er ihr Gott. Unser Heil hängt von nichts anderem ab als von der Erwählung Gottes. Wenn die Kinder nicht erwählt sind, erlangen sie im Sakrament nicht Gnade und Wiedergeburt. Wenn sie aber zur Schar der Erwählten gehören, haben sie nicht nur von Gott Heil, sondern sind an ihnen auch alle Sakramente und anderen Medien zum Heil wirksam[212]. Die erste Überlegung übergreift natürlich die zweite. Wenn schon Kinder glaubensloser Eltern zu Gott gehören, weil sie unter der christlichen Gemeinde leben, wird das auch für alle anderen Kinder gelten. Auf das Ergebnis gesehen, ist also zur Schar der Erwählten gehören und in einer christlichen Gemeinschaft leben dasselbe. Man wird in diesem Zusammenhang bedenken müssen, welch hohe Bedeutung Martyr dem »exemplum« des gelebten Glaubens beimißt und welche prägende, bildende Kraft nach seiner Vorstellung die geistig geistliche Gemeinschaft hat, in der sich die christliche Gesinnung überträgt. Diese Gemeinschaft wird für so viel wirksamer angesehen als die Sakramente, daß deren Bedeutung nur in der geistigen Atmosphäre solcher Gemeinschaft zur Geltung gelangt. Theoretisch geht Martyr zwei-

---

[210] Vgl. die Anschauung vom »universus Christi populus« bei Erasmus. Hans *Treinen*, Studien zur Idee der Gemeinschaft bei Erasmus von Rotterdam und zu ihrer Stellung in der Entwicklung des humanistischen Universalismus, Saarlouis, 1955, S. 183. Vgl. andererseits für das streng theologische Verständnis der Zugehörigkeit zur Kirche und die darin ausgedrückte Beurteilung ihrer soteriologischen Relevanz *Thomas*, Summa Theologica, III, Quaestio 8, Art. 3: »Sic igitur membra corporis mystici non solum accipiuntur secundum quod sunt in actu, sed etiam secundum quod sunt in potentia.«

[211] In Genesim, 70 b, 20 ff.

[212] In Genesim, 70 b, 27 f.: »Si vero ex electorum numero illos esse contingit, non modo a Deo salutem habent, sed omnia illis cum sacramentis tum alia media ad illam sunt efficacia.«

fellos noch weiter, indem er sowohl den Glauben als auch das Wort und die Sakramente durch den Hinweis auf die absolute, abstrakte Erwählung relativiert. In diesem Prozeß seiner Argumentation zeigt sich wieder die Aporie seiner Sakramentsauffassung. Er hat die Konstruktion unternommen, um die generelle Gültigkeit des Sakraments zu erweisen, und erörtert zu diesem Zweck die äußersten Grenzfälle. Das Ergebnis der durch ihre Konsequenz bewundernswerte Redlichkeit verratenden Folgerung ist die völlige Entwertung des Sakraments. Die Erwählten »haben von Gott das Heil«. Was nützen gerade ihnen wirksame Medien? Das Problem wendet sich von selbst immer wieder so, daß es von Martyrs Ansatz aus als sachgemäß erscheint, die Frage nach der Vermittlung der Gnade auf sich beruhen zu lassen und nach Vorteilen der Sakramente »praeter gratiam« zu suchen[213].

Es scheint mir angebracht zu sein, die Gedanken zur Soteriologie Martyrs zurückzuwenden, um das Ergebnis der Sakramentslehre von ihr aus zu betrachten. Ich nehme als Beispiel seine Ausführungen über die »fructus« der Auferstehung Christi. Der dort ausgesprochene Grundsatz ist, daß alles, was Christus getan und erlitten hat, erheblich zur Förderung unseres Heils beiträgt[214]. Gemäß dieser These kann man sich auf Grund vernünftiger Überlegung durch die Betrachtung des Geschickes Christi seines Heils vergewissern. Man braucht dazu im Grunde nur die Bibel als die originale und authentische Darstellung dessen, was an und in Christus für uns geschehen ist, und den rechten Sinn, sich selbst mit allen Ängsten, Hoffnungen und Gebrechen in diesem Geschehen aufgehoben zu sehen, den Heiligen Geist. Predigt und Sakramente können keine andere Funktion haben, als daß sie diese biblische Geschichte in Erinnerung bringen und einen Ersatz für die meditierende Lektüre der Schrift darstellen; vielleicht, daß sie gelegentlich pädagogisch und psychologisch wirksamer sind. Die Sätze am Schluß seiner Auslegung des Apostolikums sind ja wohl die Quintessenz seiner Theologie, wo Martyr sich den Christen vorzüglich als vom Geist bewegten Leser der Schrift vorstellt[215]. Martyr fährt nach dem soeben genannten Grundsatz fort: Angesichts solcher Betrachtung der Auferstehung Christi komme einem der Gedanke in den Sinn, daß er uns in seiner Macht alle erdenkliche Hilfe zuwenden könne, da er vom

---

213 Vgl. Anm. 198.
214 Loci 1587, 430, 25, 10 f.
215 Loci 1587, 442, 51, 39 ff.: »Si quando contingat, ut hic cum aliquo spiritus motu Scripturas legamus, si preces attentas ad Deum fundimus, si apud illum pro malis quae patimur magno affectu ingemescimus aut ex verbi praedicatione efficaci intus permovemur, annon gaudium, delectationem, consolationem percipimus, quae delitias omnes, lusus, voluptates mundi superet?«

Tode nicht besiegt werden konnte, daß er als unser Fürsprecher beim Vater uns Kräfte besorge, die wir sonst nirgendwo erlangen können[216]. Das von der biblischen Wahrheit bestimmte Denken ist die Art und Weise, wie man sich der Gunst und Gnade Christi vergewissert. Der vernünftige Schluß bewirkt den Trost. Er ist freilich nicht die willkürliche, spontane Tat des autonomen Menschen. Er fällt einem ein, der Heilige Geist ist also immer dabei. Dennoch, in sich ist er ein sauberer logischer Prozeß, in dem aus der Voraussetzung des Heilsgeschehens die Folgerungen für das eigene Heil abgeleitet werden. Bei der zweiten Erwägung wird die Tatsache der Auferstehung Christi mit dem biblischen Lehrsatz, daß Christus unser Haupt sei, korreliert und gefolgert: so werden auch wir in ihm auferweckt[217]. Zwei Vergleiche aus dem menschlichen Leben und aus der Natur sollen die zwingende Beweiskraft des Schlusses noch unterstreichen[218]. Bei der dritten Überlegung geht Martyr von einer biblischen Deutung der Auferstehung Christi aus. Nach Eph. 1, 19 hat uns Christus bei der Himmelfahrt den Heiligen Geist geschenkt, so daß wir die Erstlinge des Heiligen Geistes haben. Christus ist durch die Kraft des Heiligen Geistes von den Toten auferstanden und zum Ziel der göttlichen Herrlichkeit gelangt. Also müssen wir, da uns eine so große Gabe zugestanden wurde, heiter und zufrieden sein. In diesem Leben kann uns keine so große Verwirrung der Dinge zustoßen, daß sie uns in Trauer und Angst gefangen halten könnte[219]. Trauer und Angst sind bei Christen Torheit und Inkonsequenz. Will man sie von diesen Nöten befreien, kann man nicht zu mystifizierenden Sakramenten die Zuflucht nehmen, sondern muß die biblische Wahrheit einschärfen und dazu anleiten, das eigene Leben zu ihr folgerichtig in Beziehung zu setzen. Zuletzt bedenkt Martyr, daß Christus uns vom Tode befreit hat. Daraus folgt, daß wir allem Unglück tapfer spotten und gegenüber allen Anfechtungen des Fleisches den Geist aufrichten und getröstet sein können, weil uns das neue Leben nicht nur verheißen ist, sondern wir in Christus dessen sicheres und beständiges Unterpfand haben[220]. Der Glaube hat einen ausgewiesenen metaphysischen Grund, darum bedarf er eigentlich keiner »media salutis«. Hinweise können dem Glaubenden nützlich sein, damit er sich seinem ontologisch verbürgten Stand nicht ent-

---

[216] Loci 1587, 430, 25, 12 f.: »Primum igitur haec cogitatio animum subeat: quum Christus a morte devinci non potuerit, ...«

[217] Loci 1587, 430, 25, 16 f.

[218] Die Formulierungen, welche die Folgerung ausdrücken, kennzeichnen die Absicht des Vergleichs: »... optimo iure ... dicamur«; »agnoscamus necesse est, ...«; »... quid iam ... dubitamus?« Loci 1587, 430, 25, 21 f.; 23; 29 f.

[219] Loci 1587, 430, 25, 32 ff.

[220] Loci 1587, 430, 25, 41 ff.

fremdet, und sie können die Aufklärung aus der Schrift zur persönlichen Entschiedenheit vertiefen.

Mit solchen Gedanken streifen wir schon, was dem Heiligen Geist vorbehalten ist. Dieser geheimnisvollen zugleich die Freiheit Gottes und der menschlicher Person wahrenden Kraft obliegt es, die innere Überzeugung zu bewirken[221]. Er schafft in den Erwählten eine Verwandlung des Geistes, die den Eifer für gute Werke nach sich zieht[222]. Er zwingt nicht mit Gewalt, sondern überzeugt, er durchflutet den menschlichen Geist mit seiner Erleuchtung und lockt freundlich[223]. Der Hinweis auf den Geist verträgt sich durchaus mit dem Bemühen, den menschlichen Verstand zur Festigung der Glaubensüberzeugung zu mobilisieren. Des Heiligen Geistes vorzüglichstes Werk ist nach Joh. 16, 13 das Lehren[224], dabei werden die geistigen Fähigkeiten des Menschen geweckt und ausgerichtet, nicht jedoch übersprungen. Martyrs Anliegen ist, daß der Glaube nicht eine Leistung des Menschen sein kann[225]. Wo immer ein Mensch zum Glauben kommt, hat er dies dem Geiste Gottes selbst zu verdanken. Die Lehre vom Heiligen Geist begründet ebenso die unerschütterliche Gewißheit der Glaubensüberzeugung wie die logische Ableitung des Heils der Christen von den überlieferten Ereignissen der Heilsgeschichte oder von biblischen Lehrsätzen. Der Heilige Geist und die menschliche Vernunft harmonieren bei der Erkenntnis der christlichen Lehre. Weil der Glaubende auf Grund der Lehre vom Heiligen Geist weiß, daß Gottes Geist selbst und unmittelbar, ohne Hilfe von Kreaturen, seinen Glauben hervorgebracht hat, kann er an seiner gegenwärtigen und zukünftigen Erlösung nicht zweifeln, oder er verrät, wer er ist, d. h., daß er nicht glaubt[226].

Wie aller Glaube ist natürlich auch der Glaube an die Bedeutung des Sakraments ein Geschenk des Heiligen Geistes[227]. Über diesen selbstverständlichen Hinweis hinaus ist in der Sakramentslehre vom Heiligen Geist nicht die Rede. Seine Bedeutung und die Problematik seines Verständnisses liegt beim Zustandekommen der ersten Bekehrung durch das Wort[228]. Überhaupt scheint er besonders dem Wort zugeordnet zu werden als die Kraft, die den Geist des Menschen zum Verstehen der Lehre bereit

---

[221] Loci 1587, 434, 33, 10 ff.; 34, 15 ff.
[222] Loci 1587, 434, 33, 12 ff.
[223] Loci 1587, 434, 33, 11; 34, 15. Die Tätigkeit des Geistes wird häufig als »persuadere« gekennzeichnet.
[224] Loci 1587, 434, 33, 2 f.
[225] Loci 1587, 438, 44, 55 ff.; 434, 33, 12 ff.
[226] Loci 1587, 434, 34, 40 ff.
[227] Loci 1587, 439, 45, 15 f.
[228] Loci 1587, 438, 44, 55 ff.; vgl. dazu oben S. 217 ff.

macht. So wenig wie die Sakramente zur Begründung des Glaubens taugen, so wenig Anlaß bietet die Sakramentslehre, die Wirkung des Heiligen Geistes zu explizieren.

Was Martyr über die Taufe und das Sakrament im allgemeinen sagt, gilt analog für das Abendmahl. Da er sich erstaunlicherweise nicht zusammenhängend über die Abendmahlslehre äußert, trage ich wenigstens einige verstreute Gedanken zusammen. Schon die Tatsache, daß er die Abendmahlslehre auslassen kann, zeigt, wie fremd er unter den deutschsprachigen Reformatoren war. Was er dann doch gelegentlich dazu ausführt, bestätigt diesen Eindruck. Daß er auf der Flucht vor der Inquisition demonstrativ das Abendmahl in beider Gestalt nahm[229], weist ihn nach dieser Beobachtung nicht als Anhänger einer bestimmten reformatorischen Theologie aus, läßt ihn vielmehr in der Front der vorreformatorischen Bibeltheologen erscheinen. Bei der Klage über die geistlichen Mißstände der katholischen Kirche bedauert er auch die Verderbnis der Messe und stellt eine Abhandlung über die Sakramente in Aussicht, zu der er in seiner Straßburger Zeit nicht gekommen ist[230]. Wo es darum geht, die Kirche von menschlichen Erfindungen zu reinigen, die über die Aussagen der Schrift hinausgehen, muß auch die Messe unter den Gravamina aufgezählt werden. In diesem Zusammenhang sieht er sich zu einer Stellungnahme herausgefordert.

Thesen zur Abendmahlslehre findet man bei den Darlegungen über den alttestamentlichen Opferkult. Das Abendmahl ist der nachchristliche Ersatz für das Opfer. Martyr liegt offenbar daran, die Einheitlichkeit der biblischen Frömmigkeit darzutun. Zu diesem Zweck konstruiert er

---

[229] *Simler*, Oratio, Loci 1587, b 6ᵛᵒ, 45: »Coenam Domini Christiano ritu celebravit.« Vgl. *Schmidt*, S. 37.

[230] Loci 1587, 437, 42, 60 ff.: »O sacra illa Domini Coena; quot modis et quam misere hic *foedata et contaminata* es? O Missa, Missa, Missa; quid hic *integrum* remansit?« Vgl. Loci 1587, 435, 37, 59 ff. Martyrs Anliegen ist das humanistische Grundanliegen in reiner Form auf die Abendmahlslehre angewandt, nämlich die Wiederherstellung des ursprünglichen Christentums. Martyr möchte die alte, unversehrt reine Form der Gottesverehrung erneuert sehen, weil diese nach dem grundlegenden humanistischen Vorurteil noch nicht durch menschliche Erfindungen verderbt sei. Er fordert: »Sacramentorum usus, verum integer, et ab hominum commentis repurgatus.« Loci 1587, 437, 42, 59 f. »Altare et sacrificia ad hoc erant *instituta*, ut illis *populus contineatur*, in legitimo et sancto Domini cultu.« In Lamentationes 56, 32 ff. Das ist vom alttestamentlichen Opferkult gesagt; aber auch dieser Satz verrät Martyrs humanistisches Pathos. Die Wiederherstellung der Einheit der Kirche auf dem Boden der alten, ursprünglichen und den Stiftungen Gottes entsprechenden Gottesverehrung ist eigentlich Martyrs einzige reformerische Idee. Vgl. Kapitel I, 3, a, S. 106 f. Vgl. J. *Huizinga*, Erasmus, Deutsch von Werner *Kaegi*, Basel, 1936, S. 132: »Die Welt, sagt Erasmus, ist überladen mit menschlichen Satzungen, überladen mit Meinungen und scholastischen Dogmen, ... Das Ursprüngliche und Reine, das noch nicht überwachsen oder durch manche Hände gegangen ist, übt diesen starken Zauber aus.«

eine genaue Entsprechung zwischen dem Opfer und dem Abendmahl. Es mag sein, daß er seine Abendmahlsanschauung dabei nicht völlig zu erkennen gibt. Mit diesem Vorbehalt müssen seine Gedanken wohl doch bei der Darstellung seiner Sakramentsauffassung vorgetragen werden.

Ein Opfer ist nach Martyrs Definition eine Handlung, bei der wir Gott etwas darbringen zu seiner Ehre und seinem Ruhm, wozu uns sein Geist antreibt[231]. Es zerfällt (logisch) in zwei Teile, einen inneren und einen äußeren. Der innere ist der Wille, sich Gott ganz hinzugeben und darzubringen, den der Geist Gottes anstachelt. Der äußere ist das Symbol und Sakrament des inneren. Durch die äußere Handlung machen wir unseren Geist und Willen offenbar, nämlich wie er sich Gott gegenüber verhält. Weil Gott die Hingabe an ihn liebt, fordert er die Sakramente und Symbole. Für sich allein wären sie eine Lüge und gefallen sie Gott keineswegs[232]. Gott wünscht die Opfer um unseretwillen, nicht weil er sich etwas schenken lassen wollte. Wie wenn jemand aus einer Quelle trinkt, er der Quelle nicht etwas hinzugibt, sondern sein Durst gelöscht wird, wie wenn jemand das Sonnenlicht erblickt, er damit nicht die Sonne fördert, sondern selbst den Vorteil davon hat, so kann der Opfernde auch Gott, der sich selbst genug ist, nichts geben[233]. Martyr nimmt hier einen Gedanken Augustins auf. Die Hinwendung des Menschen zu Gott, dem höchsten Gut, nützt nicht Gott, sondern ist ein Gewinn für den Menschen selbst[234]. Der Nutzen des Opfers ist vielfältig. Die Opfernden bekennen ihre Sünden, um derentwillen das Opfer notwendig ist. Zugleich wird ihr Glaube gestärkt; dieser schließt die Heilsgewißheit ein, sonst wäre er nur eine Meinung. Schließlich wird mit dem Opfer Dank gesagt[235]. Die Symbole, d. h. die äußeren Handlungen, sind vertauschbar, eins kann dem anderen vorgezogen werden, weil es der inneren Absicht des Opfers besser entspricht. Unsere Taten und Werke sind insoweit Opfer, als sie in dem Geist und mit dem Ziel geschehen, daß wir Gott anhangen[236]. Mit diesen Gedanken ist schon die Nähe zum Abendmahl erreicht, dem »Deo adhaerere« hier entspricht dort das »Christo coniungi«[236a]. Martyr trägt lauter Anschauungen Augustins

---

[231] In Genesim, 35 b, 39 ff.
[232] In Genesim, 35 b, 40 ff.
[233] In Genesim, 35 b, 32 ff.
[234] In Genesim, 35 b, 31 ff.: »Deum non in suum commodum aut utile ea requirere aut recipere, quod scilicet illi aliquid inde addatur. Quod ea ratione ostendo, quia summi boni natura, cuiusmodi est Deus, id exigit, ut sibi ipsi sufficiat, neque illi aliunde possit addi: . . .«
[235] Theses, Loci 1587, 1033, Proposita ex IIII. et V. capite Levitici, Necessaria, Th. II.; XIII.; XIV.
[236] In Genesim, 36, 4 ff.
[236a] In Genesim, 41, 40; 46.

vor, auf den er sich auch immerzu beruft. Das Abendmahl kann ein Opfer genannt werden wegen des Gebetscharakters der Feier. Danksagung, Verehrung Gottes, Gebete sind wirksame Zeugnisse der inneren Frömmigkeit. Opfer ist es nicht in dem Sinne, daß es »ex opere operato« Gott mit uns versöhnen könnte. Allein Christi Tod, das erste aller Opfer, hat uns Gott versöhnt. An ihm haben wir nur im Glauben teil; denn man darf nicht auf Grund einer Metonymie das Zeichen für das Bezeichnende nehmen[237]. Brot und Wein sind Symbole des Leibes und Blutes Christi, zwar nicht leere Symbole, sondern in der Weise Symbole, daß wir des Herrn Leib und Blut ergreifen, indem wir Brot und Wein nehmen[238]. Ebenso hatten auch die Väter des Alten Bundes durch das Essen der Opfergaben an Christus teil[239]. Christus wurde ja in diesen Opfern repräsentiert[240]. Er wurde von den Gläubigen ergriffen und auf diese Weise die heilige Kommunion unter ihnen vollzogen[241]. Weil in der Eucharistiefeier das Gedächtnis des Todes Christi gehalten wird, aus diesem Grunde kann es ein Opfer, das Gott versöhnt, genannt werden[242].

Eine überschaubare Abendmahlslehre läßt sich aus diesen Sätzen nicht gewinnen. Sie hinterlassen trotzdem einen gewissen Eindruck. Wenn man sich vergegenwärtigt, daß Martyr solches den Straßburger Studenten etwa 1545/46 vortrug, erscheinen seine Bemerkungen wie eine leicht humanistisch aufgeklärte Apologie des katholischen Eucharistieverständnisses auf dem Boden des Augustinismus.

Den Kern seiner Auffassung wird man folgendermaßen rekonstruieren dürfen. Das Abendmahl ist ein symbolischer Nachvollzug des Opfers Christi. Auch an Christi Tod war das Entscheidende, daß er Gott willfährig war in seinem Gehorsam[243]. Die Hingabe der Gläubigen ist dem Sinn nach, und das heißt wesentlich, dasselbe Opfer wie das Opfer Christi, sie ist also wirkliche Teilhabe am Opfer Christi und dann auch an seinem Ertrag. Verschieden sind beide Opfer in der äußeren Handlung, dem Symbol. Auch

---

[237] In Genesim, 36, 20 ff.
[238] In Genesim, 68, 46 ff.: »Ut in coena dominica panis et vinum symbola sunt corporis et sanguinis Domini; non quidem incassum, sed ita ut illa sumendo corpus et sanguinem Domini percipiamus.«
[239] Theses, Loci 1587, 1031, Proposita ex primo capite Levitici, Necessaria, Th. VII.
[240] Theses, Loci 1587, 1031, Proposita ex primo capite Levitici, Necessaria, Th. X.
[241] Theses, Loci 1587, 1032, Proposita ex II., III. et IIII. capitibus Levitici, Necessaria, Th. V.
[242] In Genesim, 36, 25 f.: »Cum enim Eucharistia memoria fiat mortis Christi, hoc pacto sacrificium Deum placans dici poterit.«
[243] In Genesim, 36, 10 ff.: »... nec ipsum omnium sacrificiorum summum, Christi mors, fuisset sacrificium, si Christus alio consilio se obtulisset, quam ut patri morem gereret et illi uti par erat obtemperaret.«

Christi Tod ist ja nur die äußere Bezeugung, das Symbol seines Gehorsams. So wird die Erinnerung an Christi Tod zur geistlichen Wiederholung seines Opfers, insofern selbst zum versöhnenden Opfer. Die symbolische Handlung ist darum auch kein leeres Symbol, sondern wirkliche Teilhabe an Christus, an seinem Opfer und der dadurch bewirkten Versöhnung Gottes. Alles ist zusammengefaßt im Gebet, in dem man mit Christus im Geist vereint vor Gott hintritt, um seine Vergebung bittend zu empfangen, ihm zugleich zu danken und ihn zu ehren. Dabei wird der Glaubende auch der durch Christi Tod erlangten Versöhnung Gottes mit ihm vergewissert. Insofern kommt der Hinweis-Charakter des Sakraments zur Geltung. Hier wird die »efficacitas« des Zeichens besonders deutlich, daß nämlich der Hinweis auf Christi Opfertod, wo dessen Sinn erfaßt wird, das eigene Opfer der gehorsamen Hingabe an Gott veranlaßt.

Man erkennt leicht die Grundzüge des scholastischen Eucharistieverständnisses wieder. Martyr macht vor allem eine Einschränkung nachdrücklich geltend, der äußere Vollzug des Sakraments habe »ex opere operato« keine Bedeutung und Wirkung[244]. Dieser Grundsatz hat zur Folge, daß durch das eucharistische Opfer nicht die Seelen Verstorbener von Sünden rein gemacht werden können[245]. Wie jedes Opfer notwendig aus der Lehre der Heiligen Schrift legitimiert werden muß, so werden auch Wucherungen der Sakramentsfrömmigkeit, wie die Seelenmessen, abgelehnt, weil sie nicht durch ein Wort Gottes begründet werden können[246]. Aber Martyr ist konservativ, wo immer er meint, daß die abergläubische Verkehrung der christlichen Frömmigkeit vermieden werden könne. So tritt er dafür ein, daß den Dingen, die als sakramentale Symbole gedient haben, nach dem sakramentalen Gebrauch eine gewisse Ehre gebühre, es dürfe nur nicht zum Aberglauben führen[247].

Die mit der Entwertung der Abendmahlshandlung einhergehende Verlagerung des Gewichts auf die innere Frömmigkeit nivelliert das Abendmahl zu einer Übung der Frömmigkeit unter vielen möglichen. Handlungen, die das innere Opfer bezeugen und die wie alle gültigen Opfer Wert und Wesen von Christi Opfertod her haben, den sie repräsentieren, und die uns auch von Gott geboten sind, gibt es viele und unterschiedliche[248]. Zu ihnen gehören das Abtöten des Fleisches, jeder Gehorsam ge-

---

[244] In Genesim, 36, 23.   [245] In Genesim, 36, 26.   [246] In Genesim, 36, 14 f.; 27.
[247] Theses, Loci 1587, 1033, Proposita ex IIII. et V. capite Levitici, Necessaria, Th. IIII.: »Illis rebus, quae symbola fuerunt sacramentorum, aliquis debetur honor post sacramentalem usum, verum citra superstitionem et scandalum infirmorum.«
[248] In Genesim, 35 b, 49 ff.; Theses, Loci 1587, 1031, Proposita et primo capite Levitici, Necessaria, Th. X.; XII.; 1032, Probabilia, Th. III.; IIII.; V.

gen Gottes Forderungen, die Pflichterfüllung gegenüber dem Nächsten[249]. Werke der Barmherzigkeit und Danksagung hat Gott lieber als Tieropfer[250]. Gott kommt es beim Opfer nur auf den zerknirschten Geist, das zerschlagene und demütige Herz an[251]. Die innerliche Hingabe an Gott will Gott auch für sich. Um dieser Hingabe willen fordert er die äußeren Symbole und Sakramente, aber er will sie nicht ohne die innerliche Hingabe haben, weil sie so Lügen wären, die Gott keineswegs gefallen. Nirgendwo sind unsere Lügen verderblicher, als wenn sie unser Verhältnis zu Gott betreffen[252]. Wird man nicht am Ende im Gefälle von Martyrs Abendmahlsverständnis seiner eigenen Intention folgend sagen müssen, die Mildtätigkeit und die Gebetsfrömmigkeit seien reinere Symbole der inneren Hingabe an Gott als die immer der Heuchelei besonders verdächtige Teilnahme am Abendmahl? So ist das Abendmahl bei der vorsichtigen humanistischen Aufklärung Martyrs schon fast dem religiösen Brauchtum zugeschlagen worden, das durchaus einen hohen symbolischen Wert hat, vornehmlich für solche Leute, die ein echtes, lebendiges Verhältnis zu ihm haben. Von anderen Bräuchen ist es freilich dadurch unterschieden, daß es durch Gottes Einsetzung autorisiert ist.

Nach dem Wort und den Sakramenten nennt Martyr in der Auslegung des Glaubensbekenntnisses als drittes »medium remissionis peccatorum« die Exkommunikation. Die Kirche hat auf Grund einer Gabe und einer besonderen Gnade Christi das Recht und die Berechtigung, hartnäckige Sünder durch die Exkommunikation von sich auszuschließen. Matth. 18, 15 ff. wird gleichsam als Einsetzung der Exkommunikation genommen. Nach geleisteter Buße wird der Ausschluß beendet[253]. Die Exkommunikation ist ein Glaubensartikel[254]. Sie hat eine ausschließlich religiöse Funktion und wird ausschließlich theologisch begründet. Sie wird nicht beim Kirchenrecht behandelt, sondern im Kapitel über die Sündenvergebung neben Wort und Sakramenten. Sie ist nicht ein Instrument des Kirchenrechts zur Sicherung der Integrität der Kirche. Daher entkleidet sie nicht juridisch verstandener und kodifizierbarer Berechtigungen. Ohne Einschränkung trennt sie vom Leibe Christi und damit vom Heil. Aber der

---

[249] Theses, Loci 1587, 1031, Proposita ex primo capite Levitici, Necessaria, Th. V.
[250] In Genesim, 35 b, 56 ff.
[251] In Genesim, 35 b, 29 f.: ». . . sacrificia Dei spiritus contritus, confractum cor et deiectum.«
[252] In Genesim, 35 b, 46 ff.: »Intimum vero illud adeo ab ipso Deo amatur, ut et illud per se velit eiusque externa symbola et sacramenta requirat, non tamen sine illo, siquidem ita essent mera mendacia, quae Deo placere minime possunt. Nullibi enim perniciosius mentimur quam in re divina.«
[253] Loci 1587, 439, 46, 36 ff.
[254] Loci 1587, 439, 46, 50.

Ausschluß ist nicht ihr eigentlicher Zweck. Offenkundige Sünder sollen zur Buße geführt werden mit dem Ziel, daß ihnen die Sünden vergeben werden. Die Exkommunikation ist das letzte Heilmittel bei der Sorge für die Brüder, wenn die brüderliche Ermahnung nichts ausrichtet[255]. Sie ist also keine Kirchenstrafe, sondern kommt dem Bußsakrament ganz nahe[256]. So verstanden, wird sie passend in der Nachbarschaft der Sakramente abgehandelt. Exkommunikation ist Ausübung der Schlüsselgewalt, Martyr macht zwischen beiden keinen Unterschied. In ihr wurde der Kirche eine »göttliche Autorität« überantwortet, damit sie Ausgeschlossene, die von ihren begangenen Sünden abstehen, absolviere und befreie und so mit sich selbst versöhne, daß sie wieder an ihren Ort in dem geheilten Leibe, dessen Haupt Christus ist, eingesetzt werden[257]. An theologischem Rang überragt die Exkommunikation mit der Restitution des Sünders die Sakramente. Im Unterschied zu diesen ist sie die Ausübung göttlicher Vollmacht. Wieder erscheint die Soteriologie von der Ekklesiologie aufgesogen. Die Kirche versöhnt mit sich selbst. Da sie der Leib Christi ist, vergibt sie gültig die Sünden, fällt die Versöhnung mit der Kirche mit der Wiederaufnahme in den versöhnten Leib Christi zusammen. Freilich werden, da die Buße unabdingbare Voraussetzung der Wiederaufnahme ist, nur Sünden vergeben, die der Exkommunizierte abgelegt hat. Er kommt selbst durch die Buße zur Kirche zurück[258]. Der Akt der Wiederaufnahme hat faktisch deklaratorische Bedeutung. Auf die Probleme der Bußlehre geht Martyr nicht weiter ein. Praktisch wird die Buße des Exkommunizierten darin bestehen, daß er ein bestimmtes, öffentlich bekanntes sündhaftes Verhalten unterläßt und bereut und die Wiederaufnahme in die Kirche begehrt. Sie läßt sich also relativ leicht beurteilen. Martyr liegt daran, daß der kirchliche Freispruch bedingungslos gilt und nicht nur ein menschliches Verzeihen ausdrückt, sondern die Sünden vor Gott wirklich vergibt. Die Absolution wird unter öffentlichen Gebeten in der Kirche vollzogen. Solchen Gebeten ist nach Matth. 18, 19 Erhörung verheißen. Nach Matth. 18, 20 ist Christus selbst anwesend, wenn die Kirche exkommuniziert und mit

---

[255] Loci 1587, 438, 42, 10 ff.
[256] »Als drittes Mittel der Sündenvergebung, außer Predigt und Sakrament, nimmt Vermigli, noch mehr oder weniger im katholischen Sinn, die Buße an, mit der er die Gewalt der Schlüssel verbindet . . .« *Schmidt*, S. 41 .
[257] Loci 1587, 439, 46, 50 ff.: »Hoc igitur articulo credimus divinam eiusmodi authoritatem Ecclesiae commissam, ut excommunicatos, qui ab admissis peccatis resipiscunt, absolvat et liberet, sibique reconciliet, ut in eum sanati corporis locum cuius Christus est caput restituantur.«
[258] Loci 1587, 439, 46, 45: »Semper igitur admittendi sunt, qui per poenitentiam ad Ecclesiam redeunt.«

sich selbst versöhnt[259]. Martyr hält bei der theologischen Erörterung zwei
Vorgänge auseinander, die Wiederaufnahme des Ausgeschlossenen in die
Kirche und die Sündenvergebung. Zunächst widerfährt den Exkommuni-
zierten die Handlung einer Gemeinschaft von Menschen, aber sie bedeutet
mehr. Aus dem formalen Parallelismus von Matth. 18, 18: »Was ihr auf
Erden binden werdet, soll auch im Himmel gebunden sein . . .« wird bei
Martyr eine sachliche Parallelität dessen, was die Kirche tut, und dessen,
was bei Gott geschieht. Von daher rührt Martyrs Sorge, diese menschliche
Amtshandlung werde als Menschenwerk verachtet[260]. Diese Befürchtung
ist typisch für seine Ekklesiologie und ist verbreitet, wo immer die Kirche
ihre soteriologische Funktion zunächst als kirchliche Tätigkeit versteht,
um ihr dann wie einem Symbol soteriologische Bedeutung zu geben. Es
zeigt sich dieselbe Problematik wie bei der Sakramentslehre. Die äußere
Handlung ist nicht das Eigentliche. Ihre Bedeutung erhält sie durch den
Sinn- und Zweckzusammenhang, als dessen Ausdruck sie fungiert. Die
Wiederaufnahme in die Kirche bedeutet zugleich Sündenvergebung, weil
die Kirche der Leib Christi ist, weil die Exkommunikation auf einen göttlichen Auftrag zurückgeht, weil sie mit Gebeten verbunden ist und Gebete
erhört werden, weil Christus selbst dabei ist, wo die Kirche als Kirche handelt. Sie *ist* auch Sündenvergebung kraft des Sinnganzen der biblischen
Lehre. Man fragt sich, ob nicht die Zeremonie der Absolution über-
flüssig sei, wenn doch das Gebet für den Sünder erhört wird und dann allein genügt, wenn doch die Gliedschaft in der kirchlichen Gemeinde selbst
schon mit Christus, dem Haupt, verbindet. Ihr Vorzug besteht wohl hauptsächlich darin, daß sie eine biblische Ordnung ist. Der Sache nach wird
man eher auf die Absolution verzichten können als auf das mit ihr verbundene Gebet, weil dieses ein angemessenerer Ausdruck der kirchlichen
Gemeinschaft und der Gemeinschaft der Kirche mit Christus ist.

Am Ende muß gefragt werden, wer die Kirche sei, die so mit der von der
biblischen Lehre gemeinten Kirche identifiziert werden darf, daß man ihr
alle Würde, welche diese Lehre der Kirche beilegt, zuerkennen kann, so

---

[259] Loci 1587, 439, 46, 52 ff.: »Qua absolutione cum votis et precibus publicis in Ecclesia
peracta, admissa quoque peccata, illis proculdubio remittit. Quamobrem post con-
cessam eiusmodi clavium authoritatem Christus non frustra adijcit, Quodcunque
petieritis in nomine meo, dabitur vobis [Matth. 18,19]; Et ubi duo vel tres convene-
rint in nomine meo, in medio eorum sum [Matth. 18,20]. Unde colligitur Ecclesiam
nunquam vel excommunicare vel excommunicatos sibi reconciliare, quin ipse etiam
Christus adsit.«
[260] Loci 1587, 439, 46, 45 ff.: »Et ne tam frequens fortasse adversus eundem, tum separatio tum receptio hominum ministerio repetita parvi momenti videretur et tanquam
a voluntate humana profecta iocosa et ludicra haberetur, addit se tradere claves
Ecclesiae . . .« Vgl. Loci 1587, 439, 46, 60.

daß ihre Versöhnung einzelner Glieder mit sich selbst die Einleibung dieser Glieder in Christus ist. Es müssen Kriterien der irdischen Gemeinschaft der Kirche gesucht werden, weil man sich an ihrer Selbstdarstellung im Kult und in ihrem Handeln der soteriologischen Bedeutung ihres Tuns vergewissern muß. D. h., man muß beurteilen, ob, was als Kirche auftritt, wirklich Kirche ist und ihr Ansehen in Anspruch nehmen darf. Es sind die »Frommen«, denen die Vollmacht der Exkommunikation und der wiederversöhnenden Absolution zukommt. Sie sind die Schar der Gläubigen, die »in Christus« versammelt ist. Allein was diese »Menge Glaubender« in Ausübung ihres Rechtes, auszuschließen und wieder zuzulassen, tut, »das glauben wir, geschieht auch von Gott und wird im Himmel für gültig gehalten«[261]. Die kirchliche Vollmacht hat Christus inne, er teilt sie der Gesamtheit der Gläubigen mit, diese wiederum überträgt deren Ausübung den von ihr gewählten Dienern der Kirche[262].

Die Autorität der Kirche hängt also davon ab, ob sie die Kirche der Frommen ist, die der biblischen Lehre gemäß Kirche sind. Die Frömmigkeit erweist sich vornehmlich in der Glaubensgesinnung, welche die Kirche eint, sie findet ihren Ausdruck im Bekenntnis. Da die Kirche den Zweck hat, daß diese geistliche Gemeinschaft sich gegenseitig erbaut, unterstützt und bewahrt, wird man sie auch an ihrer dem Bekenntnis entsprechenden Lebensgemeinschaft erkennen[263]. Martyr meinte, eine solche der biblischen Regel entsprechende Gemeinde in Straßburg und Zürich im Unterschied zu den Gemeinden in Frankreich, Belgien und Italien gefunden zu haben[264]. Mich mutet es als humanistischer Optimismus an, mit solchen Gemeinden zu rechnen, die sich in ihrer Frömmigkeit nicht vor der biblischen Lehre zu schämen hätten und angesichts deren der Angefochtene nicht der Verzweiflung verfiele, ob die Kirche der Frommen, der die Verheißungen

---

[261] Loci 1587, 439, 46, 61 ff.: »Fatemur igitur hanc potestatem in terris esse inter pios. Sed quemadmodum sola credentium multitudo in Christo congregata excommunicationis, sic reconciliandi et admittendi ius habet; et quod ita peragit, a Deo quoque fieri ratumque in coelis haberi credimus.«

[262] Theses, Loci 1587, 1033, Proposita ex IIII. et V. capite Levitici, Necesaria, Th. VI.: »Potestatis Ecclesiae plenitudo est in Christo, qui hanc communicavit universitati fidelium, et ipsa executionem illis tribuit ministris a se electis.«

[263] Loci 1587, 435, 35, 10 ff.; 36, 35 ff.; 436, 39, 33 ff.

[264] Vgl. Brief an die Gemeinde in Lucca von Straßburg am 25. Dezember 1542, Loci 1587, 1071, 38 ff.; De fuga, Loci 1587, 1080, 57 ff.; Oratio, quam Tiguri primam habuit, cum in locum D. Conradi Pellicani successit, Loci 1587, 1063, 8 ff.: »Cupiebam etiam praesens aliquas restitutas Ecclesias contemplari, ne ceu rempub. Platonis Ecclesiae renovationem putarem, quae intelligi plane queat, sed nulla ratione alicubi locum habeat. Quod vero tum avide quaerebam, Tiguri primum, Tiguri inquam coepi consequi Deo cursum itineris coepti non absque omine foelicissimo dirigente . . .«

der Gebetserhörung und der vollmächtigen Absolution gelten sollen, überhaupt irgendwo zu finden sei. Martyr weiß wohl um die Unsichtbarkeit der Kirche. Den menschlichen Sinnen bleibt verborgen, ob die Menge von Menschen, die äußerlich Christus bekennt, vom Geist Gottes zusammengebracht wird und also in ihm ihren Ursprung hat; das muß geglaubt werden[265]. Aber solcher Glaube setzt das Vorhandensein des durch bestimmte Merkmale ausgewiesenen soziologischen Phänomens Kirche voraus und dringt zum ontologischen Sinn und Grund dieser Erscheinung vor[266].

Nach dieser Auffassung mußte die Kirche ihre Autorität einbüßen, sobald sie in ihrem Verhalten von dem angenommenen biblischen Ideal abfiel, zumindest aber, sooft sie ihr Tun nicht theologisch begründen konnte. Dieses Kriterium, gegen die Papstkirche erfunden und zuerst angewandt[267], hat später auch dem Ansehen der protestantischen Kirchen kräftig zugesetzt. Wenn aber die geistliche Vollmacht der Kirche so an die Frömmigkeit ihrer Glieder gebunden ist, wird sie mit dem Schwund ihrer Frömmigkeit und der ihr gezollten Achtung erlöschen. Die Exkommunikation wird nur dann wirksam sein, wenn die Kirche der sie legitimierenden Frömmigkeit Anerkennung zu verschaffen weiß. Zur Buße wird sie nur den führen, der seinen Abfall von der kirchlichen Frömmigkeit erkennt und diese zudem als Ausweis ihrer Erwählung und Vollmacht achtet, der also von vornherein zur Buße bereit ist und der an die Kirche glaubt.

4. Die Bedeutung des Heiligen Geistes

Carl Schmidt überliefert eine Anekdote über Martyrs Predigttätigkeit in Neapel, die er in der Biographie des Grafen Galeazzo Caraccioli, eines Neffen des Kardinals Caraffa, fand[268]. Caraccioli führte auf diese Predigt Martyrs später seine Bekehrung zurück. Martyr erklärte an einem Ver-

---

[265] Loci 1587, 435, 37, 38 ff.
[266] Martyrs Auffassung der Exkommunikation sowie seine Beurteilung ihrer Bedeutung ähneln Bucers Gedanken über die Schlüsselgewalt. Bucer scheint die pädagogisch seelsorgerliche Funktion noch stärker als Martyr hervorzuheben, während Martyr deutlicher als Bucer den richterlichen Akt der sakramentalen Absolution betont. Bei Martyr nimmt die Exkommunikation die Stelle des Bußsakraments in der katholischen Kirche ein, bei Bucer ist sie ein Mittel der Kirchenzucht. Vgl. Jacques *Courvoisier*, La notion d'église chez Bucer dans son développement historique, Paris, 1933, S. 114 ff.; S. 118 f.
[267] Vgl. bei Martyr Loci 1587, 435, 37, 57 ff.; 436, 38, 7 ff.
[268] *Schmidt*, S. 23 f.; nach Balbano, La vie de Galéas Caraciol (italienisch, Genf, 1587), trad. par Teissier de Lestang, Amsterd., 1681, S. 12 f.

gleich die Wirksamkeit des Heiligen Geistes auf den Menschen: »Würde jemand aus der Ferne einem Tanz zusehen, ohne die Töne der Musik zu hören, er müßte die Tanzenden für wahnsinnig halten; sobald er aber näher träte und die Musik vernähme und den harmonischen Takt, so würde er bald Freude empfinden und Lust bekommen, selbst an dem Tanze Theil zu nehmen. So meint nicht selten derjenige, der die Veränderung in Leben und Sitten der Christen bemerkt, sie haben den Verstand verloren; lernt er aber den Grund erkennen und die Kraft des göttlichen Wortes, die diese Veränderung hervorgebracht hat, so tadelt er sie ferner nicht mehr, sondern fühlt sich gedrungen, sich denen anzuschließen, die so der Welt entsagen, um dem Evangelium gemäß ihr Leben einzurichten.«

Der Heilige Geist ist der Grund, auf den man die Veränderungen in Leben und Sitten der Christen zurückführen muß. Martyr betrachtet den Heiligen Geist im Zustand der Ruhe, er ist nicht selbst Bewegung, Gottes vehemente Aktivität, sondern das, was bewegen *kann*, der transzendentale Grund der Bewegung[269]. Diese Veränderungen sind das Christliche am Le-

---

[269] Loci 1587, 432, 31, 53 f.: »Vox illa spiritus, in genere, vim semper quandam occultam exprimit, quae et movere et impellere *possit*.« Vgl. die Ausführungen zum Verständnis von Gottes »posse« und »potentia« Kapitel I, 2, a, S. 91 ff. Martyr folgt dem aristotelischen Verständnis der Bewegung und des Geistes Gottes. ». . . die Verwirklichung des Möglichen als solchen, ist die Bewegung: . . .« »Die Bewegung ist die Entelechie dessen, was der Möglichkeit nach ist, d. h., sie ist diejenige Thätigkeit, wodurch das zum Dasein kommt, was vorher nur als Anlage vorhanden war, das Bestimmtwerden der Materie durch die Form, der Übergang von der Möglichkeit in die Wirklichkeit; . . .« »Das blos Potentielle kann keine Bewegung erzeugen, denn ihm fehlt die Energie, das Aktuelle als solches ebensowenig, denn in ihm ist nichts unvollendetes und unentwickeltes; die Bewegung ist nur zu begreifen als die Wirkung des Aktuellen, oder der Form, auf das Potentielle oder die Materie, . . .« Immer muß »das Bewegende vom Bewegten verschieden sein«; »dasselbe kann also nicht zugleich und in derselben Beziehung bewegend und bewegt sein«. Das Bewegende muß folglich selbst »ein Unbewegtes« sein. Der »Geist Gottes« ist das Bewegende, von dem alle Bewegung ausgeht, »das nur bewegt, aber nicht bewegt wird«. »Das Wirkliche im höchsten Sinn kann . . . nur in dem absoluten Subjekt liegen, welches als die vollendete Form zugleich die bewegende Kraft und der Zweck der Welt ist.« Die Bewegung ist es, »durch welche das Veränderliche am unmittelbarsten auf das Unveränderliche als die Bedingung aller Veränderung hinweist«. Eduard *Zeller*, Die Philosophie der Griechen in ihrer geschichtlichen Entwicklung, Zweiter Teil, Zweite Abteilung: Aristoteles und die alten Peripatetiker, Fotomechanischer Nachdruck der 4. Auflage, Leipzig, 1921, Darmstadt, 1963, S. 351; 353 f.; 358; 359; 362; 368. Wenn man aber auf die zustande gekommene Bewegung sieht, so ist das »wirkliche Bewegen des Bewegenden nichts anderes als die wirkliche Bewegtwerden des Bewegten«. »Also ein und dieselbe Bewegung bestimmt sich ihrem Sein, ihrem Wesen nach in Bezug auf das Bewegen-Könnende als Bewegen, als Tun, . . . und in Bezug auf das Bewegliche als Bewegtwerden, als Leiden, . . .« »Von diesen beiden Weisen des Seins, Sein als Tun und Sein als Leiden, hat das zweite nach dem bisher Besprochenen einen Vorrang. Dieser Vorrang gründet darin, daß die Bewegung sich vollzieht am Bewegten und nicht am Bewegenden. Somit ist das Leiden das am Seienden selbst sich vollziehende Sein seiner selbst, . . .« Dieser faktische Vorrang des Bewegtwerdens schlägt bei Martyrs Darstellung der vom Heiligen Geist verursachten geistlichen Be-

ben, das, was die natürliche Verfassung des Lebens übersteigt. Die Wirkungen des Heiligen Geistes sind durchaus wahrnehmbare Erscheinungen; sie sind auch als etwas Außergewöhnliches erkennbar. Solange ein Mensch nicht selbst an der Bewegung des Geistes teilnimmt, nicht selbst von Rhythmus und Melodie erregt wird, wird er allerdings nichts vom Grund und damit vom Sinn und vom Wert der christlichen Lebensweise anderer wissen. Sie wird ihm auch insofern unverständlich bleiben, als er in ihr nicht Möglichkeiten seines eigenen Lebens erblicken kann. Das bedeutet zugleich, daß er sie als Gestaltungsweise sinnvoll eingerichteten menschlichen Lebens überhaupt nicht anerkennen kann. Zu der äußeren Kenntnis der Möglichkeit, dem Evangelium gemäß zu leben, muß das Ergriffenwerden vom Grunde dieser Möglichkeit her hinzutreten, zum Wort die Kraft des Wortes, der Heilige Geist, damit in eins Verstehen und Nachvollzug solcher Überhöhung und Verwandlung des Lebens verwirklicht werden kann. Die innere geistige Bewegung, die der Heilige Geist hervorruft, ist gleichsam Phantasie für mögliches Verhalten[270] und der Vorgriff auf eine neue mögliche Daseinsform, die eben dadurch verwirklicht wird, daß alle Kräfte auf sie hin orientiert und angespannt werden.

Da die Wirkung des Geistes als Verstehen und Ergriffensein zugleich aufgefaßt wird, bleibt für die Anschauung von der Wirkungsweise des Geistes eine weit ausgelegte Variationsspanne. Die Vorstellung kann sich ganz nahe beim Verstehen halten, so daß der Geist dem Vorgang der intellektuellen Erkenntnis der christlichen Lehre, Predigt und Frömmigkeit ganz integriert erscheint. Sie kann aber auch gradweise bis zum anderen Extrem ausschwingen und den Geist für die religiöse Verklärung irrationaler Gewißheiten, Bewußtseinszustände oder Erlebnisse beanspruchen. Die beiden äußersten Möglichkeiten werden am reinsten vermittelt im sittlichen Verhalten des Menschen, in dem Denken, Wollen und Empfinden in der Tat oder der Bereitschaft und dem Vorsatz zu bestimmtem Handeln übereinkommen. Daher wird folgerichtig die Wirksamkeit des Heiligen

---

wegung immer wieder durch. Die so verstandene Bewegung beurteilt er notwendig vom Erfolg, der im Menschen erwachten Bewegung aus. So kommt es, daß der vorzüglichste Gegenstand der Betrachtung ist, was der Mensch tut und erleidet, wenn die überwältigende Macht des Heiligen Geistes erklärt werden soll, und daß das Urteil über die Wirkung des Heiligen Geistes sich auf die wirklich erfolgte Verwandlung des Menschen gründet. Vgl. Walter Bröcker, Aristoteles, 2. unveränderte Auflage, Frankfurt am Main, 1957, S. 73; 74; 75.

[270] Dasselbe Phänomen, auf dem Martyrs Vergleich beruht, nämlich das vom Menschen als harmonisch empfundene Zusammenspiel von Musik und Bewegung, erklärt Musil, wie mir scheint, treffend und genau im Sinne von Martyrs Analogie: »Und Musik ist innere Bewegung, sie fördert die Bewegungsphantasie.« Robert Musil, Der Mann ohne Eigenschaften, Rowohlt, Hamburg, 1965, S. 422.

Geistes besonders leicht und häufig an der christlichen Lebensweise und religiös verbrämten sittlichen Leistungen veranschaulicht. Der theologischen Theorie nach dürfte die Spannung zwischen Verstehen und innerer Erregung eher auf einen schwebenden Ausgleich als auf eine konkrete Vermittlung in einer mittleren Verhaltenslage des personalen Lebens zielen. Es soll ja wohl die Betonung des intellektuellen Moments als Korrektiv gegen das Geltendmachen unkontrollierbarer subjektiver, von Gefühl und Stimmung geprägter Erlebnisse wirken und umgekehrt die Behauptung der Notwendigkeit der inneren Bewegung, die aus dem eigenen Vermögen nicht beliebig erzeugt werden kann, den Glauben der Willkür des Verstandes entziehen und ihm zugleich die existentielle Tiefe sichern. Wieviel Erkenntniswert dieser sinnvoll lockeren Theorie eignet, wird sich bei der Durchführung an den einzelnen Aussagen Martyrs über den Glauben und den Heiligen Geist zeigen. Wird man mit ihr verstehen, wie der Glaube des lebendigen, irdischen, geschichtlichen Menschen entstehen kann und was dieser Glaube sei und daß der Heilige Geist dessen Grund und die ihn bewirkende Kraft ist, ohne daß dabei der Sinn der Theorie verfälscht wird? Oder wird der Glaube doch unter der Notwendigkeit, konkret von ihm zu reden und daher die Gegebenheiten des menschlichen Lebens zu beachten, einem mittleren Verhalten des Menschen aufgelegt, so daß seine Eigenart nicht von den Qualitäten des Substrates abgehoben werden kann und jene Verhaltensweisen des Menschen die Stelle des Glaubens einnehmen? In dem oben wiedergegebenen Zitat wird das schwebende Spielen zwischen vernünftiger Überzeugung und irrationalem Antrieb in die Formulierung gefaßt: er »fühlt sich gedrungen«, dem Evangelium gemäß sein Leben einzurichten. Wird hier nicht der Glaube ganz und gar als ein Gefühl angesehen, wenn auch als ein Gefühl besonderer Art? Man wird es näher bestimmen können als Bereitschaft, ein christliches Leben zu führen, die aus dem Dunkel des innerlichen Sichgedrängt-Fühlens dadurch heraustritt, daß sie sich zu einem christlichen Lebenswandel formt. Die Wirkung des Geistes wird also eindeutig als sittliche Haltung und Tat.

Die bisher vorgetragenen Erwägungen und Feststellungen sollen ein Prospekt der folgenden Darstellung sein. Ich nahm die anfangs zitierte Anekdote zum Anlaß, vorweg überschauend auszudenken, was nachher im einzelnen ausgeführt und begründet wird. Alle Gedanken, die dabei zur Sprache kamen, sind in früheren Kapiteln angeklungen. Martyrs Theologie ist erstaunlich einheitlich, sein Denken bemerkenswert konsequent. Ich hatte selten den Eindruck, bei der Behandlung eines neuen Lehrstücks etwas wirklich Neues erfahren zu haben. Vielmehr scheint es so, als ob Martyr im Zusammenhang seiner Gesamtanschauung nichts anderes hätte darlegen können, als er in der Tat ausführt. Die verbindenden Gedanken stellen sich nach allen Richtungen wie von selbst ein. Eben das wollte Martyr erreichen. Gerne und oft weist er selbst nach, wie eine Aussage aus einer anderen notwendig folgt und weitere bedingt. Überraschend und unvermittelt Neues kann es nach seinem Wirklichkeitsverständnis gar nicht geben; es wäre jedenfalls unbegreifbar, eine Behauptung oder ein Faktum ohne Sinn und Grund. Alles geht aus etwas hervor und wird daher verständlich in dem umfassenden Zusammenhang von Gründen und Motivationen. Aus diesem Grunde ist nach Martyrs Urteil ein Historiker vorzüglich dann zu loben, wenn er nicht nur Tatsachen erzählt, sondern auch die Beweggründe, Ursachen und Anlässe hinzufügt, die schon vor dem Eintreten der Ereignisse Bestand hatten, aus denen sie hervorgegangen sind. Dadurch soll der Historiker erreichen, daß ein Ereignis nicht als neu erscheint, wenn es nach seinem Bericht endlich stattfindet[271].

In seiner Auslegung des Apostolischen Glaubensbekenntnisses widmet er der Lehre vom Heiligen Geist einen ausführlichen Abschnitt. Ich nehme diese kurze Abhandlung zum Leitfaden meiner Darstellung.

Bei dem Wort »Geist« im allgemeinen Verständnis denkt Martyr an eine verborgene Kraft, die bewegen und antreiben *kann*[272]. Wie die Macht Gottes ist der Geist schon bei der ersten Bestimmung als eine Potenz gedacht, die gewisse Vorkommnisse ermöglicht und folglich als der Grund ihres Zustandekommens gelten muß, wenn sie eintreffen[273]. Er ist eine *verborgene* Kraft, so daß der Zusammenhang von Grund und Wirkung nicht eingesehen werden kann, sondern allein logisch stringent ist, wenn anerkannt wird, daß bestimmte Vorgänge auf die Wirkung des Geistes als deren bewegende Ursache zurückzuführen sind. Soll die Wirkung des Geistes überhaupt anerkannt werden, muß man sich auf Wahrnehmungen am Ergebnis stützen. Was der Geist bewirkt, muß also, um solche Wahrnehmungen zu ermöglichen, vorher festgesetzt und beschrieben werden. Wenn zum Beispiel jemand etwas mit Überzeugung zur Förderung der

---

[271] In Genesim, 159, 2 ff.

[272] Loci 1587, 432, 31, 53 f. Vgl. Anm. 269. Vgl. In Genesim, 107, 46 f.: ». . . venti impetu agitantur folia et huiusmodi alia corpora, cumque illius sit vis potentissima et tamen non videatur . . .« Vgl. *Thomas,* Summa Theologica, I, Quaestio 36, Art. 1: »Nam nomen spiritus, in rebus corporeis, impulsionem quandam et motionem significare videtur: nam flatum et ventum spiritum nominamus.« Die weitere für die thomistische Auffassung bezeichnende und bedeutsamere Bestimmung erlangt bei Martyr keine bemerkenswerte Beachtung: »Est autem proprium amoris, quod moveat et impellat voluntatem amantis in amatum.«

[273] Vgl. Kapitel I, 2, a, S. 91 ff.

Kirche tut, ist er sicher vom Heiligen Geist dazu bewogen worden[274]. Von dieser Auffassung her entsteht ein eigentümliches Problem. Wie ist es zu beurteilen, wenn offensichtlich Ungläubige Taten vollbringen, die nur der Heilige Geist bewirken kann? Beispiele sind Judas, Bileam, Kaiphas (Joh. 11, 50 f.), die Leute, die sich im Jüngsten Gericht auf ihre im Namen Jesu vollbrachten Wunder berufen wollen (Matth. 7, 22 f.). Martyr bleibt dabei, daß alles, was zu den Gaben des Geistes zu rechnen ist, wirklich auf den Geist zurückgeführt werden muß. Nur kann es ausnahmsweise einmal vorkommen, daß die Begabung mit Kräften des Heiligen Geistes nicht die Erwählung der Person erweist. »Es gibt gewisse Gaben des Geistes, welche die Menschen *nicht notwendig* Gott angenehm und lieb machen.« Nur weil dieser Fall die Regel verletzt, bedarf er der Erörterung. Martyr weiß sich auch keinen anderen Rat, als auf Gottes Möglichkeiten hinzuweisen. Gott *kann* beliebige Menschen zeitweise zu Werkzeugen seines Geistes machen[275]. Beim Begriff »Geist« denkt Martyr auch an Wind, Hauch, Luft[276] und an die »organa«, durch welche die Seele den Leib regiert, bewegt und in Tätigkeit versetzt[277]. Die Kraft der Seele ist noch mit Leiblichem vermischt und in ihm eingeschlossen. Doch ist ihr leibliches Substrat so fein, daß es gewöhnlich nicht gesehen werden kann. Davon ist die Anwendung des Begriffs zur Bezeichnung der Natur Gottes abgeleitet. Die Ableitung geschieht auf dem Wege der Abstraktion vom Körperlichen, so daß einfache und eigenschaftslose Wesenheiten wie Gott, die Engel und die vom Leib getrennten Seelen der Menschen im reinen Sinn »Geist« heißen[278]. Schließlich wird besonders die dritte Person der Gottheit »Geist« genannt[279]. Die dritte Person hat einen im Unterschied vom Vater und vom Sohn besonderen, ihre Eigenart bezeichnenden Namen; denn ihre Aufgabe ist zu bewegen, anzutreiben, zu überzeugen, zu trösten, Geist und Herz der Menschen zu erleuchten, und zuletzt, an ihnen ihre Heiligung zu bewirken. Ihre bewundernswerten Wirkungen erfahren die Heiligen so, daß weder ihr Verstand noch menschliche Weisheit sie begreifen können

---

[274] De fuga, Loci 1587, 1084, 28 ff.; In Genesim, 59 b, 24 ff.: »Postremo opus est ut illustrato intellectu adhuc illa luce affectio et voluntas nostra inflammetur, quo cum fides apportet secum prudentiae carnis et commodorum mortificationem, illam non reijciamus, sed his omnibus postpositis amplectamur ardentissime, *quod a spiritus divini efficacia provenire non est dubitandum.*«

[275] Vgl. In Lamentationes, 119, 2 ff.

[276] Vgl. In Genesim, 34, 55 f.

[277] Vgl. In Genesim, 107, 44 ff. Die »organa« werden hier genauer »voluntas« und »intellectus« genannt. Die Auffassung der Seele als die pneumatische bewegende Kraft des Körpers entspricht genau der aristotelischen Lehre. Vgl. *Zeller,* vgl. Anm. 269, S. 479 ff.

[278] Loci 1587, 432, 31, 55 ff.; vgl. In Genesim, 134, 15.

[279] Vgl. In Genesim, 165 b, 17.

und sie auch nicht von Menschenaugen wahrgenommen werden können[280]. Daher heißt es im Apostolikum mit Recht: »Ich glaube an den Heiligen Geist.« Er ist etwas, was das Fassungsvermögen unserer Natur weit überschreitet und uns doch in der Heiligen Schrift in Aussicht gestellt wird[281]. Hier ist die Einführung des Begriffs »Natur« des Menschen bemerkenswert. Dadurch schafft sich Martyr die Möglichkeit, über die Erkennbarkeit des Geistes von verschiedener Warte aus zu urteilen. Der natürliche Mensch, der äußerlich und innerlich von der christlichen Wahrheit unberührt blieb, weiß nichts vom Heiligen Geist, er rechnet nicht mit der Möglichkeit, mit seinen Wirkungen beschenkt zu werden, und ist nicht geneigt, bestimmte außergewöhnliche Begabungen und Einstellungen der Menschen von ihm herzuleiten. Um alles das zu wissen, weswegen den Christen der Heilige Geist so teuer ist, braucht man die Schrift und das Zutrauen zur Wahrheit ihrer Lehre, den Glauben. Diese Feststellung Martyrs ist so, wie er sie hier vorträgt, banal, obgleich er sie emphatisch herausstellt. Ihre Betonung täuscht über die Schwierigkeit hinweg, daß Martyr trotzdem die Wirkungen des Geistes, wo sie sich tatsächlich ereignen, für erfahrbar hält[282]. Die Heiligen erfahren die Wirkungen des Geistes. Aber sie sind durch nichts anderes Heilige als dadurch, daß sie solche geistliche Erfahrungen haben. Wo trifft man den natürlichen Menschen, wo den heiligen an, wo verläuft die Grenze zwischen beiden, mit wem hat man es in der Kirche zu tun? Wir erinnern uns des anderswo geäußerten Satzes, daß nur Glaubende Wunder erleben[283]. Wenn man den Zusammenhang überdenkt, überwindet der Mensch seine natürliche Verfassung, indem er die Lehre der Schrift verstehen lernt. Damit muß er irgendwie einmal den Anfang machen, um in den Kreis hineinzugeraten, in dem alle frommen Regungen als Werk des Heiligen Geistes gelten, er muß einen minimalen Anhalt gewinnen, um diesen Rückschluß vollziehen zu können. Martyr weiß ja, daß man Tag und Nacht studieren muß, um unter der Führung des Geistes den Sinn der Schrift zu verstehen[284]. So wird

---

[280] Loci 1587, 432, 31, 61 ff.; 433, 31, 3 ff.: »Atque admiranda eius effecta ita sancti experiuntur, ut neque ratio neque humana sapientia ea comprehendere possit nec etiam hominum oculis conspici possint.«

[281] Loci 1587, 433, 31, 5 f.: »Propterea iure hic dicimus, Credo in Spiritum sanctum, quasi in rem, quae nostrae naturae captum longe excedat et tamen distincte nobis in sacra scriptura proponatur.«

[282] Dieselbe Nähe zur schwärmerisch naturhaften Auffassung des Heiligen Geistes und das ihr entsprechende Urteil über die Erkennbarkeit der Inspiration findet man auch bei Bucer. A. *Lang*, Der Evangelienkommentar Martin Butzers und die Grundzüge seiner Theologie, Leipzig, 1900, S. 127.

[283] Loci 1587, 422, 3, 12 ff.

[284] In Lamentationes, 4, 8.

im Ergebnis dieser Anfang oder diese Vorstufe des Glaubens zur Disposition, durch die der Mensch für die Wirkungen des Geistes empfänglich wird. Natürlich sagt Martyr das nicht. Die Konsequenz zeigt aber, wie wenig wirksam seine Unterscheidung ist, um den Geist von allem, worüber Menschen verfügen können, auszunehmen. Jede Erfahrung eines Menschen kann dem Urteil seines Verstandes unterworfen und von ihm wahrgenommen werden, und ihre Gewißheit hängt von diesem Urteil ab. Theoretische Unterscheidungen und vorgebliche ontologische Differenzen bedeuten gegenüber solchen phänomenalen Gegebenheiten, die sich so zentral ins Spiel bringen, nichts. Der Sinn von Martyrs Unterscheidung liegt freilich in der Begründung eines angemessenen Urteils ex post. Der Heilige soll wissen, daß er nicht aus sich heilig ist, sondern daß Gottes Heiliger Geist ihn beschenkt. Das bedeutet aber, daß er seiner Frömmigkeit selbst erst den rechten Wert gibt, indem er sie durch die zusätzliche Frömmigkeit, nämlich seine pietätvolle Denkungsart, überhöht, gemäß deren er die Verwandlung seines Lebens, die er an sich erfährt, nicht sich selbst zuschreibt, vielmehr von ihrem dogmatisch richtigen Grund recht denkt.

Weitere Bestimmungen und Unterscheidungen schützen die Lehre vom Heiligen Geist gegen die verständige Auflösung ihrer Irrationalität und sichern die Transzendenz des Geistes. Sie wehren einem Verständnis, nach dem der Heilige Geist nur als ein Name Gottes oder als die Spiegelung seiner Ausstrahlung im Menschen erscheinen könnte. In einem kurzen exegetischen Beweis legt Martyr den biblischen Glaubenssatz vom Heiligen Geist im Sinne der Trinitätslehre aus. Der Geist ist die vom Vater und vom Sohn unterschiedene Person in der Trinität[285]. Sodann hebt er hervor, der Geist selbst und seine Gaben und Werke müßten auseinandergehalten werden. Auch diesen Grundsatz erhärtet er mit einem Schriftbeweis[286]. Zwischen den Zitaten erwähnt er beiläufig und als Beispiele für Wirkungen, welche speziell der dritten Person zuzuschreiben sind, daß wir durch die Kraft des Geistes wiedergeboren werden und daß von ihm die Sündenvergebung ausgeht. Wie oft repetiert Martyr auch hier zuerst die überlieferte kirchliche Lehre, um danach anhangsweise doch mit spürbar lebendigerer und ausdrucksvollerer Beredsamkeit seinen eigenen Gedanken die Zügel schießen zu lassen. Wenn wir an unserer Schwere laborieren, so daß wir uns kaum von der Erde aufrichten können, die Last unseres Fleisches und unsere leiblichen Empfindungen uns immer bedrükken, würden wir ohne die Hilfe des Geistes niedergeschlagen am Boden

---

[285] Loci 1587, 433, 31, 6 ff.
[286] Loci 1587, 433, 32, 21 ff.

liegen. Er richtet uns auf, wendet unseren Geist zum Himmel und hebt
ihn empor, der sonst infolge des angeborenen Gebrechens ganz in den
fleischlichen Leidenschaften untertaucht, so wie den hinfälligen und schwachen Leib die Seele bewahrt und aufrecht erhält. Der Vergleich des Heiligen
Geistes mit der Seele des Menschen kehrt oft wieder. Wie die Seele alle
Lebensregungen verursacht, so ruft der Heilige Geist alles hervor, was den
Gläubigen belebt; der Glaube wird als Leben verstanden[287]. Was die Erwählten in diesem Leben erfahren, vergleicht Martyr mit einer Beobachtung an leeren Schläuchen. Wirft man sie ins Wasser, sinken sie auf den
Grund. Wenn aber der Wind hineinbläst und sie sich füllen, steigen sie
empor. So ertrinkt der menschliche Geist an dem ihm eigenen Hang zur
Sünde und seiner Sucht. Wenn er aber von jenem Heiligen Geist erfüllt
wird, entgeht er überlegen der Sünde und läßt sich nicht von ihr bezwin-
gen[288]. Wieder schiebt sich, wo Martyr seine eigene Anschauung vom Heiligen Geist erläutert, der Vergleich des Geistes mit dem Wind in die Mitte.
Das Bezeichnende an dem Bilde ist, daß nach ihm der Geist als in jeder
Weise ungebundene, gleichsam kosmische Wunderkraft erscheint. Er trägt
den Menschen empor, gibt ihm den geistlichen Elan, sich über seine Schwä-
che und Sünde zu erheben, durch die er an der Erde haftet und von der
Last seiner leiblichen Trägheit am befreienden Aufschwung gehindert
wird. Aufrecht, unantastbar und erhaben über alles Niedere ist der Christ
unter dem Einfluß des Geistes. Bei dieser Anschauung schmelzen, wie es
scheint, mystische Erhebung, Bildung und sittliche Läuterung zusammen.
Dabei dominiert das sittliche Streben nach Hoheit, Reinheit, Vollkommenheit und ist für Martyr das anschaulichste Moment, das durch die anderen
mit einem Hauch schwebender Geistigkeit verklärt, nicht aber modifiziert
wird. Das zeigt sich sofort, wenn er seinen Gedankengang mit präzisen
und konkreten Aussagen fortführt. Wir erlangen durch die Wohltat eben
dieses Geistes, daß wir das Rechte wollen und das Gerechte tun[289]. Noch
einmal hebt er die Wirkung des Geistes gegen das Vermögen der mensch-

---

[287] Vgl. In Genesim, 59 b, 30 ff.; Loci 1587, 435, 15 ff. Vgl. Anm. 277 und oben S. 249.
[288] Loci 1587, 433, 32, 34 ff.: »neque tantum id ei tribuimus, sed quum ea nos gravitate
laboremus, ut e terra vix possimus assurgere, semper mole carnis nostrae et corporeis
sensibus depressi, in terra iaceremus, nisi ab eo Spiritu erigeremur, qui mentes
nostras, quae innato vitio totae carnis affectibus immersae sunt, ad coelum reflectit
atque erigit; quemadmodum caducum ac fragile corpus anima sustinet erectumque
statuit; ut in hac vita fere idem electi experiantur, quod in utribus deprehenditur,
qui vacui in aquam proiecti, in fundum descendunt. Quod si vento inflentur atque
impleantur, supernatant. Sic humanae mentes Spiritu illo vacuae a proprijs affectibus atque cupiditatibus submerguntur. Verum ubi a Spiritu illo sancto impletae
sint, peccato evadunt superiores neque unquam se ab illo vinci patiuntur.«
[289] Loci 1587, 433, 32, 42 f.

lichen Natur ab. Jetzt sieht er den Unterschied in der Qualität des Handelns, die dessen Wert ausmacht. Man muß aus seinen Sätzen folgern, daß die Natur des Menschen zwar solcher Verwandlung fähig ist, aber nicht aus sich heraus, sondern durch die ihr entgegengesetzte, also übernatürliche Kraft des Heiligen Geistes. So finden wir im Kernstück der Lehre Martyrs vom Heiligen Geist, wo er im Zusammenhang seiner eigenen Vorstellungen das Wesen und die wesenhafte Tätigkeit des Geistes umreißt, das zentrale Anliegen der katholischen Gnadenlehre mit Nachdruck vertreten, daß die Begabung mit dem Heiligen Geist den Menschen zur übernatürlichen Erhöhung seines Seins befähige[290]. Diese Beobachtung wiegt um so schwerer, als der Heilige Geist bei Martyr die ausschlaggebende Bedeutung für die Verwirklichung des christlichen Lebens hat. Selbst die scholastische Terminologie ist Martyr offenbar unverdächtig. Er übernimmt hier die gemeinscholastische Lehre von der »gratia gratum faciens«, setzt sie der Wirkung des Heiligen Geistes gleich und streicht so ihre Gratuität scharf heraus. Er versteht sie offenbar thomistisch[291]. Da unsere Natur verdorben und pervertiert ist, könnte sie niemals irgendwelche Taten wollen oder gar hervorbringen, die für sich Gott nicht widerwärtig wären oder die er, sofern sie von uns, seinen Feinden, ausgehen, nicht verwerfen würde. Aber da schaltet sich jener Geist Gottes ein und bildet unseren Geist so, daß alles, was auf Grund seiner Tätigkeit von uns hervorgeht, Gott höchst willkommen und lieb ist; und zwar aus dem Grunde, weil er uns innerlich so verwandelt, daß wir Gott teure Freunde, ja sogar geliebte Söhne werden[292]. Die Folgerungen für die Rechtfertigungslehre brauche ich nur anzudeuten. Gott nimmt die Christen an, weil ihm ihr Tun als Ausfluß ihrer inneren Erneuerung angenehm ist. Damit wird zugleich den

---

[290] Jedin bezeichnet die »übernatürliche Seinserhöhung durch die heiligmachende Gnade und den meritorischen Wert der im Gnadenstande verrichteten guten Werke« als »die Fundamente der katholischen Rechtfertigungslehre«. Hubert *Jedin*, Geschichte des Konzils von Trient, Band II: Die erste Trienter Tagungsperiode 1545/47, Freiburg, 1957, S. 209. Auch in dem zweiten Fundament ist Martyr dem Katholizismus treu. Vgl. In Genesim, 61, 31 ff.

[291] Friedrich *Loofs*, Leitfaden zum Studium der Dogmengeschichte, 6. durchgesehene Auflage, herausgegeben von Kurt *Aland*, Tübingen, 1959, S. 451 ff.; 460 f.; *Seeberg*, vgl. Anm. 145, S. 462 ff.; Hermann *Lais*, Die Gnadenlehre des hl. Thomas in der Summa contra gentiles und der Kommentar des Franciskus Sylvestris von Ferrara, München, 1951, S. 154; 160 ff.

[292] Loci 1587, 433, 32, 43 ff.: »Etenim natura nostra, ut corrupta est ac perversa, nunquam ex se vellet aut vero proferret ullas actiones, quae vel Deo per se non ingratae essent, vel quas, quatenus a nobis ipsius hostibus proficiscerentur, non respueret atque condemnaret. Verum Spiritus ille Dei hic se interponens ita animos nostros conformat, ut quicquid eius opera a nobis profluit, sit praecipue gratum et acceptum Deo; idque quia intus reformat nos, ut Deo fiamus amici gratissimi, imo potius filii charissimi.« Vgl. In Lamentationes, 119, 12 f.

im Gnadenstande unter der Einwirkung des Geistes hervorgebrachten Werken der »übernatürliche Wert« beigemessen, auf den es der katholischen Lehre vom Verdienst der guten Werke ankommt[293]. Wenig später heißt es gar, der Christ habe durch die Inspiration an der göttlichen Natur teil, womit die metaphysische Begründung für die früheren Sätze angedeutet ist[294]. Daß solche Gedanken mit Luthers Theologie keine Spur Gemeinsames haben, bedarf nicht des Beweises[295]. Verwunderlich oder auch für die Straßburger Kirche bezeichnend ist, daß Martyr mit solchen Lehren unangefochten blieb[296].

Martyr setzt seine Darstellung fort, indem er im einzelnen ausführt, von welcher Bedeutung die Anerkenntnis und das Verstehen dieses Glaubensartikels ist. Mit einem pathetischen Auftakt preist er die Würde des Menschen, die ihm auf Grund seiner Bestimmung zum Werkzeug des Heiligen Geistes eigen ist. »Fürwahr, unsere Affekte, unser Geist, sogar die Glieder unseres Leibes sind Organe des Heiligen Geistes selbst.«[297] Als Beleg zitiert er Röm. 8, 14: »Alle, die vom Heiligen Geist getrieben werden, sind Söhne Gottes.« Wer aber vom Heiligen Geist leer ist, ist der göttlichen Natur nicht teilhaftig. Martyr tadelt die Torheit gewisser Leute, die nicht als solche erscheinen wollen, die mit dem Heiligen Geist begabt sind, die sich aber auch nicht überzeugen lassen wollen und nicht selbst bekennen wollen, daß niemand ohne ihn Christ sein kann. Solche Leute sollen ihres Weges gehen und mit demselben Unglauben zweifeln, daß sie Christen sind, mit dem sie nicht glauben, daß sie den Geist *besitzen*[298]. Für seine Behauptung zitiert er Röm. 8, 9: »Wenn jemand Christi Geist nicht hat,

---

[293] Vgl. *Schmaus*, vgl. Anm. 14, S. 411 ff.   [294] Loci 1587, 433, 33, 53.

[295] Vgl. z. B. In epistolam S. Pauli ad Galatas Commentarius ex praelectione D. Martini *Lutheri* collectus, 1535, D. Martin Luthers Werke, 40. Band, I. Abteilung, Weimar, 1911, S. 40, 12 ff.: »Est iusticia quam nos facimus, sive fiat ex puris naturalibus sive etiam ex dono dei, quia ipsa iusticia operum est quoque donum dei, ut omnia opera etc.« Werke sind auch Werke, wenn Gott sie schenkt, der Hinweis auf den hervorbringenden Grund macht dabei keinen Unterschied.

[296] Auch bei Bucer tritt die Rechtfertigungslehre, bei der dem »Prinzip des Geistes« »eine grundlegende Bedeutung zukam«, »in eine bedenkliche Nähe zu der vom Täufertum beibehaltenen mittelalterlichen Infusionslehre«, . . . »in jedem Falle bleibt die Überzeugung von der völligen Unzulänglichkeit der natürlichen Kraft des Menschen zum Heil und seiner absoluten Abhängigkeit von der Gnade Gottes unangetastet«. *Lang*, vgl. Anm. 282, S. 136.

[297] Loci 1587, 433. 33, 49 f.: »At vero affectus nostri, mens, atque adeo ipsius corporis membra, ipsius spiritus organa sunt.«

[298] Loci 1587, 433, 33, 53 ff : ». . . ita neque is naturae divinae est particeps, qui vacuus est spiritu Dei. Atque ideo satis mirari non possum quorundam imprudentiam, qui si quis eos Christianos non esse dictitet, convitium id ferre non possint; neque tamen interim videri volunt eo spiritu esse praediti, neque sibi persuaderi aut ipsi fateri volunt neminem absque eo Christianum esse posse . . . Eant igitur qui tales sunt, atque eadem infidelitate se Christianos esse dubitent, qua diffidunt se spiritum sanctum possidere.«

der ist nicht sein.« Man erfährt nicht, gegen wen sich diese für Martyrs Temperament merkwürdig scharfe Ablehnung wendet. Nach dem, was Martyr am Besitz des Geistes wichtig ist, nämlich die innere Erneuerung, dürfte seine Intention ungefähr die gleiche sein, aus der heraus Canon 11 des Trienter Dekrets de iustificatione die iustificatio »sola imputatione iustitiae Christi . . . exclusa gratia et caritate, *quae in cordibus eorum per Spiritum Sanctum diffundatur* atque illis inhaereat, . . .« verwirft[299]. Wer nicht von sich sagen kann, daß er den Geist besitzt, ist kein Christ. Solche Beurteilung der eigenen Begabung mit dem Geist ist freilich eine Glaubenserkenntnis. Sie ist die Anwendung des Glaubensartikels vom Heiligen Geist in seiner Auslegung nach der biblischen Lehre auf die eigene Person. »Ich glaube an den Heiligen Geist« heißt auch: »Ich glaube an die Wirksamkeit des Heiligen Geistes an mir«; denn der Heilige Geist ist eine Kraft, die wirkt und mich dabei nicht ausläßt. Der Glaube an die Möglichkeit solcher Wirkung ist selbst schon die Bereitschaft, sich dieser Wirkung auszusetzen, und damit ein anfängliches Ergebnis der Wirkung. Aber der Glaube an ihre Möglichkeit kann doch wohl auch den Zweifel an ihrer Wirklichkeit einschließen. Er ist dann zwar nicht der Wahrheit des Glaubensartikels angemessener christlicher Glaube[300], aber doch ein in der Tat naheliegendes Verhalten gegenüber der christlichen Lehre. So ist faktisch der Glaubensartikel nicht der zureichende Grund des Urteils, daß *ich* den Geist *besitze*. Daher wird sich jenes Bekenntnis des Glaubens an die eigene Begabung mit dem Geist auf Kriterien stützen müssen, die an der eigenen Person festgestellt werden können. Martyr ist gewiß seiner Neigung nach kein Schwärmer. Seine Theologie des Heiligen Geistes entbehrt jedoch jeglicher wirksamen Abwehr der erfinderischen Prahlerei mit vorgeblichen Gaben des Geistes. Für ihn selbst sind insgeheim die christlichen Tugenden jene Kriterien. Dieser Maßstab macht die Gaben des Geistes erkennbar und wehrt zugleich der schwärmerischen Willkür, bedingt freilich auch die Gesetzlichkeit der so verstandenen Frömmigkeit.

Weiter fragt Martyr, wie wir den Geist haben können[301]. Es ist die Frage, auf die die Confessio Augustana V die lutherische Antwort gibt[302]. Mar-

---

[299] *Denzinger*, vgl. Anm. 14, Nr. 1561. Martyr muß an eine theologische Position denken, die dem Schwärmertum oder dem Katholizismus scharf entgegengesetzt ist. Er könnte ein radikal verstandenes Luthertum meinen. Man könnte auch an einen konsequenten rationalistischen Moralismus denken; etwa im Lager der Antitrinitarier?

[300] Vgl. Loci 1587, 434, 34, 41 ff.   [301] Loci 1587, 433, 33, 58.

[302] CONFESSIO AUGUSTANA, Artikel V, 2, Die Bekenntnisschriften der evangelischlutherischen Kirche, 4. durchgesehene Auflage, Göttingen, 1959, S. 58: »Nam per verbum et sacramenta tamquam per instrumenta donatur spiritus sanctus, qui fidem efficit, ubi et quando visum est Deo, in his, qui audiunt evangelium, . . .«

tyr sagt, der allgütige Vater schicke ihn um Christi willen zu uns, oder Christus entsende ihn vom Vater zu uns. Bei ihm zielt die Frage auf den verursachenden Grund. Er sucht nicht nach den konkreten Bedingungen des Geistesempfanges, sondern erklärt die ontologische Ordnung. Die Erörterung der »Gnadenmittel« ist nicht von prinzipiellem Rang[303]. Er beeilt sich sogleich wieder, vom Zweck, zu dem uns der Geist übergeben wird, zu schreiben. Mit den vorher bezeichneten Gaben und außerordentlichen Reichtümern soll er uns überhäufen[304]. Sein vorzüglichstes Werk besteht im Lehren, wie »die Schrift uns ins Gedächtnis ruft«. Neben Joh. 16, 13 verweist Martyr auf Matth. 10, 19: »Wenn sie euch aber überliefern, so sorget nicht darum, wie oder was ihr reden sollt, denn es wird euch in jeder Stunde gegeben werden, was ihr reden sollt« und auf die urchristliche Geschichte, daß nämlich die Apostel nicht zur Verkündigung des Evangeliums in die Welt gesandt wurden, bevor sie von oben mit der himmlischen Kraft ausgestattet waren, die dann auch die Wahrheit ihrer Lehre durch Wunder bestätigte. Wieder zieht die dem Heiligen Geist zugeschriebene mirakulöse Kraft vor allem Martyrs Aufmerksamkeit auf sich. Allerdings wird die unbändige Wunderkraft sofort domestiziert, indem ihr nur das Feld der theologisch interessanten psychischen und geistigen Vorgänge eingeräumt wird. »Diese Art zu lehren, die jener Geist gegen uns ausübt, muß als eine solche angesehen werden, die sich innen im Geist abspielt, den er nicht nur mit seinem Licht durchflutet, sondern auch freundlich lockt, überzeugt und angenehm macht, was wir sonst wegen der angeborenen Verderbnis verabscheuen würden. So bewirkt er eine wunderbare Verwandlung im Geist der Erwählten, während er sie zum Streben nach guten Werken und heiligen Taten antreibt, die sie ihrer Natur nach nicht vollbringen könnten.«[305] Martyr redet immer ein wenig großartig von der Wunderkraft des Geistes, der den Menschen innerlich völlig umwandelt und dabei seine physische und psychische Begabung und sein geistiges Vermögen ganz und gar verändert. Sieht man genau darauf, was er wirklich vom Geist erwartet, so denkt er nur an den Entschluß eines Menschen, ein bürgerliches, christliches Leben zu führen. Dieser Mensch revidiert sein Wertbewußtsein, gewinnt mit Überzeugung Gefallen an der christlichen Art zu leben und zu hoffen, er findet es angenehm, von Gottes Gnade abhängig zu sein, Liebe zu üben und für Gerechtigkeit einzutreten auch unter Leiden und Nachteil, und er bemüht sich vor allem, gute Werke zu tun. Jeder brave, ein wenig gebildete und fromme Christ kann

---

[303] Eine ähnliche Feststellung trafen wir Kapitel III, 3, S. 217 f.
[304] Loci 1587, 434, 33, 2.   [305] Loci 1587, 434, 33, 10 ff.

diese Gaben des Geistes bei sich finden. Es bleibt Raum für alle sittlich vertretbaren Spielarten und für jede Intensität christlicher Frömmigkeit, von der des bürgerlichen Moralisten bis zu der des schwärmerischen Phantasten oder Fanatikers, sofern nicht andere Maßstäbe eine Grenze setzen, wie etwa die Erhaltung der kirchlichen Gemeinschaft[306]. Zu diesem Verständnis des Geistes gehört notwendig, daß jedem sein eigentümliches Maß an Gaben des Geistes zuteil wird und er daher in seiner Weise ein Christ sein darf und soll. Jeder muß dem Hauch des Heiligen Geistes folgen, der innerlich jeden zum Heil antreibt auf dem Wege, der seinen Kräften und den von ihm zugeteilten Gaben am besten entspricht[307]. Martyr legt den Satz vielfältig aus in seinem Traktat »De fuga in persecutione«, wo er immer wieder empfiehlt, auf den inneren Antrieb des Geistes zu achten, der als die höchste und absolut zuverlässige Instanz für alle Entscheidungen gilt, weil der Geist zu jeder Zeit, in jeder Lage und für jedermann unter Berücksichtigung der Umstände, der eigenen Möglichkeiten und Fähigkeiten das angemessene Urteil und Verhalten hervorruft[308]. Meistens fordert er dazu auf, beides zu berücksichtigen, die innere Neigung des Geistes und die äußeren Verhältnisse sowie die eigenen Kräfte. Er rechnet nicht damit, daß der Geist zu einem Verhalten bewegen könnte, das nicht auch nach dem Abwägen der Umstände als sinnvoll von selbst überzeugen würde. So wird praktisch das Urteil, das man nach der sorgfältigen Klärung der Lage und der rationalen Neutralisierung aller Valenzen trifft, bestimmen, wozu der Heilige Geist treibt[309]. Martyrs Traktat »De fuga in persecutione« ist selbst ein Beispiel für eine solche Genese

---

[306] Diese Grenze setzt auch Bucer der Freiheit des Geistes und der Verschiedenheit der Geistbegabung. *Lang*, vgl. Anm. 282, S. 130.

[307] De fuga, Loci 1587, 1077, 13 ff : »Debet autem nostrum quilibet spiritus sancti afflatum sequi, qui intus quemque ad salutem impellit per eam viam, quae conveniat magis viribus et donis a se tributis, non secundum voluntatem nostram, sed secundum prudentissimum et sapientissimum iudicium suum. Qui vero praesenti ad martyrium subeundum animo praeditus est hucque a spiritu impellitur, is contemnere ... eum non debet, qui vitandae abiurationis causa fugit ... cor habens promptum atque paratum ad extrema quaeque ferenda, quoties manifesta Dei voluntate et spiritus impulsu huc adactus fuerit.«

[308] De fuga, Loci 1587, 1078, 56 ff : »Ceterum quando haec, quando illa ad usum sit necessaria, ex solo spiritus afflatu dignoscitur, qui nunc ad hanc nunc ad illam confessionis speciem impellit, prout tum loca, tum tempora personarumque conditiones et vires requirunt.«

[309] De fuga, Loci 1587, 1081, 17 ff.: »Praeceptum enim de fuga ad eos tantum pertinet, qui periclitantur, qui suam infirmitatem exploratam habent, qui interno spiritus afflatu ad manendum non moventur viam interim ad effugium patefactam cernentes et magistratuum potestati nondum subiecti.« De fuga, 1084, 26 ff.: »Sin autem intelligant, quod non raro usuvenit, occulte sibi moriendum, si a tyrannis capiantur; aut oris et linguae usu se privandos, ut ne verbulo quidem Ecclesiam aedificare possint; contra vero si fugiant scriptis et sermonibus suis Ecclesiae causam plurimum adiuturos arbitrentur et spiritus afflatu huc vocentur, fugam capere debent, si absque

einer sittlichen Entscheidung, freilich in der Form der nachträglichen
Rechtfertigung. Die Übereinstimmung der individuellen Entscheidung mit
der Konkretion des überindividuellen Geistes im Urteil des einzelnen garantiert andererseits, daß jeder wohlerwogene Entschluß einer übergrei-
fenden Harmonie mit anderem vom Heiligen Geist hervorgerufenen Handeln zugeordnet ist. Gerade weil der *Geist* den einen zur Flucht bewegt,
kann man sicher sein, daß er andere so stark macht, daß sie die evangelische Wahrheit schützen, und daß er dafür sorgt, daß es nie an Leuten
fehlt, die bleiben[310]. Wem es gelingt, sich in seine Lage zu schicken und
mit sich selbst zufrieden zu sein, kann der Gunst des Heiligen Geistes gewiß sein[311]. Nicht jedem hat der Heilige Geist die heroische Furchtlosig-
keit der Märtyrer eingegossen[312]. Der Furchtsame, der sich innerlich zur
Flucht angetrieben fühlt und sich von Herzen Gott anempfiehlt, soll glauben, daß er auch dabei nicht vom Geist verlassen wird[313]. Wenn Martyr an
einer anderen Stelle in derselben Schrift sagt: »Sapientis est seipsum me-

scandalo fugiendi via patescat.« Brief Universis ecclesiae Lucensis, Argentorati octavo calendas Ianuarias MDXLIII., Loci 1587, 1072, 55 ff.: »Illud autem temporis
momentum, quo discessi, fuisse ad eam rem opportunum *ita mihi persuasi, ut divinam inspirationem esse istiusmodi persuasionem minime dubitem.*« Die feste Überzeugung ist eo ipso Inspiration!

[310] De fuga, Loci 1587, 1081, 14 ff.: »Nunquam non praeterea Dominus suos quosdam
habet ijs in locis, quos spiritu suo sic roborat, ut Evangelicam veritatem impavidi
tueantur certiores ab illo facti nullum abiurandi esse periculum, a quibus qui fide
debiles et rudiores sunt consolatione erigi et confirmari possunt ... Neque enim
verendum abituros prorsus omnes, nunquam deerunt qui remaneant.«

[311] De fuga, Loci 1587, 1076, 43 ff.: »Per fidem certior factus viam ad effugium sibi a
Deo monstrari, quod sine eius voluntate effugiendi ratio non patefiat; paratus veritatis et Evangelii hostibus resistere, quando hora sua aderit; interim tamen ita
animatus sit firmissimeque sibi proposuerit, si caperetur et ad tyrannos duceretur,
non semel sed millies mori potius quam veritatem abnegare suavemque Christum
suum relinquere. Sane qui tali praeditus est animo quique sic apud se decrevit,
fugiendo Christi doctrinam sequitur ...« 1077, 35 f.: »Qui sic hoc in casu Deo se
ex animo commendat, divini spiritus favore destitutum iri credendum non est; ...«
1077, 54 ff.: »Cum quis intus spiritus sancti opera confirmatur et invitatur ad
manendum et hoc ad Dei gloriam magis facere credit, manere debet (praesertim si
iam vinctus sit magistratus iussu) et neque carceres effringere neque fraude effugium
sibi parare. Etenim quod in vinculis sit, *hoc ipso Deus declarat horam illius venisse*,
quare abeundum ei non est. Quod si res secus habeat, ut nec in manus hostium
traditus adhuc sit nec vires necessariae suppetant nec spiritus afflatu ad manendum
adigatur nec privata vocatione aliqua obstrictus sit, tunc fugiendum ei est.«

[312] De fuga, Loci 1587, 1074, 62 ff.: »Saepenumero quoque Deus tantum favoris spiritus-
que sui martyrum animis infundit, ut timor, qui natura sua molestus alioquin illis
esset, ita debilitetur et mortificetur, ut nihil noceat.«

[313] De fuga, Loci 1587, 1077, 36 ff.: »Qui sic hoc in casu Deo se ex animo commendat,
divini spiritus favore destitutum iri credendum non est; iccirco si intus se ad fugam
stimulari senserit et rerum suarum curam abiecerit, quaerens tantum quae Christi,
non quae sua sunt, recte faciet ...« De fuga, Loci 1587, 1083, 1 ff.: »quae, qui nondum ad vitam exponendam a spiritu incitantur, sed aliquanto debiliores etiamnum
sunt, sibi expectanda non esse iudicant, siquidem Deus fugiendi rationem ipsis
ostendat.«

tiri«[314], meint er dasselbe. Wie nach der Lehre der Stoa der göttliche All-Logos im Weisen waltet und ihn befähigt, »congruenter naturae convenienterque vivere«[315], so bewegt der Heilige Geist den Christen, sein Leben so zu bewältigen, daß er mit allem, was er denkt und tut, mit dem Sinn des Ganzen, dem Willen Gottes und seiner eigenen besonderen Bestimmung harmoniert. Praktisch führt diese Lehre dazu, daß der Mensch seinen eigenen Entscheidungen, seiner Akkommodation an die Umstände seines Lebens den Glorienschein der übernatürlichen unmittelbaren Einwirkung Gottes gibt. So wird bei den Folgerungen die Intention des Ansatzes nicht gewahrt, da ja der Geist eine Verwandlung des Menschen bewirken und ihn von sich selbst, den eigenen Prinzipien und Leistungen befreien sollte. Martyr unterläuft dennoch von seinen Voraussetzungen aus keine Inkonsequenz; denn der Sinn seines Redens vom Heiligen Geist ist, daß der Christ seine eigenen Einsichten und Taten völlig unausweisbar, *im Glauben*, dem Heiligen Geist zuschreibt und ihnen damit *im Glauben* einen übernatürlichen Wert beimißt, den sie von ihrem unweltlichen Ursprung her haben und der an ihnen selbst nicht mit Sicherheit erkannt werden kann. Daß solche Leistungen von Natur aus nicht erbracht werden können, ist ja auch nicht eine schlichte Beobachtung, sondern ein Glaubenssatz. Die »Natur« des Menschen ist nicht der Charakter seiner vorfindlichen Existenz, sondern der Inbegriff der ontologischen Bestimmungen des gänzlich unbegnadeten Menschen. Martyr würde wohl keinen Abendländer völlig bar der Wohltaten des Heiligen Geistes nennen[316].

Martyr verwahrt sich auch gegen den Gedanken, die Wunderkraft des Heiligen Geistes schließe die eigene Verantwortung und Aktivität des Menschen aus. Der Geist zwingt nicht mit Gewalt, sondern überzeugt eher innerlich wirksam[317]. Das ist die mit Glück verbundene Freiheit der Erwählten, daß sie sich, vom Heiligen Geist gedrängt und überzeugt, solcher Art Taten mit ganzer Hingabe widmen, die Gott angenehm sind. Von dieser geistlichen Lehre, die im Innern lebendig ist, geht dann im Geist und im Fleisch die Abtötung hervor[318]. Frei sein heißt hier, der er-

---

[314] De fuga, Loci 1587, 1083, 26. Vgl. 1077, 23 f.: »Qui igitur *prudenter* fugit, quando et occasio adest et periculum imminent, is Deum in primis ad hunc modum orare debet.«

[315] Vgl. Ulrich *Wilckens*, Weisheit und Torheit, Eine exegetisch-religionsgeschichtliche Untersuchung zu 1. Kor. 1 und 2, Tübingen, 1959, S. 257 f.; *Pohlenz*, vgl. Anm. 78, S. 123 ff.; 156 f.; *Cicero*, De finibus bonorum et malorum, III, 26.

[316] Vgl. Kapitel III, 3, S. 231 f.   [317] Loci 1587, 434, 34, 15.

[318] Loci 1587, 434, 34, 15 ff.: »Atque haec est foelix illa libertas, qua Christi electi praediti sunt, qui vi ac persuasione ipsis [ipsius?] Spiritus in eiusmodi actiones totis nervis incumbunt, quae natura duce neque ab iis praestari possunt neque etiam Deo essent acceptae.« Vgl. In Genesim, 59 b, 26.

kannten Wahrheit, damit auch dem sittlichen Ziel, zustimmen und nicht
mehr an Einzelnem, Weltlichem, das dieser Erkenntnis zu widersprechen
scheint, hängen. Auch die Freiheit wird stoisch verstanden. Sie entsteht
nach stoischer Lehre, wenn der Geist des Menschen von dem allgemeinen
Pneuma bestimmt wird. Dabei macht der Mensch seine Vorstellungen zu
Urteilen, indem er ihnen zustimmt, sie billigt, von ihnen überzeugt ist,
sie sich zu eigen macht oder, sofern es sittliche sind, zu Affekten[319].

Den Grundsatz der Anpassung an die Erfordernisse der Person und ihre
Lage macht Martyr auch bei hermeneutischen Überlegungen geltend. Dadurch erweist sich, daß dieser Gedanke sein Verständnis des Heiligen Geistes im ganzen charakterisiert. Bei der Auslegung der biblischen Schriften
kommt es zuerst darauf an, den wörtlichen Sinn zu verstehen. Er ist etwas
Festes und gleichsam der Leib. Wer sich ihn zu eigen gemacht hat, kann
leicht verschiedene Kleider überziehen, die nachher wertvoller oder weniger wertvoll sind je nach dem Anhauch des göttlichen Geistes, von dem
der Ausleger geführt wird, wenn er Tag und Nacht über der Deutung brütet. Danach kann man selbstverständlich induktiv Neues gewinnen und
erschließen, was Ort und Zeit angemessen ist. Niemand soll gegen die
wortgetreue Exegese einwenden, der Buchstabe töte, der Geist mache lebendig; denn alles tötet, was uns ohne Christi Geist vorgetragen wird.
Wenn man nicht mit Christi Geist begabt ist und das Evangelium liest, ist
auch dieses Buchstabe und tötet. Das Äußere, sei es Evangelium, menschliches Wissen, Naturgesetz, Dekalog, belehrt nur, verurteilt, klagt an, zeigt
die Sünde. Jedoch, wenn man es, begabt mit Christi Geist, auslegt, tröstet
es[320]. Martyr schätzt also die strenge wörtliche Auslegung hoch, doch ist sie
selbstverständlich nur die Ausgangsbasis für das allein religiös bedeutsame
geistliche Verständnis. Für die persönliche und situationsgerechte Applikation des buchstäblichen Sinnes sowie für dessen innerlich beteiligte Auffassung wird der Heilige Geist ausdrücklich in Anspruch genommen. Beides hängt mit sachlicher Notwendigkeit zusammen. Es ist ja wohl, wie wir
schon mehrmals festgestellt haben, gemeint, das Evangelium tröste, wenn
es mit innerer Zustimmung und Überzeugung so verstanden wird, daß
es die Wahrheit über das eigene Leben ist, dessen Ziel, Maß, Impuls und
Grund. Das kann aber nicht anders geschehen, als daß es als Wahrheit und
Weisung für die jeweils bestimmte Lage des Christen angenommen wird.
Die Applikation schließt die Beziehung auf die Situation ein. Nun ver-

[319] Wilhelm *Windelband*, Lehrbuch der Geschichte der Philosophie, hrsg. von Heinz
Heimsoeth, 15. durchgesehene und ergänzte Auflage, Tübingen, 1957, S. 164; 176 f.;
vgl. *Pohlenz*, vgl, Anm. 78, S. 55 ff.; 141 ff.
[320] In Lamentationes, 3, 31 ff.

steht Martyr die Auslegung der biblischen Sätze auf das eigene Leben, den eigenen Standpunkt, die eigene Zeit nicht als eine Deduktion vom Allgemeinen auf das Besondere. Damit berücksichtigt er, daß die Sätze der Schrift nicht allgemeine Wahrheiten, sondern jeweils spezielle formulieren. Die Applikation, die Martyr das »Überkleiden« nennt, vollzieht sich als Übertragung einer speziellen historischen Aussage zu einer neuen besonderen Sinn erschließenden Erkenntnis. Martyr rechnet damit, daß bei der Anwendung neuer Sinn erfunden wird und daß die ursprüngliche Äußerung in recht verschiedener Gestalt sich dem Verständnis darbietet. Aber alle die so gewonnenen unterschiedlichen Einsichten relativieren nicht sich untereinander und die wörtliche Bedeutung des Satzes, von dem sie ausgehen, sondern bilden eine wesentliche Einheit. Sie sind »Überkleidungen« der ursprünglichen Aussage, und sie werden gleichermaßen vom Heiligen Geist hervorgerufen. Der Heilige Geist ist das allen Formen des Verständnisses gemeinsame Allgemeine und auf diese Weise der Grund dafür, daß der induktive Fortschritt der Erkenntnis möglich ist[321]. Er tritt als Allgemeines nie in Erscheinung, vielmehr nur als der Urheber der je eigentümlichen Überzeugung. Genau entsprechend hatte Martyr Einheit und Unterschiedenheit der im einzelnen bis zum Gegensatz voneinander abweichenden christlichen Verhaltensweisen gedacht[322]. Diese hermeneutische Theorie setzt die prästabilierte Harmonie des menschlichen Denkens und Erkennens mit dem Heiligen Geist voraus. Sonst ist nicht gewährleistet, daß die situationsbezogenen Ausdeutungen den Sinn des historischen Satzes bewahren. Der Mensch muß mit dem Eingestimmtsein auf den Heiligen Geist, durch den sich ihm die ihn betreffenden Wahrheiten erschließen, begabt (praeditus) werden, um zu solcher Einsicht fähig zu sein[323]. Da ist nun schwer zu unterscheiden, ob solche geistige Disposi-

---

[321] Auch in der dogmatischen Erkenntnis rechnet Martyr mit einem Fortschritt je nach dem Maß des Wachstums des Glaubens in uns, zu dem Gott uns fähig macht. Aus diesem Grunde muß man den einzelnen Gläubigen eine weitergehende Auslegung des Dogmas überlassen. Loci 1587, 442, 51, 44 ff.: »De qua multo plura disseri possent; sed amplificationes istas magis convenit pij lectoris fidei relinquere; quae quum donum sit Dei, quod a nobis minime proficiscitur, quatenus nos huius Deus capaces reddit, ita pro accessionis in nobis modulo plura quoque concipere solemus.«

[322] Vgl. oben S. 257—259.

[323] Vgl. Loci 1587, 442, 51, 39; In Lamentationes, 120, 13 ff. Hier spricht Martyr ganz spiritualistisch vom Geist. Der katholischen Lehre, daß die Kirche der Schrift ihr Ansehen gebe, stellt er seine These entgegen: »Wir glauben der Schrift darum, weil wir vom Heiligen Geist angehaucht sind.« Das Urteil der Väter über die Schrift ist vom Heiligen Geist bewirkt worden. Weil wir mit dem Geist begabt sind, rezipieren wir dieselbe Schrift, die sie rezipierten. Das gegen Gott rebellische Fleisch wird nicht von der Autorität der Schrift bewegt, ihr zu glauben. So spiritualisiert Martyr konsequent das katholische Traditionsverständnis, hebt es aber im Grunde nicht auf, sondern gibt ihm nur eine eigentümliche, radikale Deutung.

tion eine Fähigkeit des Menschen ist oder eine Gnadengabe. Mir scheint auch, daß nichts daran liegt, ob man die Gnade als Befähigung oder die Fähigkeit als Begnadung definiert; durch solche Tautologien wird wohl keine Erkenntnis gewonnen.

Zuletzt preist Martyr unter den Gaben des Heiligen Geistes den Trost, der aus der zu erwartenden Vollendung unseres Heils hervorgeht. Worte wie »promanare«, »proferre«, »procedere«, »profluere« gebraucht er bei seinen Ausführungen über den Heiligen Geist oft. Aus dem Heiligen Geist, der christlichen Lehre oder einzelnen Wahrheiten der Lehre fließt es über ins menschliche Bewußtsein[324]. Nach dem bildlichen Sinn der Begriffe strömt vermöge des Heiligen Geistes eine Potenz in den inneren Menschen. Der Sache nach wird aber ein rationaler Erkenntnisakt beschrieben. Ein zur Kenntnis gelangter Sachverhalt dringt ins Bewußtsein ein, wird als Wahrheit gewiß erkannt – so versteht Martyr sehr oft den Glauben[325]. Er wirkt sich so auf das Selbstverständnis des Erkennenden aus und bringt mit sich Trost, Glück, Freiheit, Neigungen. Dieses sich selbst von erkannten Wahrheiten her Verstehen kann sich seinerseits in Taten äußern, sie hervorbringen[326]. Martyr ist dem stoischen rationalistischen Moralismus näher als dem schwärmerischen Spiritualismus. Weil er christlich die Gnade preisen will, gerät ihm die Sprache manchmal in die Nähe spiritualistischer Vorstellungen, wenn er vom Heiligen Geist redet. Jener Trost, der von der Vollendung unseres Heils her in uns einströmt, ist so groß, daß wir mitten in den Bedrängnissen und Ängsten dieser Welt ein freudiges und heiteres Leben führen, so fährt Martyr fort. »Und das nicht ohne Grund, weil wir das einzigartige und hervorragende Geschenk, das Paulus Epheser 1, 14 das Angeld unseres Heils nennt, in uns spüren. Ich begreife aber nicht, wie einer mit Recht zweifeln könnte, daß er einst zu jenem seligen Stand Christi gelangen werde, wenn er schon seinen Geist innerlich durch Christi Geist in jenem Stand durchaus leben fühlt.«[327] Da könnte jemand fragen: »Wie wißt ihr, daß euer Geist durch diesen Geist belebt wird?« Martyr antwortet mit mehreren Pauluszitaten und schließt, es gehe nicht an, ein so sicheres Zeugnis abzuweisen. Daran fügt er apodiktisch, wer dieses Zeugnis nicht innerlich in sich habe, sei nicht würdig, ein Christ zu heißen[328]. Gerade diesen Schritt empfindet man als die unüberwindliche Schwierigkeit, wie aus der Bezeugung des Apostels Paulus,

---

[324] Loci 1587, 434, 34, 21; 434, 34, 19; 433, 32, 30; 33; 46; 433, 33, 49.
[325] Vgl. In Genesim, 59 b, 11 ff.
[326] Loci 1587, 433, 32, 46.
[327] Loci 1587, 434, 34, 21 ff.; vgl. Loci 1587, 437, 40, 28 f.
[328] Loci 1587, 434, 34, 26 ff.

daß Christus durch den Geist in uns sei und wir in ihm, das innere Zeugnis, das Spüren des Geistes in uns werden soll. Martyr argumentiert weiter mit dem Glaubensbegriff. Glauben und zweifeln sind Gegensätze, sie widerstreiten einander. Wahrhaft an Christus glauben, meinen einzigen und wahren Retter, und zugleich im Zweifel beharren, ob er mich retten wolle, geht nicht zusammen, weil er mich in seinen Schutz nimmt und so sehr meinem Geist seine gütige Liebe durch seinen Geist bezeugt. – Was zu beweisen gewesen wäre, erscheint hier als Begründung. – Wenn wir schon annehmen, was Menschen bezeugen, die von Natur zum Lügen neigen, »wieviel mehr müssen wir uns beruhigen bei allem, was der gute und wahre Geist Gottes durch sein Zeugnis sicher macht!« Sonst müßten wir uns zu der Überzeugung hinreißen lassen, in den Menschen sei mehr Wahrheit und Zuverlässigkeit als in Gott. »Wenn das einer zu sagen wagte, würde er sich allein dadurch schon überdeutlich als solchen verraten, der er ist.« Wäre er ein Tor oder ein Ungläubiger? Martyr macht zwischen beiden wohl keinen großen Unterschied[329]. Wieder ist die Argumentation stoischen Gedanken ganz nahe. Setzt man die Theorie von der Identität des individuellen und des allgemeinen Logos, die stoische Erkenntnistheorie und Psychologie voraus[330], wird Martyrs Beweis einigermaßen verständlich. Die Anerkenntnis einer Wahrheit als Wahrheit ist dann immer zugleich die persönliche Zustimmung zu ihr, und diese schließt die Beziehung auf die eigene Person ein[331]. Wenn Gott gut ist, ist er auch mir gut, wenn anders es wahr ist, daß er gut ist. Wenn Christus unser Retter ist, will er auch mich retten. Man kann nicht von einer Wahrheit im allgemeinen überzeugt sein, ohne von ihr auch im besonderen überzeugt zu sein. Andererseits kann der Erleuchtete nur von etwas gewiß überzeugt sein, was wahr ist und was zugleich wirklich ist; denn der Geist kann nicht mit sich selbst uneins sein[332]. Die persönliche Gewißheit über einen Satz schließt seine Wahrheit ein[333]. In diesem Sinn scheint Martyr es zu verstehen, wenn er sagt, niemand, der überhaupt glaube, könne daran zweifeln, daß Christus ihn retten wolle, weil er seinem Geist durch den Heiligen Geist seine Liebe bezeuge. Seine Vorstellung ist dabei wohl, daß

---

[329] Loci 1587, 434, 34, 40 ff. Martyrs Vorstellung von menschlicher Vollkommenheit verbindet mit der Frömmigkeit die Weisheit. Vgl. In Genesim, 165 b, 1.
[330] Vgl. *Windelband*, vgl. Anm. 319, S. 168 ff.; S. 177; *Pohlenz*, vgl. Anm. 78, S. 54 ff.; S. 123 ff.; S. 141 ff.
[331] *Pohlenz*, vgl. Anm. 78, S. 57.
[332] Wenn Martyr von der Aufgabe des Heiligen Geistes, die Glaubenserkenntnis zu bewirken, von seinem »Lehren«, redet, klingen Vorstellungen der stoischen Logoslehre an. Vgl. *Pohlenz*, vgl. Anm. 78, S. 32 ff.; S. 35.
[333] Vgl. *Pohlenz*, vgl. Anm. 78, S. 60 ff.

die objektive Wahrheit sich selbst die überzeugte Zustimmung des einzelnen Menschen schafft. Die Rede vom Heiligen Geist bezeichnet also
zunächst nur diese Überlegenheit der objektiven Wahrheit, des objektiven
Geistes. Das Überzeugtsein und Zustimmen ist nicht als ein theoretischer
Verstandesvorgang gedacht[334]. Die Gewißheit über die Wahrheit eines
Satzes schließt auch das Wissen um diese Gewißheit ein[335]. Insofern kann
man vom »Spüren« des inneren Zeugnisses sprechen, ohne damit schon
eine grobe sinnliche Erfahrung zu meinen[336]. Die Erkenntnis wird als
»zur Ruhe kommen« bei der Wahrheit angesehen[337]. Dieses Ruhen bei der
Wahrheit ist schon ein Stück weit die Glückseligkeit. Die Aporie dieser
Anschauungen Martyrs ist der der stoischen Lehre von der Erkenntnis
ähnlich. Wirkliche Erkenntnis erlangt nur der Weise. Der Tor kann durch
seine scheinbaren Erkenntnisse niemals zum Weisen werden. Also werden
die Kriterien der Wahrheit am Ende außerhalb des Erkenntnisprozesses
gesucht, im sittlichen Verhalten des Menschen. Durch seine sittliche Haltung unterscheidet sich der Weise vom Toren[338]. Bei der Sittlichkeit muß
man auch mit innerer Notwendigkeit, wenn auch gegen das ontologische
und das erkenntnistheoretische Prinzip, Übergänge anerkennen. Man
kann vom Erstarken in der Tugend und dem Streben nach Weisheit reden[339] und darin wenigstens eine prinzipielle Überwindung der Torheit
erblicken. Bei Martyr ist der Glaube die feste Überzeugung von der Wahrheit der biblischen Lehre und seinem eigenen Betroffensein von ihr. Diese
Überzeugung hat ihren Grund in der Lehre. Aber niemand kann von sich
aus die Lehre so verstehen, daß er zum Glauben kommt. Die Kriterien der
Echtheit seines Glaubens und der Wahrheit der Glaubenserkenntnis muß
der Christ also anderswo suchen als in der Lehre. Dazu bietet sich der
Rückschluß vom sittlichen Verhalten an. Der Theorie nach kann man zum
Glauben überhaupt nichts tun, man muß auf das blanke Wunder des Heiligen Geistes warten, faktisch entscheidet sich Glaube oder Unglaube, Heil
oder Unheil an dem, was man tut – nicht weil man es tut, sondern weil
man zeigt, daß man es tun *kann*, daß man also über Einsicht und Gnade
verfügt, die solches Tun allein ermöglichen.

Zum Schluß seiner Abhandlung über den Heiligen Geist ruft Martyr

---

[334] Vgl. für die Stoa *Windelband*, vgl. Anm. 319, S. 177.
[335] Vgl. *Pohlenz*, vgl. Anm. 78, S. 55; 57; 114.
[336] Vgl. für die Stoa *Pohlenz*, vgl. Anm. 78, S. 57; 61.
[337] In Genesim, 100 b, 50 ff.: »... non desistimus illis verbum Evangelii atque salutis
proponere, quo audito accensendi ovibus Christi ad illum convertuntur, et his tanquam veris et suavibus scripturae sententiis tranquille acquiescunt.«
[338] Vgl. *Pohlenz*, vgl. Anm. 78, S. 62; 153 ff.
[339] *Pohlenz*, vgl. Anm. 78, S. 124; 126.

zum Dank an Gott, den allgütigen und barmherzigen, auf, daß er uns nicht durch die Hilfe von Engeln oder irgendeiner anderen Kreatur, sondern durch die Kraft seines eigenen Geistes hat zuteil werden lassen, was noch einmal aufgezählt wird. Er hat uns Christus, seinem wahren und natürlichen Sohn eingepflanzt, uns erneuert und geheiligt. Er hat uns reich gemacht durch die Erkenntnis seiner selbst und durch andere himmlische Gaben, so daß wir weder Festigkeit noch Kraft, noch Licht, noch irgendeine andere Fähigkeit entbehren, um das Rechte zu wollen und zu tun. So können wir auch in den Verfolgungen der Welt »ein fröhliches und ruhiges Leben führen, zumal wir vom Heiligen Geist selbst vollkommen überzeugt worden sind, daß wir das ewige Leben erlangen werden. Und das nicht durch unsere Verdienste, sondern durch die Gnade unseres Herrn Jesu Christi, der in Ewigkeit lebt und regiert. Amen«[340]. Kein anderes Kapitel seiner Auslegung des Apostolikums schließt so feierlich. Nur ganz an ihrem Ende formuliert Martyr ähnlich, auch dort nach einer Zusammenfassung. Man darf wohl daraus schließen, daß für ihn die christliche Lehre in der Pneumatologie kulminiert und zusammenschießt. Nichts ist zum frommen Leben so nötig wie der Heilige Geist und der Glaube an ihn.

Außer dieser mysteriösen und schillernden universalen Potenz ist nichts zum Christsein wirklich unentbehrlich. Alles Äußere, sogar Lehre und Predigt, kann durch anderes ersetzt werden und zur Not fehlen. In einem Brief an seine Gemeinde in Lucca, die er durch seine Flucht im Stich gelassen hatte, setzt er sich mit dem Vorwurf auseinander, daß die Gemeinde nun an Pfarrermangel leide; es werde bald niemand mehr da sein, der die Gemeinde »trösten oder aus dem Evangelium unterrichten könne«. Da beruhigt er sie mit dem Hinweis auf den Heiligen Geist, der werde fortfahren, sie zu lehren. Wenn er selbst ihnen auch entrissen worden sei, sollten sie dennoch nicht erschrecken und den Mut verlieren. Er habe für sie gebetet und werde weiter für sie beten, und das werde ihnen förderlich sein. Aber er sei nicht Gott, daß er ihnen die Erfüllung solcher Gebete vor der festgesetzten Zeit gewähren könnte. Der barmherzige Gott werde nach seiner unendlichen Weisheit ihre Kirche genau, wenn Ort und Zeit dazu günstig seien, festigen. Obgleich sie jetzt erschüttert und bestürzt sei, stehe doch fest, daß sie nicht ganz von der Kraft des Heiligen Geistes verlassen sei. Wenn sie auch von »Dienern am Wort« völlig verlassen würden, fehle trotzdem niemals der Geist Gottes, der in ihren Herzen an die Stelle der Prediger treten werde. Weil Gott den durch seine Flucht ent-

---

[340] Loci 1587, 434, 34, 48 ff.

standenen Verlust durch reichlichere Kraft des Geistes ausgleiche, sei sicher, daß ihrem Heil kein Schaden zugefügt worden sei[341].

Nach seiner Rückkehr aus England beginnt Martyr 1554 seine theologischen Vorlesungen in Straßburg mit einer Rede über das Theologiestudium. Er legt dar, wie wichtig die Kenntnis der Heiligen Schrift, das Wort Gottes, die Lehre für die Erhaltung der Kirche sind. Dann jedoch sieht er sich genötigt, wie wenn er zu weit gegangen wäre, einzuschränken, was er vorher gesagt hat. »Euch alle ... möchte ich erinnern, daß der Ort und die Schule dieser Weisheit der Himmel ist. Daher laufen alle, die am Boden kriechen und ihren Wandel im Himmel nicht anfangen, Gefahr, daß ihre Mühe beim Studium zum sinnlosen Spiel wird. Es darf keineswegs verschwiegen werden, daß der Heilige Geist der Lehrer dieser Weisheit ist. Denn mögt ihr noch so viele Doktoren, Prediger, Lehrer und Erzieher haben, wenn der Heilige Geist nicht innerlich euer Herz neu bildet, werden sie sich alle umsonst abmühen.« Sogleich spricht er von dem Ideal aller Spiritualisten, dem ungelehrten Lehrer. Von Anfang an waren die Boten Gottes einfache, ungelehrte Leute, Fischer, Zöllner, Handwerker[342].

Als er sich am 27. Dezember 1553 schriftlich zu der Sakramentslehre der Confessio Augustana bekennt, macht er den Vorbehalt: »bis ich, durch die Schrift und *den Heiligen Geist* belehrt, erkennen werde, daß es anders

---

[341] Brief Universis ecclesiae Lucensis, Argentorati octavo calendas Ianuarias, Anno MDXLIII., Loci 1587, 1072, 17 ff. Vgl. *McLelland*, S. 11 zu diesem Brief: »The letter also expresses his trust that the Holy Spirit will continue to teach the people at Lucca.« Zum Vergleich weise ich auf die gänzlich andere Einschätzung der Predigt bei Luther hin. »Wenn aber der Predigtstuel nimer leuchtet, so hat denn die Welt was sie haben sol, und verdienet hat. Nemlich, das sie von Gott verlassen und verstossen, dem Teufel in seine Gewalt gegeben wird, der sie von einem Irthum in den andern füre, mit allerley Lügen, Abgötterey, Ketzerey erfulle ... Das heisst die Welt mit der Sindflut erseufft ... Und ist kein Hoffnung noch Raht, solchs abzubitten oder zu wenden, es thue dann der Jüngstetag.« Zit. nach Otto *Scheel*, Evangelium, Kirche und Volk bei Luther, Schriften des Vereins für Reformationsgeschichte, Jg. 51, H. 2, Nr. 156, S. 22 f. In ähnlicher Weise drückt die Rede von der Predigt des Evangeliums als einem fahrenden Platzregen aus, daß Heil und Gnade an der Predigt hängen. An die Ratsherren aller Städte deutsches Lands, daß sie christliche Schulen aufrichten und halten sollen, 1524, D. Martin *Luthers* Werke, 15. Band, Weimar, 1899, S. 32, 6 ff.; Fastenpostille, 1525, Die Epistel am ersten Sonntag ynn der Fasten, 2. Corin. 6, D. Martin *Luthers* Werke, 17. Band, II. Abteilung, Weimar, 1927, S. 179, 20 ff.: »Denn ob wol Gott moechte alle ding ynnwendig, on das eusserliche wort ausrichten, alleyne durch seinen geyst, so will ers doch nicht tun, sondern die prediger zu mithelffer und miterbeyter haben und durch yhr wort thun, wo und wenn er will.« Tischreden, Anton Lauterbachs Tagebuch, 17. November 1538, D. Martin *Luthers* Werke, Tischreden 4. Band, Weimar, 1916, Nr. 4123, S. 151, 1 ff.: »nam verbum Dei iterum deficiet, orientur tenebrae ex defectu ministrorum verbi; tunc totus mundus brutescet ...«

[342] Oratio ad academiam Argentinensem post suum ex Anglia reditum, de studio Theolocico, Loci 1587, 1061, 21 ff.

ist«[343]. Erkenntnis und Bekenntnis hängen *außer* von der Schrift vom Heiligen Geist ab, er hat seine eigene Autorität *neben* der Schrift und ist ein besonderer Erkenntnisgrund.

Faktisch schreibt Martyr alles, was das Christliche am Leben des Christen ausmacht, was er Gott verdankt, seine Teilhabe an dem durch Christus heraufgeführten Heil der Wirkung des Heiligen Geistes zu. Das wirkt sich aus auf die Auffassung vom Wort Gottes, der Predigt und der Sakramente, auf die Lehre von der Rechtfertigung und von der Heiligung und nicht zuletzt auf die Ekklesiologie. So folgt aus dem Verständnis des Geistes der dogmatische Rang, den Martyr der Lehre vom Heiligen Geist einräumt. Sie prägt wie kein anderes Lehrstück die Frömmigkeit. Unmittelbarkeit zu Gott ist das hervorstechendste Merkmal dieser Frömmigkeit[344], frommes Selbstbewußtsein ihre Gestalt. Gott selbst ist dem Christen trotz seines unvermittelten geistlichen Einwirkens sehr fern, der Urheber seiner Frömmigkeit und Garant ihres Wertes. In seinem Innern findet der Christ Gottes Kraft und Gaben. Gott kommt ihm nahe, indem er ihn selbst ein wenig göttlich macht. Er wohnt in ihm und bringt ihm dadurch Glück, wie er den Israeliten Erfolg bescherte, wenn er auf der Lade thronte[344a]. Die Christologie tritt ganz zurück, obwohl sie die Mitte von Martyrs Theologie ist. Über sie hinweg spannt sich der Bogen vom dritten Artikel zum ersten zurück. Die Kraft des Geistes ist eine Auswirkung der »potentia« Gottes. Wo es aber um die Erhebung und Begründung der christlichen Lehre geht, steht die Christologie breit und gewichtig im Zentrum. Christus ermöglicht das christliche Leben, der Heilige Geist verwirklicht es. Auch konkurriert die Pneumatologie nicht mit der Christologie, sondern legt sie aus, jedoch so, daß sie dabei ihr gegenüber verselbständigt wird. Der Glaubende lebt vom Heiligen Geist, hat an ihm Trost und Gewißheit seines Heils, er vertrtraut auf Gottes »potentia« und verdankt sein Glück dem schwebenden universalen kosmischen Hauch des Geistes, dem Inbegriff des Göttlichen, der den Aufschwung der christlichen Humanität in Atem hält.

Wir blicken auf die vorigen Kapitel zurück, um uns noch einmal die vorrangige Bedeutung des Heiligen Geistes für das christliche Leben zu ver-

---

[343] Brief Clarissimis atque magnificis dominis Scholarchis Argentinensis Gymnasii, 27. Decembris 1553, Loci 1587, 1068, 16.

[344] Loci 1587, 434, 34, 48 ff.: »Propterea Deo summe benigno ac misericordi tantas quantas possumus agamus gratias, qui non angelorum aut alterius cuiuscumque creaturae ministerio, sed sui ipsius Spiritus vi nos Christo vero ac naturali Filio inseruit . . .«

[344a] In Genesim, 158 b, 11 f.: »Cum Deus in sanctis suis resideat atque habitet, non mirum si de illis idem evenit quod de arca Domini.« Vgl. 158 b, 24.

gegenwärtigen. Martyr betrachtet das christliche Leben unter drei Aspekten. Es ist zuerst Glaube, eine nicht begründbare, doch absolut gewisse Erkenntnis des Wahren und Wirklichen, der Werte und Ziele nach der christlichen Lehre. Der Glaube ist immer eine praktische Überzeugung, hat notwendig eine bestimmte Weise des Verhaltens, der Ausrichtung und Gestaltung des Tuns bei sich. Schließlich entsteht so eine gewisse Harmonie von Einsicht und Existenz, die ein Vorschein des eschatologischen Heils ist und sich als Freude, Glück und Trost äußert. Der so komplex verstandene Glaube gründet sich nicht auf ein klares, begrenztes Wort, etwa den Zuspruch der Sündenvergebung, sondern auf die christliche Wahrheit im ganzen, deren Erkenntnis den Christen in jeder Hinsicht und ganz zum Wissenden macht[345]. Diese umfassende Einheit der Wahrheit repräsentiert die Bibel, die abgeschlossene Quelle, aus der sie erkannt wird. Sie enthält die vollkommene und absolut gewisse Lehre[346]. Ihre innere Einheit garantiert der Heilige Geist, ihr Urheber, der zugleich die Auslegung lenkt[347]. Martyrs Verständnis von Glauben und Geist fordert den Biblizismus. Der Glaube braucht eine vollkommene, einheitliche und fest umgrenzte Quelle, wenn er die unerschütterliche und prinzipiell niemals revidierbare oder erweiterungsbedürftige Erkenntnis sein soll[348]. Dem Heiligen Geist muß ein zuverlässig umrissener Kanon korrespondieren, nach dem seine Wirkungen verifiziert werden können. Auf der biblischen Offenbarung beruht die Einheit der Kirche, deren Glieder durch vielgestaltige Geistesgaben unterschieden und verbunden sind. Predigt und Sakramente können nur Hinweis auf diese ganze Wahrheit sein. Zudem können sie wie alle Dinge in der Welt der Erscheinungen nicht von sich aus den Menschen innerlich verändern[349]. Der Mensch organisiert aber sein Leben von seinem inneren Kern aus, in dem Denken, Gefühl und Wille zusammenstimmen. Daß dieser ganze Mensch von der erkannten biblischen Wahrheit betroffen wird, dafür sorgt wieder der Heilige Geist[350]. So kann

---

[345] Vgl. Kapitel III, 3, S. 218 ff.

[346] Vgl. Kapitel III, 3, S. 223; 233—235.

[347] In Lamentationes, 3, 31 ff. Vgl. In Genesim, 59 b, 19 ff.: »Spiritus sancti authoritate praeterea iudicamus ideo fieri, quod fides tria habet capita sive principia propter quae a Spiritu sancto pendet. Primo, nisi is revelasset divina verba et promissiones, minime nobis proponi possent. Deinde nisi illius opera noster animus illustraretur, non fieri posset ut quae nobis ab Apostolis sacris literis et sanctis concionatoribus proponuntur, intelligeremus, ... Postremo opus est ut illustrato intellectu adhuc illa luce affectio et voluntas nostra inflammetur ...«

[348] Vgl. In Genesim, 59 b, 17 ff.: »Hunc assensum firmum esse ideo volumus, ut ab opinione secernatur fides; nam illa etsi alteram asserit problematis partem, tamen non id facit absque timore et suspicione reliquae partis, aliquanto enim titubat.«

[349] Vgl. Kapitel III, 3, S. 220 ff.

[350] Vgl. Kapitel III, 1, S. 197 ff.

man verstehen, daß die Vorstellung der Erneuerung des Menschen nach seiner ursprünglichen Anlage und Bestimmung eher das christliche Leben
beschreibt und erklärt als der Gedanke der Sündenvergebung und Martyr
darum wichtiger ist[351]. Martyrs Frömmigkeit ist idealistisch, wie sich besonders an der Imago-Dei-Lehre und der Restitutions-Lehre zeigt. Ihr Ziel
ist, aus dem weltverfallenen den wahren, Gott entsprechenden Menschen
zu bilden. Der Christ nimmt die erfahrbare Wirklichkeit nicht wichtig, er
durchschaut sie vielmehr und gewinnt von ihr als von etwas eigentlich Un-
wirklichem und Unwertigem die Unabhängigkeit und Freiheit dessen, der
sie von Grund auf versteht, mit ihr souverän umzugehen und sie zu gebrauchen weiß. Auch diesen Idealismus stützt die Lehre vom Heiligen
Geist. Der Geist ist das von allem Weltlichen ganz reine Prinzip, der doch
ins weltliche Leben eingeht und dem menschlichen Geist soviel der über-
weltlichen Kräfte eingibt, daß er fähig wird, sein Denken und Streben
über die Erfahrung hinaus zu richten, seiner wahren Bestimmung zu folgen und alle Realität in ihrem Zweck- und Begründungszusammenhang
zu sehen, von dem her sie ihr Wesen hat[352]. Ob Martyr vom Glauben, vom
Gebet, von der Sündenvergebung, von der Rechtfertigung, von der Wiedergeburt oder von den Sakramenten spricht, immer relativiert er bestimmte Aussagen durch den Hinweis auf den Heiligen Geist. Seine nicht
erzwingbare Anwesenheit macht allein den religiösen Wert aller Formen
der Begnadung und der Teilhabe am Heil aus und garantiert ihre Echtheit.
Es ist danach nicht verwunderlich, daß insbesondere die Ekklesiologie von
der Pneumatologie überschattet wird und auf diesem Wege die Soteriologie unter den Vorbehalt gerät, daß der Heilige Geist ihr zur aktuellen Geltung verhilft[353]. Die Kirche besteht aus denen, die vom Heiligen Geist zum
christlichen Glauben gerufen werden[354]. Sie ist der mystische Leib Christi,
der, vom Geist Gottes belebt, schrittweise wächst. Zuerst wurde Christus,
dem Haupt, die Bewegung und Empfindung des Geistes gegeben, von da
schreitet der Geist allmählich fort, indem er andere Glieder bildet und
hervorbringt[355]. Zutrauen zum Geist zu haben, mit seinen Möglichkeiten
zu rechnen und alles Gute, das man bei sich findet, ihm dankbar zuzuschreiben und darüber demütig bescheiden das heitere Selbstbewußtsein
des Begnadeten unangefochten zu haben, ist das Zeichen des Christen
und der Kirche[356]. Von der Frömmigkeit her wird das »Credo in spiritum

---

[351] Vgl. Kapitel III, 2, S. 203 ff.
[352] Vgl. Kapitel III, 2, S. 211 f.; 205 ff.; vgl. S. 109 ff.
[353] Vgl. Kapitel III, 3, S.235 f., S. 217 ff.; Kapitel II, 3, S. 181 ff.
[354] Loci 1587, 435, 35, 12 f.   [355] Loci 1587, 440, 47, 38 ff.
[356] Vgl. Kapitel III, 2, S. 212 ff.; Kapitel II, 3, S. 182.

sanctum« zum aktuellsten Glaubenssatz, dem an Rang nur noch der Glaube an Gottes Macht und Güte vergleichbar ist, aber kein Satz aus dem
christologischen Bekenntnis. Auch McLelland stellt fest: »Martyr's con-
stant theme is the presence and power of the Spirit of Christ«[357]. Dem widerspricht nicht, daß Martyr sich den Christen als überaus vernünftigen
und allem schwärmerischen Irrationalismus abholden Menschen vorstellt.
Die innere Bewegung, welche der Heilige Geist dem Menschen mitteilt,
ist ja die Wiederherstellung der geschöpflichen Kräfte der Vernunft und
des Willens[358]. Und der Heilige Geist, den der Glaubende in sich auf-
nimmt, etwa beim Lesen der Schrift, scheint oft nichts anderes zu sein als
das Aufleuchten des Sinnes, den alles Seiende durch Gottes Bestimmung
hat. Martyr appelliert kräftig an das vernünftige Urteil, wenn er die Glaubensüberzeugung wecken oder stärken will. Sein Rationalismus kennzeichnet ihn nicht weniger als sein Spiritualismus. Man kann aber das
eine nicht gegen das andere ausspielen und ihn so einseitig festlegen[359].
Seine Frömmigkeit ist eine sehr geistige Religiosität, bei der alles auf die
bei sich selbst wohlbegründete Einstellung zum eigenen Leben und zur
Welt ankommt, die ihrerseits zustimmendes Teilnehmen an dem göttlichen Sinn der Welt von der Schöpfung über die Erlösung bis zu ihrer Wiederherstellung ist.

---

[357] *McLelland*, S. 85.
[358] Vgl. Kapitel III, 2, S. 205 ff.
[359] Vgl. Kapitel III, 3, S. 233 ff.; 235 ff.

Bibliographie

1. Peter Martyr Vermiglis theologische Schriften

UNA SEM- / PLICE DICHIARA- / TIONE SOPRA GLI / XII ARTICOLI DELLA
FEDE / CHRISTIANA. Di M. Pietro Mar / tyre Vermigli Firentino. / Non moriar,
sed vivam, et narra- / bo opera Domini. / Psal. 117. / Nella inclyta Basi / lea,
dell' Anno 1544. del me- / se di Febr.
4. 182 S. vorhanden: Musée historique de la Réformation, Genève, Signatur:
H. Mar. I. British Museum, vgl. General Catalogue British Museum, 1964,
Vol. 247, Sp. 829, Signatur: 1412. f. 26.

Es wird kein Herausgeber genannt. Man kann annehmen, daß Martyr selbst die
Edition von Straßburg aus in Auftrag gegeben hat. Die Schrift ist eine Auslegung des Apostolischen Glaubensbekenntnisses, die einzige systematische Darstellung seiner gesamten Theologie und seine erste Schrift, die gedruckt wurde.
Vgl. Einleitung I, S. 36–38. Sie wird auch unter den 1551 von der Sorbonne verbotenen Büchern aufgeführt. D'Argentré, Collectio judiciorum de novis erroribus, Paris, 1728, B. 2, S. 174. Vgl. Schmidt, S. 37 f.

Die italienische Ausgabe wurde wieder abgedruckt in: Biblioteca della Riforma
Italiana. Raccolta di scritti evangelici del secolo XVI. Volume Terzo. Il credo di
P. M. Vermigli ed il Catechismo di Eidelberga. Roma/Firenze 1883.
Vorangestellt sind 2¹/₂ Seiten 8. über Vermigli, ein Abriß seines Lebens.

Schlosser erwähnt eine Ausgabe von 1546 bei Oporin (Basel) mit dem Titel:
Catechismus, overro esposizione del simbolo etc., Schlosser, S. XI. Dieselbe
kennt auch Schmidt. Vgl. Schmidt, S. 37.

Eine lateinische Übersetzung enthalten die Loci communes. Der Herausgeber
fügt sie am Schluß des christologischen Teils ein. Er bemerkt dazu, er habe die
Auslegung des Apostolikums lange vergeblich gesucht. Sie sei jetzt in der Mut-
tersprache Vermiglis in seine Hände gelangt. Da er wisse, daß es bisher noch
keine lateinische Ausgabe gebe, ediere er sie in lateinischer Übersetzung. Vgl.
Loci 1587, S. 420. Diese Bemerkung stammt vermutlich von Robert Masson, der
die erste Ausgabe der Loci communes, London, 1576, besorgte. Diese Ausgabe
der Loci communes war mir nicht zugänglich. Ich benutze die Ausgabe von
1587: LOCI COMMUNES / D. Petri Mar- / tyris Vermiglii Flo- / rentini. Sacrarum Literarum / in Schola Tigurina Professoris: ex variis ipsius authoris scri- /
ptis, in unum librum collecti, et in quattuor / Classes distributi. Quam multa
ad priorem editionem accesserint, ex admonitione quam / prima pagina ex-
hibebit, facile Lector deprehendet. / (Die Auslegung des Apostolikums gehört
nicht zu den als Ergänzung zur ersten Auflage kenntlich gemachten Stücken.
Schlosser zitiert sie nach der ersten Londoner Auflage. Vgl. Schlosser, S. 392 ff.)
Omnis Scriba doctus ad regnum coelorum, similis est homini / patrifamilias,
qui profert ex thesauro suo nova / et vetera. Matth. 13. / Tiguri / in officina
Froschoviana. / M.D.LXXXVII. (1587).

f° 46/1148/45 S. vorhanden: Zentralbibliothek Zürich, Signatur: Z VII. 5. Universitätsbibliothek Bonn, Signatur: Gk 211.
Die Auslegung des Apostolikums steht unter dem Titel: D. Petri Martyris / Vermilii Simplex duodecim / fidei articulorum expositio, auf den Seiten 421 bis 442.

D. Petri Martyris / Vermilii Florentini PROPO / SITA DISPUTATA PUBLICE IN SCHOLA / ARGENTINENSI ab anno MDXLIII. / usque ad annum XLIX. / (1543–1549). Desumpta autem sunt / ex Genesi. / Exodo. / Levitico et / Iudicum libro. / Proposita necessaria / sunt 592 / probabilia 63. / Nunquam antehac in lucem edita. / Basileae. / Ex officina P. Pernae. / M.D.LXXXII. (1582).
f° 54 S. vorhanden: Zentralbibliothek Zürich, Signatur: Z M M 34₂. Bibliothèque et Universitaire, Genève, Signatur: Bc 91 ⁺.

Die Ausgabe der Disputationsthesen ist dem dritten Band der von P. Perna in Basel 1580, 1581, 1582 gedruckten Loci communes angehängt S. 429–481. Perna beabsichtigte, mit dieser Ausgabe der Loci communes alle Studien Martyrs außer den Kommentaren zu sammeln und herauszugeben. Die für den Abschluß der Thesen angegebene Jahreszahl 1549 ist fragwürdig, da Martyr schon seit November 1547 in Oxford war. In der Überschrift zu den Thesen wird nur das Datum 1543 erwähnt. Robert Masson behält auch nur dieses Datum in seiner »kritischen« Ausgabe der Loci communes, Zürich 1587, bei. Vgl. Einleitung I, S. 36.

Die Disputationsthesen wurden wieder abgedruckt in den von R. Masson herausgegebenen Loci communes, die bei Froschauer in Zürich 1587 gedruckt wurden. Vgl. oben. Theses D. Petri Martyris propositae ad disputandum publice in Schola Argentinensi, Anno Domini M.D.XLIII. (1543).
f° 35 S. S. 1000–1034.
Ich benutze diese Ausgabe.

Die Disputationsthesen wurden in späteren Ausgaben der Loci communes noch oft nachgedruckt. Ich erwähne zunächst nur die Ausgaben, die ich gesehen habe.

Heidelbergae, Apud Iohannem Lancellottum, impensis Andreae Cambieri. Anno M.D.CIII. (1603).
f° 46/1148/45 S. vorhanden: Zentralbibliothek Zürich, Signatur: Z VI 32.
Die Ausgabe scheint ein unveränderter Nachdruck der 1587 in Zürich erschienenen zu sein.

Genevae. Apud Petrum Aubertum. M.D.CXXIV. (1624).
f° 36/805/32 S. vorhanden: Bibliothèque Publique et Universitaire, Genève, Signatur: Bc 91⁺⁺. Zentralbibliothek Zürich, Signatur: Z VII. 6.
Die Ausgabe wurde gegenüber der 1587 in Zürich erschienenen erweitert.

Genevae, Sumptibus et Typis Petri Auberti Reipublicae et Academiae Typographi. M.D.CXXVI. (1626).
f° 36/805/32 S. vorhanden: Zentralbibliothek Zürich, Signatur: Z III P 3b.
Die Ausgabe ist ein unveränderter Nachdruck der Genfer Edition von 1624.

Englische Übersetzung. Imprinted at London in Pater noster Rowe, et the costs and charges of Henri Denham, Thomas Chard, William Broome, and Andrew Manusell. 1583.

f° 30/640/398/331 S.; 4/152 (101–252)/165/104 S. vorhanden: Musée historique de la Réformation, Genève, Signatur: H. Mar. 6. British Museum, vgl. General Catalogue British Museum, 1964, Vol. 247, Sp. 828, Signaturen: 3705. f. II.; 13. b. 4.; C. 21. e. 9.

Die Übersetzung und Edition besorgte Anthony Marten. Marten stützt sich auf die erste Ausgabe von Masson, London, 1576, und auf eine 1583 in London erschienene lateinische Ausgabe. Er hat seine Ausgabe gegenüber den ihm vorliegenden Ausgaben erweitert und verbessert.

Außer diesen sind noch folgende Ausgaben der Loci communes bekannt:
Zürich, 1580 (enthält nicht die Disputationsthesen).
London, 1576 (enthält nicht die Disputationsthesen) und 1583.
Vgl. McNair, S. 301. British Museum, vgl. General Catalogue British Museum, 1964, Vol. 247, Sp. 828, Signatur: C. 47.1.3. (Loci, London, 1576). Signatur: 3705. g. 4. (Loci, London, 1583).
Heidelberg, 1593, 1613 und 1622. Vgl. McNair, S. 301.
Genf, 1623(?). Vgl. McLelland, S. 262. 1624; vgl. Niceron, S. 239.
Amsterdam und Frankfurt, 1656. Vgl. McNair, S. 301. British Museum, vgl. General Catalogue British Museum, 1964, Vol. 247, Sp. 828, Signatur: 3705. g. 2.
Englische Übersetzung: London, 1579. Vgl. McLelland, S. 262.

IN LAMENTATIONES / SANCTISSIMI / IEREMIAE PROPHETAE, / D. Petri Martyris / Vermilii, Florentini, / sacrarum literarum / quondam in Schola Tigurina / Professoris, / commentarium. / Hoc demum lamentabili et / lugubri tempore, ex autographo collectum, cor- / rectum, et in lucem editum, / cum notis et indice. / Matth. 24. / Videte ne turbemini: oportet enim omnia fieri. / Tiguri / Excudebat, Ioh. Jacobus Bodmerus. / M.D.CXXIX. (1629).
4. 16/144/8 S. vorhanden: Zentralbibliothek Zürich, Signaturen: Z 5. 1231; Z III O 120; III B 66e. British Museum; vgl. General Catalogue British Museum, 1964, Vol. 247, Sp. 826, Signatur: 3165. dd. H.

Joh. Rudolf Stucki fand Martyrs Autograph zu dieser Vorlesung in der Bibliothek seines Onkels D. Joh. Wilhelm Stucki. Er besorgte die Edition. Zur Datierung sagt er nur, Martyr habe diesen Kommentar in Straßburg vor seinem Aufbruch nach England geschrieben. Die Datierung ist unsicher. Die Vorlesung über die Klagelieder ist wahrscheinlich Martyrs zweite Straßburger Vorlesung. Martyr dürfte sie 1543/44 gehalten haben. Der Kommentar ist nach Martyrs ausdrücklicher Absicht eine straffe, von Vers zu Vers fortschreitende philologische und historische Erklärung des Textes. Spätere Auflagen sind nicht bekannt. Vgl. Einleitung I, S. 31 f.

IN PRIMUM LIBRUM / MOSIS, qui vulgo Ge- / nesis dicitur commentari / doctissimi D. Petri Martyris Vermilii Floren- / tini, professoris divinarum literarum in / Schola Tigurina, nunc primum / in lucem editi. / Addita est initio operis vita eiusdem a Iosia Sim- / lero Tigurino descripta. / Praeterea accesserunt duo Indices locupletissimi Rerum / et verborum unus, alter locorum communium qui / in his Commentariis explicantur. / Absit mihi gloriari nisi in cruce Do-

mini nostri Iesu Christi / per quem mihi mundus crucifixus est et ego mundo. / Tiguri / Excudebat Christophorus / Froschoverus M.D.LXIX. (1569).
f° 24/170/9 S. vorhanden: Zentralbibliothek Zürich, Signaturen: Z 5. 75$_1$ und Z III B 38$_2$. British Museum, vgl. General Catalogue British Museum, 1964, Vol. 247, Sp. 828, Signatur: 3166. f. 22. (Dort wird irrtümlich die Jahreszahl 1509 angegeben.)

Julius Terentianus, dem Martyr seine Bibliothek hinterlassen hatte, übergab das in Martyrs Schrift geschriebene Vorlesungsmanuskript Josias Simler zur Veröffentlichung. Das Manuskript brach nach der Auslegung von Kapitel 42 Vers 25 ab. Ludwig Lavater hebt im Vorwort zur zweiten Auflage hervor, Martyr habe in der Straßburger Schule das ganze Buch Genesis interpretiert. Eine genaue Datierung der Vorlesung ist nicht überliefert. Martyr wird sie 1544/45 gehalten haben. Der Genesiskommentar ist Martyrs erster Kommentar mit breit ausgeführter theologischer Deutung und vielen erbaulichen und dogmatischen Exkursen. Vgl. Einleitung I, S. 32–34.

Neue Auflage: In primum librum / Mosis, qui vulgo Ge- / nesis dicitur, commentarii / doctissimi D. Petri Martyris Vermilii Floren- / tini, professoris divinarum literarum in / schola Tigurina, nunc denuo / in lucem editi. / Addita est initio operis vita eiusdem a Iosia Sim- / lero Tigurino descripta. / Accesserunt praeterea in hac editione, octo postrema ca- / pita huius libri, Ludovico Lavatero inter- / prete: Item duo indices locupletissimi Rerum et / verborum, atque Locorum communium. / Absit mihi gloriari nisi in cruce Domini nostri Iesu Christi / per quem mihi mundus crucifixus est et ego mundo. / Tiguri / Excudebat Christophorus / Froschoverus M.D.LXXIX. (1579).
f° 12/200 Doppelseiten vorhanden: Zentralbibliothek Zürich, Signaturen: Z III B 42 und Z Zw 329$_1$. Bibliothèque Publique et Universitaire, Genève, Signatur: Bb 1041. Universitätsbibliothek Bonn, Signatur: G a 513/40.

Ich benutze diese Auflage. Auf den Wunsch des Druckers Christoph Froschauer vervollständigte Ludwig Lavater den Kommentar durch seine eigene Auslegung der letzten acht Kapitel.

Neue Auflage: In primum librum Mosis, / qui vulgo Genesis dicitur / commentarii / doctissimi D. Petri Mar- / tyris Vermilii Florentini, Pro- / fessoris divinarum literarum / in Schola Tigurina, / Editio secunda. / Addita est initio operis vita eiusdem a Josia Simlero / Tigurino descripta: / Praeterea / Accesserunt duo Indices locupletissimi rerum et verborum unus; alter locorum / communium qui in his commentariis explicantur. / Heidelbergae, E Typographeio Iohannis Lancelloti, impensis / Andreae Cambieri. / Anno M.D.CVI. (1606).
f° 9/158/4 Doppelseiten vorhanden: Bibliothèque Publique et Universitaire, Genève, Signatur: B b 1042.

Der Kommentar endet mit der Auslegung von Kapitel 42 Vers 25, es fehlen also die Ergänzungen Lavaters.

Schmidt und McLelland wissen noch von einer Ausgabe in Zürich 1572. Vgl. Schmidt, S. 204; McLelland, S. 261. Sie wird auch in dem Verzeichnis von Niceron aufgeführt. Dort wird außerdem eine Ausgabe in Zürich 1596 erwähnt. Niceron, S. 232.

PRECES / SACRAE EX / PSALMIS DAVIDIS / desumptae per D. Pe- / trum Martyrem Vermi- / lium Florentinum, sacrarum lite- / rarum in schola Tigurina / professorem. / Tiguri / Excudebat Christophorus Froschouerus, Anno M.D.LXIIII. (1564).
12. 182/1 Doppelseiten vorhanden: Zentralbibliothek Zürich, Signatur: Z A W 6004. British Museum, vgl. General Catalogue British Museum, 1964, Vol. 247, Sp. 828, Signatur: 3090. aa. 16. (Dort wird als Format 8° angegeben).

Josias Simler fand unter Martyrs nachgelassenen Papieren verstreute Blätter, auf denen in Martyrs Handschrift Psalmgebete geschrieben standen. Er sortierte sie sorgfältig aus und ließ sie drucken. Simler behauptet, Martyr habe sie in der Straßburger Schule am Ende seiner Vorlesungen gebetet zu der Zeit, als das Trienter Konzil begonnen hatte und in Deutschland der Religionskrieg ausgebrochen war, also 1546–1547. Die Datierung ist fragwürdig. Die Gebete aktualisieren die Hauptgedanken der Psalmen in der Form freier Nachdichtung. Die Sammlung enthält Gebete zu allen Psalmen, oft mehrere zu demselben. Vgl. Einleitung I, S. 35 f.

2. unveränderte Auflage. Tiguri excudebat Christophorus Froschoverus anno M.D.LXVI. (1566).
12. 182/1 Doppelseiten vorhanden: Zentralbibliothek Zürich, Signatur: Z XIV 339. Bibliothèque Publique et Universitaire, Genève, Signatur: B d 82.

3. unveränderte Auflage. Tiguri excudebat Christophorus Froschoverus anno M.D.LXXVIII. (1578).
12. 183 Doppelseiten vorhanden: Zentralbibliothek Zürich, Signaturen: Z III. R. 720; Z VII 483.

4. unveränderte Auflage. Preces / sacrae ex Psalmis Davi- / dis desumptae per D. Petrum / Martyrem Vermilium Florenti- / num, sacrarum literarum in schola Tigurina / professorem.
f° 138 Sp. (Sp. 283–420).
in: Petri Martyris / Vermilii / LOCORUM COMMUNIUM / theologicorum, ex ipsius diversis / opusculis collectorum. / Tomus Tertius. / In quo reliqua omnia eius opuscula, tam / edita quam antea non edita / continentur. / Cum indice copiosissimo / Basileae. / ad Perneam Lecythum. / M.D.XXCII. (1582).
f° 36 S. / 482 Sp. / 24 S. vorhanden: Zentralbibliothek Zürich, Signatur: Z M M 342. Bibliothèque Publique et Universitaire, Genève, Signatur: B c 91+.

Ich benutze diese Ausgabe der Psalmgebete. Die späteren Auflagen der Loci enthalten die Psalmgebete nicht. Die Basler Ausgabe der Loci communes besorgte Jakob Grynaeus.

5. verbesserte Auflage. Preces / sacrae ex Psal- / mis Davidis pri- / mum per / Petrum Marty- / rem collectae: / Nunc vero / Ex autographis cor- / rectae, et / sylvas. / Homiliarum / selectiss. et nunquam / ante editarum / Rodolphi Gual- / theri, p.m. / De vera precum ratione / et usu / Locupletae. / Tiguri / Apud Iohannem Wolphium. / M.D.CIV. (1604).
12. 12/182 Doppelseiten (dabei sind die Homilien Gualthers nicht mitgezählt) vorhanden: Zentralbibliothek Zürich, Signatur: Z 5. 414.

Diese Ausgabe besorgte R. Simler.

Deutsche Übersetzung. Heilige und / trostliche Gebått usz / den Psalmen Davids ge- / zogen durch den Gottsåligen / unnd hochgelehrten Doct. Petrum / Martyrem / der Heiligen Ge- / schrifft Professorn zů / Zürych. / Jetzt newlich vertütschet. / Darzů sind kommen kurtze Argu- / ment unnd Innhalt eines yeden Ge- / båtts. Mit sampt zweyen neüwen / Geistlichen Gesangen. / Getruckt zů Zürych in der / Froschow. M.D.LXXXIX. (1589).
8. 144 S. vorhanden: Zentralbibliothek Zürich, Signatur: Z 5. 336.

»Hans Jacob Buwman geweßner Predicant zu Marbach im Rhyntal« hat die Übersetzung angefertigt. Wo Martyr zu demselben Psalm mehrere Gebete hatte, hat er nur eins ausgewählt. Vgl. Vorrede, S. 3 v° u.

Schmidt kennt noch eine französische Übersetzung, Genf, 1565, in 12. und eine englische Übersetzung, durch Charles Glemham, London, 1569. Die englische Übersetzung ist vorhanden: British Museum, vgl. General Catalogue British Museum, 1964, Vol. 247, Sp. 828, Signatur: 3456. dd. 11. Beide erwähnt auch Niceron, S. 234.

2. Briefe und Gutachten

Brief an die *Chorherren von S. Frediano in Lucca*, datiert in Fiesole am 24. August 1542.
Honoreuoli Fratelli et dilettissimi in Christo Jesu, »A me è stato necessario il partirmi dalla religione, . . .« Data a Fieso, ali XXIIII di Agosto M.D.XLII . . . D. P. Martjre da Fiorenza.

Eine Kopie des Briefes ist erhalten in Carteggio Farnesiano, Archivo di Stato, Parma. Er wurde zuerst veröffentlicht von Negri, »Note e documenti per la storia della Riforma in Italia. II. Bernhardino Ochino« in: Atti della R. Accademia delle Scienze di Torino, vol. XLVII (Turin, 1912), pp. 80–81. Er wurde wieder abgedruckt von F. Lemmi, La Riforma in Italia e i riformatori italiani all' estero nel secolo XVI (Mailand, 1939), pp. 92–94. Zuletzt hat ihn McNair nach der in Parma gefundenen Kopie wieder veröffentlicht. McNair, S. 287 f.
Dieser Brief ist der früheste von Martyr erhaltene, der einzige aus der Zeit seines Aufenthalts in Italien. Martyr rechtfertigt seine Flucht, stellt sein Priorat zur Verfügung und fordert seine Ordensbrüder auf, einen neuen Prior zu wählen. Dem Brief war ein Schreiben an den Rector Generalis seines Ordens, Arcangelo Pelissoni von Pavia, beigegeben, das verschollen ist. Vgl. McNair, S. 287.

Brief an *Heinrich Bullinger in Zürich*, datiert in Basel am 5. Oktober 1542.
Petrus Martyr Vermilius Florentinus Henrico Bulingerio . . . »Si Christiani hominis esset humano more in Amicorum negligentiam animadvertere, . . .« Datum Basileae, ex Augustiniano Collegio III nonas octobris MDXLII.

1½ Folioseiten, Autograph (Handschrift eines Sekretärs), Staatsarchiv Zürich,

Signatur: E II 340, Bl. 112–112 v°. Kopie in der Simlerschen Sammlung, Zentralbibliothek Zürich, Signatur: Msc. E 129 (124 b) Nr. 14.
Martyr berichtet über seine Lage in Basel, dankt Bullinger für sein Empfehlungsschreiben und teilt ihm mit, Myconius habe sich an Bucer in Straßburg gewandt, ob er ihm und seinen Begleitern eine Anstellung beschaffen könne. Vgl. Einleitung I, S. 18 f.

Brief an *Heinrich Bullinger in Zürich*, datiert in Straßburg am 19. Dezember 1542.
A Deo Patre Gratia, et pax per Iesum Christum dominum nostrum optimo aeque ac doctissimo viro Enrico Bulingero. »Superioribus diebus quum adhuc una cum meis Basileae agerem, ...« Argentorati XIIII Kalendas Ianuarias, M.D.XLII Petrus Martyr Florentinus.

1 Folioseite, Autograph (Handschrift eines Sekretärs), Staatsarchiv Zürich, Signatur: E II 340, Bl. 111. Kopie in der Simlerschen Sammlung, Zentralbibliothek Zürich, Signatur: Msc. E 129 (161 b) Nr. 86.
Martyr berichtet über die Ankunft in Straßburg, die freundliche Aufnahme, die Anstellung und den Beginn seiner ersten Vorlesung über die (kleinen) Propheten.

Brief an die *Ganze Gemeinde in Lucca*, datiert in Straßburg am 25. Dezember 1542.
Universis Ecclesiae Lucensis fidelibus, sanctis, vocatis, gratia et pax a Deo Patre nostro, per Dominum Iesum Christum. »Diuturnum silentium meum in hac fuga, vobis quidem incommodum, ingratumque foret, ...« Datum Argentorati octavo calendas Ianuarias, Anno MDXLIII.

2¼ Folioseiten, gedruckt im Briefteil der Loci communes von der zweiten Auflage ab. In der von mir benutzten Ausgabe, Zürich, 1587, steht der Brief S. 1071–1073. Schlosser zitiert ihn fast vollständig in deutscher Übersetzung, S. 400–408. Mehrere Abschnitte in deutscher Übersetzung druckt auch Schmidt ab, S. 48–52. Young zitiert ihn fast vollständig in englischer Übersetzung, Bd. I, S. 415–418. McLelland führt ihn auszugsweise in englischer Übersetzung an, S. 10–12, ebenso McNair, S. 263 f. Der Brief wird ursprünglich italienisch geschrieben gewesen sein. Nach Schmidts Urteil, das er allerdings nicht begründet, soll ihn der nach Zürich geflüchtete Arzt Taddeo Duno aus Locarno lateinisch übersetzt haben. Vgl. Schmidt, S. 51. In den Loci communes findet sich darüber keine Angabe, wie das sonst bei den von Duno übersetzten Briefen üblich ist.
Diese Autoren weichen bei der Datierung erheblich voneinander ab. Schlosser: von Basel am 1. Januar 1543; Schmidt: am Weihnachtstage ohne ausdrückliche Erwähnung des Jahres. Da er den Brief im Zusammenhang mit anderen Briefen aus dem Jahre 1542 zitiert (vgl. S. 48 f.), nimmt er wohl das Jahr 1542 als selbstverständlich an. Young: am Anfang des Briefes 6. Januar 1543, am Ende des Briefes 25. Januar 1543. McLelland, der die unterschiedliche Datierung bemerkt hat, entscheidet sich für den 25. Januar 1543. McNair datiert den Brief auf den Weihnachtstag 1542. Octavo (ante diem) calendas Ianuarias ist der 25. Dezember. Fraglich ist, ob die Jahreszahl zu »calendas Ianuarias« oder zum ganzen Datum gehört. Hat Martyr also vom 1. Januar 1543 = calendas Ianuarias acht Tage zurückgezählt, um so das Datum: 25. Dezember 1542 zu bestimmen? Diese

Auffassung scheint mir die nächstliegende zu sein. Oder hat er verstanden: »octavo calendas Ianuarias« = 25. Dezember, und dann die Jahreszahl hinzugesetzt, um auszudrücken, daß er den 25. Dezember im Jahre 1543 meint? Unsicher ist ferner, welches Datum Martyr als den Jahresanfang angesehen hat. Wenn er den 25. 12. als Jahresanfang annahm, war der 25. 12. 1542 nach unserer Rechnung der erste Tag des Jahres 1543 nach seiner Rechnung. Der Brief selbst enthält Hinweise zur Datierung, die eindeutig für das Jahr 1542 sprechen. Martyr beginnt den Brief: »Ein langes Schweigen meinerseits während dieser Flucht würde euch betrüben und mir in hohem Maße unziemlich sein. Deswegen habe ich beschlossen, von Gott inspiriert (wie ich meine) in diesem Brief mit euch zu sprechen, weil es persönlich nicht möglich ist.« (Diuturnum silentium meum in hac fuga, vobis quidem incommodum, ingratumque foret, me vero magnopere dedeceret. Quapropter divinitus (ut autumo) inspiratus, hisce vobiscum literis, quando id coram non datur, colloqui constitui. Loci 1587, 1071, 12 ff.) Martyr ist also der Meinung, er habe ein langes Schweigen seit seinem Abschied von Lucca durch diesen Brief vermieden. Das konnte er Weihnachten 1543, anderthalb Jahre nach seiner Flucht, nicht mehr sagen. Als er den Brief schrieb, war er mit seiner Vorlesung über die kleinen Propheten bis zum letzten Kapitel des Buches Amos gekommen. (Prophetas minores, quos vocant, interpretor in praesentia, Hamoso extremam manum brevi impositurus, Loci 1587, 1072, 1 f.) Mit dieser Vorlesung hatte er bald nach seiner Ankunft in Straßburg, gegen Ende Oktober 1542, begonnen. Er erwähnt sie im Brief von 19. Dezember 1542 an Bullinger. Außerdem schreibt er, Capito sei im Verlauf des (vergangenen) Jahres gestorben (quo defuncto anno iam vertente, Loci 1587, 1072, 4). Capito war am 2. November 1541 gestorben. Vgl. Schmidt, S. 50.
Martyr erzählt kurz von seiner Flucht, von seiner Aufnahme in Straßburg und den dort empfangenen Eindrücken, insbesondere von Bucer, dem »wahrhaft heiligen Bischof«, und von seiner Anstellung. Schließlich rechtfertigt er seine Flucht, legt seine Lage vor der Flucht und seine Motive dar und tröstet die Gemeinde.

Brief an *Martin Bucer in Speier*, datiert in Straßburg am 13. April 1544.
»Etsi ad referendum tibi pro meritis et dignitate gratias me imparem esse intelligo, ...« 13. aprilis 1544 Argentorati. P. Martyr Vermilius.

2¼ Folioseiten, Autograph (Martyrs Handschrift), Thomasarchiv Straßburg, N° 40 Carton 21, 1–2.
Martyr dankt Bucer für seine vielfältige Hilfe, zuletzt, daß er seine Wahl in das Kollegium von St. Thomas bewirkt und ihm eine schöne Wohnung zugewiesen habe. Er berichtet Bucer, daß in seiner Abwesenheit über die Zuteilung der Wohnung Streit ausgebrochen sei. Es sei bestritten worden, daß es Bucer als Dekan überhaupt zustehe, ohne Beschluß des Kollegiums über die zeitlichen Güter des Stifts zu verfügen.

Brief der *Straßburger Pfarrer an die Pfarrer von Neuchâtel*, datiert in Straßburg am 29. Dezember 1544. Mitabsender sind Caspar Hedio, Theobald Nigri, Paul Fagius, Johannes Lenglinus, Valerandus Pollanus, M. Bucer.
Venerandis et optimis fratribus Christum Neocomi docentibus. »Gratiam et pacem a Domino, observandissimi et carissimi fratres.« Datum 29. Decembris anno 1544.
4 Spalten, gedruckt in: Corpus Reformatorum, Volumen XXXIX. Joannis Cal-

vini opera quae supersunt omnia, ediderunt Guilielmus Baum, Eduardus Cunitz, Eduardus Reuss, Volumen XI. Brunsvigae, 1873, Nr. 597, Sp. 815–819. Das Original befindet sich in Neuchâtel, in der Bibliotheca pastorum Vol. A. n. 16. Der Brief wurde wieder gedruckt in: Correspondance des réformateurs dans les pays de la langue française, recueillie et publiée par A.–L. Herminjard, Tome neuvième, 1543–1544, Genève, Bale, Lyon, Paris, 1897, Nr. 1429, S. 436–441. Die Straßburger Theologen empfehlen den Pfarrern in Neuchâtel, eine Zensur der Pfarrer untereinander einzuführen. Vgl. Einleitung I, S. 24.

DE VITANDIS SUPER- / STITIONIBUS, quae / cum sincera fidei / confessione pu- / gnant. / Libellus Ioannis Calvini. / Eiusdem excusatio ad pseu- / donicodemos. / Philippi Melancthonis, / Martini Buceri, / Petri Martyris responsa / de eadem re. / Calvini ultimum responsum, / cum appendicibus. / Genevae, / per Ioannem Girardum. / 1549.
4. 135 S. vorhanden: Bibliothèque Publique et Universitaire, Genève, Signatur: Rés. Bd. 1461. Martyrs Gutachten umfaßt 2 Seiten, S. 110–111. British Museum, vgl. General Catalogue British Museum, 1964, Vol. 247, Sp. 826, Signatur: 700. h. 32.

Martyrs Gutachten ist nicht datiert. Es wird ungefähr gleichzeitig mit dem voranstehenden Gutachten Bucers vom 8. Mai 1545 entstanden sein. Calvin hatte sich schon früher gegen die in französischen Gemeinden vertretene Auffassung gewandt, man könne evangelisch gesinnt sein und am katholischen Kultus teilnehmen. Im Frühjahr 1545 kam ein Abgeordneter französischer Gemeinden in die Schweiz, nach Straßburg und Sachsen, um Guthaben über diese Frage einzuholen. Vgl. Schmidt, S. 53. Martyrs Stellungnahme ist zurückhaltend und vermittelnd. Vgl. Einleitung I, S. 25.

2. vermehrte Auflage. De vitandis super- / stitionibus, quae / cum sincera fidei / confessione pu- / gnant. / Libellus Ioannis Calvini. / Eiusdem excusatio ad pseu- / donicodemos. / Philippi Melancthonis, / Martini Buceri, / Petri Martyris Responsa de ea- / dem re, / Calvini ultimum responsum cum ap- / pendicibus. / Quibus accessit responsum pasto- / rum Tigurinae ecclesiae. / Genevae, / per Ioannem Gerardum. / 1550.
4. 144 S. vorhanden: Bibliothèque Publique et Universitaire, Genève, Signatur: Rés. Bd. 1927. British Museum, vgl. General Catalogue British Museum, 1964, Vol. 247, Sp. 826, Signatur: 3900. cc. 2.

Die Edition ist ein Abdruck der ersten Auflage, der die Antwort der Zürcher Pfarrer zugefügt wurde.

Die Schriften wurden in dieser Zusammenstellung noch oft gedruckt.

Sie sind enthalten in den Opuscula Calvins, Genf, 1552, f°. Vgl. Schmidt, S. 53.

McLelland erwähnt eine französische Übersetzung von 1582: »Excuse aux faux Nicodemites.« Vgl. McLelland, S. 262.

Die Schriften sind abgedruckt in: Corpus Reformatorum, Bd. XXXIV, Calvini Opera, Bd. VI.
Martyrs Gutachten umfaßt dort zwei Spalten, Sp. 627–628.

Ich benutze diese Ausgabe.

Brief an *Heinrich Bullinger in Zürich*, datiert in Straßburg am 7. Juli 1545.
»Juvenis natione phrysius est apud nos aliquamdiu peregrinatus, ...« Argentorati Nonis Iulii. 1545. Petrus Martyr Vermilius.

1¹/₄ Folioseiten, Autograph (Martyrs Handschrift), Staatsarchiv Zürich, Signatur:
E II 340, Bl. 157 f. Kopie in der Simlerschen Sammlung, Zentralbibliothek Zürich,
Signatur: Msc. E 129 (128 b) Nr. 154.
Martyr nimmt auf eine Aufforderung Bullingers hin Stellung zum Abendmahls-
streit zwischen Bullinger und Luther. Vgl. Einleitung I, S. 25–28.

Brief an einen *Freund in Italien*. D. Petri Martyris Vermilii Epistola ad amicum
quendam, *De fuga in persecutione*, ab ipso authore italice scripta et a Thadeo
Duno Locarnensi medico, in latinum sermonem translata. »Petitionem tuam,
vir praestantissime, ...«
12 Folioseiten, gedruckt im Briefteil der Loci communes von der zweiten Auflage ab. In der von mir benutzten Ausgabe, Zürich, 1587, steht der Brief S. 1073
bis 1085. Der Brief war ursprünglich italienisch geschrieben und wurde von Thadeo Duno, einem Arzt aus Locarno, ins Lateinische übersetzt.
Der Brief ist undatiert. Eine Datierung läßt sich auch nicht zuverlässig erschließen. Der Herausgeber der Loci communes von 1587 hat die im Anhang abge-
druckten Briefe chronologisch geordnet. Er läßt diesen Brief dem vom 25. Dezember 1542 folgen. Da der Brief auf die Anfrage eines italienischen Freundes
antwortet, liegt die Annahme nahe, daß Martyr ihn bald nach seiner eigenen
Flucht schrieb, als er sich seinen italienischen Freunden noch nicht entfremdet
hatte und ihn das Thema noch bewegte. Er wird allgemein zu den Briefen aus
der Zeit von Martyrs erstem Straßburger Aufenthalt gerechnet. Vgl. Schmidt,
S. 54; McLelland, S. 9.
Martyrs Freund wünschte eine Antwort auf die Frage, ob Christen bei der Verfolgung wegen des Glaubens fliehen dürfen. Martyr gliedert die Abhandlung
nach zwei Hauptfragen: 1. ob die Todesfurcht für einen Christen Sünde sei.
2. ob das Gebot Christi: »Wenn sie euch aber verfolgen in dieser Stadt, so fliehet
in eine andere!« (Matth. 10, 23), heute noch gelte oder von Christus später ab-
rogiert worden sei wie das andere Gebot in demselben Kapitel: »Gehet nicht auf
die Straße der Heiden ...« (Matth. 10, 5). Martyr verneint die erste Frage und
bejaht die zweite mit Hinweis auf die gegenteilige Auffassung Tertullians. Vgl.
Einleitung I, S. 38. Vgl. Ernst Wolf, Ecclesia pressa – ecclesia militans, Zum
Problem der Rechtssicherheit der Kirche und der Verfolgung der Christenheit,
in: Theologische Literaturzeitung, 72. Jahrgang, 1947, Sp. 223–232, zu Martyrs
»De fuga in persecutione«, Sp. 232.

Brief an *Heinrich Bullinger, Conrad Pellican, Theodor Bibliander und die übrigen Pfarrer der Zürcher Kirche*, datiert in Straßburg am 6. Dezember 1546. Mitabsender sind Caspar Hedio und Martin Bucer. »Gratiam et pacem in Domino
colendi et charissimi viri ...« Datum VI. Decembris Argentinae M.D.XLVI.

4 Folioseiten, Autograph (nicht Martyrs Handschrift), Staatsarchiv Zürich, Signatur: E II 337, Bl. 379–380 v°.

Die Straßburger Theologen bemühen sich, eine Verstimmung zwischen ihnen und den Zürcher Theologen zu bereinigen, die dadurch entstanden war, daß schweizerische Studenten sich hartnäckig geweigert hatten, in Straßburg am Abendmahl teilzunehmen. Vgl. Einleitung I, S. 28–30.

Brief an *Franciscus Dryander in Basel*, datiert in Straßburg am 22. August 1547.
»S. D. Theodosii litteras quas mihi curasti perferendas et una tuas ipsius libenter accepi ac summa cum voluptate perlegi.« 22. Augusti 47 argentorati. Tuus Petrus Martyr.

1 Folioseite, Autograph (Martyrs Handschrift), Thomasarchiv Straßburg, N° 40 Carton 21, 1–2.
Der Brief enthält allerlei Nachrichten, über Theodosius Trebellius, die Aufhebung der christlichen Freiheit in Italien, die politische Lage in Neapel und England. Martyr beklagt die für die Religion betrübliche Zeit und spricht seine Trauer über den Tod eines Mädchens aus.

Brief an *Franciscus Dryander in Basel*, datiert vermutlich in Straßburg am 5. Oktober 1547.
»S. D. Cum ad te non scripserim quando Iulius una cum Petro isthuc se contulit, . . .« 5. octobris 1547. Tuus Petrus Martyr.

1 Folioseite, Autograph (Martyrs Handschrift), Thomasarchiv Straßburg, N° 40 Carton 21, 1–2.
Martyr teilt Dryander brieflich nach Straßburg gelangte Nachrichten über den Fortschritt der Religion in England und einen Sieg des englischen Königs (Eduards VI.) über die Schotten mit. Am Schluß schreibt er, von Augsburg (wo am 1. September der Reichstag eröffnet worden war) habe er keine Nachrichten, und beklagt die Verzögerung der Entscheidung über die Religion.

3. Darstellungen zum Leben und zur Theologie Martyrs

Josias *Simler*, Oratio de vita et obitu viri optimi, praestantissimi Theologi, D. Petri Martyris Vermilii, sacrarum literarum in Schola Tigurina professoris, Zürich, 1563. Mit einem Widmungsbrief an Johann Juell vom 29. Dezember 1562 (4. Calendas Ianuarii 1562).
Simlers Biographie wurde wieder abgedruckt in der Ausgabe des Genesiskommentars, Zürich, 1569, und den folgenden Auflagen. Vgl. oben S. 273 f. Sie wurde ebenfalls in den Loci communes, Bd. III, Basel, 1582, und den folgenden Auflagen veröffentlicht. Vgl. oben S. 272 f. Sie wurde auch gedruckt in: Daniel Gerdes, Scrinium antiquarium sive Miscellanea Groningana nova, ad historiam Reformationis ecclesiasticam praecipue spectantia, Bd. III, Teil 1, Groningae et Bremae, 1752, S. 1–60.
Simler hat die Rede, die er bald nach Martyrs Tod in der Zürcher Schule hielt, für den Druck überarbeitet und erweitert. Simler schreibt im Widmungsbrief an den englischen Bischof Johann Juell, er habe sich bemüht, Martyrs Lebens-

geschichte so genau wie möglich darzustellen. Er erzähle nichts, was er nicht selbst gesehen oder von glaubwürdigen Zeugen erfahren habe. Vor allem stütze er sich auf den Bericht von Julius Terentianus, der in Italien Martyrs Schüler und nach der Flucht bis zu seinem Tode sein ständiger Begleiter war. Außerdem habe er Martyrs Schriften und seinen Briefwechsel, den er geordnet und gesammelt habe, zu Rate gezogen.

Theodor *Beza*, Icones, id est verae imagines virorum doctrina simul et pietate illustrium, ... Genevae, M.D.LXXX. (1580).
Über Martyr S. P I v° – P III.
Französische Ausgabe: Les vraies pourtraits des hommes illustres en piète et doctrine, ... traduicts du latin de Theodore de Besze, a Geneve, M.D.LXXXI. (1581).

Memoires pour servir a l'Histoire des hommes illustres dans la republique des lettres; avec un catalogue raisonné de leurs ouvrages [von Jean Pierre *Niceron* u. a.] Tome XXIII., Paris, MDCCXXXIII. (1733), S. 216–242.

Friedrich Christoph *Schlosser*, Leben des Theodor de Beza und des Peter Martyr Vermili, Ein Beytrag zur Geschichte der Zeiten der Kirchen-Reformation, Mit einem Anhang bisher ungedruckter Briefe Calvins und Bezas und anderer Urkunden ihrer Zeit; aus den Schätzen der Herzogl. Bibliothek zu Gotha, Heidelberg, 1809.

C. *Schmidt*, Vie de Pierre Martyr Vermigli. Thèse présentée à la Faculté de théologie de Strasbourg, pour obtenir le grade de licencié en théologie, Strasbourg, 1835.
Deutsche Ausgabe: Peter Martyr Vermigli, Leben und ausgewählte Schriften, Nach handschriftlichen und gleichzeitigen Quellen, in: Leben und ausgewählte Schriften der Väter und Begründer der reformierten Kirche, VII. Theil: Peter Martyr Vermigli, Elberfeld, 1858.

M. *Young*, The life and times of Aonio Paleario or a history of the Italian reformers in the sixteenth century, Illustrated by original letters and unedited documents, Volume I., London, 1860.
Über Vermigli Kapitel X, S. 397–493.

Benrath, Artikel: Vermigli, Pietro Martire, in: Realencyklopädie für protestantische Theologie und Kirche, Begründet von J. J. Herzog, In dritter verbesserter und vermehrter Auflage unter Mitwirkung vieler Theologen und anderer Gelehrten herausgegeben von D. Albert Hauck, 20. Band, Leipzig, 1908, S. 550–552.

Benjamin F. *Paist*, Peter Martyr and the Colloquy of Poissy, in: The Princeton Theological Review, 20, 1922, S. 212–231; 418–447; 616–646.

W. *Hugelshofer*, Zum Portrait des Petrus Martyr Vermilius, in: Zwingliana, Band V, Zürich, 1930, S. 127–129 und 1 Tafel.

Frederic C. *Church*, The Italian Reformers, 1534–1564, New York, MCMXXXII. (1932).

Italienische Übersetzung: I riformatori italiani. Trad. di Delio Cantimori. Firenze, 1935.

Joachim *Staedtke*, Der Zürcher Prädestinationsstreit von 1560, in: Zwingliana, Band IX, Zürich, 1953, S. 536–546.

Joseph C. *McLelland*, The visible words of God, An Exposition of the Sacramental Theology of Peter Martyr Vermigli A.D. 1500–1562, Grand Rapids, Michigan, 1957.

Hubert *Jedin*, Artikel: Vermigli, Pietro Martire, in: Lexikon für Theologie und Kirche, 10. Band, Freiburg, 1965, S. 717–718.

Philip *McNair*, Peter Martyr in Italy, An anatomy of apostasy, Oxford, 1967.

Valdo *Vinay*, Besprechung von Philip McNair, Peter Martyr in Italy, in: Zeitschrift für Kirchengeschichte, 80. Band 1969, Vierte Folge XVIII, S. 278–281.

Namenregister

Auch die jeweiligen Ableitungen sind unter dem Grundwort verzeichnet.

Sachregister